전남지역 마한 제국의
사회 성격과 백제

전남지역 마한 제국의 사회 성격과 백제

2014년 9월 25일 초판 1쇄 인쇄
2014년 9월 30일 초판 1쇄 발행

지은이 임영진 · 이정호 · 김승옥 · 서현주 · 김기섭 · 문안식 · 胡繼根 · 張學鋒 · 宮崎泰史 · 井上直樹
펴낸이 권혁재

편집 조혜진
출력 엘렉스
인쇄 한영인쇄사

펴낸곳 학연문화사
등록 1988년 2월 26일 제2-501호
주소 서울시 금천구 가산동 371-28 우림라이온스밸리 B동 712호
전화 02-2026-0541~4
팩스 02-2026-0547
E-mail hak7891@chol.net

ISBN 978-89-5508-000-0 93910

전남지역 마한 제국의
사회 성격과 백제

임영진

이정호

김승옥

서현주

김기섭

문안식

胡繼根

張學鋒

宮崎泰史

井上直樹

학연문화사

책을 펴내며

백제학회에서는 2013년 12월 5일과 6일에 걸쳐 <전남지역 마한제국의 사회 성격과 백제>를 주제로 국제학술회의를 개최하였습니다. 이는 2012년 12월에 3~4세기를 중심으로 논의하였던 <전남지역 마한 소국과 백제>를 주제로 한 국제학술회의에 이어 5~6세기를 중심으로 논의해 보기 위한 것이었습니다.

2012년의 국제학술회의를 통해서는 전남지역의 마한 소국들이 각각 그 규모와 사회성격, 소멸시기, 백제와의 관계 등에 있어 동일하지 않았음을 알 수 있었습니다. 2013년에는 이를 감안하여 마한 小國들을 마한 諸國으로 칭하였으며 마한 제국의 사회 성격을 보다 구체적으로 검토하는 한편 백제와의 관계에 대해서도 깊이 있는 논의를 할 수 있었습니다.

마한은 진한, 변한과 함께 삼한을 구성하고 경기·충청·전라지역에서 성장해 나가다가 백제 건국 이후 경기지역 마한 제국부터 백제에 병합되어 나갔습니다. 가장 남쪽에 위치한 전남지역 마한 제국은 근초고왕에 의해 복속되었다고 하지만 전남지역에서는 기존의 견해를 뒷받침하여 주는 고고학 자료보다는 기존의 견해로는 설명하기 어려운 고고학 자료들이 계속해서 조사되고 있습니다.

백제학회에서는 전남지역에서 최근까지 조사된 고분, 취락, 출토유물 등 5~6세기를 중심으로 한 고고학 자료를 심층적으로 분석하는 한편 백제의 병합과 관련된 문헌자료에 대해서도 새로운 분석을 시도해 봄으로써 전남지역 마한 제국의 사회 성격과 백제와의 관계를 재조명해 보고자 하였습니다. 또한 지명학 분야, 민속학 분야 등 마한 제국 문제에 관심을 가진 국내외 여러 연구자들을 발표자, 지정토론자, 종합토론자로 모시고 전남지역 마한 제국의 사회 성격과 백제와의 관계에 대해 폭넓게 논의하는 기회를 가졌습니다.

　　이를 통해 5~6세기 전남지역 마한 제국들이 발전해 나갔던 다양한 면모들과 백제와의 관계에 대해 새로운 견해들이 제기되었으며 열띤 논의들이 이어짐으로써 기존 통설에서는 인식하지 못하였던 중요한 사실들을 인식할 수 있었습니다. 이와같은 새로운 연구 성과 가운데 일부는 그 내용이 보완되어 『백제학보』11호(2014년 3월)에 게재되기도 하였습니다.

　　그러나 일반인들이 구해보기 어려울 뿐만 아니라 아직 학술잡지에 논문으로 게재하지 않은 발표문들이 있고 학술회의에서 논의되었던 중요한 내용들이 잘 알려지지 못하고 있습니다.

그러므로 전문 연구자 뿐만 아니라 많은 일반인들도 참고하실 수 있도록 모든 발표 논문과 지정토론문, 종합토론 내용을 정리하여 이 책자를 펴내게 되었습니다.

　전남지역 마한 제국의 사회 성격과 백제와의 관계에 대해 새로운 견해를 발표해 주시고 열띤 토론을 벌여주신 국내외 발표자, 토론자, 사회자 여러분께 깊이 감사드립니다. 그리고 이와같은 논의가 이루어질 수 있도록 지원하여 주신 박준영 지사님과 양복완 기획실장님, 이승옥 문화관광국장님을 비롯한 전라남도 관계자 여러분께 깊이 감사드립니다. 또한 작년에 이어 올해도 기꺼이 출판을 맡아주신 학연문화사 권혁재 사장님과 편집진 여러분께도 깊은 감사를 드립니다.

2014년 9월
필자들을 대표하여 임영진 씀

목   차

전남지역 마한 제국의 사회 성격과 백제

임영진 전남대학교

Ⅰ. 머리말

전남지역은 경기 · 충청 · 전북지역과 함께 백제 건국 이전부터 마한 사회를 이루고 있었다. 3세기대의 마한 사회는 54개 國으로 구성되어 있었으며[1] 각각 小國으로 불리기도 하지만 그 규모에 있어 차이를 가지고 있기 때문에 小國으로 일괄하기 어렵다는 점에서 諸國으로 부르기도 하며[2] 진한 제국이나 변한 제국의 경우도 마찬가지이다[3].

전남지역 마한 제국의 사회 성격과 백제와의 관계 문제를 논하는데 있어서는 전남지역 마한 제국이 백제에 병합된 시기가 관건이 된다. 기존의 통설에 해당하는 근초고왕 24년(369)으로 보는 견해와[4] 6세기 중엽경으로 보는 견해[5] 사이에는 160여 년의 시기 차이가 있어서 어느 시기로 보느냐에 따라 마지막 단계의 사회 성격이 크게 달라질 수 있기 때문이다.

그러므로 전남지역 마한 제국의 사회 성격과 백제와의 관계에 대해서는 본격적인 논의에 앞서 전남지역 마한 제국이 백제에 병합된 시기 문제를 먼저 거론하지 않으면 안될 것이다. 통설에 해당하는 369년설을 지지하는 입장에서는 영산강유역을 중심으로 한 전남지역에서 오히려 그 이후부터 본격적으로 발전하였던 대규모 옹관묘 문제에 대해 백제의 간접지배 아래 이루어진 지역

---

1) 『후한서』 동이전, '馬韓在西有五十四國'
2) 천관우, 1979, 「마한 제국의 위치 시론」, 『동양학』 9.
3) 천관우, 1976, 「진 · 변한 제국의 위치 시론」, 『백산학보』 20 ; 박대재, 1997, 「진한 제국의 규모와 정치발전 단계」, 『한국사연구』 2.
4) 이병도, 1976, 「근초고왕척경고」, 『한국고대사연구』, 박영사.
5) 임영진, 1997, 「전남지역 석실봉토분의 백제계통론 재고」, 『호남고고학보』 6.

적 특징으로 보아왔다[6].

그러나 간접지배는 백제의 영토 내에서 이루어진 지배방식의 하나이기 때문에[7] 전남지역에서 독자적인 문화가 중단 없이 발전한 현상을 설명해 주기는 어렵다. 직접지배이든 간접지배이든 백제의 영역에 해당하는 지역이라면 그 지역의 문화 전통은 백제에 병합된 이후부터 단절적으로 변하기 시작하였을 것이며, 특히 무덤은 외형적인 규모에 있어 당대 백제 최고지배세력의 무덤을 능가할 수 없었을 것이다. 따라서 전남지역이 백제에 편입되었음을 잘 반영해 주는 고고학 자료를 면밀히 분석하여 그 시기를 정확하게 제시할 필요가 있다.

전남지역 마한 제국이 백제에 병합된 시기 문제에 있어 필자는 전남지역 마한 제국이 6세기 초까지 독자적인 세력을 형성하고 있다가 백제의 사비 천도 즈음에 병합되었다고 보는 기존의 견해를 유지하고 있다. 이 글에서는 기존 견해의 보완을 겸하여 이를 재론한 다음 전남지역 마한 제국의 사회 성격을 검토하는 한편 백제와의 관계에 대해 논해 보도록 하겠다.

---

6) 최몽룡, 1986, 「고고학적 측면에서 본 마한」, 『마한·백제문화』 9.
7) 노중국, 2011, 「문헌기록 속의 영산강유역」, 『백제학보』 6, 8쪽.

II. 전남지역 마한 제국의 백제 편입 시기 재론

1. 백제의 영역을 반영하는 전남지역 고고학 자료의 검토[8]

백제를 비롯한 고대국가의 영역이 구체적으로 기록된 문헌자료는 드물다. 그 이유는 당시 인구 밀도가 현재보다 매우 낮았고 비교적 인구가 밀집한 지역들도 서로 멀리 떨어져 있는 상황에서 고대국가의 영역이 갖는 의미는 근대국가의 경우와 크게 달랐을 뿐만 아니라 잦은 정복 전쟁으로 인하여 수시로 영역이 변해 나갔기 때문이다. 따라서 고대국가의 영역은 연속적인 線으로 규정되기 보다는 불연속적인 點이나 외곽 쪽이 희미해지는 面으로 표현되는 경향이 강할 수밖에 없다.

고대국가 영역에 대한 지배방식에 있어서는 직접지배와 간접지배 외에 세력권, 영향권, 공납지배 등이 거론되어 왔다. 그러나 세력권, 영향권, 공납지배 등은 한 국가의 영역 내에서 이루어진 지배방식을 말하는 것이 아니라 서로 다른 국가 사이의 힘의 역학 관계를 나타내는 것이므로 한 국가의 영역을 논하는데 있어서는 고려될 수 없는 용어들이다[9].

문헌기록을 통해 구체적으로 논의하기 어려운 고대국가의 영역 문제에 대해서는 고고학 자료를 통해 접근해 볼 필요가 있다. 특정 고대국가가 병합을 통해 확보한 새로운 영역의 범위를 고고학적으로 파악하기 위해서는 대상 지

---

8) 임영진, 2013, 「전남지역 마한과 백제」, 『백제, 마한을 품다』, 한성백제박물관.
9) 다양한 용어들의 차이에 대해서는 다음 글에 잘 정리되어 있다. 노중국, 2011, 「문헌기록 속의 영산강유역」, 『백제학보』 6.

역에서 조사된 고고학 자료들이 가지고 있는 병합 이전과 병합 이후의 차이를 엄정하게 구분해 내는 작업이 필요하다. 주거지나 토기류와 같은 자료도 있겠지만 일상생활과 직결되는 자료들이 변화하는 속도는 정치적 변화의 속도와는 상당한 차이를 가질 수 있기 때문에 병합 당시의 변화를 직접 반영하기 어려운 한계를 가지고 있다. 따라서 정치적인 변화를 보다 빠르게 반영해주는 자료를 중심으로 검토하는 것이 바람직할 것이며 시간적, 공간적, 내용적으로 지배-피지배 세력 사이의 관계를 상대적으로 잘 반영해 주는 것으로 인정되고 있는 성곽·분묘·위세품 등을 활용하는 것이 좋을 것이다.

그러나 고고학 자료를 토대로 문화적 독자성을 인정한다고 해서 정치적 독립성까지 인정하기는 어렵다고 보는 견해도 있다. 하지만 정치적 독립성을 상실하였다고 판단하기 위해서는 기존의 문화적 독자성이 위축됨과 동시에 새로이 정복 세력의 문화요소가 파급되는 현상이 확인되어야 할 것이다. 전자만을 문제로 삼고 후자에 대한 논의를 생략하는 것도 설득력 있는 반론이 되기 어려울 것이며, 문화적 독자성을 인정하면서도 정복 세력의 문화요소가 파급되는지의 여부에 대해서는 논해보지도 않고 정치적 독립성을 상실한 것으로 보는 것은 더욱 그러할 것이다.

369년에 백제에 병합되었다고 보는 기존의 통설에서는 6세기 초까지 전남지역에서 성행하였던 토착적인 무덤들이 백제 무덤과 다르면서 그 규모가 크다는 사실을 바탕으로 전남지역이 정치적 독자성을 가지고 있었다고 보는 것은 옳지 않다고 평가하는 경향이 강한 편이다. 당시 영산강유역에서는 369년 이전부터 성행하여 왔던 전통적인 가족장이 이어져 나갔기 때문에 무덤의 규모가 큰 것은 당연할 것으로 보는 것 같다.

그러나 전남지역에서는 6세기 초까지 30~50m에 달하는 거대한 무덤들이 성행한데 반해 그와 병행하는 시기의 공주 송산리고분군에서는 그보다 작은 무덤들이 있을 뿐이기 때문에 가족장이기 때문이라 하더라도 그와 같은 규모의 차이는 엄격한 고대사회의 계급질서 안에서 허용될 수 있는 것은 아니다. 더구나 여러 가지 다른 고고학 자료들이나 고고학적 현상들이 통설과는 다른 가능성을 제시해 주고 있기 때문에 무덤의 규모가 크다는 점만으로 정치적 독자성을 가지고 있다고 주장하는 것으로 이해하는 것은 잘못된 인식이다.

다양한 고고학 자료를 통해 인정되는 문화적 독자성은 정치적 독자성을 입증할 수 있는 필요충분조건이 되기는 어렵겠지만 필요조건을 충족시킬 수는 있다. 향후 보다 설득력을 가진 확실한 문헌기록이 나타나지 않는 한 특정 지역이 특정 시점에 문화적으로 상이한 특정 고대국가에 정치적으로, 영역적으로 편입된 역사적 사실을 판별해 내는 데 있어서는 성곽·분묘·위세품 등의 고고학 자료들이 유용한 대안이 될 수 있을 것이다.

1) 성곽

전남지역의 성곽 가운데 백제와 직결된 것은 순천 검단산성이나 광양 마로산성 등 전남 동부지역에 위치한 몇몇 성곽 뿐이고[10] 그나마 축조 시기는 6세기 초부터이다[11]. 그동안 옹관묘가 성행하였던 영산강유역에서도 옹관묘 축조 세력이나 백제와 직결되는 성곽을 확인하기 위한 노력들이 적지 않게 이루어졌지만 아직까지 그와 같은 성곽은 확인된 바 없다.

---

10) 성곽은 성과 곽의 합칭이므로 그에 합당하는 것이 아니라면 적절하지 않은 용어가 될 수도 있겠지만 여기서는 넓은 의미에서 모든 성을 포괄하는 용어로 사용하고자 한다.
11) 최인선, 2000, 「섬진강 서안지역의 백제산성」, 『섬진강 주변의 백제산성』(제23회 한국상고사학회 학술대회 발표요지).

나주 회진토성은 1975년에 백제 초기의 성곽으로 비정된 바 있고[12], 1984년에 측량조사가 이루어졌으며[13], 1993년에 시굴조사가 이루어진 바 있다[14]. 그러나 구조적인 점에서 백제에 해당할 가능성보다는 통일신라에 해당할 가능성이 더 높다는 견해가 발표되었고[15] 연차적인 발굴조사를 통해 성벽 자체는 통일신라때 축조되었음이 밝혀지게 되었다[16]. 나주 자미산성은 주변에 대단히 많은 대형 고분들이 밀집되어 있기 때문에 특히 주목되어 왔지만 시굴조사 결과 통일신라때 축조된 것으로 밝혀졌다[17]. 인근 신촌리 성내마을에서도 새로 확인된 토성이 시굴조사되었지만 통일신라말~고려초에 해당하는 것으로 밝혀졌다[18]. 최근에는 영암 성틀봉 토성이 시굴되어 체성부 판축토와 주변지역에서 5세기대의 옹관편이 출토되었지만 아직 정확한 축성 시기가 밝혀진 것은 아니다[19]. 따라서 영산강유역에서는 백제 병합 이전의 마한 사회 뿐만 아니라 백제에 병합된 이후에도 성곽이 축조되었을 가능성을 구체적으로 논의하기 어려운 실정이다.

백제의 성곽은 도성과 그 방어에 필요한 성곽 외에는 인접국의 접경지역을 비롯하여 전략적으로 중요한 지역에 분포하고 있다. 전남지역에서 섬진강 하구 쪽의 몇몇 성곽 외에 백제의 성곽을 찾아보기 어려운 것은 바다로 둘러싸인 전남 서남부지역에서는 더 이상 진출할 수 있는 대상지가 없을 뿐만 아니

---

12) 최몽룡, 1975, 『전남고고학지명표』, 97쪽.

13) 윤무병, 1984, 『목천토성』, 도면 22.

14) 임영진 · 조진선, 1995, 『회진토성 I 』, (재)백제문화개발연구원 · 전남대학교박물관.

15) 서정석, 1999, 「나주 회진토성에 대한 검토」, 『백제문화』28, 73쪽.

16) 국립나주문화재연구소, 2010, 『나주 회진성』, 78쪽.

17) 목포대박물관 · 나주시, 2000, 『자미산성』, 53쪽.

18) 전남대박물관 · 나주시, 2005, 『나주 신촌리 토성』, 52쪽.

19) 국립나주문화재연구소, 2012, 「영암 성틀봉토성 시굴조사」(학술자문회의자료).

라 견제해야 할 접경 국가도 없기 때문일 것이다. 섬진강 하구쪽은 가야권과 접해있을 뿐만 아니라 일본열도로 통하는 길목이기 때문에 중요한 접경지역이자 거점으로서 당연히 성곽이 있어야 하는 곳이다.

성곽 문제에 있어 주목되는 것은 전북지역에서 확인된 정읍 고사부리성과 전주 배매산성 등 백제 성곽의 축조 시기가 웅진시대 이전으로 올라갈 수 없다는 점이다[20]. 전남지역과 접경을 이룬다고 할 수 있는 정읍과 전주 지역에 백제 성곽이 축조되는 것은 이미 백제가 정읍에서 전주에 이르는 전북지역을 새로운 영역으로 확보하였기 때문이다. 이 지역에서 조사된 분구묘들이 영산강유역과 달리 수직적 확장을 통한 고총화가 이루어지지 못하였던 까닭은 바로 그와 같은 사정에 기인하는 것이다. 이 지역에 백제 성곽이 축조되기 시작하는 시기가 웅진시기라는 사실은 아직 그 이남 지역이 백제의 영역으로 편입되지 않았음을 말해 주는 동시에 그 시기부터 그 이남 지역에 대한 압박이 본격화하였음을 말해줄 것이다.

2) 분묘

전남지역에서는 청동기시대의 지석묘에 이어 금강유역의 마한권과 상통하는 분구묘들이 보급되어 나갔는데 전남지역의 분구묘는 초기에는 목관이 사용되다가 점차 옹관으로 대체되어 나갔다. 옹관묘는 3세기 전반에 영산강 지류인 고막천유역에서 시작되어 점차 영산강유역 전역으로 파급되어 나갔으며[21] 5세기대까지 백제 분묘에 못지않은 면모를 보여주고 있기 때문에 4세기 중

---

20) 백제학회, 2012,『전북지역 고대 성곽의 제문제』(제12회 정기발표회 자료집).
21) 오동선, 2009,「호남지역 옹관묘의 변천」,『호남고고학보』30.

엽 백제에 병합된 이후 간접지배 상황에서 이루어졌던 제한적인 발전에 불과한 것으로 평가되어 왔다. 또한 5세기 후엽부터 등장하는 석실묘를 백제의 석실묘로 간주하고 이 지역이 직접지배로 전환되면서 백제에서 파견된 관리에 의해 백제의 석실묘가 보급된 것으로 이해하여 왔다.

그러나 이를 뒷받침해 줄 수 있는 문헌자료가 충분하지 않을 뿐만 아니라 오히려 그에 반하는 고고학 자료들이 속속 드러나기 때문에 적지 않은 논란이 계속되어 왔다[22]. 필자는 전남지역에서 조사된 석실묘만 하더라도 백제식(웅진식, 사비식) 외에 영산강식과 남해안식으로 구분되며, 백제식(웅진식, 사비식)은 가장 늦은 6세기 중엽경부터 사용되기 시작하였기 때문에 백제의 병합은 그 시기로 보는 것이 합리적이라는 견해를 낸 바 있다[23].

백제에 병합된 시점부터는 여러 가지 규제가 따랐을 것이며 무덤의 규모는 가장 현시적인 권위의 상징물이 될 수 있을 것이므로 일차적인 규제 대상이 되었을 것으로 판단된다. 따라서 외형적으로는 더 이상 대규모 무덤을 축조할 수 없게 되었을 것이지만 나주 복암리 3호분과 같이 오래전부터 사용되어 왔던 기존의 가족 무덤을 계속해서 사용하였던 것이나 새로 보급되었던 백제식 석실묘인 함평 월계리 석계 6호분에 5인이 매장된 예 등은 백제의 외형적인 규제 속에서도 기존의 가족장을 유지해 나가는 내부적인 전통은 계속되었음을 말해줄 것이다.

전남지역 마한 사회에 대한 백제의 규제를 입증할 수 있는 보다 직접적인 자료로는 수묘를 들 수 있다. 5세기 말~6세기 초에 나주 반남 세력권이 약화되

---

22) 임영진, 1990, 「영산강유역 석실분의 수용과정」, 『전남문화재』 3, 57~69쪽.
23) 임영진, 1997, 「호남지역 석실분과 백제의 관계」, 『호남고고학의 제문제』(제21회 한국고고학 전국대회 발표요지), 56쪽.

면서 주변 마한 제국의 수장들에 의해 대규모 수묘들이 축조되었던 것으로 보이는데 무덤의 주인공과 관련된 다른 인물들은 매장되면서도 정작 그 주인공이 안장되지 못한 예가 있다. 대표적인 예로는 무안 고절리고분을 들 수 있는데 이 고분은 대규모 분구를 가지고 있음에도 불구하고 매장주체부가 확인되지 않았기 때문에 매장주체부가 후대에 파괴되었을 가능성이 거론되어 왔지만 후대에 파괴되었다면 분구의 규모를 감안할 때 어떤 식으로든지 매장주체부의 흔적이 남아야 할 것이라는 점에서 원래부터 매장주체부는 조성되지 않았던 것으로 보는 것이 합리적이다. 나주 횡산고분에서는 소규모 옹관과 석실이 확인된 바 있지만 가장 중요한 중심부가 비어있기 때문에 원래의 주인공이 안장되었다고 하기 어렵다. 무안 고절리고분과 나주 횡산고분의 주인공은 미리 자신들의 무덤을 만들어 두었지만 이 지역이 백제에 병합되어 강력한 규제가 시작됨에 따라 백제 왕실의 무덤을 능가하는 거대한 규모로 인해 그 무덤에는 묻힐 수가 없게 되었던 것으로 판단된다[24].

3) 위세품

백제 지역에서 조사된 위세품 가운데 가장 대표적인 것은 금동관과 중국 도자기일 것이다. 이 두가지 자료에 대한 일반적인 견해는 백제 왕실이 지방 통치를 원활하게 하기 위해 지역 수장들에게 하사하였다는 것이다.

전남지역 금동관은 나주 신촌리 9호분과 고흥 길두리 안동고분에서 출토되었으며 5세기 중후엽경으로 추정된다. 전남과 인접한 지역에서 출토된 금동관

---

24) 임영진, 2011, 「영산강유역권 분구묘의 특징과 몇가지 논쟁점」, 『분구묘의 신지평』, 전북대박물관.

으로는 익산 입점리고분과 큐슈 江田船山 고분 출토품을 들 수 있으며 시기적으로 상통한다. 만약 이 금동관들이 백제 왕실에서 지역 수장들에게 하사하였던 것이라면 당시 전남지역은 물론 큐슈지역까지 백제 영역에 포함되었다고 볼 수도 있을 것이다. 그러나 당시 큐슈지역이 백제의 영역에 해당하는 것이 아니라는 것에 대해서는 이론의 여지가 없기 때문에 그와 같은 추정은 성립하기 어렵다. 백제 영역에서 육지로 이어진 지역과 바다로 격리된 지역에 대해 동일한 논리를 적용하기는 어려울 것이므로 각각의 사정을 구분해 볼 필요가 있을 것이며, 다양한 고고학 자료들을 종합하여 보면 큐슈지역뿐만 아니라 전남지역 역시 동일한 관점에서 보기는 어렵다고 판단된다.

특정 지역이 인접 국가의 영역에 포함되었다면 그 지역에 대해서는 직접지배가 이루어지든 간접지배가 이루어지든 병합 국가의 통제력이 미치는 것은 당연할 것이며 그와 같은 상황에서 지역 수장들에게 하사하는 권위의 상징물은 도검이 일반적이다. 따라서 특정 지역 세력자에게 도검이 아닌 금동관이 제공되었다면 그 지역에 대해서는 이를 제공한 국가의 공권력이 직접적으로 미쳤다고 보기는 어려울 것이다. 백제에서 왜에 전해진 칠지도는 백제가 인식하고 있는 왜와의 관계를 상징적으로 말해줄 수 있을 것이며, 금동관이 전해진 전남지역과 백제의 관계를 규정한다면 백제의 세력권, 영향권 등으로 표현할 수 있을 것이다.

그러므로 금동관은 국가 권력이 정상적으로 작용하는 지배-피지배의 관계 속에서 제공된 것이라기 보다는 수준의 차이는 존재하겠지만 상대적으로 독자적인 관계 속에서 평화 공존과 협력 관계 유지를 위한 외교 행위의 일환으로 제공되었다고 보는 것이 합리적일 것이다[25]. 고흥 안동고분에서 출토된 금

---

25) 임영진, 2006, 「고흥 길두리 안동고분 출토 금동관의 의의」, 『충청학과 충청문화』 5-2, 충

동관은 피장자의 발치에서 금동신발과 함께 출토되었다는 점이 특이한데 백제에서 이 금동관과 금동신발을 그 주인공의 생전에 호의품으로 보낸 것이든 사후에 장송례품으로 보낸 것이든 금동관이 금동신발과 함께 피장자의 발치에서 출토된 것은 대단히 주목되는 고고학적 현상이다. 만약 그 주인공이 백제의 확고한 지배 아래 있었다면 왕실에서 하사한 금동관을 발치에 부장할 수는 없었을 것이다. 고흥 안동고분의 금동관과 금동신발은 그 주인공이 해로상의 중요 거점에 자리잡은 지정학적 이점을 활용하여 백제와 구분되는 세력을 이루고 있었기 때문에 백제에서 협력 관계의 유지 목적에서 제공된 호의품으로서 수용되기는 하였지만 그 주인공이 굳이 착장할 필요가 없었거나 다른 이유가 있었기 때문에 금동신발과 함께 발치에 부장되었던 것으로 보는 것이 합리적일 것이다.

중국 도자기는 지금까지 백제 200여 점, 신라 2점, 고구려 10여 점이 출토되어 삼국 사이에서도 대단히 큰 차이를 보여주고 있다. 중국 남조에 대한 삼국의 견사 횟수는 백제 37회, 고구려 20회, 신라 12회로서[26] 도자기의 차이 만큼 큰 차이를 보이지 않기 때문에 중국 도자기는 주변 국가의 견사에 대한 중국 황실의 답례품이라고 보기는 어려울 것이며 중국에 견사하였던 왕실이나 중국에 파견되었던 사신들이 선택적으로 수입하였을 가능성이 높다고 보아야 할 것이다.

백제 지역에서 출토된 200여 점의 중국 도자기 가운데 전남지역에서 출토된 것은 6세기 초 이후의 동부지역 백제 성곽 출토품 몇점을 제외하면 6세기 초~중엽경에 해당하는 해남 용두리 장고분과 함평 표산 장고분 출토품 2점 뿐

남역사문화원, 43쪽.
26) 신형식, 1984,『한국 고대사의 신연구』, 일조각.

이다. 중국 도자기의 백제 보급 배경에 대한 일반적인 견해에 따른다면 전남지역은 백제에 병합된 이후 6세기 초까지 백제 왕실에서 중국 도자기를 사여할 만큼 백제 왕실과 유기적인 관계를 가지고 있었던 세력이 아니었다고 볼 수 밖에 없을 것이다. 그러나 나주 신촌리 9호분과 고흥 안동고분에서 5세기 중후엽에 해당하는 백제 금동관과 금동신발이 출토되고 있기 때문에 그렇게 보기는 어렵다.

그러므로 중국 도자기의 백제 도입 배경에 대해서는 다른 관점에서 접근해 볼 필요가 있으며 두가지 가능성을 상정할 수 있다. 하나는 백제가 중국에 견사할 때 견사에 필요한 특산물을 제공하였던 지역 세력자들이 있었고, 백제 왕실에서는 그 댓가로 중국 견사시 왕실에서 구입한 도자기들을 지역 세력자에게 사여하였을 가능성이다. 다른 하나는 백제의 중국 견사시 지역 세력자들이 왕실의 견사에 필요한 특산물을 제공함은 물론 견사에도 참여하였고, 중국 현지에서는 백제 왕실의 공식적인 견사 활동과는 별도로 각기 자유로운 상업 활동을 통해 필요한 물품을 선택적으로 구입하였을 가능성이다. 이 두가지 가능성 가운데 어느 가능성이 더 높은 것인지를 단언하기는 어렵지만 필자는 후자일 가능성이 더 높은 것으로 생각하고 있다[27].

『진서』 마한조에 등장하는 3세기 후반 마한 제국의 西晉 견사 기록을 보면, 적게는 3국(277년), 많게는 11국(289년) 등 여러 소국들이 동참하였던 것으로 보이는데[28] 이와 같은 관행은 백제가 건국된 이후에도 중앙집권이 이루어지기 전까지는 지속되었을 것으로 추정되며, 동참한 지역 세력들에 의해 개별적으로 중국의 도자기들이 선택적으로 구입되었을 가능성이 높다. 백제 각 지역에

---

27) 임영진, 2012, 「중국 육조 자기의 백제 도입 배경」, 『한국고고학보』 83, 4~47쪽.
28) 김수태, 1998, 「3세기 중·후반 백제의 발전과 마한」, 『마한사 연구』, 충남대출판부, 211쪽.

서 출토된 200여 점의 중국 도자기들이 대부분 출토지별로 그 종류를 달리하고 있다는 사실은 개별적, 선택적 구매 가능성을 뒷받침해 줄 수 있을 것이다.

한편 백제권에서는 200여 점의 중국 도자기들이 출토되었지만 영산강유역을 중심으로 한 전남지역에서 도자기를 비롯한 중국의 문물들을 찾아보기 어려운 것은 백제의 중국 견사에 이 지역 세력이 관여되지 않았기 때문일 가능성이 높을 것이며 이는 결국 전남지역이 6세기 초까지 백제와는 다른 세력으로 남아 있었던 것임을 말해주고 있을 것이다.

2. 전남지역 마한 제국의 백제 편입 시기 재론

성곽 · 분묘 · 위세품 등의 고고학 자료를 통해 전남지역의 마지막 마한 제국이 백제 영역에 포함된 시기 문제를 검토해 본 결과, 369년으로 보는 통설 보다는 6세기 중엽경으로 보는 고고학적 견해가 보다 합리적일 것이라는 것이 드러났다. 문제는 이와 같은 고고학적 해석을 뒷받침해 줄 수 있는 직접적인 문헌자료가 존재하지 않는다는 점이지만 만약 그와 같은 문헌자료가 존재하였다면 369년으로 보는 기존의 통설은 나오지 못하였을 것이기 때문에 그와 같은 문헌자료가 없다고 해서 고고학적 논의를 중단할 수는 없을 것이다. 오히려 기존의 통설을 내게 하였던 문헌자료에 대한 해석이 정확한지를 검토해 볼 필요가 있을 것이며 다른 한편으로는 간접적이나마 이 문제를 반영하고 있다고 볼 수 있는 새로운 문헌자료를 찾아볼 필요가 있을 것이다.

기존의 통설을 내게 하였던 문헌자료 가운데 가장 중요한 것은 『일본서기』 신공기 49년조인데 그 해석 문제에 대해서는 전문 연구자들 사이에서도 적지 않은 이견들이 제기되어 왔다. 이에 대해서는 뒤에서 거론하기로 하겠고, 여기

〈표 1〉 고고학 자료로 본 15개 마지막 마한 제국 (임영진 2013 보충)

구분	권역	목관 · 옹관묘	석실묘	주거지
1	줄포만권(고창 · 정읍)	고창 성남 · 만동 · 송룡	고창 봉덕, 정읍 운학	고창 교운, 부안 장동
2	와탄천권(영광)	영광 군동 · 수동	영광 옥녀봉 · 월계	영광 군동 · 마전 · 운당
3	함평만권(무안 · 함평)	무안 맥포, 함평 중랑	무안 사창 · 태봉	무안 평림, 함평 소명
4	삼포강권(나주 · 영암)	나주 반남, 영암 시종	나주 흥덕, 영암 내동	영암 신연리
5	영암천권(영암)	영암 금계리 · 선황리	영암 남산리 · 조감	영암 선황리
6	영산강중류권(나주 · 함평)	나주 복암, 함평 월야	나주 복암, 함평 석계	나주 복암리
7	황룡강 · 극락강권(광주)	광주 평동 · 하남동	광주 각화 · 월계 · 명화	광주 동림 · 하남
8	영산강상류권(담양)	담양 태목리 · 서옥	담양 제월 · 고성리	담양 태목리 · 성산리
9	지석천권(나주 · 화순)	화순 연양리	화순 능주	나주 신평, 화순 운포
10	백포만권(해남)	해남 분토 · 신금	해남 조산 · 용두리	해남 신금 · 분토
11	도암만권(강진 · 장흥)	장흥 신풍 · 상방촌	강진 벌정, 장흥 충열	강진 양유동, 장흥 상방촌
12	득량만권(보성)	보성 구주	보성 수당	보성 조성리
13	고흥반도권(고흥)	고흥 석봉리	고흥 안동 · 야막 · 동촌	고흥 방사 · 신양 · 한동
14	순천만권(순천)	순천 운평리	순천 옥전동	순천 덕암동 · 운평리
15	광양만권(여수 · 광양)	광양 도월리	여수 여산	광양 도월리 · 칠성리

에서는 간접적이나마 이 문제를 반영하고 있다고 판단하고 있는 자료에 대해 언급해 보도록 하겠다. 마한 54소국과 백제 22담로, 37군의 상호 관계이다.

잘 알려져 있듯이 백제 지방조직은 『양직공도』에 반영된 520년대에 22담로로 구성되어 있다가 660년 이전에 37군으로 바뀌었지만 그 구체적인 시기와 배경에 대한 기록은 없다. 일반적으로는 369년에 전남지역이 통합되었다는 통설을 토대로 전남지역까지 포함되어 있었던 22담로가 520년대 이후에 37군으로 재편된 것이라고 보고 있다. 그러나 필자는 520년경의 백제 22담로는 충청권에 12개 내외, 전북권에 10개 내외로 나누어져 있다가 15개 내외의 전남지역 마지막 마한 제국들이 백제에 병합되어 기존 22담로에 더해짐으로써 37군

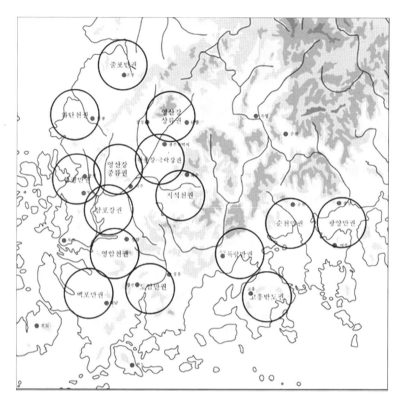

〈그림 1〉 고고학 자료로 본 15개 마지막 마한 제국의 위치 (임영진 2013 보충)

으로 확대 개편되었을 가능성이 높다고 보고 있다.[29] 아울러 54개 마한 제국들은 각각 백제로 병합된 이후에도 그 중심지는 크게 변하지 않았을 가능성이 높다고 보고, 475년 고구려에 빼앗겼던 지역에는 17개 정도의 소국들이 자리 잡고 있었던 것으로 판단하고 있다[30].

이와 같은 해석에 있어서는 백제 사비시대 지방행정 조직이 方-郡-城 체제

---

29) 임영진, 1997, 「호남지역 석실분과 백제의 관계」, 『호남고고학의 제문제』(제21회 한국고고학 전국대회 발표요지), 59쪽.
30) 임영진, 2010, 「묘제를 통해서 본 마한의 지역성과 변천 과정」, 『백제학보』3, 42쪽.

를 이루면서 37郡뿐만 아니라 5方 200城으로 재편되었다는 점이 문제로 제기될 수 있을 것이다. 이 가운데 200城은 方이나 郡에 속한 것이기 때문에 크게 문제가 되지는 않겠지만 5方의 존재는 37郡에 해당하지 않은 별도의 지역 중심지가 더 있음을 말해줄 수 있기 때문에 이에 대한 검토가 필요할 것이다.

이 문제에 있어서는 5方의 중심지가 方城이고 方城은 산험을 이용하여 축조되어 700~1,000여 명의 군대가 주둔하는 군사적 성격을 가지고 있다는 점이[31] 중요할 것이다. 이는 곧 5方이 마한 제국에서 이어지는 기존의 정치적, 행정적 중심지와는 구분되는 것으로서 필자가 상정하였던 마한 54국, 백제 웅진시대 22담로, 백제 사비시대 37군 사이의 관계를 이해하는데 큰 문제가 되는 것이 아님을 말하여 줄 것이다.

그러므로 백제의 동일한 영역에서 시기를 달리하여 존재하였다고 생각해 온 22담로와 37군의 관계는 동일한 영역에서 발생한 시기적인 차이가 아니라 서로 다른 시기에 해당하는 영역의 차이라고 규정할 수 있을 것이다. 이는 기존의 단위 행정구역이 분할되어 새로운 단위 행정구역이 신설된 것이 아님을 의미하는 것이다. 따라서 『일본서기』 신공기 49년조의 정복 내용을 369년에 이룩한 백제 근초고왕의 업적이자 전남지역 마한 사회의 병합과 관련되었다고 보는 기존의 견해는 그 시기 문제에 착오가 있거나 일부 내용의 해석에 착오가 있다고 볼 수 밖에 없을 것이다.

결론적으로 전남지역이 백제에 병합된 것은 369년 근초고왕에 의해 이루어졌을 가능성 보다는 6세기 중엽, 보다 구체적으로는 사비 천도 직전에 해당하는 530년 전후의 성왕대에 이루어졌을 가능성이 높다고 보는 것이 필자의 고고학적 판단이다.

---

31) 노중국, 1988, 『백제정치사연구』, 일조각, 260쪽.

Ⅲ. 전남지역 마한 제국의 사회 성격과 백제와의 관계

1. 기존의 연구 성과

1) 문헌사학계의 제견해

전남지역 마한 제국이 백제에 병합된 시기와 과정에 대한 기존의 통설은 『일본서기』 신공기 49년조 관련 기사를 백제 근초고왕이 전남지역 마한 잔읍을 공략한 것으로 파악한 것이다. 그러나 백제의 정복활동에 동참하였던 왜의 실체를 비롯하여 정복시기, 지배방식 등 중요한 문제에 있어 통설과는 다른 견해를 가진 연구자도 적지 않다[32].

백제의 정복활동에 동참한 왜의 실체 문제에 있어서는, 大和 정권으로 보는 견해가 일반적이지만, 북방계 기마민족의 일파[33], 近畿에 중심을 둔 각 지역 세력의 연합체[34], 북큐슈 지역의 백제계 왜구[35], 한반도 남부의 왜인[36], 친백제적 북큐슈 세력[37], 큐슈 일대의 해적 집단[38], 북큐슈 지역의 狗奴國[39], 북큐

---

32) 임영진, 2010, 「침미다례의 위치에 대한 고고학적 고찰」, 『백제문화』 43.
33) 江上波夫, 1968, 『騎馬民族國家』, 中央公論社.
34) 鈴木靖民, 1988, 「好太王碑の倭の記事と倭の實體」, 『好太王碑と集安の壁畵古墳』, 木耳社.
35) 김석형, 1966, 『초기조일관계연구』, 사회과학원출판사.
36) 井上秀雄, 1973, 『任那日本府と倭』, 東出版.
37) 천관우, 1979, 「광개토왕릉비문 재론」, 『전해종박사회갑기념사학논총』, 일조각.
38) 王健群(임동석역), 1985, 『광개토왕비 연구』, 역민사.
39) 水野祐, 1967, 『日本古代の國家形成』, 講談社.

슈 지역의 伊都國[40] 등 대단히 다양하다.

백제의 정복시기와 지배방식에 대해서는, 금강 이남지역은 근초고왕대 백제에 복속되었으나 영산강유역은 5세기 말 이전까지 극히 제한된 범위에서 거점 중심으로 백제의 지배를 받았다는 견해[41], 그 시기를 담로의 설치와 관련시켜 5세기 중엽경으로 보는 견해[42], 충남과 전북 일대의 마한 세력과 전북지역의 가야 세력에 대한 일시적인 군사 행동이 반영된 것일 뿐이며 백제가 전남지역에 적극적으로 진출하기 시작한 것은 475년 웅진으로 천도한 이후일 것으로 보는 견해[43], 마한 연맹장이었던 백제 근초고왕이 남아있는 마한 세력을 병합하였지만 영산강유역은 신라나 가야 7국의 경우와 마찬가지로 일회성 강습에 불과하여 통일된 지배망을 구축하기 어려웠을 것이라는 견해[44], 4세기 후반에 백제가 왜와의 안정적인 교역체계를 모색하기 위해 임나가야와 침미다례에 교역 거점을 설치한 사건이었다고 보는 견해[45], 문제의 기사는 픽션이거나 후대 백제측의 현실과 기대감이 표출된 것이라고 보는 견해[46], 백제가 4세기 후반 왜와 함께 가야 지역에 군사적 위협을 가하여 백제-가야-왜로 연결되는 국제 교역망을 결성하였던 사건이며 영산강유역은 6세기 초까지 연맹체를 유지해 나갔다고 보는 견해[47], 영산강유역의 옹관묘 사회는 백제 근초고왕

40) 이기동, 1990, 「백제의 발흥과 대왜국관계의 성립」, 『고대한일문화교류연구』, 한국정신문화연구원.
41) 이도학, 1991, 「백제 집권국가 형성과정 연구」, 한양대 박사학위논문.
42) 김기섭, 1995, 「근초고왕대 남해안진출설에 대한 재검토」, 『백제문화』 24.
43) 이영식, 1995, 「백제의 가야진출과정」, 『한국고대사논총』 7, 가락국사적개발연구원.
44) 이기동, 1996, 「백제사회의 지역공동체와 국가권력」, 『백제연구』 26.
45) 김태식, 1996, 「백제의 가야지역 관계사 : 교섭과 정복」, 『백제의 중앙과 지방』, 충남대 백제연구소.
46) 연민수, 1996, 「일본서기 신공기의 사료비판」, 『일본학』 15.
47) 강봉룡, 1997, 「5-6세기 영산강유역 옹관묘사회의 해체」, 『제18회 학술대회 자료집』, 한

대에 일시적으로 군사적 점령을 당하였을 뿐이며 행정적인 완전한 정복은 아니었다고 보는 견해[48], 근초고왕대부터 백제는 해안을 통한 교두보적 거점 확보 방식으로 영역을 확대해 나갔는데 영산강유역은 직접적인 지배영역에 포함시키지 못하다가 동성왕대에 이르러 지배영역화한 것으로 보는 견해[49], 『남제서』와 『양직공도』 등에 보이는 백제의 영토 관련 기사를 검토하여 근초고왕대에는 충남·전북 일대까지 병합하였던 것으로 보는 견해[50], 근초고왕대에 점령하였지만 영산강유역의 토착세력은 해체되지 않고 남아 있다가 동성왕과 무령왕의 공략 과정을 거쳐 성왕대에 이르러 백제 중앙에 편입되었다고 보는 견해[51], 백제가 영산강유역 토착 지배층의 지위를 보장해 주는 대신 수리관개시설의 축조와 정비에 필요한 역부를 제공받다가 6세기 중반경에 영역화한 것으로 보는 견해[52], 개로왕대에 안성천 이남에서 노령 이북까지 시행되었던 왕·후제가 동성왕대에 전남지역으로 확대되었다는 견해[53], 근초고왕대에 전북 일원은 영역화하였지만 다른 지역은 백제-가야-왜로 이어지는 교역 거점을 확보하고 경제적 이익을 취하는 것이 목적이었다고 보는 견해[54], 신공기 기사는 흠명기 기사보다 나중에 쓰여졌기 때문에 흠명기 성왕의 언급에 무게를 두어야 한다는 견해[55], 근초고왕대 정복하였지만 고구려와의 전쟁에 대비한 배

국상고사학회.
48) 김주성, 1997, 「영산강유역 대형옹관묘 사회의 성장에 대한 시론」, 『백제연구』 27.
49) 김영심, 1997, 「백제 지방통치체제 연구」, 서울대 박사학위논문.
50) 이근우, 1997, 「웅진시대 백제의 남방경역에 대하여」, 『백제연구』 27.
51) 박현숙, 1997, 「백제 지방통치체제 연구」, 고려대 박사학위논문.
52) 전덕재, 2000, 「삼국시기 영산강유역의 농경과 사회변동」, 『지방사와 지방문화』 3-1.
53) 문안식, 2007, 「고흥 길두리고분 출토 금동관과 백제의 왕·후제」, 『한국상고사학보』 55.
54) 정재윤, 2008, 「백제의 섬진강유역 진출에 대한 고찰」, 『백제와 섬진강』, 전북문화재연구원.
55) 백승옥, 2012, 「4~6세기 백제와 가야제국 『일본서기』 관련기사 검토를 중심으로」, 『백제학보』 7.

후기지로서의 성격이었기 때문에 직접적인 영역 지배 대신 조공 관계의 간접 지배를 하였던 것으로 보는 견해[56], 근초고왕에 의해 공략되었다고 보되 해남과 강진 등지의 대외교섭 거점 포구는 직접 관할하고 나머지 대부분은 공납지배를 실시하다가 5세기 이후 고구려의 남하정책에 밀리면서 점차 약화되었고 동부지역은 가야의 영향력 하에 놓이게 되었다가 동성왕대에 장악하여 왕후제를 시행하였으며 백제 중앙의 문화양식과 다른 독자적인 문화전통이 유지되었던 마한의 실체가 6세기 초반까지 이어졌던 것으로 보는 견해[57] 등이 있다.

이처럼 전남지역 마한 제국과 백제의 관계 문제에 있어 문헌사학계에서 논의되고 있는 내용은 대단히 다양하다는 것을 알 수 있다. 즉 기존의 통설에서는 신공기 49년조에 나오는 침미다례 병합의 주체를 왜가 아닌 백제로 보며 그 시기를 신공왕후 49년(249)이 아닌 근초고왕 24년(369)으로 보고 있지만 병합의 주체와 시기 문제 외에도 기록 내용의 사실성 여부, 구체적인 복속 지역, 정복의 이유, 정복 이후의 관계, 정복 이전의 백제 영역, 정복 이전의 백제와 마한의 관계, 백제와 왜의 공동 군사행동의 목적, 정복에 동참한 왜의 실체 등 대단히 다양한 문제들에 대해 수많은 견해들이 제기되고 있기 때문에 기존의 통설이 정확한 역사적 사실을 반영하고 있다고 단언하기는 어려울 것이다.

2) 고고학계의 제견해

전남지역 마한 사회와 백제의 관계에 대해 1990년대까지 고고학계에서 제

---

56) 양기석, 2013, 「전남지역 마한 사회와 백제」, 『백제학보』 9.
57) 문안식, 2013, 「백제의 전남지역 마한 제국의 편입 과정」, 『2013년 백제학회국제학술회의 자료집』.

기되었던 견해는 그다지 다양하지 못한 편이다. 대부분의 경우 문헌사학계의 통설을 수용하면서 고고학 자료에 대해 부수적인 해석을 가하는 정도였을 뿐이다. 오래 전의 견해이지만 4세기 중엽 근초고왕의 병합 이후에는 백제의 규제로 인해 토착 문화가 발전하기 어려웠을 것이라는 전제 아래 영산강유역 옹관묘의 소멸 시점을 4세기 중엽경으로 본 것은 대표적인 견해일 것이다.

1990년대에 들어오면서 통설과는 다른 새로운 견해들이 제기되기 시작하였다. 영산강유역 초기 석실묘의 피장자를 백제에서 내려온 관리가 아니라 옹관묘를 썼던 토착세력자일 것이라고 본 견해[58], 영산강유역의 석실묘는 백제와의 교류 속에서 외곽지역부터 수용되었다고 본 견해[59], 백제가 전남지역을 병합한 시기는 백제식 석실묘가 파급되는 6세기 중엽경이라는 견해[60], 5세기대 영산강유역의 정치적 상황은 고고자료로 보나 문헌자료로 보나 백제 중앙의 통제하에 있었다고 보기 어렵다는 견해[61] 등이 그것이다.

2000년대에는 보다 다양한 견해들이 발표되었다. 전북 서해안의 마한 취락들은 4세기 중후반을 넘지 않지만 전남지역에서는 6세기까지 지속된다는 점에서 백제의 마한 잔여세력 병합시기에 대한 기존 통설을 재고해야 한다는 견해[62], 영산강유역의 마한 세력은 6세기 중엽경 백제와의 무리한 전쟁보다는 평화적인 방법을 택하여 자신들의 기득권을 유지하고자 하였으며 나주 복암리 3호분의 5호·16호 석실에서 출토된 백제관식은 그와 같은 사정을 잘 반영

58) 임영진, 1990, 「영산강유역 석실분의 수용과정」, 『전남문화재』 3.
59) 조근우, 1996, 「전남지방의 석실분 연구」, 『한국상고사학보』 21.
60) 임영진, 1997, 「호남지역 석실분과 백제의 관계」, 『호남고고학의 제문제』, 한국고고학회.
61) 권오영, 1999, 「고대의 나주」, 『복암리고분군』, 전남대학교박물관.
62) 김승옥, 2000, 「호남지역 마한주거지의 편년」, 『호남고고학보』 11.

하고 있다는 견해[63], 5세기 중엽 경에 영산강유역 양식의 토기문화가 완성되는 것은 나주 반남을 중심으로 정치적 통합을 달성하였기 때문이라고 보는 견해[64], 영산강유역은 4세기부터 금관가야를 정점으로 하는 낙동강하류역과 긴밀한 정치 연합을 형성하였던 것으로 보는 견해[65], 영산강식 석실묘를 北部九州型系와 肥後型系로 구분해 보는 견해[66], 분구묘를 통해 영산강유역권 마한 제국과 백제의 관계 변화를 검토한 견해[67], 영산강유역 옹관묘 사회의 구조 변화에 대한 견해[68], 전남지역에서 출토된 금동관과 금동신발은 백제에서 하사한 것이 아니라 상호 평화 공존을 위해 제공된 것이라는 견해[69], 5세기 말~6세기 초 영산강유역의 고분에서도 백제양식 토기가 출토되기 시작하지만 토착적인 영산강양식 토기가 6세기 초까지 지속된다는 점에서 영산강유역의 백제 편입은 6세기 중엽경에 이루어진 것으로 보아야 한다는 견해[70], 영산강유역권 北九州式 석실의 주인공들은 5세기 4/4분기에 磐井의 침략을 피해 망명한 北九州 지역의 세력자로 추정되고, 肥後式 석실의 주인공들은 6세기 2/4분기에 大和 정권의 지배를 피해 망명한 有明海 지역의 세력자로 추정된다는 견

---

63) 임영진, 2000, 「영산강유역 석실봉토분의 성격」, 『지방사와 지방문화』 3-1.
64) 박순발, 2000, 「백제의 남천과 영산강유역 정체체의 재편」, 『한국의 전방후원분』, 충남대출판부.
65) 신경철, 2000, 「고대의 낙동강, 영산강, 그리고 왜」, 『한국의 전방후원분』, 충남대출판부.
66) 柳澤一男, 2001, 「全南地域の榮山江型橫穴式石室の系譜と前方後圓墳」, 『朝鮮學報』 179, 朝鮮學會.
67) 임영진, 2002, 「영산강유역권의 분구묘와 그 전개」, 『호남고고학보』 16.
68) 이영철, 2004, 「옹관고분사회 지역정치체의 구조와 변화」, 『호남고고학보』 20.
69) 임영진, 2006, 「고흥 길두리 안동고분 출토 금동관의 의의」, 『충청학과 충청문화』 5-2, 충남역사문화원.
70) 서현주, 2006, 『영산강유역 고분 토기 연구』, 학연문화사.

해[71], 영산강유역은 5세기 전반까지 백제를 매개로 왜와 교통하게 되었으며, 5세기 중~후엽에는 반남 집단과 같은 정치체가 백제와 동맹 관계를 맺었다고 보는 견해[72] 등이 그것이다.

2010년에는 문헌사학계에서 논란이 많았던 침미다례의 위치에 대해 고고학적 관점에서 전남 남해안의 고흥반도로 보는 견해가 발표되었다[73]. 이어 2011년에는 5세기 말 큐슈 북부지역이 磐井에게 병합될 때에는 北九州式 석실의 주인공들이 한반도와 일본열도 다른 지역으로 망명하였던데 반해, 6세기 중엽 磐井 세력이 大和 정권에 병합될 때에는 肥後式 석실의 주인공들은 이미 大和 정권이 장악해 버린 일본열도에서는 망명처를 찾아내기 어려웠기 때문에 大和 정권과는 무관한 영산강유역권을 비롯한 한반도 남해안지역으로 망명할 수 밖에 없었다고 보는 견해[74], 영산강유역권에서는 5세기 말~6세기 초에 마한 제국의 유력자들에 의해 대규모 수묘들이 축조되었는데 백제에 병합된 이후 강력한 규제로 인해 자신들의 수묘에 묻힐 수 없게 되었다고 보는 견해[75], 전남지역과 접경을 이룬다고 할 수 있는 정읍과 전주 지역에는 웅진시대에 백제 성곽이 축조되는데 이는 백제가 그 남쪽 지역을 견제하고 병합하기 위한 것이었다고 보는 견해[76] 등이 발표되었다.

2013년에는 전남 서남해지역과 나주 · 영암 등지에 왜계 수혈 석곽묘와 석실묘가 5세기대 돌연 등장하는 것으로 보고, 4세기 후반 백제 근초고왕의 침

71) 임영진, 2007, 「장고분(전방후원형고분)」 『백제의 건축과 토목』, 충남역사문화연구원.
72) 김낙중, 2009, 『영산강유역 고분 연구』, 학연문화사.
73) 임영진, 2010, 「침미다례의 위치에 대한 고고학적 고찰」 『백제문화』 43.
74) 임영진, 2011, 「나주 복암리 일대의 6~7세기 경관」 『6~7세기 영산강유역과 백제』, 국립나주문화재연구소 · 동신대학교문화박물관.
75) 임영진, 2011, 「영산강유역권의 분구묘」 『분구묘의 신지평』, 전북대박물관.
76) 임영진, 2013, 「전남지역 마한과 백제」 『백제, 마한을 품다』, 한성백제박물관.

미다례 도륙과 관련되어 전투시 충원된 왜군을 상주시켰던 고고학적 증거라고 보는 견해와[77] 함께 그 주인공을 왜와 백제 사이의 교역에 종사하였던 왜인으로 보는 견해도 나왔다[78]. 5세기 이후 황룡강·극락강권은 초대형 취락이 밀집하고 수공업시설의 밀집도도 높은 특징을 보이는데 이는 동성왕이 광주에 군사를 이끌고 갔던 역사적 사실과 관련된 것으로 보는 견해도 나왔다[79]. 또한 2013년에는 고고학적으로 침미다례의 위치를 시대에 따라 다르게 보는 견해도 나왔다. 신공기 기사를 369년으로 본다면 나주지역이거나 해남지역으로, 5세기 중엽경이고 침미다례를 하나로 본다면 해남지역, 침미와 다례로 분리해 본다면 해남과 고흥지역으로, 5세기 후반으로 본다면 광주지역으로 추정하는 견해이다[80]. 백제의 침미다례 정복과 연계되어 있는 비리벽중포미지반고사읍의 위치에 대해서는 고총고분이 등장한 고창 이남 지역은 백제의 영향력이 직접 미치고 있었다고 보기 어려우므로 그 이북일 것으로 추정하되, 백제의 직접지배가 근초고왕대에 이루어졌을 경우는 고창 갈곡천유역(흥덕), 곰소만-고부천상류 사이의 저평구릉지대(줄포, 보안), 정읍천 상류지역 등을, 5세기 후반 이후에 직접적인 지배가 완성되었다고 보면 김제·부안·고부·정읍·고창 흥덕 등이 해당할 것으로 보는 견해도 나왔다[81].

2014년에는 한국의 장고분들이 영산강유역권에 국한되고 경남 남해안을 비롯한 낙동강유역권에는 나타나지 않은 이유를 정치적 망명 때문이라고 보되,

---

77) 이정호, 2013, 「고분으로 본 전남지역 마한 제국의 사회 성격」, 『2013년 백제학회국제학술회의 자료집』.
78) 김낙중, 2013, 「5~6세기 남해안지역 왜계고분의 특성과 의미」, 『호남고고학보』 45.
79) 김승옥, 2013, 「취락으로 본 전남지역 마한 사회의 구조와 성격」, 『2013년 백제학회국제학술회의 자료집』.
80) 최성락, 2013, 「고고학에서 본 침미다례의 위치」, 『백제학보』 9.
81) 김낙중, 2013, 「고고학 자료로 본 비리벽중포미지반고사읍의 위치」, 『백제학보』 9.

망명이라는 것은 하고자 하는 자의 희망과 요청만으로 이루어지는 것이 아니라 망명을 요청받은 세력의 승인이 있어야만 성사된다는 점을 감안할 필요가 있다는 견해가 발표되었다[82]. 즉 일본열도의 통합 과정에서 적지 않은 세력자들이 한반도로 망명하고자 하였을 때 정치적으로 안정되지 못한 가야 제국이나 그 지배권을 둘러싼 분쟁에 개입하고 있었던 신라보다는 상대적으로 안정된 지역을 선호하였을 가능성이 더 높았을 것이라는 점과, 장고분을 축조할 정도의 세력가로부터 망명을 요청 받은 입장에서는 大和정권과의 갈등을 감수하지 않을 수 없었을 것이므로 가야나 신라에 비해 大和정권과의 관련성이 낮았던 영산강유역권의 마한세력이 이들을 수용하기에 용이하였던 것으로 본 것이다.

이처럼 전남지역 마한 제국과 백제의 관계 문제에 있어 고고학계에서 논의되고 있는 내용 역시 간단하지 않으며 백제에 병합된 시기를 369년으로 보는 견해와 530년경으로 보는 견해로 대별되어 있지만 점차 후자가 설득력을 높여가고 있음을 알 수 있다.

2. 고고학적으로 본 전남지역 마한 제국의 사회 성격

전남지역 마한 제국의 사회 성격을 고고학적으로 살펴보는데 있어서는 묘제를 비롯하여 취락, 출토유물 등을 종합적으로 검토하여야 할 것이지만 그 가운데서도 분구묘라고 하는 독특한 묘제가 현 시점에서는 가장 유용한 자료

---

82) 임영진, 2014, 「영산강유역 왜계고분의 피장자와 '임나일본부'」, 『안라국과 '임나일본부'』 (학술회의자료집), 부산대학교 한국민족문화연구소.

라고 생각된다. 필자는 분구묘의 시기별 변화상과 구조적 특징을 감안하여 전남지역 마한 제국의 사회 성격을 파악해 본 바 있다.

전남지역 분구묘의 시기별 변화 내용에 있어 필자는 方形木棺墳丘墓 - 梯形木槨墳丘墓 - (長)方臺形甕棺墳丘墓 - 圓形石室墳丘墓로 대별하고, 그와 같은 변화의 배경에 있어 4세기 초까지는 저분구묘 사회가 마한 제국들을 형성하고 있다가 백제의 아산만권 병합에 자극을 받아 4세기 중엽경에 소권역별 통합이 이루어졌으며, 백제의 금강 하류권 병합에 따라 반남지역을 중심으로 이에 대응한 통합이 이루어지면서 5세기 말까지는 다핵 계층 사회를 형성하였다가 5세기 말~6세기 초에 점차 이완되면서 백제에 편입된 것으로 본 바 있다[83].

이와 같은 변화에 있어 또 하나의 중요한 문제는 전남지역 마한 제국이 6세기 초까지 지속되면서도 고대국가로의 발전이 이루어지지 못하였다는 점일 것이다. 이 문제에 있어서는 고대국가로의 발전이 이루어지지 못하였던 이유, 즉 성장의 한계가 무엇인지를 찾아보는 것이 중요할 것이며 이 지역의 대표적 묘제인 분구묘에 숨어 있다고 생각된다.

전남지역 분구묘가 가진 특징으로는 주구, 추가장에 의한 다장, 전용 옹관, 수직적·수평적 분구 확장, 수묘, 장고분의 공존 등을 들 수 있는데 이 가운데 가장 주목되는 것은 추가장에 의한 다장이라고 할 수 있다. 다장은 가족을 중심으로 한 혈연공동체적인 유대 속에서 성행하였던 것으로 보이는데 나주 복암리 3호분 옹관 출토 2인의 인골이 모계가 동일한 친족으로 밝혀진 것은[84] 이를 입증하는 자료가 될 수 있을 것이다. 다장의 분구묘가 성행하였던 지역은 농경이 발전하였던 지역이다. 분구묘 사회는 노동집약적인 농경의 특성상

---

83) 임영진, 2002, 「영산강유역권의 분구묘와 그 전개」, 『호남고고학보』 16, 92쪽 <표 3> 참조.
84) 국립문화재연구소·전남대학교박물관, 2001, 『나주 복암리 3호분』.

혈연공동체의 성격이 강했을 것이며, 이는 고대국가로의 발전을 막는 요인 가운데 하나가 되었을 것으로 생각된다[85].

옹관의 성용 역시 비슷한 맥락에서 살펴볼 수 있다. 필자는 3세기대 목관 위주로 추가장이 이루어지는 과정에서 기존의 목관이 부식되는 상황을 목격하게 됨에 따라 시신이 훼손되지 않는 새로운 방안으로 대형 일상용기를 옹관으로 쓰기 시작하였을 것이라는 견해를 낸 바 있다[86]. 소아용 옹관은 삼한 지역에서 널리 사용되었던 것이지만 영산강유역을 중심으로 성인용 대형 옹관으로 발전하여 성행하였던 사회적, 문화적 배경에 대해서는 다음과 같은 2가지를 들 수 있을 것 같다. 첫째, 영산강유역의 분구묘 사회는 혈연 중심의 농업공동체 사회였기 때문에 성인용 옹관이 공동체 사회의 동질성을 기반으로 빠르게 확산되었을 것이라는 점이다. 둘째, 영산강유역의 분구묘 사회는 한반도 서남쪽 끝 부분에 해당하는 지정학적 위치로 말미암아 새로 시작된 문화 요소에 대한 지속성이 다른 지역에 비해 상대적으로 강했을 것이라는 점이다.

분구묘가 성행하였던 전남지역에서는 다른 지역에 비해 철기가 발전하지 못하였다는 점도 간과하기 어려운 현상이다. 마한 지역의 농경은 부드러운 흙으로 이루어진 낮은 구릉을 중심으로 이루어졌기 때문에 철기 대신 목기로도 충분한 경작이 가능하였다. 목제 도구는 재료를 구하거나 제작함에 있어 특별한 기술상, 조직상의 제약이 없으므로 조직적인 세력의 역할이 필요하지 않았을 것이다. 따라서 이와 같은 환경에서는 철기 제작 뿐만 아니라 교역을 비롯한 경제 활동의 범위도 일정한 규모 이상으로 확대될 필요가 없었을 것이며

---

85) 임영진, 2011, 「3~5세기 영산강유역권 토착세력의 성장 배경과 한계」, 『백제학보』 6, 43쪽.
86) 임영진, 1996, 「전남 고대묘제의 변천」, 『전남의 고대묘제』, 목포대박물관 · 전라남도, 783쪽.

이를 장악하는 세력 역시 크게 성장하기는 어려웠던 것으로 보인다[87].

전남지역 마한 제국은 이와 같은 한계 속에서 비혈연적인 계층화, 위계화가 이루어지지 못하였던 것으로 보이며 문화인류학적 사회발전단계로 표현한다면[88] chiefdom 사회에 해당하는 것으로 볼 수 있을 것이다. 역사적으로도 마한 제국은 진한 제국이나 변한 제국과 마찬가지로 고대국가 이전 단계에 해당하는 것으로 인식되는 점에서 문화인류학적인 평가와 상통한다고 할 수 있을 것이다. 그러나 그 가운데는 중국과의 교역을 주도하였던 國들도 섞여 있는 등 모든 國들이 동일한 사회 성격을 가지는 것은 아니었다. 권역별 핵심국들은 실질적으로 주변 제국들을 이끌어 나갔던 맹주국이 되었다고 할 수 있으며 한강유역권의 伯濟國, 아산만권의 目支國, 전남지역의 新彌國 등이 대표적일 것이다. 따라서 이들은 chiefdom 사회 가운데에서 권역별로 비교적 큰 영향력을 행사할 수 있었던 great chiefdom 사회로 구분해 볼수 있을 것이다. 그러나 이들 가운데에는 한강유역권의 伯濟國 처럼 고대국가로 발전하였던 國도 있지만 대부분의 國들은 고대국가로 발전하지 못하고 백제에 병합되고 말았다.

이와 같이 마한 제국의 발전 방향과 속도는 서로 달랐다고 할 수 있겠는데 그 이유에는 여러가지가 있겠지만 가장 중요한 이유 가운데 하나는 지정학적 위치에 따른 선진 지역과의 관계일 것이라고 생각된다. 伯濟國은 중국이나 한 군현에서 가까운 위치에 있었기 때문에 정치적, 군사적인 압박 속에서도 선진 문물의 도입이 용이하였을 뿐만 아니라 온조로 대표되는 고구려계 이주민 세

---

87) 임영진, 2011, 「3~5세기 영산강유역권 토착세력의 성장 배경과 한계」, 『백제학보』 6.

88) Jonathan Haas, 1984, 『The Evolution of the Prehistoric State』, University of Columbia Press; Elman R. Service, 1971, 『Primitive Social Organization』(second edition), Random House, New York; Jared Diamond(김진준역), 1998, 『총, 균, 쇠』, 문화사상사.

력과 연계할 수 있었기 때문에 가장 먼저 고대국가로 발전할 수 있었다고 생각된다. 이미 고구려의 발전된 국가 제도를 경험하고 있었던 온조 세력 역시 한강유역권의 마한 맹주국이었던 伯濟國과 연계되지 않았다면 고대국가 백제를 건국하기 어려웠을 것이다[89].

〈표 2〉 분구묘 변천을 통해 본 영산강유역권의 사회 변화[90]

區分	紀元前後-2c末	2c末-4c中葉	4c中葉-5c末	5c末-6c初
方形木棺墳丘墓	═══════════ - - - -			
梯形木槨墳丘墓		- - ══════════ - -		
方臺形甕棺墳丘墓		══════════════════════ -		
圓形石室墳丘墓 長鼓形石室墳丘墓				- - ══════
墳丘 規模	低墳丘(低墳丘墓)	中墳丘(墳丘古墳)	高墳丘(墳丘高塚)	高墳丘(墳丘高塚)
墳丘 形態	方形	梯形	(長)方臺形	圓(臺)形
中心埋葬主體	木棺	木槨	專用甕棺	石室
埋葬 方式	單葬-多葬	多葬(水平的)	多葬(垂直的)	合葬
祭祀(周溝內廢棄)	未詳	小規模	盛行	弱化
分布 特徵	多地域 散在	多核 中心圈	多核 階層化	多核 階層化 弛緩
社會 統合度	(小國)分立	圈域別 統合 (圈域別 中心)	流域圈 統合 (大中心地)	統合 弛緩 (圈域別 副中心)
變化 背景	(錦江流域圈 墳丘墓 波及)	百濟의 建國과 牙山灣圈 倂合에 따른 圈域別 結集	百濟의 錦江下流圈 倂合에 따른 榮山江 流域圈의 統合 對應	百濟의 熊津 遷都에 對 應한 日本 九州와의 連 繫 이후 百濟의 泗沘 遷都에 連繫된 倂合

---

89) 임영진, 2003,「적석총으로 본 백제건국세력의 남하과정」,『선사와 고대』, 94쪽.
90) 필자의 2002년 글(「영산강유역권의 분구묘와 그 전개」,『호남고고학보』16)에 수록된 <표 3> 가운데 '5세기 말~6세기 초'의 '변화배경'을 보완한 것이다. 보완된 내용은 기존의 '百濟의 熊津 遷都에 對應한 日本 九州와의 連繫'에 '百濟의 泗沘 遷都에 連繫된 倂合'을 추가한 것이다. 이 추가 부분은 필자의 글(「영산강유역 마한사회의 해체」,『마한』, 2009, 국립전주박물관)에서 '영산강유역 마한 세력의 해체'에 중점을 두고 언급한 것으로서 편집 담당자에게 이메일을 통해 이 사실을 밝히도록 요청한 바 있지만 반영되지 못하였다. 이 글에서는 2002년과 2009년의 두 내용을 합하여 수록하였다.

新彌國은 주변 20여 국과 함께 중국에 견사하였던 세력인 만큼 영산강유역권을 주도해 나갔던 세력으로서 『일본서기』에 남만으로 묘사된 침미다례와는 구분되는 세력으로 보는 것이 합리적이 아닐까 생각된다. 만약 침미다례를 영산강유역권으로 본다면 '屠戮' 되었다는 표현을 설명하기 어려울 것이기 때문이다. '도륙'은 초토화에 해당하며 이는 침미다례가 더 이상 회생이 불가능할 정도로 큰 타격을 받았을 뿐만 아니라 백제로부터 아무런 우대를 받을 수 없었음을 의미하는 것으로서 고흥반도에서 백제식 석실을 찾아보기 어려운 사실과[91] 무관하지 않을 것이다. 반면 영산강유역은 7세기대까지 단절없이 성장하였을 뿐만 아니라 토착적인 복암리 3호분에서 백제 은화관식이 출토된 바와 같이 현지 세력이 백제의 고위 관리가 되었음을 알 수 있기 때문에 도륙되었다는 침미다례가 영산강유역이 되기는 어렵다고 생각된다. 침미다례는 5세기 말~6세기 초까지 영산강유역과 대비되는 남해안의 중심 세력을 이루고 백제와 왜를 연결하는 연안항로상의 중요 기항지로 발전하다가 도륙을 당하였다고 보는 것이 순리적인 해석일 것이다. 따라서 20여 국을 인솔하여 중국에 견사하였던 新彌國은 침미다례와 구분되는 영산강유역의 주도 세력으로 보는 것이 타당할 것으로 생각된다.

新彌國과 침미다례의 관계에 대해서는 일반적으로 음상사를 근거로 양자를 동일시하는 경향이 있다. 그러나 이는 추정일 뿐이며 아직 검증된 바 없을 뿐만 아니라 다른 해석이 가능하기 때문에 그대로 수용하기는 어렵다. 침미다례를 고흥으로 보는 점에 대해, 『일본서기』에 목라근자 장군이 가라에서 출발하여 고해진을 거쳐 침미다례를 도륙한 것으로 기록되어 있는데 일반적으로

---

91) 임영진, 1996, 「전남의 석실묘」 『전남의 고대묘제』, 목포대박물관 · 전라남도, 670~673쪽.

고해진을 강진으로 추정하고 있다는 점에서 그 중간에 위치한 고흥반도를 침미다례로 보기가 어렵다고 할 수도 있다. 그러나 고해진이 강진이라는 견해는 침미다례를 영산강유역으로 보는 견해와 연결되어 있는 것이며 이와는 다른 견해도 있기 때문에 검토의 여지가 없는 것이 아니다.

침미다례와 나란히 『일본서기』에 등장하는 比利辟中布彌支半古四邑은 앞에서 언급한 바와 같이 전북 서남부지역을 포함한 전남 서부 해안지역에 위치하였던 4~5개국으로 보되 침미다례 병합 직후 스스로 항복하였다고 하는 점에서 그다지 강력한 세력은 아니었다고 본다. 이들 지역은 광의의 영산강유역권에 해당하지만 영산강내해권이라고 할 수 있는 영산강 수계에는 속하지 않기 때문에 영산강수계권의 마한 제국과의 연계는 상대적으로 약했던 것으로 추정된다. 이들은 남해안의 침미다례가 병합되고 서해안을 통한 백제의 압박이 목전에 닥치게 되자 도미노 현상을 일으키면서 스스로 항복하였던 것으로 보인다.

한편 영산강내해권이라 할 수 있는 영산강수계권에는 고고학적으로 6개국 정도가 있었던 것으로 추정되는데 대규모 옹관묘와 영산강식 석실묘 등 다른 지역에 비해 상대적으로 동질성이 강한 사회였던 것으로 추정된다. 그 가운데 6세기 초까지 중심을 이루었던 나주 반남 일대의 삼포강권은 가장 큰 규모의 고분들이 군집되어 있으며 5세기 말경에는 금동관과 금동신발 등의 최고급 위세품이 출토되고 있기 때문에 great chief가 이끌었던 chiefdom 연합체의 중심 세력이었던 것으로 판단된다. 특히 이 지역은 6세기 초경까지 단절없는 성장이 지속되고 있다는 점도 중요하다.

전남지역 마한 제국의 사회 성격을 논하는데 있어 고고학적으로 주목해야 할 또 다른 자료는 성곽이다. 병행하는 시기에 이미 성립되어 있었던 주변의 고대국가에서는 성곽이 확인되고 있지만 전남지역 마한 제국에서는 그렇지 못하기 때문이다. 앞에서 살펴본 바와 같이 현재의 고고학 자료로 보는 한 영산강유역에서는 백제 병합 이전에 성곽을 가진 마한 세력이 존재하였다고 단언하기는 어려울 것이다. 따라서 전남지역 마한 제국은 상호간 뿐만 아니라 백제와의 사이에도 전쟁과 같은 긴장 관계가 유지되고 있었던 것으로 보기는 어려울 것이다. 또한 전남지역 마한 제국 사이의 영토에 있어 확실한 경계가 있었다고 보기도 어려울 것이다. 그러나 장고분의 분포를 보면 영산강유역 마한 제국과 백제 사이에는 어느 정도 구분되는 권역이 존재하였다고 판단된다. 따라서 영산강유역권의 마한 제국은 본격적인 고대국가에는 미치지 못하였지만 백제를 비롯한 주변세력과 교류하면서 독자적인 세력권을 형성하였다는 점은 인정될 수 있을 것이다.

그러므로 전남지역 마한 제국은 청동기시대의 지석묘 사회에 새로이 세형동검문화가 파급되면서 chiefdom 사회로 출발하기 시작한 이후 늦어도 3세기 후반에는 신미국과 같은 great chiefdom 사회가 주도하는 연맹체를 형성하여 중국에 견사하는 등의 독자적인 외교 활동을 전개하였다고 볼 수 있을 것이다. 이후 530년경까지 영산강유역을 중심으로 백제나 왜와 교류하면서 단절없는 발전을 지속하였을 가능성이 높다고 판단된다.

3. 전남지역 마한 제국과 백제의 관계

전남지역 마한 제국은 백제의 남하정책 속에서도 530년경까지 상당한 세력을 이루고 있었다면 백제와는 어떠한 관계를 가지고 있었을까? 이 문제에 있어서는 백제 건국 이후 발생하였던 마한 제국의 변화를 감안해 볼 필요가 있다. 필자는 마한 사회가 3세기 말, 4세기 중엽, 6세기 중엽 등 3차에 걸친 백제의 남진에 의해 순차적으로 병합되었다고 본 바 있으며, 각 시기별로 백제에 병합된 마한권 주민들 가운데 일부는 남쪽 마한권이나 일본열도, 특히 큐슈지역을 중심으로 이주하였다고 본 바 있다[92]. 나주 영동리 고분군에서 조사된 5~6세기대의 인골들이 큐슈지역 주민들과 상통하는 것은[93] 형질학적으로도 두 지역의 관계를 입증해 주는 자료가 될 수 있을 것이다.

　3세기 말부터 큐슈지역을 중심으로 이주하였던 경기·충청권의 마한 주민들은 전남지역 마지막 마한권과 교류하면서 성장해 나가는 한편 일본열도 내부의 통합 과정에서 새로운 선택을 하지 않을 수 없었던 것으로 보인다. 영산강유역 외곽지대에 장고분들이 산재되어 있는 것은 5세기 말~6세기 초에 일본열도에서 망명해오는 세력자들을 수용은 하되 세력화되는 것을 방지하기 위해 주변 지역에 분산 수용하였던 것임을 말해 줌과 동시에 이 지역이 정치적으로 백제와는 무관한 지역이었을 것이라는 점을 알려주는 것이다[94]. 그러나 그렇다고 하더라도 전남지역 마한 제국들이 백제와 전혀 무관하였던 것은 아니며 다음과 같이 양자간의 관계를 함축적으로 보여주는 사례들을 찾아볼 수 있다.

　첫째, 『일본서기』에 나타난 침미다례 도륙 기사로서 이는 침미다례가 백제와 특별한 갈등 관계를 가졌음을 말해주고 있다. 그 특별한 갈등 관계는 백제와 왜를 연결하는 항로상의 요충지에 자리잡고 있으면서 백제를 위해 적극적으로 활동하지 않았던 점에 기인하였을 가능성이 높다. 고흥 안동고분에서 출

---

92) 임영진, 2000, 「마한의 변천과정에 대한 고고학적 고찰」, 『호남고고학보』 12, 201쪽 ; 임 영진, 2006, 「분주토기를 통해 본 5~6세기 한일관계 일면」, 『고문화』 67, 34쪽.
93) 김재현, 2010, 「인골로 본 고대인의 매장의례와 친족」, 『6~7세기 영산강유역과 백제』, 국 립나주문화재연구소·동신대학교문화박물관.
94) 임영진, 1996, 「전남 고대묘제의 변천」, 『전남의 고대묘제』, 목포대박물관·전라남도, 761쪽.

토된 금동관이 다른 지역의 경우와는 달리 피장자의 발밑에서 출토된 사실은 백제와의 갈등 관계를 상징적으로 보여주고 있다. 고흥 안동고분은 구조와 출토유물에 있어 왜와 관련되었을 가능성이 높기 때문에 그 피장자에 대해서는 다양한 견해가 나온 바 있다. 한군현시기부터 활동해 왔던 포구세력[95], 한성시대 최단거리의 간성 교통로와 남해안 연안항로가 만나는 국제교역항의 지역 세력자[96], 백제 금동관과 금동신발로 미루어 백제의 지배과정에서 의제적 친족으로 편입시켰던 현지 유력자[97], 전략적으로 중요시하거나 긴밀한 우호 관계를 통해 자신의 이익을 도모하고자 했던 세력[98], 나주 신촌리 9호분의 피장자와 함께 백제의 전략적 필요에 따라 선택·후원되었던 세력[99], 백제가 임명한 왕·후에 해당하는 현지 세력자[100], 이 지역을 무대로 한 토착세력가 혹은 해양세력[101] 등 토착세력자설에 해당하는 견해들이 많다. 그러나 선진문물을 입수하기 위해 파견된 왜인[102], 백제의 남해안 진출과 관련된 왜계 관료[103]

---

95) 강봉룡, 2006, 「고대 동북아 연안항로와 영산강·낙동강유역」, 『제12회 가야사국제학술회의 발표자료집』, 김해시.

96) 곽장근, 2008, 「섬진강유역 교통로의 재편과정과 그 의미」, 『백제와 섬진강』, 서경문화사.

97) 이한상, 2011, 「고흥 길두리 안동고분 금동관모와 금동식리에 대한 검토」, 『고흥 길두리 안동고분의 역사적 성격』, 전남대박물관.

98) 성정용, 2006, 「4-5세기 백제의 물질문화와 지방지배」, 『한성에서 웅진으로』, 공주박물관·충남역사문화원.

99) 권오영, 2007, 「고고자료로 본 백제의 지방사회」, 『백제의 정치제도와 군사』, 충남역사문화원.

100) 문안식, 2007, 「고흥 길두리 고분 출토 금동관과 백제의 왕·후제」, 『한국상고사학보』 55.

101) 정재윤, 2008, 「백제의 섬진강유역 진출에 대한 고찰」, 『백제와 섬진강』, 서경문화사.

102) 홍보식, 2006, 「한반도 남부지역의 왜계 요소」, 『한국고대사연구』 44 ; 이동희, 2007, 「백제의 전남 동부지역 진출의 고고학적 연구」, 『한국고고학보』 64.

103) 박천수, 2006, 「임나4현과 기문, 대사를 둘러싼 백제와 대가야」, 『제12회 가야사국제학술회의 발표자료집』, 김해시.

혹은 군사집단[104] 등 왜인으로 보는 견해도 없지 않다. 안동고분 자체만 놓고 보면 왜인일 가능성을 전적으로 배제할 수는 없겠지만 고흥반도에 분포하는 2,000여 기의 지석묘와 수 많은 고분들을 감안하여 보면 고흥반도를 왜인의 세력권이라고 할 수는 없을 것이다. 이 지역은 백제와 왜를 연결하는 중요한 항로상에서 발전하면서 백제의 세력권에 속하였다가 점차 백제에 비협조적으로 변함으로써 백제에 병합되었다고 보는 것이 합리적일 것이다.

둘째, 풍납토성의 우물에서 조사된 영산강유역 관련 토기이다. 경당지구 우물에서 출토된 토기는 200여 점에 달하며 5세기 전반대로 추정되는데 영산강유역을 포함한 여러 지역 토기로 구성되어 있기 때문에 백제 왕실 중심의 특별한 제사의식과 관련된 것으로 보고 있다[105]. 고대사회에서의 제의가 가지는 상징적인 의미를 감안하여 보면 당시 전남지역 마한 사회는 백제와 제의를 공유하고 있었다고 할 수 있으며 보다 구체적인 관계는 특산물 공납 정도의 수준을 유지하고 있었을 가능성이 있다[106]. 그러나 정치 세력 사이의 특산물 공납은 조세적 성격의 공납과 구분되는 것으로서 지배-피지배의 관계 속에서 이루어지는 것은 아니다. 앞에서 고고학 자료를 통해 논의한 바 있듯이 지배-피지배의 관계에서는 토착문화의 단절없는 성장이 어려울 뿐만 아니라 규모에 있어 중앙의 고분을 능가하는 거대한 고분이 피지배 세력에 의해 조영될 수 없기 때문에 전남지역 마한 제국과 백제 사이의 관계는 지배-피지배의 관계라고 볼 수 없는 것이다.

---

104) 김영민, 2011, 「고흥 길두리 안동고분 축조의 역사적 배경」, 『고흥 길두리 안동고분의 역사적 성격』, 전남대박물관.
105) 권오영, 2008, 「성스러운 우물의 제사」, 『지방사와 지방문화』 11-2.
106) 박대재, 2003, 『의식과 전쟁 고대국가를 바라보는 새로운 시각』, 책세상.

셋째, 성곽이다. 앞에서 살펴본 바와 같이 전남지역에서 마한 제국과 관련된 성곽을 찾아보기 어려운 것은 당시 마한 제국들이 성곽을 갖추어야 할 정도로 상호 경쟁적이거나 적대적이지 않았기 때문이며 백제와의 관계에 있어서도 전쟁을 대비해야 할 만큼 적대적인 관계를 가지고 있지 않았기 때문일 것이다. 전북 정읍 고사부리성과 전주 배매산성 등이 백제 웅진시대에 축조된 이후부터 비로소 그 이남지역 마한 제국에 대해 본격적인 압박이 시작되었을 것으로 판단된다.

이상 살펴본 바와 같이 마지막 마한 제국은 전북 서남부에서 전남 서부로 연결되는 서해안권, 나주를 중심으로 한 영산강내해권, 고흥반도를 중심으로 한 남해안권 등 크게 3개 세력권으로 구분되며, 6세기 초까지 단절없는 발전을 지속하면서 백제와는 일정한 관계를 유지하였던 것으로 보인다. 그 가운데 남해안권은 백제와 왜의 교류에 있어 비협조적인 세력으로 부상하자 백제로 하여금 가장 먼저 정복하게 하였던 것으로 보인다. 이어 서해안권의 비리벽중포미지반고사읍은 백제의 남진과 침미다례 도륙 사태를 감안하여 스스로 항복하였던 것으로 추정된다. 한편 백제는 전북 고부, 전주 등지에 성곽을 축조하여 영산강내해권을 압박하였던 것으로 보이며 동성왕대 무진주 출정은 이와 무관하지 않을 것으로 판단된다.

당시 영산강내해권의 마한 제국은 백제뿐만 아니라 큐슈지역과도 교류하여 왔지만 남해안권의 침미다례에 이어 서해안권의 비리벽중포미지반고사읍이 항복하자 영산강 내해에 고립되게 되었을 뿐만 아니라 그동안 교류하여 왔던 큐슈지역이 529년 磐井의 난을 끝으로 大和 정권에 병합되는 등의 국제적인 변화 속에서 남진하는 백제에 군사적으로 맞서기보다는 평화적인 방법을 택하여 자신들의 기득권을 유지하고자 하였던 것으로 추정된다.

이는 백제와 大和 정권의 교류망과 구분되는 영산강유역을 중심으로 한 전남지역과 큐슈지역의 교류망이 공존하다가 결국 국제정세의 변화 속에서 후자가 와해되고 말았음을 의미할 것이다[107]. 그 시기는 『양직공도』에 등장하는 방소국의 시기로부터 538년의 사비 천도 시기 사이로 추정되며, 보다 구체적으로는 529년의 磐井의 난 직후에 해당하는 530년경일 것이라고 판단된다.

백제는 웅진시대의 담로제도에 이어 사비시대에 方-郡-城 제도를 시행하였던 것으로 알려져 있지만, 『양서』 백제전의 담로 관련 기사가 성왕의 즉위(518) 기사와 中大通元年(534) 기사 사이에 기록되어 있어 담로체제의 하한을 무령왕대로 볼 수 있다는 점과 웅진성이 北方이 되기 위해서는 사비 천도가 이루어진 이후라야 한다는 점에서 方-郡-城 체제는 사비 천도 이전에 부분적으로 시행되기 시작하여 사비 천도 이후에 본격적으로 실시된 것으로 보는 견해는[108] 시기적으로 웅진시대 말기가 백제의 지방조직 개편에 있어 대단히 중요한 시기였음을 말해줄 것이다.

필자는 앞에서 백제의 동일한 영역에서 시기를 달리하여 존재하였다고 생각해 왔던 22담로와 37군의 관계에 대해 동일한 영역에서 발생한 시기적인 차이로 볼 것이 아니라 서로 다른 시기에 해당하는 영역의 차이로 보는 것이 합리적이라고 언급한 바 있는데, 方-郡-城 체제가 사비 천도 이전에 부분적으로 시행되기 시작하였다고 보는 이 견해는 구체적인 내용에 있어서는 차이가 있지만 시기적으로 530년 전후경이 대단히 중요한 시기였음을 확인시켜 주고 있다.

신안 장산도 도창리 석실묘는 전형적인 백제 석실묘로서 백제가 전남지역 마한 제국을 병합한 다음 장산도를 비롯한 전남 도서지역까지 관리함으로써 가야나 왜로 통하는 연안항로를 통제하였던 고고학적 증거라고 추정된다. 구

---

107) 임영진, 2000, 「마한의 소멸과정에 대한 고고학적 고찰」, 『호남고고학보』 12, 194쪽.
108) 노중국, 1988, 『백제정치사연구』, 일조각, 246쪽.

조적으로 보아 백제 웅진시대 말에서 사비시대 초에 해당하는 것으로서 6세기 중엽 이후 백제에서 파견된 관리에 의해 축조되었을 가능성이 있을 것이다. 장산도는 목포에서 40km 가량 떨어진 섬이지만 전남 서해안에서 남해안으로 이어지는 연해항로에 위치하고 있기 때문에 중요한 해양거점으로서 백제에서 파견된 관리가 상주하였을 가능성이 있는 것이다. 중국『수서』에는 백제가 서남해 도서지역에 15곳의 군현을 두었다는 기록이 있는데 이는 전남 도서지역 곳곳에서 조사된 백제 석실묘를 통해 확인할 수 있을 것이다. 지금까지 압해도, 장산도, 임자도, 비금도, 하의도, 안좌도, 자은도, 신의도 등에서 백제 석실묘가 보고된 바 있다.

Ⅳ. 맺음말

전남지역을 중심으로 한 마지막 마한 제국의 백제 병합 시기에 대해서는 『일본서기』일부 기록을 토대로 369년에 해당하는 근초고왕 24년으로 보는 견해가 통설을 이루어 왔지만 고고학적으로 보면 성왕 초기에 해당하는 530년경으로 보는 것이 합리적이다. 양자 사이에는 160년 이상의 시기 차이가 있기 때문에 어느 시기에 해당하느냐에 따라 마지막 단계의 사회 성격이 크게 다를 수 있겠으며 필자는 후자의 입장에서 살펴보았다.

전남지역을 중심으로 한 마지막 마한 제국은 세형동검문화가 파급되면서 chiefdom 사회로 출발한 이후, 3세기에는 great chiefdom 사회가 주도하는 연맹체를 형성하여 중국에 견사하는 등의 독자적인 외교 활동을 전개하였고, 6세기 초까지 백제나 왜와 교류하면서 단절없는 성장을 지속하면서 고대국가에 버금가는 수준에 이르렀던 것으로 추정된다.

마지막 마한 제국은 전북 서남부에서 전남 서부로 연결되는 서해안권, 나주를 중심으로 한 영산강내해권, 고흥반도를 중심으로 한 남해안권 등 3개 권역으로 구분되어 발전하다가 백제 웅진시대 말 성왕에 의해 사비 천도 준비가 이루어지던 530년 전후경에 모두 병합되었던 것으로 판단된다.

남해안권은 백제와 왜의 교류에 있어 적지 않은 장해세력으로 부상하면서 가장 먼저 정복되었던 것으로 보이고, 이에 따른 압박으로 인하여 서해안권의 비리벽중포미지반고사읍이 스스로 항복하였던 것으로 추정되며, 영산강내해권의 마한 제국들은 영산강 내해에 고립되게 되었을 뿐만 아니라 그동안 교류하여 왔던 큐슈지역이 529년 大和 정권에 병합되는 국제 정세의 변화 속에서 남진하는 백제에 군사적으로 맞서기 보다는 평화적인 방법을 택하여 자신들의 기득권을 유지하고자 하였던 것으로 추정된다. 영산강유역에서 출토된 6세기 중엽 이후의 백제 은화관식들은 그와 같은 사정을 잘 반영하고 있을 것이다.

고분으로 본 전남지역 마한 제국의 사회 성격

-3세기 후반~5세기 전반을 중심으로-

이정호 동신대학교

I. 머리말

고고학적으로 3세기부터 6세기 전반까지 전남지역은 두 차례의 변화를 거친다. 첫째는 석곽묘, 석실묘와 함께 왜계의 부장품이 등장하는 시기이며 둘째는 전방후원형고분과 횡혈식석실묘의 등장이다. 그 중 5세기 후반부터 등장하는 전방후원형고분과 횡혈식석실묘의 등장 배경에 대해서는 다수의 연구가 있지만, 5세기 전반의 새로운 묘제 등장과 왜계 유물의 성격에 대해서는 최근 들어 자료가 증가하면서 관심이 모아지고 있다. 그러나 아직 그 실체에 대한 논의는 부족한 형편이다.

따라서 이번 발표는 고고학에서 확인되는 5세기 전반을 전후한 사회변화를 검토해 보기로 하였다. 이를 위해 먼저 3세기 이후 고분의 분포와 내용을 살펴보고, 5세기 전반에 등장하는 새로운 묘제의 내용과 성격을 검토하며, 마지막으로 새로운 묘제가 등장하는 배경에 대해 추론해 보았다.

II. 고분의 분포와 내용

3세기 후반~4세기 전반에 영산강중 · 하류지역은 주 매장시설이 토광묘에서 옹관묘로 전환된다. 그리고 대형옹관으로 발전하고 분구도 고총화된다. 옹관묘는 6세기까지 존속하지만 석실분 등장과 함께 점차 쇠퇴한다. 반면 나주 · 영암지역을 벗어난 주변지역에서는 종래의 토광묘가 주 매장시설로 지속되며 초기옹관~I유형의 옹관단계가 일시적으로 나타나지만 대부분 추가장이고 주 매장시설로 자리 잡은 예는 극히 드물다. 그리고 나주 · 영암지역에서 멀어질 수록 옹관은 드물어지고 토광묘가 주를 이루며, 특히 서남해지역에서는 이때 까지 옹관묘의 사례가 확인되지 않고 있다.

① 지석강 - 화순 용강리유적은 제형주구를 갖춘 토광묘 3기가 확인되었고 단독으로 존재하는 옹관 2기가 확인되었는데 옹관 1기는 초기옹관과 I유형 옹 관이 조합된 형식이다. 토광묘는 이중구연호, 편구호 등으로 보아 옹관과 큰 시차가 없다. 3세기 후반~4세기 전반이다.

② 황룡강 - 담양 계동고분은 주 매장시설이 확인되지 않았으나 개배와 무 개고배의 특징으로 보아 5세기 후반대의 고분이다. 담양 태목리유적에서는 70 기 이상의 제형주구가 확인되었다. 대부분 분구가 삭평되어 주 매장시설을 확

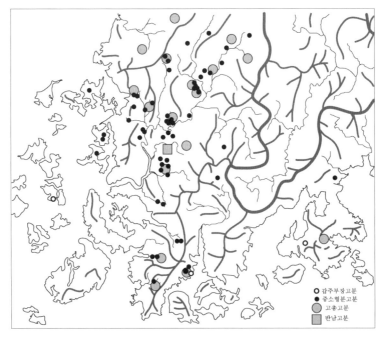

〈그림 1〉 전남지역 고분의 분포

인할 수 없지만 추가장인 토광묘와 초기옹관이 있다. 이중구연호, 광구소호, 편구형 단경호 등으로 보아 3세기 후반~4세기 전반의 고분이다.

장성 야은리유적에는 제형주구와 추가장한 토광묘와 옹관묘가 있다. 토광묘의 양이부호, 편구호와 초기형식 옹관으로 보아 3세기 후반~4세기 전반의 고분이다. 장성 환교유적은 제형주구이고 목관이 확인된 토광묘이다. 옹관이 나타나지만 추가장이다. 토광묘의 몸체가 낮은 광구소호, 편구호, 이중구연호, 양이부호는 추가장한 초기옹관 및 I유형 옹관과 시기차가 거의 없다. 그런데 이곳에는 도자형철촉과 역자형철촉을 여러 점 부장하고 있다. 이 시기는 철촉을 부장하는 풍습이 일반적이지 않기 때문에 이 유물은 당시의 정세와 관련된 듯 하다. 축조시기는 3세기 후반~4세기 전반이다.

광주 하남동유적에서도 14기의 제형주구가 확인되었는데 주 매장시설은 확인되지 않았지만, 초기옹관과 소수의 I유형 옹관이 추가장된 것으로 보아 3세기 후반~4세기 전반에 축조된 것으로 보인다. 한편 개배와 유공광구소호가 출토되어 5세기 후반을 고분조영의 하한으로 볼 수 있다. 평동유적에서는 주 매장시설이 확인되지 않은 제형주구, 원형주구가 다수 확인되었고 독립되어 있거나 추가장된 토광묘, 옹관묘도 확인되었다. 옹관은 초기옹관과 I유형 옹관묘이다. 배신이 낮은 개배, 아궁이틀, 무개고배, 유공광구소호, 삼각투창고배 대각편 등으로 보아 6세기 전반까지 이어진다. 용강유적은 원형주구인데 주 매장시설은 확인되지 않았다. 배신이 낮은 개배, 유공광구소호, 발형기대 등 유물로 보아 5세기 후반~6세기 전반에 축조된 것이다. 용곡유적에서는 제형주구만 확인되었고 주변에서 토광묘 4기가 확인되었다. 호형토기, 흑색마연토기, 이중구연토기, 옹형토기등 연질토기를 중심으로 볼 때 3세기 후반~4세기 초에 조성된 유적으로 보인다. 기용유적에서는 주 매장시설이 확인되지 않은 방형과 제형주구가 확인되었다. 이중구연호와 양이부호, 파수부잔의 유물 조합상으로 보아 4세기 전반 이전일 것이다. 선암동유적은 원형주구이다. 주 매장시설은 확인되지 않았으나 유물 중 양이부호와 토기뚜껑, 목이 확대된 유공광구소호, 드림부가 높지만 몸체가 비교적 낮은 개배 등의 특징으로 보아 4세기 전반~5세기 후반까지 조영된 고분이다.

③ 고막원천 - 순촌유적은 토광묘가 주 매장시설이고 옹관이 추가장된다. 4세기 전반에는 옹관이 주 매장시설이 되기도 하지만 제한적이고 형태도 전형에서 벗어난 이형옹관이다. 만가촌고분은 제형분구의 토광묘가 주 매장시설이고 옹관이 추가장된다. 옹관은 초기옹관과 I유형 옹관이고 토광묘의 이중구연호, 단경호 등을 부장한 토광묘는 큰 시기차가 없다. 그러나 단경호의 몸체가 구형인 점 등을 보아 토광묘가 더 오래 존속했던 것 같다. 시기는 3세기 후반~4세기대이다. 신덕고분은 횡혈식석실의 전방후원형고분과 백제식석실이 있다. 석계고분은 소형의 횡혈식석실이 다수 군집하고 있다.

④ 와탄천 - 영광 학정리고분은 다른 고분과 달리 산 능선에 위치하며 연도부가 석실 중앙에 있지만 현문시설이 없는 형식이다. 백제적 성격이 강하다.

⑤ 함평천 - 반암유적은 주 매장시설이 토광이고 옹관은 추가장이다. 옹관은 I유형과 U자형 전용옹관이 나타난다. 구연이 수평에 가까운 토기호가 토광묘와 U자형 옹관에서 출토되어 5세기 중엽까지는 토광묘가 사용되었다고 판단된다. 죽림리고분은 전방후원형이고 주변에 방대형분과 함께 입지한다. 매장주체부의 내용은 밝혀지지 않았으나 전방후원형분 주위에서 원통형토기편이 수습되었다. 마산고분도 전방후원형으로 횡혈식석실이며 중국계 전문도기가 출토되었다. 중랑고분은 분구가 삭평되고 방형주구만 남아 있었다. 장고모양의 원통형토기가 출토되었다. 시기는 5세기 후반~6세기 전반이다.

⑥ 영산강중류 - 옹관묘의 등장 과정은 나주 용호고분에서 엿볼 수 있다. 옹

관은 크게 두 형식이 나타난다. 초기옹관과 I유형 옹관이다(이정호 1996)[1]. 용호 12호분에서는 당초 주 매장시설이었던 목관묘 상부에 새로이 초기옹관을 안치시켜 주 매장시설로 삼았다. 17호분은 주 매장시설이 목관묘인데 주구에는 초기옹관묘를 추가로 안치하였다. 두 분구에서는 목관묘 → 초기옹관묘의 순서가 확인된다. 그리고 10호분과 16호분은 초기옹관과 I유형 옹관으로 조합된 옹관묘가 주 매장시설이고 14호분은 I유형 옹관이 주 매장시설이다. 이상 5기의 분구를 종합해 본다면 목관묘 → 초기옹관 → I유형옹관의 순서로 진행된다. 비록 영암 신연리고분처럼 토광묘가 주 매장시설로 남아 있는 경우도 있지만, 대세는 기존의 토광묘가 3세기 후반~4세기 전반을 거치면서 옹관묘로 전환되고, 이후 분구는 높아지고 옹관도 대형화된다. 5세기대에는 영암 시종, 나주 반남, 나주 복암리 일대에서 성행하는데 반남에서는 옹관고분이 고총화된다. 5세기 전반~중엽에는 신흥고분, 장동고분의 수혈계 석실묘가 나타나며 5세기 후반~6세기 전반에는 횡혈식석실인 복암리96석실, 수혈계석실인 자라봉고분이 나타난다. 또한 삼포강 상류에는 송제리고분이 위치한다. 현문시설이 없는 백제적 성격이 강한 석실이다. 한편 영산강 서안에 접한 무안 덕암고분 등은 이 시기에 옹관 주체의 단독분으로 등장하기도 한다.

⑦ 영산강하류 - 신연리고분, 내동리고분, 초분골고분 만수리고분 등 영암 시종일대의 고분이다. 5세기대의 옹관고분이 주를 이루지만 신연리고분은 토광이 주 매장시설이다. 그리고 자라봉고분은 전방후원형이며 수혈계석실이 주 매장시설이다.

⑧ 탐진강 - 장흥 신풍유적은 주 매장시설이 토광묘이고 제형주구를 갖추

---

1) 연구자마다 형식 설정의 차이는 있으나 옹관의 변화가 초기옹관 → I유형옹관으로의 변화는 의견이 일치하고 있다.

었다. 옹관은 제형분구의 주변부에 다른 토광묘와 섞여 있거나 주구 내에 추가장되었다. 토광묘의 시기는 편구형 이중구연호, 편구호, 양이부호, 광구소호 등으로 보아 3세기 후반~4세기 전반이다. 옹관은 초기옹관이 주를 이루지만 I 유형 옹관도 나타나는데 시기는 3세기 후반~4세기 전반이다.

⑨ 지도 · 망운 · 압해 - 압해도 신용리유적은 주구를 갖춘 토광묘 주변에 초기옹관이 추가장으로 설치된다. 시기는 3세기 후반~4세기 초이다. 고읍옹관은 초기옹관에서 I유형 옹관으로 전환하는 단계의 것이다. 야산에 단독으로 매장되어 매장시설의 주류는 아니었던 것으로 보인다. 신기고분은 세장한 수혈식 석곽을 설치한 고분이다. 분구에는 U자형 옹관을 추가장하였다.

⑩ 서남해 - 농암고분 및 신금옹관에서는 옹관이 변형되어 나타난다. 옹관의 형태가 5세기 U자형을 이루지만 기벽이 전체적으로 얇고 일정한 두께를 보이고 있으며 철정의 존재로 보아 4세기 전반~5세기 초로 추정된다. 해남 분토리 가지구에서는 7기의 제형주구가 확인되었는데 모두 토광묘가 주 매장시설이고 옹관은 추가장되었다. 1호분 2호 옹관은 일상용에 가까운 대옹과 영산강유역 I유형과 유사한 대옹이 결합된 옹관묘이고 7-1호 옹관도 I유형과 유사

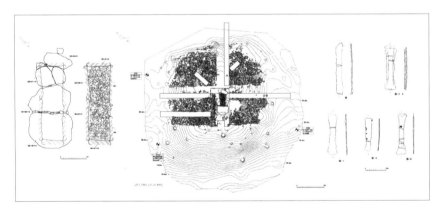

〈그림 2〉 해남 신월리고분과 출토유물

한 옹관이다. 4세기 전반으로 추정된다. 분토리 나지구에서도 옹관 1기가 확인되었는데 단독으로 확인되어 토광묘와의 관계를 파악하기 어렵다. 다만, 구연이 넓게 바라지는 형태로 영산강유역의 초기옹관과 연관되어 3세기 후반~4세기 초로 추정된다. 제형주구에서 출토된 원구상의 토기호 등으로 보아 5세기대까지 사용된 고분이다. 한편 4호분은 만의총 1호분과 유사한 이중벽석식 석곽구조이다. 해남 만의총 1호분은 석관계 수혈식석실이며 이중벽석이다. 백제계 장신구, 신라계 서수형토기, 왜계 동경 등 복합적인 부장품이다. 만의총 3호분은 횡혈식석실이다. 용두리고분은 전방후원형이고 횡혈식석실이다. 중국계 전문도기가 출토되었다. 월송리고분은 횡혈식석실이고 마구류, 무기류가 다량 부장되었다. 외도고분과 신월리고분은 석관계 수혈식석실이며 외도고분에서는 혁철식삼각판갑이 부장되었다. 장고봉고분은 전방후원형고분이고 내부에 주칠을 한 횡혈식석실이다.

신안 안좌도 배널리고분은 혁철식삼각판갑과 충각부주, 다량의 무기류가 부장된 수혈식석실이다. 고흥 야막고분도 혁철식삼각판갑과 충각부주, 다량의 무기류를 부장한 점에서 외도고분, 배널리고분과 관련된다. 안동고분은 금동관과 함께 혁철식장방판갑, 미비부주 등이 부장되었다. 여타의 갑주부장 고분보다 상위의 고분이다.

III. 새로운 묘제의 등장

영산강유역 중류의 옹관묘 중심지역인 나주·영암지역과 서남해지역에서는 5세기부터 새로운 묘제가 등장한다. 영암 장동고분에서는 횡구식석실이 고총고분으로 발달한다. 이 고분의 주구에서는 돌대를 간략하게 표현한 원통형 토기가 다량 출토되었다. 그리고 나주 복암리고분 인근 신흥고분에서도 횡구식석실이 등장한다.

야막고분은 분구에서 즙석이 확인되고 매장주체부인 석곽은 자연석을 쌓아 구축하였으며 석곽의 외연은 부석을 깔아 보강하였다. 내부에서는 혁철식삼각판갑의 갑주와 철도, 철모, 다양한 형식의 철촉을 부장하였다. 고흥 안동고분은 수혈식석실이며 금동관을 비롯한 위세품과 함께 혁철식장방판갑과 미비부주 일괄이 출토되었다. 해남 외도고분은 판석을 세워 구축한 석관형이며 혁철식삼각판갑편과 철촉이 출토되었다. 인근에 조성된 해남 신월리고분도 판석을 세워 구축한 석곽이며 분구에는 즙석을 깔았다. 내부에서는 대도, 철모, 창고달, 철부 등이 출토되었다. 신안 배널리고분은 혁철식삼각판갑과 정결식충각부주가 일괄 출토되었고 철모, 철검, 철촉 등 무기류가 다수 출토되었다.

그런데 영암 장동고분과 고흥 안동고분은 그 축조시기에 관해 이견이 있어 왔다. 또한 최근 조사된 나주 신흥고분도 연대관에 대한 논란이 예상되고 있다. 따라서 먼저 각 고분의 시간적 위치를 확인해 보기로 한다.

영암 장동고분은 부장된 유공광구소호의 목이 발달하지 않고 옹관고분의 전통을 유지하고 있다는 점에서 5세기 후반~6세기 전반에 등장한다고 보는 초기석실묘 및 전방후원형고분과 다른 양상이다. 또한 갑주와 공반하는 철촉에는 이단경식 장경촉이 보이지 않는다[2]. 그리고 비교적 이른 시기인 삼각판혁철갑이 부장되었다. 따라서 장동고분의 연대는 늦어도 5세기 중엽보다는 늦지 않을 것이다. 신흥고분은 보고서가 미발간이라 판단하기 어렵다. 개략적으

---

2) 5세기 후반~6세기 전반 사이에 축조된 신촌리 9호분, 초기석실묘, 전방후원형고분에서는 이단경식의 장경촉이 나타난다.

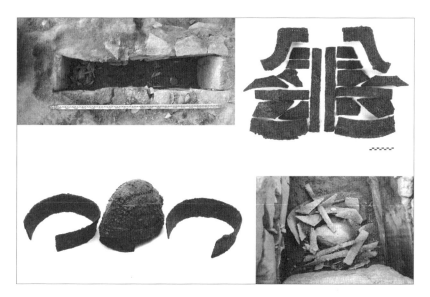

〈그림 3〉 신안 배널리고분과 갑주

로 본다면, 목재 기둥을 이용하여 석실을 축조한 점은 장동고분 석실과 유사
하다. 판석재의 횡구부를 마련한 점은 장동고분의 추가 석곽묘와 유사하다. 장
동고분의 석실과 추가 석곽은 선후관계이기 때문에 어느 정도 시차가 있겠지
만, 석곽에서 이단경식 장경촉이 보이지 않는 점, 신흥고분 석실 입구에 조형
토기를 매납한 점 등을 감안해 본다면 장동고분과 신흥고분의 시차는 크지 않
을 것이다.

　고흥 안동고분의 축조시기를 5세기 전반으로 보는 발굴자의 견해와 달리 5
세기 후반 이후로 보는 견해[3]가 있다. 야막고분, 외도고분, 배널리고분의 삼각
판혁철갑은 5세기 전반에 등장하는 갑주형식이다. 철촉에는 이단경식 장경촉

---

3) 문안식, 2007, 「고흥 길두리고분 출토 金銅冠과 백제의 王侯制」, 『한국상고사학보』 55, 한
　국상고사학회.

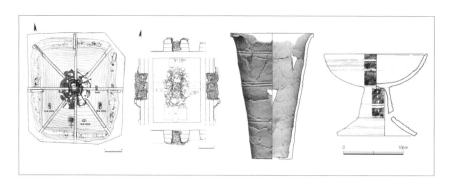

〈그림 4〉 영암 장동고분 및 원통형토기, 가야고배

〈그림 5〉 고흥 안동고분 석실과 갑주, 금동관

이 없다. 연대적으로는 삼각판혁철갑의 연대관과 철촉이 부합한다. 안동고분의 장방판혁철갑과 야막, 외도, 배널리의 삼각판혁철갑은 동일한 원리가 있다. 그것은 철판을 가죽으로 엮어 완성한다는 점이다. 따라서 두 갑옷은 거의 동일한 시점에 제작된 것으로 볼 수 있다. 안동고분의 미비부주는 충각부주보다 다소 늦게 출현하고 존속기간이 길지만 장방판갑과 병행하는 시기로 한정해 본다면 대략 5세기 중엽경이다.

Ⅳ. 마한사회의 동요

4세기 후반에서 5세기 전반에는 철제무기를 부장한 고분이 나타나기 시작한다[4]. 나주 마산고분 5-1호 옹관에서는 금동이식 2점, 철도 1점, 철모 1점, 철착 1점, 철부 1점, 철촉 50점, 미상철기 6점이 출토되었다. 이 옹관은 U자형에 가깝지만 아직 목이 퇴화하지 않았고 구연부도 약간 외반하여 4세기 후반으로 편년된다.

장흥 상방촌B유적 7-1호 목관묘에서는 역자식철촉이 수점, 12-1호 목관묘에서는 역자형철촉과 형식불명 철촉이 각 1점, 15-1호 목관묘에서는 역자형철촉이 1점, 18-1호 목관묘에서는 역자형철촉이 수점 출토되었다. 상방촌B유적은 마한계의 주구를 두른 목관묘이며, 15호 주구 출토 개배는 영암 내동리출토 옹관의 개배와 유사하고 15-1호 목관에서 출토된 유공광구소호도 고창 봉덕유적 및 영암 만수리 2호분과 4호분, 무안 사창리옹관에서 출토된 것과 동일한 유형이다. 시기는 5세기 전반이다. 이와 관련되는 유적으로 보성 금장유적의 1호 토광묘에서도 철검 1점, 철겸 1점, 역자형철촉 도자형철촉 등 12점이 출토되었다. 인근에 옹관으로 사용된 양이부호가 횡치소성인 점으로 보아 함안계 가야색이 짙다. 시기는 5세기 전반보다 더 내려가지 않을 것이다. 이 유적은 주구를 가진 토광묘로서 마한과 연관된 고분이지만 가야계 토기도 다수 부장된 고분이다.

---

4) 일반적으로 영산강유역의 고분에는 철제무기 부장이 적다고 알려져 왔다. 5세기 후반~6세기 전반의 신촌리 9호분을 비롯한 성행기 옹관과 석실분에도 무기는 부장하지만 위세적 성격이었다.

마산리 5호분의 철제무기는 일반적인 옹관풍습에서 벗어난 획기로 볼 수 있다. 이후의 옹관부터는 대도나 철모 등이 부장된 사례가 늘어나기 때문이다. 5세기 후반의 마산리 3호분 옹관, 나주 장동고분, 무안 구산리옹관고분 등에서 대도나 철모의 부장이 나타난다. 5세기 후반부터의 중심부인 반남 신촌리 6호분, 신촌리 9호분의 하층옹관인 경관에서도 대도가 부장되었다. 동고분의 을관과 달리 외래의 위세적 부장이 없는 옹관들이다. 탐진강유역의 상방촌에도 철촉이 부장되었다. 목관묘의 부장풍습도 옹관과 차이가 없었다. 동쪽으로 보성 금장유적에 철촉 등의 무기가 부장된 점으로 보아 가야의 영향이 이곳까지 미쳤다고 볼 수도 있겠으나 이 지역의 철촉 공반유물에서는 가야적인 색채가 보이지 않는다.

그렇다면 백제와 관련해서 생각해 볼 수 있다. 마산고분에서는 옹관묘에서 전혀 볼 수 없던 백제의 금동제이식이 부장되기 때문이다. 이 시기 주변지역 사례를 보면, 4세기 초에 장흥 봉림리 취락유적이 갑자기 등장했다가 홀연히 사라진다. 취락의 입지는 일상생활이 불편하지만 방어에는 효율적인 구릉지대였다. 그래서 당시의 사회갈등이 이 취락 형성요인이 되었다고 추론한 바 있다. 시기적으로 가장 가까운 사건이 근초고왕의 침미다례 도륙사건이다. 나주 마산옹관에 갑자기 무기부장을 하게 된 원인도 이와 관련된 것으로 생각된다[5].

---

5) 그러나 직접적으로 무력행사를 한 결과라고만 볼 수는 없다. 이에 대해서는 추후 검토가 필요하다.

V. 새로 등장한 고분의 성격

이 시기 중심지였던 시종지역에서는 새로운 묘제로서 수혈계횡구식석실인 장동고분이 등장하고, 아직 주변부였던 복암리 신흥리고분에서도 수혈계횡구식석실이 등장한다. 서남해지역에서는 고흥 야막고분과 안동고분, 해남 외도고분과 신월리고분, 신안 배널리고분이 나타난다. 신흥고분과 신월리고분을 제외한 나머지 고분들은 모두 왜계의 갑주와 무기를 부장하였다. 신월리고분의 즙석, 석관계 수혈식석실도 왜계로 파악되고 있다.

이 시기 새로운 고분의 등장은 근초고왕의 활동과 관련된 것이다. 많은 연구자들이 근초고왕의 침미다례 도륙은 대왜정책을 위한 연안항로 확보가 목적이었다고 보고 있다. 그리고 항로를 확보한 후에는 지속적으로 이용하고 유지·관리하기 위해 각지에 거점을 두어야 한다. 그것이 서남해안지역에 새롭게 출현하는 고분일 것이다. 고분과 신공기의 기사가 시기적으로도 크게 어긋나지 않는다.

그런데 백제 근초고왕의 도발과 고분의 성격이 상반된다. 고분은 모두 왜계 요소를 가졌다는 점이다. 역으로 본다면 그것이 근초고왕의 침미다례 도륙 기사가 『일본서기』 신공기에 실린 이유가 된다. 이 기사가 근초고왕의 활동을 왜곡하여 왜의 활동으로 기록하고 있다는 점은 대다수의 연구자들이 지적하고 있다. 그렇더라도 규모는 알 수 없지만 왜의 군대가 동원되었을 것이며 이 사건이 신공기에 실리게 된 연유이기도 하다.

그리고 정벌이 완료된 후에는 거점지역에 일정기간 군대를 상주시켰을 것이다. 잘 알려져 있다시피 당시 근초고왕은 북방의 고구려와 대치해야 하는 사정이었기 때문에 백제의 본대를 상주시키는 것은 부담이었을 것이다. 그래서 전투시 충원된 왜의 군대를 일정기간 상주시켰을 것이다. 그리고 재지세력과의 협력관계가 보장되자 그들에게 관리하도록 했을 것이다.

그 정황은 이 시기에 내륙지역에서 새롭게 출현하는 고분에서 유추해 볼 수 있다. 나주 장동고분에서는 원통형토기 등 왜계요소가 보이기 때문에 왜와 관련되는 것은 확실하다. 그러나 직접 들여오거나 왜계의 도공에 의해 제작된 것은 아니다. 왜냐하면 장동고분의 원통형토기는 일본의 하니와와 달리 측면 돌기가 약화되는 등 재지화되었기 때문이다. 또한 분구에는 재지의 대형옹관이 수기 추가장되기도 하였다. 이처럼 재지세력이 왜계요소를 담은 고분을 축조하기 위해서는 일본 현지와 직접적인 접촉이 있어야 한다. 그리고 그런 직접적인 교류활동을 하기 위해서는 서남해 연안항로를 통과할 수 밖에 없다. 이 항로를 사용하기 위해서는 당연히 백제의 허락이나 묵인이 필요하다. 그것이 가능하려면 백제와의 신뢰관계가 보장되어야 했고 아마도 그것이 성사되었기에 연안항로를 이용해 왜와 교류할 수 있었을 것이다. 나아가 그 신뢰관계를 바탕으로 한다면 연안항로의 지리에 밝은 재지세력에게 연안항로의 거점별 관리를 위탁할 수도 있다. 아마도 백제로서는 왜의 군대를 대고구려전에 재차 투입할 수 있기 때문에 이는 더 효율적인 방안이었을 것이다. 파주 주월리유적, 포천 자작리유적, 하남 미사리유적 등의 왜계유물이 그러한 활동의 정황으로 보인다.

한편 침미다례는 도륙되었지만 '비리, 벽중, 포미지, 반고 사읍(四邑)이 스스로 항복해왔다'는 기록에서 볼 때, 이후에는 이들 중 일부 또는 전부가 백제에 적극적으로 협력했을 것이다. 풍납토성의 유공횡병, 유공광구소호 등 5세기 전반대 영산강양식 토기의 출현이 이 시기 백제와의 관계를 잘 보여준다[6]. 그래서 서남해안의 고분이나 신흥리고분, 장동고분은 백제와 협력을 강화하고 그 위탁을 받아 거점별로 연안항로를 관리하던 재지세력의 무덤이라고 생각된다. 안동고분의 백제계 금동관이 그 상황을 말해준다. 잘 알려져 있다시피 근초고왕은 연안항로 확보를 위해 가야를 거쳐 서남해안에 도달한다. 따라서 연안항로를 관리하는 세력은 자연스럽게 가야와 접촉이 이루어진다. 장동고분의 가야계 무개고배는 그러한 활동에서 유입된 결과이다. 가야지역의 장경소호와 유공광구소호, 창원 천선동 12호 석곽묘의 조족수직집선문 단경호도 5세기 후반에 영산강유역에서 등장하는 것이다[7].

서남해지역의 고분이 왜계 상주세력이고 내륙의 신흥고분과 장동고분이 서남해 왜계고분의 영향을 받은 것이 아닐까 생각할 수도 있다. 그렇다면 야막고분, 안동고분, 외도고분, 신월리고분, 배널리고분이 내륙고분의 원형인데 서남해 고분들에서는 하니와의 흔적이 확인되지 않아서 성립되기 어렵다.

VI. 마한사회의 성격

대다수의 연구자들은 이 시기의 중심고분으로 영암 시종지역을 지목하고 있고 발표자도 공감하는 사항이다. 하지만 아직 영암 시종지역에서는 눈에 띄는 고총고분이 확인되지 않았다. 다만 시종지역 고분이 주변지역 저분구의 제

---

6) 서현주, 2011, 「영산강유역 토기문화의 변천 양상과 백제화과정」, 『백제학보』 6. 백제학회.
7) 최영주, 2006, 「조족문토기의 변천양상」, 『한국상고사학보』 55, 한국상고사학회.

형분보다 규모상 차이가 있다는 점에서 더디지만 시종지역을 정점으로 계층화가 진행되지 않았나 생각된다. 그리고 분형이나 규모가 현저하게 발전된 장동고분 단계에는 질적인 성장도 있었을 것이다. 그럼에도 불구하고 당시의 계층질서는 한계가 있었던 것 같다.

그 이유는 첫째, 묘제로 볼 때 문화적 동질성이 약하다. 중심지에서는 옹관묘가 사용되었지만 주변부에서는 마한 전통의 토광묘가 고수되고 있었다. 3세기 후반~4세기 전반에 일시적으로 옹관묘가 도입되기는 하지만 지속되지 못했다. 묘제에 계층적 질서가 투영되지 못했던 것이다. 둘째, 철정의 부장양상이다. 철기는 고대의 필수자원이었기 때문에 철기 재료인 철정은 본래의 기능에서 발전하여 재화나 매장의례용으로도 중히 사용된다. 『일본서기』 신공기 46년조의 근초고왕이 철정 40매를 보낸 기록, 『삼국지』 위서 동이전 변진조와 『후한서』에 철이 재화 가치로 사용하였다는 기록 등에서 짐작할 수 있다. 비록 백제지역는 철정 자료가 제한되어 있고, 특히 전남지역은 그 사례가 손에 꼽히는 정도이지만 대략적인 부장 추이는 짐작해 볼 수 있다. 중심지인 영암 시종지역에는 아직 철정이 확인되지 않았다. 비교적 가까운 나주 용호고분(1매)에서 출토된 바 있으나 3세기 이전의 것이다. 후대까지 지속되지 않았다. 그런데 함평 중랑유적(철정묶음), 함평 반암유적(16매), 장흥 상방촌유적(2매), 해남 분토리유적(3매), 해남 신월리고분(10매), 고흥 장동유적(13매) 등 주변부에서의 출토사례가 더 많다. 시종고분에 의한 사회적 통제나 독점적 지위를 갖지 못했다는 근거이다.

또한 주변부인 함평 국산유적과 해남 분토리유적 등에서 백제양식인 어깨가 발달한 직구평저호가 등장하는데[8] 아마도 해당 지역 세력의 독자적인 활

---

8) 서현주, 2011, 「영산강유역 토기문화의 변천 양상과 백제화과정」, 『백제학보』 6. 백제학회.

동의 소산인 것 같다. 이러한 정황은 각지에서 나타나는데 마한계 주구토광묘를 사용하는 고흥 장동유적에서는 5세기 중엽 또는 후반의 조족문 타날문토기와 유공광구소호, 직구소호 등과 함께 가야계 수평구연호, 파수부배가 부장된다. 보성 조성리유적 구상유구에서는 5세기 중반 소가야산 발형기대 무개식 삼각투창고배가 출토되었는데 소가야와의 교역품으로 보고있다[9].

이처럼 시종고분을 중심으로 한 계층질서는 견고하지 못했다. 그런 상황에서 근초고왕의 도발은 당시 사회에 큰 충격을 주었을 것이다. 한편으로는 근초고왕의 남방경략이 옹관을 U자형으로 변화시킨 요인이 되기도 했지만[10], 시종지역에서 새로운 묘제를 채용하여 장동고분이 축조하는 등의 노력에도 불구하고 5세기 후반에는 고분사회의 중심이 나주 반남지역으로 이동하게 되었다[11].

Ⅶ. 맺음말

전남지역은 3세기 후반~4세기 전반까지 마한전통의 토광묘가 존속하고 있었다. 그런데 이 시기를 획기로 묘제변화가 나타나서 나주·영암 등 중심지역에서는 옹관묘가 등장하였다. 그러나 변화는 중심지에 한정되었다. 주변부에

---

9) 이동희, 2005, 『전남 동부지역 복합사회 형성과정의 고고학적 연구』, 성균관대 박사학위 논문.
10) 김낙중, 2009, 『榮山江流域 古墳 研究』, 학연문화사.
11) 근초고왕의 도발과 시종지역 세력의 쇠퇴의 관련성에 대한 논의는 다음 기회로 미룬다.

서는 옹관묘가 일시적으로 등장하지만 주 매장시설로 진행되지 못했다. 5세기 전반에는 서남해지역과 나주·영암 등 중심지에 수혈계 석곽묘, 석실묘가 돌연 등장한다. 더불어 왜계의 요소도 다수 나타났다. 이 새로운 묘제의 등장, 왜계유물의 부장은 4세기 후반 백제 근초고왕의 침마다례 도륙과 관련된다. 이는 4세기 후반의 옹관과 토광묘 등에서 출토되는 무기류 부장을 통해 짐작해 볼 수 있다. 또한 철정의 부장양상은 당시 사회가 지역간 계층성이 견고하지 못했음을 시사한다. 그래서 근초고왕의 도발은 당시 사회에 큰 충격이 되었을 것이다. 결국 고분의 중심지가 시종지역에서 반남지역으로 변화하게 된 배경이었다고 짐작된다.

취락으로 본 전남지역 마한 사회의 구조와 성격

김승옥 전북대학교

I. 머리말

잘 알려진 바와 같이 전남지역은 한반도 중서남부 지역의 마한계 정치체가 가장 늦은 시기까지 번영을 누렸던 마한사 연구의 핵심지역이라 할 수 있다. 전남지역 마한 사회는 '옹관고분사회'[1]라고 지칭될 만큼 대부분 고분 자료를 통해 알려져 왔다. 이에 비해 마한의 취락 연구는 구제 발굴로 인해 자료는 폭발적으로 증가했으나 대부분 기초적 수준의 연구에 머물고 있다. 예를 들어 전남지역에 관한 대부분의 취락연구는 취락의 분포와 현황, 주거지나 유물의 형식분류와 편년, 취락의 시공간적 변천양상에 치중되어 왔다[2].

물론 취락을 통해 마한계 사회의 구조와 성격, 위계화 문제 등에 접근한 연구[3]도 일부 이루어졌지만 분묘 연구에 비해 여전히 미진한 실정이다. 이러한

---

1) 강봉룡, 1998, 「5~6세기 영산강유역 '옹관고분사회'의 해체」, 『백제의 지방 통치』, 학연문화사.

2) 姜貴馨, 2013, 『潭陽 台木里聚落의 變遷 研究』, 목포대석사학위논문 ; 곽명숙, 2011, 『광주 하남동유적 주거지 연구』, 목포대석사학위논문 ; 권오영, 2008, 「섬진강유역의 삼국시대 취락과 주거지」, 『백제와 섬진강』, 서경문화사 ; 金承玉, 2000, 「湖南地域 馬韓 住居址의 編年」, 『湖南考古學報』 11, 호남고고학회 : 2004, 「全北地域 1-7世紀 聚落의 分布와 性格」, 『韓國上古史學報』 44, 한국상고사학회 ; 金垠井, 2006, 『全北地方 原三國時代 住居址 研究』, 전북대석사학위논문 ; 朴美羅, 2008, 「全南 東部地域 1~5世紀 住居址의 變遷樣相」, 『호남고고학보』 30, 호남고고학회 ; 李東熙, 2007, 「全南東部地域 馬韓~百濟系 住居址의 變遷과 그 意味」, 『선사와 고대』 27, 한국고대학회 ; 이영철, 2008, 「탐진강유역 마한·백제 취락 구조와 변화상」, 『탐진강유역의 고고학』 제16회 호남고고학회 학술대회 발표요지, 호남고고학회 ; 이은정, 2007, 「全南地域 3~6世紀 住居址 研究」, 『호남고고학보』 26, 호남고고학회 ; 임동중, 2013, 『호남지역 사주식주거지의 변천과정』, 전남대석사학위논문 ; 鄭 一, 2009, 「호남지역 마한·백제 토기의 생산과 유통」, 『호남고고학에서 바라본 생산과 유통』 제17회 호남고고학회 학술대회 발표요지, 호남고고학회.

3) 이영철, 2011, 「영산강 상류지역의 취락변동과 백제화 과정」, 『백제학보』 6, 백제학회

취락연구의 어려움은 전남을 벗어난 마한의 다른 권역에서도 별반 다를 바 없다. 취락 연구가 어려운 이유는 대부분 자료의 폐기과정과 퇴적후 과정과 관련된다. 예를 들어 전쟁이나 화재와 같은 극히 이례적인 경우를 제외하고 주거민은 이주할 경우 이동가능한 대부분의 동산을 가지고 떠나기 때문에 주거지에 유물이 온전하게 남겨지는 경우가 거의 없다. 또한 구릉과 충적지에 입지하는 주거지의 특성상 발굴전에 이미 상당 부분 훼손되거나 완전하게 소실되는 경우도 드물지 않다. 다음으로 한반도의 경우 왕성이 존재하는 국가 단계 이전 사회의 취락에서는 분묘에 비해 사회적 위계관계의 증거가 상대적으로 거의 발견되지 않는다는 점을 들 수 있다. 다시 말해 유물은 물론이고 주거지의 구조나 규모에서도 국가 이전의 사회에서는 취락 내와 취락 간의 사회적 차이가 명확하게 드러나지 않고 있다.

이 글에서는 이러한 취락 자료의 한계를 인정하면서 전남지역 취락을 통해 마한계 사회의 구조와 성격에 대해 논의해보고자 한다. 이를 위해 먼저 전남지역 마한계 취락의 분포와 현황을 살펴보고자 한다. 다음으로 취락의 분포와 밀도, 유형 분류를 시도하고, 취락 내의 구조와 변화를 살펴보며, 아울러 취락 간의 사회적 관계와 경관을 조망해 보고자 한다. 마지막으로 마한 소국의 수와 위치를 논하고 이에 따른 몇 가지 쟁점과 문제점을 짚어보고자 한다.

취락 자료의 근본적 한계와 공시성이 면밀하게 통제되지 않은 상태에서 작성된 이 글은 마한 사회의 모습을 그려보기 위한 일종의 '스케치'라는 점을 미

: 2013, 「호남지역 원삼국~삼국시대의 주거 · 주거군 · 취락구조」, 『주거의 고고학』 제37회 한국고고학 전국대회 발표요지, 한국고고학회 ; Kim, Seung-Og, 1996, Political Competition and Social Transformation: The Development of Residence, Residential Ward, and Community in the Prehistoric Taegongni of Southwestern Korea. Ph. D. Dissertation, Department of Anthropology, University of Michigan, Ann Arbor.

리 밝힌다. 향후 미시적 시각에서 각 소국에 대한 정밀한 분석이 이루어지고, 자료가 증가하게 되면 이 글의 상당 부분은 수정되어야 할 것이다.

Ⅱ. 이론적 검토: 취락의 구조 및 위계와 관련하여

현재까지 전남지역 마한 소국에 대해서는 문헌사와 고고학에서 적지 않은 연구 성과가 발표되었는데, 연구 성과에 의하면 마한의 소국들은 중심 읍락인 국읍과 다수의 읍락으로 구성된 성읍이나 족장(군장)사회였던 것으로 이해되고 있다. 예를 들어 李熙濬[4]은 삼한 소국을 구성하는 취락 분포 정형에 대해 복수의 小村과 村이 결집된 단위가 촌락을 이루며, 몇 개의 주변 촌락이 공간적으로 결집된 사회 조직을 邑落으로 파악하고 있다. 또한 읍락보다는 복합도와 밀집도가 증가한 國邑을 중심으로 복수의 주변 읍락이 결집된 사회 조직을 삼한 사회의 소국으로 설명하고 있다. 이와 같은 마한 소국의 구성은 '國'단계[5], '邑落統合段階'[6]라는 주장들과도 일맥상통한다.

이와 같이 문헌사와 고고학에서는 마한의 소국을 고대 국가단계로의 발전이 좌절된 복합사회[7], 즉 족장단계의 사회로 규정하고 있다. 인류 사회의 발전

---

4) 李熙濬, 2000, 「삼한 소국 형성 과정에 대한 고고학적 접근의 틀-취락 분포 정형을 중심으로」, 『韓國考古學報』 43, 한국고고학회.

5) 권오영, 1996, 『三韓의 '國'에 대한 硏究』, 서울대박사학위논문.

6) 林淳發, 2001, 『漢城百濟의 誕生』, 서경문화사.

7) 김낙중, 2011, 「榮山江流域 政治體의 成長과 變動 過程」, 『百濟學報』 6, 백제학회 : 임영진, 2011, 「3~5세기 영산강유역권 토착세력의 성장 배경과 한계」, 『百濟學報』 6, 백제학회.

단계 중 족장사회는 단일 취락 내에서 개인과 집단 간에 사회적 차이가 존재하고, 취락 간에는 중심과 주변이라는 사회정치적 관계가 형성된 사회를 지칭한다. 따라서 족장사회 취락의 분석 단위를 단위 취락과 취락 간의 관계로 대별할 수 있는데, 먼저 취락 내 개별 주거의 사회적 계층분화를 살펴보기 위해서는 다음과 같은 점을 고려할 필요가 있다[8].

1. 가족이나 친족, 또는 추종자를 수용하고 공동체 내의 우월한 위치를 상징하는 대규모의 주거지; 공공 축제나 전문 장인을 후원할 수 있는 대량의 잉여생산물의 저장과 관리 시설
2. 주거지의 공간적 위치
3. 취락 내 주거지 규모의 위계적 분포
4. 사회적 차별화를 상징하는 최상위 계층 주거지들의 상호 밀집도
5. 주거의 복잡도와 정교성의 차이
6. 정치경제적, 종교적 행위를 상징화하고 촉진하는 주요 '공공건물(public building)'과의 지리적 근접성
7. 엘리트의 사회정치적 지위와 의례행위를 상징화하는 위신재의 소유와 분포
8. 외래 기원 생산물의 양·질·종류의 차이
9. 수공업 생산물의 통제와 근접성

---

8) Kim, Seung-Og, 1996, Political Competition and Social Transformation: The Development of Residence, Residential Ward, and Community in the Prehistoric Taegongni of Southwestern Korea. Ph. D. Dissertation, Department of Anthropology, University of Michigan, Ann Arbor.

주거 점유자의 사회적 위상은 이와 같이 주거 및 출토 유물의 양과 질을 통해 평가해 볼 수 있는데, 이 글에서도 이러한 기준에 의해 전남지역 마한계 취락의 개별 주거지를 분석한다. 더불어 취락의 구조와 사회적 성격을 분석하는데 있어 반드시 고려해야 할 또 하나의 사항은 취락의 조직 단위와 이에 따른 분석의 틀이다. 고대 사회의 대부분의 취락은 기본적으로 개별 주거→주거군→취락으로 조직되는데[9], 한국 삼한사회 취락의 양상[10]도 이러한 조직 단위와 구성을 크게 벗어나지 않는다. 개별 주거는 생산과 소비행위의 최소 단위이며, 복수의 주거가 공간적으로 결집되어 주거군이 형성된다.

고대 사회의 내부 구조가 어떠하든 "모든 사회체계는 불평등의 씨앗을 잉태하고 있다"[11]고 볼 수 있다. 또한 고대 사회에서 개별 세대간의 경쟁뿐만이 아니라 세대복합체로 구성된 주거군 간의 경쟁과 협력을 통해 사회적 불평등이 발생한다는 점을 인식할 필요가 있다. "리더십은 추종자 집단의 창출이다"[12]라고 표현 할 수 있을 정도로 사회적 경쟁력을 제고하기 위해서는 사회 내에서 추종자 집단의 확대를 모색해야만 한다. 다시 말해 추종자 집단(주거군)의 크기와 지도자의 정치적 권력이나 명성은 비례한다고 볼 수 있다[13].

---

9) 金承玉, 1998,「복합사회 형성과정에 대한 이론적 모델의 일례」『湖南考古學報』8, 호남고고학회 ; 都出比呂志, 1989,『日本農耕社會の成立過程』, 岩波書店 ; Flannery, K. V., 1976, The Early Mesoamerican Village. Academic Press: New York (editor).

10) 권오영, 1997,「한국 고대의 주거와 촌락」『韓國 古代의 人間과 生活』제10회 한국 고대사 연구회 학술대회 발표요지 ; 한국고고학회 2013,『주거의 고고학』제37회 한국고고학 전국대회 발표요지, 한국고고학회.

11) Josephides, L., 1985, The Production of Inequality: Gender and Exchange among the Kewa. London: Tavistock.

12) Sahlins, M. A., 1963, Poor man, rich man, big-man, chief: political types in Melanesia and Polynesia. Comparative Studies in Society and History 5.

13) Da Matta, R., 1982, A Divided World: Apinayé Social Structure. Cambridge: Harvard

이러한 과정을 통해 결집된 추종자 집단은 협조적인 정치단위나 이해집단으로 작용한다. 예를 들어 집단 규모의 상대적 차이는 상호간의 경쟁에서 승리를 이끄는 가장 중요한 변수인데, 왜냐하면 상대적으로 많은 노동력을 확보한 지도자는 의례행위, 장거리 교역, 사회적 연합과 같은 정치적 목적에 이용할 수 있는 잉여생산물의 창출에서 경쟁력을 가지기 때문이다. 또한 집단의 크기가 크면 클수록 노동의 효과적 조직을 통해 양적, 질적으로 우수한 集合勞動力을 생산할 수 있고, 이는 곧 거대 규모의 분묘, 기념물, 공공건물의 축조를 가능케 하는 토대가 된다. 더불어 집단 구성원 수의 상대적 우위는 기술적 발전을 이룰 수 있는 좀 더 큰 잠재적 풀을 형성하고, 이것은 효과적인 에너지 획득과 변환이라는 긍정적 결과로 이어지게 된다. 이 외에도 집단 구성원의 증가는 환경적 변이의 상쇄, 적에 대한 방어, 또는 교역로의 개설이나 확장을 용이하게 하는 수많은 정보의 생산을 가능하게 한다.

결과적으로 취락 내 사회적 위계화의 해상도를 제고하기 위해서는 개별 주거의 규모와 공간적 위치, 출토유물의 차이뿐만이 아니라 주거군의 규모에 주목할 필요가 있다. 개별 주거의 훼손과 중복, 개·증축, 물품의 이동성과 위신재의 희귀성 등의 문제를 감안한다면 주거군 규모의 분석은 취락 조직의 설명에 필수적으로 요구된다. 주거군 구성원의 규모는 세대공동체 간의 경쟁에서 유리하게 작용하기 때문에 취락 내 중심 주거군의 엘리트는 취락공동체의 대표자로 상정할 수 있을 것이다(그림 1).

취락 간의 사회정치적 관계의 분석에서도 이상에서 논의한 이론적 전제는 반드시 고려할 필요가 있다. 예를 들어 지역정치체 단위내의 중심 취락은 생

University Press.

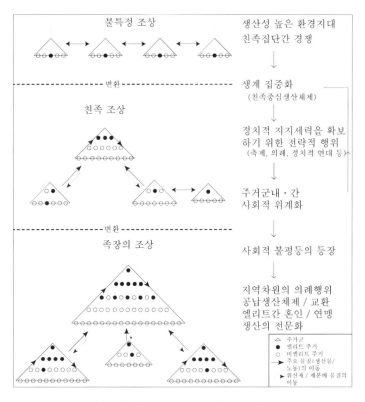

〈그림 1〉 주거와 주거군을 통해 본 불평등사회의 등장

업 행위와 교통상의 이점, 한정자원의 접근성, 수공업 생산시설이나 대형 저장시설의 통제뿐만이 아니라 취락 전체 구성원의 규모에서 상대적인 경쟁력을 확보해야 한다. 따라서 모든 조건이 흡사하다면 각종 정치와 경제, 의례행위의 토대가 되는 소속 집단의 규모가 사회적 경쟁력을 확보할 수 있는 중요한 자산이자 사회적 機制라고 할 수 있다.

Ⅲ. 마한 · 백제계 주거의 특징

　　문헌사와 마찬가지로 물질문화를 통해 마한과 백제를 식별하기란 매우 어려운 작업이다. 필자는 전고[14]에서 마한계와 백제계 주거의 특징을 제시한 바 있는데, 일부 보완하여 제시한 것이 <표 1>이다. 최근의 활발한 조사 결과에 의하면 백제계 취락은 마한계 취락에 비해 구릉 사면의 최하단부와 충적대지 상에 입지하는 경우가 많고, 고상건물이나 도로시설이 취락 내에서 공반하는 예가 다수 발견된다(표 2). 또한 주거 한쪽 면에 돌출부가 설치된 주거 형태는

〈표 1〉 마한과 백제계 주거의 주요 구조와 유물

계통	주거유형	구들시설				벽구	표지 기종	문양	경도	비고
		점토화덕	점토구들	판석화덕	판석구들					
마한계	비사주식 원형	●	●				경질무문토기, 발, 장란형	경질무문과 격자	대부분 연질	동부산간 집중
	비사주식 방형	●					발, 장란형토기, 호	대부분 격자	대부분 연질	
	사주식 방형	●				●	발, 장란형토기, 호, 이중구연토기, 양이부호, 거치문토기	대부분 격자	대부분 연질	서부 평야지대 집중
백제계	사주식 방형			●			직구호,고배, 기대, 삼족기	승문계 다수	경질 증가	구릉 하단부와 충적대지 입지 증가; 도로와 고상건물지 급증
	비사주식 방형			●			직구호, 고배, 기대,	승문계 다수	경질 증가	
	벽주식 방형	●		●			발, 장란형토기, 호	승문계 다수	대부분 연질	
	벽주식 원형		●				발, 장란형토기, 호	승문계 다수	대부분 연질	
	벽주건물			●	●		삼족기, 고배, 기대	승문계 급증	경질 증가	

---

14) 金承玉, 2004,「全北地域 1-7世紀 聚落의 分布와 性格」,『韓國上古史學報』44, 한국상고사학회 : 2007,「금강유역 원삼국~삼국시대 취락의 전개과정연구」,『韓國考古學報』65, 한국고고학회.

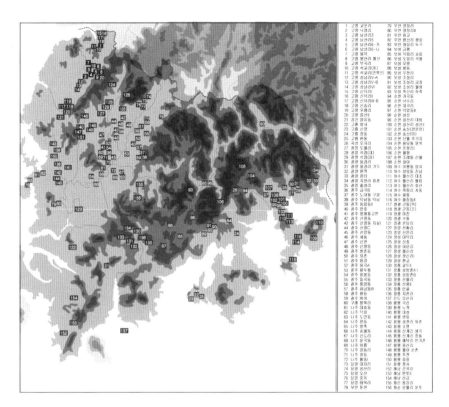

〈그림 2〉 전남지역(고창 포함) 마한계 취락의 분포

한성기 백제 凸자형 주거지와 연관이 있는 것으로 판단된다. 이 외에도 취락 내와 인근에서 독립적으로 발견되는 대형의 원형 수혈 또한 백제계 취락의 특징으로 볼 수 있지만[15] 전남지역에서는 상대적으로 소수만이 발견되고 있다. 이 점에 대해 여기서 상론하기는 어렵지만 원형 수혈은 한성기에 유행한 대규모의 저장시설이고, 웅진기 이후로는 그 수가 현저하게 감소하는 경향을 보여

---

15) 김승옥, 2007, 「금강유역 원삼국~삼국시대 취락의 전개과정연구」, 『韓國考古學報』 65, 한국고고학회.

준다. 전남지역에서 한성기의 수혈이 상대적으로 소수 발견된다는 사실은 이 지역 대부분이 한성기 말까지 백제의 직접 지배권으로 편입되지 않았기 때문으로 이해된다.

이 글에서는 백제계 주거의 특징이 보이는 취락을 포함하여 마한계 취락의 성격을 살펴본다. 그 이유는 무엇보다도 백제계 주거의 구조와 출토유물에서 마한계 요소가 잔존한다는 점을 들 수 있는데, 이는 곧 정치적 교체가 반드시 문화적 교체를 의미하지는 않기 때문이다. 따라서 마한계 요소를 보이는 백제계 취락 또한 쇠퇴기 마한 사회의 단면을 엿볼 수 있는 중요한 자료인 셈이다.

Ⅳ. 자료의 분포와 현황

이 글에서 다루는 공간적 범위는 전남지역이지만 영산강유역과 지리적, 정치적으로 밀접한 관련[16]을 보이는 고창의 주진천권을 포함하여 전남지역 마한계 취락을 살펴본다. 현재까지 전남지역에서 발견된 마한계 취락유적은 150개 이상의 지점에서 확인되었으며, 5,100기 이상의 주거지가 발견되었다(표 2; 그림 2). 필자[17]가 2000년 마한계 취락을 집성할 당시까지 동일 지역에서 50여 개의 취락과 800여 기의 주거지가 발견되었다는 점을 감안하면 10여 년 사이에 취락 자료는 엄청나게 폭증한 셈이다. 10여 년 사이 취락의 수는 3배 정도

---

16) 김낙중, 2011,「榮山江流域 政治體의 成長과 變動 過程」,『百濟學報』6, 백제학회 ; 徐賢珠, 2006,『榮山江流域 古墳 土器 研究』, 학연문화사.
17) 金承玉, 2000,「湖南地域 馬韓 住居址의 編年」,『湖南考古學報』11, 호남고고학회.

증가한 반면, 발견된 주거지의 수는 고상건물지까지 포함한다면 거의 7배 이상 증가하여 대비를 이룬다. 이러한 주거지의 폭증은 최근 담양 태목리, 광주 동림동, 선암동과 같은 충적대지에 대한 조사가 활성화된 결과인데, 이는 고고학 조사의 지평확대라는 점에서 바람직한 조사 방향이라고 할 수 있다.

전남지역 마한계 취락유적은 대부분 서해안과 남해안 일대의 수계를 따라 구릉과 충적대지에서 발견된다. 마한계 취락의 이러한 분포는 일부 소지역권을 제외하고는 동 시간대 고분의 분포와 거의 일치하고 있다[18]. 또한 영산강을 포함한 서해안 일대에서 취락의 밀집도가 가장 높은 지역권은 영산강의 상류와 중류 일대인데, 이 점에 대해서는 아래에서 다시 언급할 예정이다.

---

18) 임영진, 2013, 「고고학 자료로 본 전남지역 마한 소국의 수와 위치 시론」, 『百濟學報』 9, 백제학회.

연번	유적명	주거지	고상건물	중심연대	입지 사	입지 정+사	입지 사+평	입지 평지	주공 사주식	주공 벽주식	주공 사+벽	화덕 점토대	화덕 석재식	화덕 구들	부뚜막 출토	발형토기*	토기가마	박지미	미지미	슴베기	철0	철겸	철도자	철부	철촉	철모	철겸	기타철기	옥 옥	옥 옥영	기타 유물 및 유물	조사 기관
2	고창 낙양리	2		3~4	●										2																	원광대학교
3	고창 남산리	5		3~5	●												1	1													수혈 2	전북문화재연구원
4	고창 남산리	8		3~5	●																										분구묘	전북문화재연구원
10	고창 석교리	13		5중후반	●				6	1			3		1																	호남문화재연구원
11	고창 석교리	19		3~5	●				4				1																			전북문화재연구원
12	고창 성남리 V-A	2	4	3~4	●				1				1					3														원광대학교
13	고창 성남리 V-B	4	1	3~4	●				1				1						1												구	원광대학교
14	고창 성남리M	3		3~4	●				3	1			3																			원광대학교
15	고창 신덕리	12		3~4	●				2				6		1	1												1				원광대학교
16	고창 신덕리	13		3~4	●				4	1			10															1				원광대학교
17	고창 신덕리-B	6		3~4	●				1				4																			원광대학교
18	고창 신송리	13		3~4	●				1				4																			원광대학교
19	고창 우평리	9		3~5	●				3	1			2																			전주대학교
20	고창 증산	2		3~4		●																									구, 분구묘, 옹관묘	호남문화재연구원
21	강진 양유동	14		4	●				9				4	1																	구, 분구묘, 목관묘	전남문화재연구원
24	고흥 장동	2		4~5	●								1																		조형토기	대한문화재연구원
29	광양 석정	5		2~3				●					4															1				마한문화연구원
30	광양 용강리	3		4말~5	●				3				1																		모자곡옥	순천대학교
31	광양 용강리 기두	3		?	●				2				2																			순천대학교
32	광양 원적	8		5후반	●				1	1	1	1	7	1								1									폐기장(점열점 1, 철부2)	마한문화연구원

No.	유적명	주거지	시기				출토유물(수)										유구	조사기관
33	광양 점터	14	4중후엽	●						1	8	1				1		마한문화연구원
34	광양 지원리 창촌	5	4	●						1	4				1		고분, 옹관묘, 토광묘	마한문화연구원
36	광양 용강동	4	3	●		1					3		1					호남문화재연구원
37	광주 노대동 구상	1	?		●													전남문화재연구원
38	광주 덕림동 덕림	1	?		●					1	1							전남문화재연구원
40	광주 만호	7 2	4	●			4			4	4						구	호남문화재연구원
41	광주 명화동 고분	2	6전반	●							2	1						국립광주박물관
59	광주 비아	4	5	●					4									호남문화재연구원
42	광주 신창동 지실	4	3초~4중반	●			1		5	1	1			1			구	전남문화재연구원
46	광주 세동	10	4중반~6초		●		5			4	4	1						전남문화재연구원
47	광주 신완	6 2	5후반		●		3		1	3	5	1					수혈 22	호남문화재연구원
48	광주 신창동	10	3~4	●			2			2	1						국립웅지, 구, 호남광장 / 수혈4, 토광묘	국립광주박물관
50	광주 외촌	9	3~5	●							7							호남문화재연구원
51	광주 용강	5	4~5	●			2			2	2						고분	호남문화재연구원
52	광주 용곡A	16	3후~4초반	●			1			1	1							호남문화재연구원
53	광주 용두동	8	3~5		●		4	1	2		3		1				구	전남대학교
54	광주 용봉동	2	2~4			●												광주시립민속박물관
55	광주 일곡동	3	2~3	●							3							목포대학교
56	광주 통암동	2	5후반~6	●			2			2	2			1			구	전남대학교
61	나주 대초동	5	4~5	●			4			4	4							호남문화재연구원
62	나주 덕림	1	5	●			1			1	1							호남문화재연구원
63	나주 도민동		5	●			1			1	1							전남문화재연구원
64	나주 랑동	22 1	4중반~5	●			4	1	2	4	4		1			1	수혈 17기	전남문화재연구원
66	나주 송월동	2	4		●		1				1						구	전남문화재연구원
69	나주 이룡	9	4~5	●			4		2	4	1					1	구	목포대학교
70	나주정동리	6	3~5	●			3			3	1			1				전남문화재연구원
72	나주 황동	2	4		●				2									목포대학교
73	담양 대치리	6 7	5말~6	●			2			2	5	2				2		호남문화재연구원

번호	유적명	수량1	수량2	연대	①	②	③	④	⑤	⑥	⑦	⑧	⑨	⑩	⑪	비고	조사기관
74	담양 성산리	12	2	5후반 이후	●		7				1	1			2		호남문화재연구원
75	담양 오산	11	3	5전~6전반			4		8	11		1	1			수혈 13	호남문화재연구원
76	담양 중옥	1	2	5	●		1		1	1							호남문화재연구원
78	무안 덕천	6	6	4~6	●		5	1	6		2		1	2	4	조형토기	전남문화재연구원
81	무안 용교	6	6	3전~4후반	●		1		4								동신대학교
82	무안 평산리 평림	15		3~4	●		5	1	4								전남문화재연구원
83	무안 하묘리 두곡	1		5층후열			1	1	1	1							대한문화재연구원
84	보성 금평	2		3층후반	●				1								전남대학교
85	보성 덕림리 숲림	4		4후~5초반	●				4								마한문화재연구원
87	보성 머영	1		?	●		1										전남문화재연구원
88	보성 봉동	10		2~4	●		1		10		3						전남문화재연구원
89	보성 우천리	5		4후~5전반	●		1		1				1				남도문화재연구원
91	보성 조성리 금장	21		3~5	●				2			1				고분, 토광묘	대한문화재연구원
92	보성 죽산리 월평	8		7전반후~4	●	●			3						1		순천대학교
93	보성 죽산리 하죽	4		3~4	●	●	1		1								전남대학교
95	순천 낙수리	18		3전~4중후반	●		1		7	2	2						전남문화재연구원
101	순천 송산	23		4말~5중후반	●		2	3	14	3		1	2			전남문화재연구원
103	순천 신월 주거지	2		4	●			1	1							구	동북아지석묘연구소
104	순천 왕동동 망북	8		BC 2~4	●						1			1		구, 수혈 1, 토광묘	순천대학교
105	순천 운평리	2		?	●												순천대학교
106	순천 월평	3		3~5	●		1		1								조선대학교
107	순천 조례동 신월	2		2후~3초반	●		1		1							구, 수혈	순천대학교
108	순천 죄아	3		1후~2전반	●				3								마한문화재연구원
109	여수 미평동 양지	1	1	3후~4전반	●				1		1	1	3				전남대학교
110	여수 상암동 진남	5		4~5	●		1		1			1				구, 석곽묘, 토광묘	영해문화유산연구원
111	여수 월산리 대초	1		4후반	●				1								대한문화재연구원
112	여수 월산리 월림	1		4	●											구	대한문화재연구원
115	여수 화동	12		4말~5초	●		4							1		갈골, 첨두기	마한문화재연구원
117	영암 군동	7		BC2말~AD1	●				5							분구묘	목포대학교

번호	유적명		시기	기관	비고(구분)
118	영광 군동	1	2~4	조선대학교	구
119	영광 마전	9	3	조선대학교	
120	영광 수동	1 / 12	5	조선대학교	
121	영광 운당리	21	3~4	마한문화연구원	
123	영광 신연리	4	3	국립광주박물관	고분
124	장성 대덕리	5	4중반	호남문화재연구원	석곽묘
125	장성 산정	8	3	호남문화재연구원	구
126	장성 이은리	3	3후~4전반	호남문화재연구원	분구묘
127	장성 월산리	4	4	호남문화재연구원	
130	장흥 갈두	11	3중~3후반	호남문화재연구원	분구묘
132	장흥 상방촌B	1	4~5	호남문화재연구원	고분
133	장흥 상방리	15	3~4	목포대학교	고분
134	장흥 신월리	3	4~5	호남문화재연구원	
135	장흥 신풍	13	4중~5전반	호남문화재연구원	
137	진도 오산리	17	4~5	전남문화재연구원	
138	함평 국산리	6 / 2	4~5	목포대학교	
139	함평 노적	7	5~6	호남문화재연구원	
140	함평 대성	11	3후~4전반	호남문화재연구원	구, 분구(토기)
144	함평 신계리 성곡	6	3~4세기	전남대학교	
145	함평 신계리 장동	9	3~4세기	전남대학교	
146	함평 예덕리 만가촌	7	3층	전남대학교	고분
147	함평 용산리	8	3~5	목포대학교	
148	함평 월야순촌	1	4세기 이후	목포대학교	고분
149	함평 주전	3	3후~4전반	호남문화재연구원	
151	함평 창서	8	3후~4전반	호남문화재연구원	
152	해남 군곡리	1		목포대학교	
156	화순 운월리 운포	4	5	전남대학교	
1	고창 교운리	44	3~4	호남문화재연구원	구
5	고창 남산리 6-가	26	3~5	전북문화재연구원	구
6	고창 남산리 6-나	25	3~5	전북문화재연구원	주혈

호남지역 마한 제국 관련 유적 집계표 (부분)

번호	유적명		시기	조사기관
7	고창 봉덕	56	4~5	호남문화재연구원
9	고창 부곡리	26	3~4	호남문화재연구원
22	고흥 방사	58	4~5	호남문화재연구원
25	고흥 한동	36	4~5	호남문화재연구원
26	곡성 오지리	47	2~3	마한문화연구원
28	광양 석정	32	4~5	순천대학교박물관
35	광양 칠성리	42	BC2~AD5	호남문화재연구원
44	광주 산정C	36	3중~3후반	호남문화재연구원
58	광주 향등	30	6전후	마한문화연구원
60	구례 봉북리	29	2~4	호남문화재연구원
66	나주 방축	32	3~5후반	대한문화재연구원
67	나주 신도리	65	4~5	마한문화연구원
68	나주 운곡동	58	3후~5초반	목포대학교
79	무안 양장리	37	3~5	목포대학교
80	무안 양장리	36	3~5	순천대학교
90	보성 조성리	33	2후~5전반	마한문화연구원
94	순천 가곡동	32	3후~5전반	마한문화연구원
98	순천 성산	24	4말~5전반	마한문화연구원
99	순천 성산리 대벌	43	3후반~5전반	마한문화연구원
102	순천 송산	26	5말~6중엽	대한문화재연구원
113	여수 월산리 훈신	45	4중~5전엽	순천대학교
116	여수 화장동	53	2~5중후엽	목포대학교
122	영암 선황리	35	3전~4전반	호남문화재연구원
129	장성 환교	65	4초~중반	목포대학교
136	장흥 지천리	43	3~6	호남문화재연구원
141	함평 반암	27	3	전남대학교
142	함평 성천리 오룐	55	3~5	호남문화재연구원
153	해남 분토	57	3후~4후반	전남문화재연구원

8	고창 봉산리 황산	106	12	4~5			●												?												도로,구,수혈 105, 분구묘	대한문화재연구원
23	고흥 신양	85		2~3	●				3			1											1		1						모자곡옥	호남문화재연구원
27	광양 도월리	76		4~6			●		9	2		40	1												1						구,고분:주조수혈1, 폐기장,주조공방1	전남문화재연구원
39	광주 동림동Ⅱ	98	65	4~5			●		33	1	3	68			3							1	1	1							구, 저습지, 도로	호남문화재연구원
42	광주 산정동	68	35	4~6	●				14	4	7	43			1		3	2	1		1	1									특수 방형건물지, 구, 고분	호남문화재연구원
45	광주 선암동	310	12	3중후~5후반			●		42			231	1						1			1	1	1	1			2	6	4	구, 고분	호남문화재연구원
49	광주 쌍촌동	79		3초~4초	●				2			46						1													분구묘, 석실묘	전남대학교
57	광주 하남동Ⅲ	346	29	3~6		●			90	15	24	143			9			2	1		5	1		1								호남문화재연구원
71	나주 장등	74		3~5		●			20	3	7	28			4								1					1			분구묘, 옹관묘	호남문화재연구원
77	담양 태목리	965		2중~5			●		18	11		428			34		1	1				2	2					3		10	구, 분구묘, 토광묘	호남문화재연구원
86	보성 도암리 석평	167	4	1후~5		●			4	2		83	3		46	5	3	8	3				7		6			5		46		마한문화연구원
96	순천 대곡리	93		2~5			●		2	5		54	3		6			3				1	6	1	4			2		6		전남대학교
97	순천 덕암동Ⅱ	238		2~5후엽		●			3	18	2	29	3	1	1		1	2	1		1	5	3	6	7					1	환호, 구, 폐기장	마한문화연구원
100	순천 성산리 성산Ⅱ	81	4	3말~5초		●			1			11										1	1									마한문화연구원
114	여수 죽림리 차동	80		2중~5후반	●					2	2	8	1								1	1	2		1						석곽묘	마한문화연구원
128	장성장산리Ⅱ	64	21	2후~5초반			●					29																		3	구	호남문화재연구원
131	장흥 상방촌A Ⅰ	107	1	2~5			●		7		1	74			3			1			9	7	2	3	3			2		1	분구묘	목포대학교
143	함평 소명	182		3중~4후엽		●			125		2	98				1			9		2	1	1					2		3		전남대학교
150	함평 중랑	201		3후반~4		●			47	4	2	87	1		6				2		38	4	5		4	3	1	6		2	쇠삽날	목포대학교
154	해남 신금	72		3중반~4	●				55		5	47			1							2	2	4								호남문화재연구원
155	화순 용강리	160		3중~7중반				●	15			84	4		5					12	4	9	13	7	15			7		1	환두도	동북아지석묘연구소

V. 취락의 구조와 성격

1. 취락과 주거의 분류

전남지역 취락의 규모 차이를 파악하기 위해 먼저 취락별 주거지 총 수의 빈도를 분석하였다. 담양 태목리를 제외한 155개소 유적에 대한 분석 결과 취락은 크게 소형(25기 미만), 중형(25~69기), 대형(70기 이상)취락으로 대별할 수 있다(그림 3). 대형 취락 중에는 1,000여 기에 이르는 주거지[19]와 구상유구, 분묘군이 발견된 유적과 태목리유적과 같이 초대형 유적들이 존재하기 때문에 대형 취락은 세분이 가능하지만, 분석의 편의상 여기서는 일단 대형 취락으로 함께 분류하였다.

취락 규모의 분석은 주거지뿐만이 아니라 고상건물지, 대형 수혈, 가마와 같은 생산시설, 구상유구 등을 함께 검토해야 하지만 취락 크기의 분류에서 이들 유구들을 제외하였다. 그러나 고상

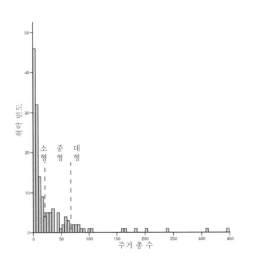

〈그림 3〉 주거 총 수에 따른 취락 분류

---

19) 녹지보존구역의 주거지까지 포함하면 주거지 총 수는 1300여 기에 이를 것으로 추정된다. 이는 현재까지 발견된 단일 유적으로는 삼한 취락 중 최대 규모라고 할 수 있다.

건물지들이 상당 수 발견된 취락은 일부 수정하였다. 예를 들어 24기의 주거지와 7기의 고상건물지가 발견된 순천 성산유적은 중형취락으로 분류하였다. 또한 68기의 주거지와 35기 이상의 고상건물지가 발견된 광주 산정동유적과 64기의 주거지 및 21기 이상의 고상건물지가 공반된 장성 장산리I유적은 대형 취락으로 조정 하였다. 이 외에도 보성 조성리와 장흥 지천리유적은 전체 취락의 일부만이 조사되었고, 취락을 감싸는 대형의 환호 내지는 구상유구가 발견되었다는 점을 감안하면 대형 취락일 가능성이 매우 높지만 여기서는 일단 중형 취락으로 분류하였다.

다음으로 주거 장축(총 3,301기)과 면적(총 2,025기)을 대상으로 개별 주거지의 규모를 분석하였다(그림 4). 개별 주거지의 상대적 차이 분석은 단위 소국별로 이루어지는 것이 바람직하지만 현재로선 각 소국의 설정이 어렵고, 주거 규모의 상대적 차이를 전반적으로 파악하는데 목적이 있기 때문에 여기서는 전남지역 전체의 자료를 대상으로 분석하였다. 분석 결과, 주거지는 장축길

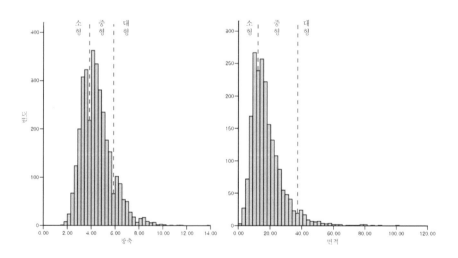

〈그림 4〉 주거지 규모별 분류

이에 따라 소형(4m 미만), 중형(4~6m 미만), 대형(6m 이상)주거지로 대별하였다. 면적에 따라서는 소형(15㎡ 미만), 중형(15~35㎡ 미만), 대형(35㎡ 이상)주거지로 분류하였다. 대형 주거지는 70㎡ 이상의 초대형도 존재하지만 일단 여기서는 대형에 포함시켰고, 초대형 주거지는 필요한 경우 다시 논하겠다. 이 글에서 논하는 주거의 규모별 분석은 면적을 기준으로 하였으나 장축 길이 또한 혼용하였음을 미리 밝혀둔다. 물론 유실된 주거 단축의 길이가 면적에 어느 정도 영향을 미치기는 하지만 마한과 백제 주거지의 대부분은 장방형계이고, 분석의 목적이 주거 규모의 대체적인 경향을 파악하는데 있기 때문에 장축 길이의 사용이 이 글의 결론에 영향을 미치지는 않을 것으로 판단한다.

2. 취락의 구조와 위계

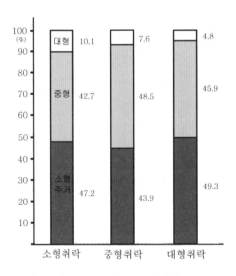

〈그림 5〉 취락 규모별 주거 면적의 분포

취락의 규모에 따른 취락 간의 상대적 차이를 설명하기 위해 먼저 취락 규모별 개별 주거지의 차이를 분석하였다. 〈그림 5〉에서 보는 바와 같이 소형에서 대형취락으로 이동함에 따라 대형 주거지의 비율이 감소하는 반면, 소형 주거지의 비율은 증가하고 있다. 이와 같이 취락의 규모가 증가할수록 대형 주거지가 감소하는 현상은 대형 취락에서는 상대적으로 대형 주거가 취락 내의 소수 구성원에게 집중되고 있다는 점을 시사한다.

주거지 규모의 차이 외에도 취락 간의 차이를 시사하는 증거는 다수 존재한다. 예를 들어 그 용도에서는 다양한 견해가 제시되었지만 고상건물은 잉여생산물을 저장하는 창고로 보는 견해가 대다수이다. 이러한 대규모의 저장 시설은 단순히 종곡과 같은 물품만을 보관하기 보다는 하위 주거군이나 취락과의 관계속에서 발생한 잉여생산물의 수취와 보관이라는 측면에서 중요한 의미를 지닌다고 볼 수 있는데[20], 전남지역 고상 건물은 취락의 크기에 따라 현저한

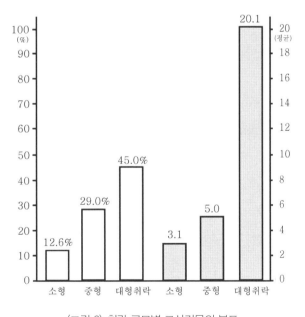

〈그림 6〉 취락 규모별 고상건물의 분포

---

20) 권오영, 2008, 「섬진강유역의 삼국시대 취락과 주거지」, 『백제와 섬진강』, 서경문화사 ; 이영철, 2013, 「호남지역 원삼국~삼국시대의 주거 · 주거군 · 취락구조」, 『주거의 고고학』 제37회 한국고고학 전국대회 발표요지, 한국고고학회.

차이를 보이고 있어 주목된다. 즉, 취락당 고상건물이 발견되는 비율과 평균은 소형에서 중형, 대형취락으로 이동함에 따라 점차 증가하는 현상을 보이고 있다(그림 6).

환호 시설 또한 중형 이상 취락에서만 발견되는데, 예를 들어 보성 조성리, 장흥 지천리, 순천 덕암동유적에서 환호가 확인되었다(표 2). 이 외에도 대규모의 노동력과 토목공사가 요구되는 구상유구는 거의 대부분 중형 이상의 취락에서만 확인된다(표 2). 이러한 구상유구는 담양 태목리와 같이 취락의 환호로 기능했을 것으로 추정되는 예도 있고, 광주 동림동Ⅱ처럼 주거군 간의 구획 시설로 기능하는 예도 있어 당시 사회에서 다목적의 용도를 지녔을 것으로 추정된다. 주거군 간의 경계나 엘리트 건물의 구획시설로서의 구상유구는 영산강유역21)뿐만이 아니라 중도식 주거 문화권22)에서도 폭 넓게 확인되고 있다.

취락의 성격과 취락 간의 차이를 보여줄 수 있는 또 다른 자료로는 토기나 철기, 옥 생산과 관련된 취락이나 이와 관련되어 출토되는 물품을 들 수 있다. 이 외에도 각종 위신재와 외래 기원의 물자를 들 수 있지만 전남지역 삼한 소국에서는 위신재로 볼 수 있는 유물이 거의 없고, 외래 기원 토기는 지면의 한계상 여기에서는 생략한다.

토기 생산과 관련된 유구와 유물로는 가마, 박자나 도지미와 같은 토기 생산 도구를 들 수 있다. 취락 등급별로 살펴보면 소형 취락에서는 15.4%, 중형 취락에서는 19.4%, 대형 취락에서는 55%의 유적에서 가마나 토기 생산 관련

---

21) 이영철, 2011, 「영산강 상류지역의 취락변동과 백제화 과정」, 『백제학보』 6, 백제학회.
22) 송만영, 2013, 「중도식 주거 문화권의 주거지와 취락」, 『주거의 고고학』 제37회 한국고고학 전국대회 발표요지, 한국고고학회.

유물이 발견되었다. 그런데 소형 취락중에서 토기 가마가 발견된 취락의 주거지 총 수를 보면 흥미로운 현상이 관찰된다. 예를 들어 가마와 공반된 주거지의 수를 살펴보면 고창 남산리3: 가마 1기와 주거 5기, 고창 성남리V-A: 가마 3기와 주거 2기, 광주 비아: 가마 4기와 주거 4기, 나주 황동I: 가마 2기와 주거 2기, 여수 양지: 가마 1기와 주거 1기, 영광 군동: 가마 3기와 주거 1기, 해남 군곡리: 가마 1기와 주거 1기, 광주 용두동: 가마 2기와 주거 8기, 함평 만가촌: 가마 2기와 7기로 발견되었다. 후자의 용두동과 만가촌을 제외하면 가마가 발견된 소형 취락에서는 극소수의 주거지가 함께 발견되었고, 남산리3, 비아, 양지 유적의 주거지에서는 토기 생산 도구들이 출토되었다. 따라서 소형 취락 내에서 가마가 발견되는 대부분의 취락은 농경생활을 영위하는 일반 농경민이라기보다는 토기 생산을 전업으로 담당하거나 최소 반전반농의 주민들이 거주하는 특수 취락이었을 것으로 추정된다.

이상의 논의를 종합하면 토기의 생산과 유통은 두 가지 경로로 이루어졌을 가능성이 있다. 먼저 중대형의 취락에서는 토기 생산을 전담하는 계층이 존재하였고, 이들 전업집단에 의해 생산된 토기는 취락 내에서 소비되고, 주변의 소형 취락으로도 공급되었을 가능성이 있다. 다음으로 삼한 소국 내에서는 토기 생산을 전담하는 소형 취락이 존재하였고, 여기서 생산된 토기는 주변의 소형 취락으로 공급되었으며, 토기 생산 시설이 존재하지 않은 중대형 취락으로도 공급이 이루어졌을 개연성이 높다.

한편, 철기 제작은 고도의 기술을 요하는 전문적인 작업이기 때문에 생산 도구의 철기화는 진변한 사회의 농경 생산성과 사회적 계층화를 촉진시킨 가장 중요한 핵심 기술로 평가되고 있다[23]. 그러나 영산강유역권의 마한 사회에서는 철제농기구 대신 목제농기구를 사용하여 농경이 이루어졌으며, 이 지역 철제농기구의 상대적 미발달은 영산강유역의 고대 사회가 중앙집권적 고대 국가로 성장하지 못한 주요한 이유로 설명되기도 한다[24]. 전남지역의 취락과 분묘에서는 농기구는 물론이고 전반적인 철기의 종류와 양에서 한성기의 백제나 진변한 사회에 비해 현저한 열세를 보이고 있다. 더구나 취락유적의 철기는 분묘에 비해 훨씬 적은 수가 발견되고 있다(표 2). 따라서 전남지역 취락에서 발견되는 철기는 도구 자체의 기능을 넘어 당시 사회에서 경제적 부와 사회적 지위를 상징하는 위신재로도 기능하였을 가능성이 매우 높다.

철기가 발견되는 전남지역 취락을 살펴보기 전에 철기생산과 관련된 유적을 먼저 검토할 필요가 있다. 다른 지역의 마한 사회와 마찬가지로 전남지역에서도 철기생산과 관련된 유적은 10여 개로 극소수가 발견되고 있다[25]. 그런데 이들 철기생산 관련 유적은 함평 중랑, 무안 양장리, 나주 랑동[26], 광주 산정동, 화순 용강리, 순천 대곡리, 여수 호산 등 중형과 대형 취락에서 발견된다는 공통점을 보인다(표 2).

중형급 이상의 취락에서 발견되는 유구 외에 철기 생산 관련 유적으로는 나

---

23) 이현혜, 1991, 「삼국시대 농업기술과 사회발전-4~5세기 신라사회를 중심으로-」, 『한국상고사학보』 8, 한국상고사학회.
24) 임영진, 2011, 「3~5세기 영산강유역권 토착세력의 성장 배경과 한계」, 『百濟學報』 6, 백제학회.
25) 김상민, 2009, 「湖南地方의 鐵器生産과 流通에 대한 試論的 檢討」, 『호남고고학에서 바라본 생산과 유통』 제17회 호남고고학회 학술대회 발표요지, 호남고고학회.
26) 랑동유적은 여기에서는 일단 소형 취락으로 분류했지만 아래에서 기술하는 바와 같이 고고학적 맥락으로 볼 때 대형 취락일 가능성이 농후하다.

주 복암리 주변유적[27]과 화순 삼천리[28]유적이 있으나 전자는 7세기대의 유적으로 추정되고 있어 이 글의 시간적 범위를 벗어나고 있다. 삼천리유적에서는 구상유구 5기와 고상건물지 3기가 확인되었는데, 구상유구에서는 노벽과 철재가 발견되어 유적 내에 제련 관련 유구가 존재했을 가능성이 매우 높아 보인다. 삼천리유적이 화순 용강리와 같은 권역내의 중심 취락의 통제 하에서 운영된 전문 공방인지의 여부는 현재로선 불분명하지만, 철기 제작의 전문성과 철기의 희귀성을 감안하면 삼천리의 철기 생산이 인근 중심 정치체의 통제 내지는 영향하에서 이루어졌을 가능성을 배제할 수 없다.

취락의 등급별로 출토 빈도가 상대적으로 높은 철기를 살펴보면 취락 간에 극명한 차이를 보이고 있다. 예를 들어 철기의 종류와 양에서 소형 취락은 중대형 취락에 비해 현저하게 낮은 양상을 보이고, 중형과 대형 취락 간에도 상당한 격차를 보이고 있다(표2, 3). 특히 철정은 소형 취락으로 분류된 나주 랑동에서 유일하게 1점이 발견되었고 나머지는 중대형, 특히 대형취락에서 집중적으로 발견되었다. 그런데 총 22기의 주거지가 발견된 랑동유적[29]은 전체 취락의 일부만이 조사된 점, 7호와 15호 주거지의 면적이 85㎡이상으로 초대

〈표 3〉 취락 규모별 철기 출토 비율

	철겸	철도자	철부	철촉	철정
소형 취락(n=103)	2.9%	6.7%	3.9%	3.9%	1.0%
중형 취락(n=31)	29.0%	32.2%	25.8%	19.4%	6.5%
대형 취락(n=20)	75.0%	70.0%	50.0%	40.0%	35.0%

27) 국립나주문화재연구소, 2008, 「나주 복암리 고분군 주변지역 3차 발굴조사 약보고서」.
28) 崔盛洛·金京七·鄭 一, 2007, 『和順 三千里遺蹟』, 전남문화재연구원.
29) 崔盛洛·金京七·鄭一·韓美珍·李景琳, 2006, 『羅州 郎洞遺蹟』, 전남문화재연구원.

형인 점, 출토유물이 복암리 고분군과 유사한 점으로 보아 대형급의 취락으로 보아도 무방하다. 또한 중형 취락에서는 1점씩이 발견되는 반면, 대형 취락에서는 함평 중랑 30여 점, 장흥 상방촌AI 9점, 광주 하남동Ⅲ 5점, 화순 용강리 4점 등이 발견되어 대조를 이룬다. 전남지역에서 철을 전문적으로 생산했던 유적이 거의 알려진 바 없고, 대부분 단야유적이라는 점을 감안하면 철소재로서의 철정은 당시 사회에서 가장 중요한 물적 자산으로 기능했을 것으로 판단된다. 이러한 중요 자산이 대부분 대형 취락에서만 확인되는 것으로 보아 당시 사회에서 대형 취락은 정치경제적으로 중심 기능을 수행하였으리라 추정된다.

철기의 생산과 분포에 관한 이상의 논의를 종합하면 철생산과 철소재의 1차 유통은 현재로선 불분명하지만 철기는 권역별로 대형급 취락에서 생산되었고, 생산된 철기는 주변의 소규모 취락으로 보급되었던 것으로 추정할 수 있다. 또한 앞에서 논의한 토기는 대형 취락뿐만이 아니라 주변의 토기생산 전문 취락에 의해서도 생산되는데 반해, 현재까지의 자료로 보는 한 철기생산은 화순 삼천리를 제외하고는 대형급 취락에서 이루어진다는 점에서 차이를 보인다. 또한 토기의 생산과 소비 단위는 각 소국별로 이루어졌을 가능성이 높지만 소국별 철기생산 취락의 차별적 분포로 볼 때 철기는 소국간의 광역적 교역망을 통해 유통되었을 가능성이 높다(그림 15).

문헌기록[30]과 물질문화의 연구[31]에 의하면 옥은 마한의 장식문화를 대변하

---

30) 『三國志』券30, 魏書 韓專條「以瓔珠爲財寶 或以綴衣爲飾 或以懸頸垂耳 不以金銀繡 爲珍」
　　『後漢書』東夷列傳 韓條「不貴金寶錦罽…唯重瓔珠綴衣爲飾 及縣頸垂耳」
　　『晉書』列傳 四夷傳 馬韓條.
31) 김미령, 2008,『韓半島 西南部地域의 玉 硏究-3~5世紀 墳墓遺蹟 出土 玉을 中心으

는 표지 보석이라 할 수 있다. 철기와 마찬가지로 마한 사회의 옥은 분묘에 비해 취락에서는 출토 예가 상대적으로 드문 편인데, 전남지역에서도 마찬가지이다. 현재까지 전남지역의 옥 공방은 거의 알려진 바가 없고, 용범도 대형 취락인 광주 선암동유적을 제외하고는 확인된 예가 거의 없다. 따라서 취락 간 옥에 관한 비교는 취락 등급별로 옥 유물이 출토된 주거지의 비율에 의존할 수밖에 없는데, 그 비율을 살펴보면 소형 취락 2.9%, 중형 취락 19.4%, 대형 취락 50.0%의 순으로 나타난다. 이러한 취락별 옥의 분포는 대형급의 취락일수록 옥을 애용하는 거주민이 많았고, 이러한 옥의 애용자는 상대적으로 사회적 지위가 높았을 가능성이 있다.

3. 대형 취락의 구조와 변화

이상에서 취락 간의 사회적 차이를 유구와 유물을 통해 거시적으로 살펴보았는데, 여기서는 몇 개의 대형 취락을 통해 취락 내부의 구조와 사회적 변화를 검토해 보겠다. 먼저 함평 소명유적을 살펴보면, 이 유적은 4단계로 편년되는데, I단계 3세기 중엽, II단계 3세기 후엽, III단계 4세기 초 · 중엽, IV단계 4세기 후엽으로 비정되었다[32]. I단계의 주거 및 주거군의 규모와 밀도를 살펴보면 주거군 C와 G가 약간 차이를 보일 뿐 주거군 간의 현저한 차이는 보이지 않는다(그림 7). 그러나 II단계에 이르면 주거군 간의 차이가 심화되는데, 예

로-」, 전북대학교대학원 석사학위논문 ; 金承玉, 2011, 「중서부지역 마한계 분묘의 인식과 시공간적 전개과정」, 『韓國上古史學報』 71, 한국상고사학회.

32) 林永珍, 李昇龍, 全炯玟, 2003, 『咸平 昭明 住居地』, 全南大學校博物館.

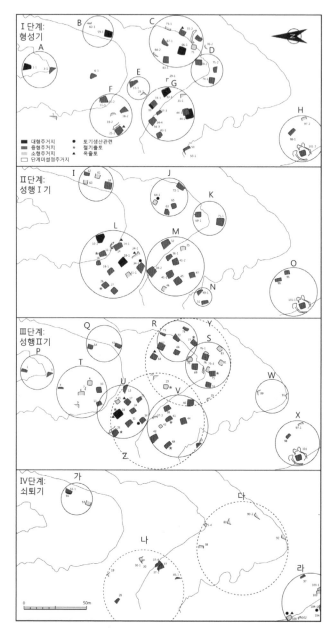

〈그림 7〉 함평 소명유적 유구 분포와 변화

를 들어 주거군 L과 M이 개별 주거와 주거군의 규모에서 주변 주거군에 비해 우위를 보인다. 이 중에서도 대형 주거지가 분포하고 주거군 내에 복수의 철기와 옥이 발견되는 주거군 L이 중심적 위치에 있었을 것으로 판단된다. III단계에 이르면 전체 취락의 규모는 더욱 확대되고 주거군 간의 차이 역시 증가한다. 주거군 Y와 Z[33]는 다른 주거군에 비해 주거의 총 수에서 압도적인 우위를 보이며 이 주거군들에서 이 단계에 속하는 모든 철기와 옥이 발견되었다. 마지막의 IV단계에 이르면 취락의 규모가 급감하고 대부분 소형 주거지로 구성되며, 주거군 간의 차이도 거의 나타나지 않는다.

소명유적의 토기와 철기, 옥의 분포를 살펴보면, 토기생산 관련 유물은 철기나 옥과는 상이한 분포를 보여 주목된다. 예를 들어 토기 생산 관련 유물은 중심 주거군에서도 일부 확인되지만 II단계의 주거군 J와 IV단계의 주거군 라와 같은 소형 주거군에서도 발견된다.

소명 유적과 동일한 권역 내에 위치하는 함평 중랑유적은 3~5세기대에 축조되었고, 3단계의 편년안이 제시[34]되었지만 단계별 소속 주거지의 수가 너무 적어 여기서는 모든 주거지를 함께 살펴보았다(그림 8). 중랑유적에서는 주거와 주거군의 규모로 볼 때 주거군 A와 I를 중심 주거군으로 볼 수 있는데, 이 중에서도 취락의 중심부에 위치하는 주거군 A의 위계가 더 높았을 것으로 판단된다. 대부분의 철기 생산 관련 유구나 유물, 옥은 주거군 A와 I에 집중되어 발견되었다. 그러나 철기 생산 관련 시설은 중심 주거군 내에서도 대형 주거지보다는 중소형 주거지에서 발견되는 경향을 보여 주목된다. 또한 중심 주거

---

33) 공간적 군집양상을 볼 때 주거군 Z는 U와 V로, 주거군 Y는 R과 S로 나누어질 수도 있는데, 이렇게 보더라도 주거군과 중요 유물 집중도의 양상에서는 차이를 보이지 않는다.
34) 최성락 외, 2003, 『함평 중랑유적 I』 목포대학교박물관.

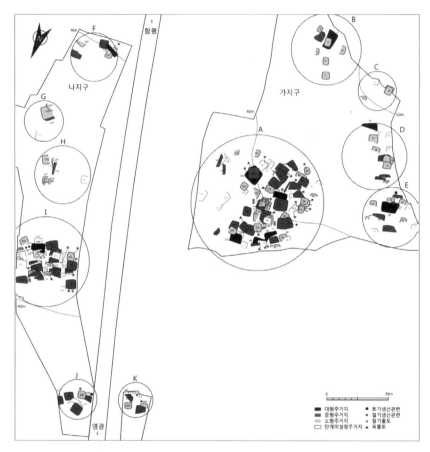

〈그림 8〉 함평 중랑유적 유구 분포

군에서는 토기 생산 관련 유구나 유물이 전혀 발견되지 않고 오히려 소형 주거군인 E와 J에서만 발견된다. 중랑유적에서도 5세기대에 접어들면 취락의 쇠퇴를 엿볼 수 있는데, 예를 들어 5세기의 주거지는 소형 주거군인 E에 집중되어 있고[35], 이 시기의 주거지에서는 철기나 옥 등이 거의 발견되지 않는다.

---

35) 최성락 외, 2003, 『함평 중랑유적 I』, 목포대학교박물관.

강귀형[36)]의 단계 구분에 의하면 영산강 상류의 담양 태목리유적은 IV단계로 세분되는데, I단계는 2세기 중엽~말, Ⅱ단계는 3세기, Ⅲ단계는 4세기, IV단계는 5세기 전반으로 편년된다. 이러한 단계에 따라 취락의 구조와 변화를 살펴보면 먼저 I단계에서는 주거와 주거군의 수도 적고 대부분 소형 주거지이며, 주거군 간의 차이도 거의 보이지 않는다(그림 9). 그러나 Ⅱ단계에 이르면 주거 및 주거군의 수와 복잡도에서 그 차이가 심화되며, Ⅲ단계에 이르면 그 차이는 최고조에 달하게 된다. 태목리 주거지는 중첩이 많고 파손이 심하게 이루어져 출토 유구와 유물에 의해 주거군 간의 차이를 판별하기 어려운데, Ⅱ단계의 주거군 N과 O에서 대형 주거지가 발견된다는 점에서 위상을 짐작할 수는 있지만 분명하지 않다. 그러나 Ⅲ단계에 이르면 대규모의 구상유구(또는 환호?)를 기준으로 동쪽에 위치한 주거군들이 규모와 복잡도에서 우월한 양상을 보인다. 특히 주거군 P와 Q에서 상대적으로 많은 수의 철기와 옥, 그리고 토기 가마가 발견되어 그 역할을 짐작할 수 있다. 마지막의 IV단계는 취락의 쇠퇴기로 주거와 주거군의 수가 급감하고 철기나 옥의 출토량도 줄어드는 양상을 보인다.

장흥 상방촌AI유적은 3단계로 세분되는데, 중심 연대를 살펴보면 I단계 2세기, Ⅱ단계 3~4세기, Ⅲ단계 5~6세기 초로 비정되었다[37)]. 이 유적 역시 I단계에는 주거와 주거군의 수도 매우 적고 그 차이가 거의 보이지 않는다(그림 10). 그러나 Ⅱ단계에 이르면 주거지의 수가 급증하고 주거군 간의 차이도 현저하게 나타난다. 이 단계의 주거군 중 취락의 중심부에 위치한 주거군 E~K는 각각을 하나의 주거군으로 볼 수도 있고, 이 주거군 전체가 모여 하나의 주거군

---

36) 姜貴馨, 2013, 『潭陽 台木里聚落의 變遷 研究』, 목포대석사학위논문.
37) 최성락 외, 2005, 『장흥 상방촌A유적 Ⅰ』, 목포대학교박물관.

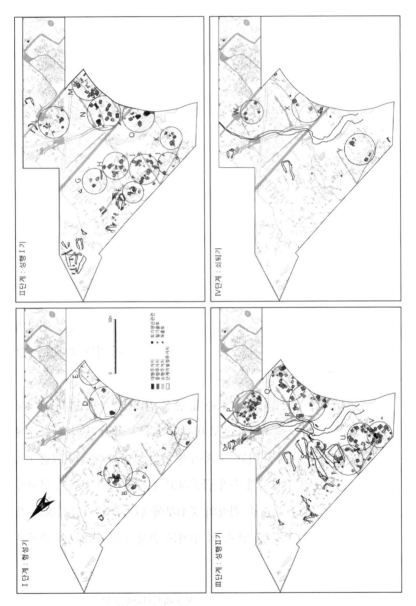

〈그림 6〉 담양 태목리유적 분포도

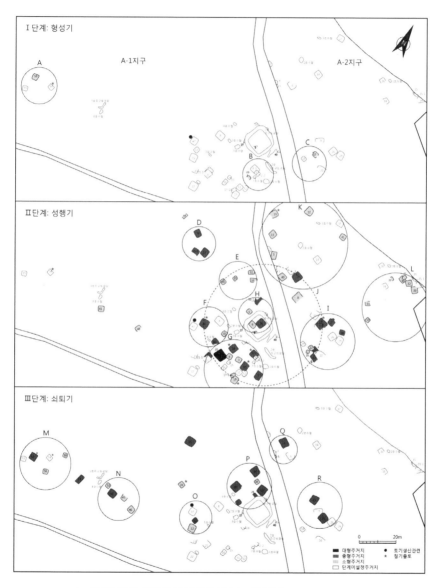

〈그림 10〉 장흥 상방촌A1유적 유구 분포와 변화

(J)을 형성했을 수도 있다. 전자의 경우 주거군 G가 주거의 수나 규모, 철기의 집중도로 보았을 때 전체 취락의 중심 주거군으로 기능했을 것으로 추정되며, 후자의 경우에는 J가 중심 주거군의 역할을 하였을 것으로 사료된다. 상방촌AI 유적 역시 마지막 단계에 접어들면 주거지의 수가 급감하고 주거군 간의 차이 도 거의 보이지 않게 된다.

다음으로 보성강 유역의 대형 취락인 순천 대곡리유적을 살펴보면 취락은 3단계로 세분[38]되는데, 원삼국 I단계에는 주거와 주거군 간의 규모와 밀도에 서 차이가 미세하며, 출토유물 또한 그러하다(그림 11). 그러나 II단계에 접어 들면 주거지의 수가 급증하고 주거군 간의 차이도 심화된다. 또한 중대형 주 거지가 밀집 분포하고 취락의 중앙부에 위치한 주거군 F가 중심 주거군으로 기능했을 것으로 추정된다. 대곡리 취락 또한 마지막의 III단계에 이르면 점차 쇠퇴기에 접어들게 되며, 철 생산 관련 유구는 중소형의 주거지에서만 발견된 다.

이영철[39]의 연구 결과에 의하면 보성 석평유적은 III단계로 구분되는데, I단 계는 3세기 이전, II단계는 4세기, III단계는 5세기를 중심 연대로 한다. 이러 한 시기구분에 의하면 석평유적에서는 I단계부터 주거와 주거군 간에 규모 및 출토유물에서 차이를 보이는데, 취락의 중앙부에 위치한 주거군 D가 중심 주 거군으로 기능했던 것으로 보인다(그림 12). II단계에 이르면 주거와 주거군

---

38) Kim, Seung-Og, 1996, Political Competition and Social Transformation: The Development of Residence, Residential Ward, and Community in the Prehistoric Taegongni of Southwestern Korea. Ph. D. Dissertation, Department of Anthropology, University of Michigan, Ann Arbor.

39) 이영철, 2013, 「호남지역 원삼국~삼국시대의 주거·주거군·취락구조」, 『주거의 고고학』 제37회 한국고고학 전국대회 발표요지, 한국고고학회.

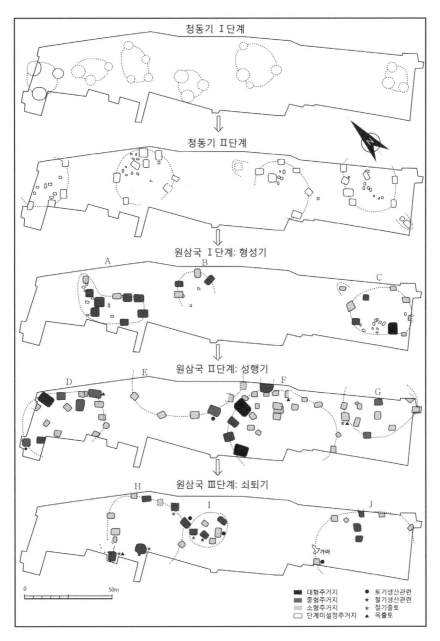

청동기 Ⅰ단계

청동기 Ⅱ단계

원삼국 Ⅰ단계: 형성기

원삼국 Ⅱ단계: 성행기

원삼국 Ⅲ단계: 쇠퇴기

가마

0   50m

■ 대형주거지		● 토기생산관련	
■ 중형주거지		★ 철기생산관련	
▦ 소형주거지		☆ 철기출토	
□ 단계미설정주거지		▲ 옥출토	

〈그림 11〉 순천 대곡리유적 유구 분포와 변화

간의 차이가 더욱 심화되고 주거지의 수도 증가한다. 이 단계의 중심 주거군은 취락의 중앙부에 위치한 주거군 H로 판단되는데, 왜냐하면 가장 많은 수의 중대형 주거지가 분포하고 철기와 옥, 고상건물이 집중분포하기 때문이다. 또한 이 주거군의 바로 옆에는 가마와 적지 않은 수의 철기 및 옥이 출토된 소형의 주거군 I가 위치하는데, 이 주거군은 중심 주거군 H와 밀접한 관련이 있을 것으로 추정된다. 이러한 주거군의 구성과 배치는 대형 주거군 K와 소형 주거군 J에서도 관찰된다. 마지막으로 <그림 12>에서 제시하지는 않았지만 석평유적에서도 Ⅲ단계에 접어들면 취락이 점차 쇠퇴하기 시작한다[40].

310기의 주거지가 발견된 광주 선암동유적은 3세기 후반대와 5세기 후반에서 6세기 전반대의 두 단계에 점유된 취락으로 보고[41]되었지만 유구와 유물상으로 볼 때 거의 대부분의 주거지는 후자의 단계에 존속하였던 것으로 판단된다. 선암동 유적의 윗마을에서는 취락의 공간 배치로 볼 때 크게 두 군집 지역으로 나눌 수 있는데, 하나는 주거군 A~G이고 또 다른 하나는 주거군 H~J이다(그림 13). 두 지역에서 중심 주거군은 대형 주거지를 포함하고 주거군의 규모가 가장 크며, 각 지역의 중앙부에 위치한 C와 I로 추정된다. 또한 각 중심 주거군은 바로 옆에 대규모의 고상건물들을 포함한 중형의 주거군(D와 H)이 위치한다는 공통점을 보인다.

선암동유적 아랫마을에서는 대형 주거지가 포함되고 주거군의 규모가 가장 큰 P가 중심 주거군이었을 가능성이 높다. 선암동유적에서도 철기나 옥의 전문 생산자는 중심 주거군인 C와 I에서도 확인되지만 소형 주거군인 K에서도

---

40) 이영철, 2013, 「호남지역 원삼국~삼국시대의 주거 · 주거군 · 취락구조」, 『주거의 고고학』 제37회 한국고고학 전국대회 발표요지, 한국고고학회.
41) 호남문화재연구원, 2012, 『光州 仙岩洞遺蹟Ⅰ, Ⅱ, Ⅲ』.

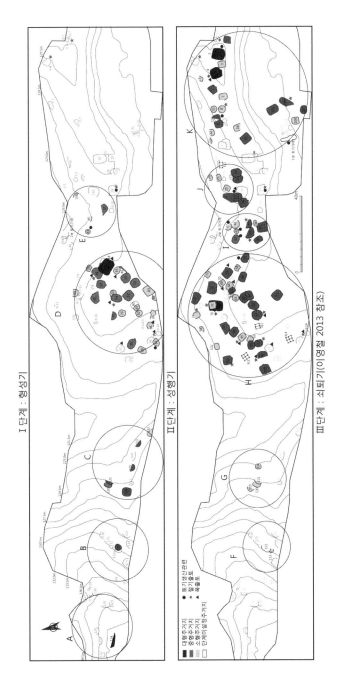

I 단계 : 계 ? ?

II 단계 : 성행기

III단계 : 쇠퇴기(이영철 2013 참조)

〈그림 12〉 보성 석평유적 유구 분포와 변화

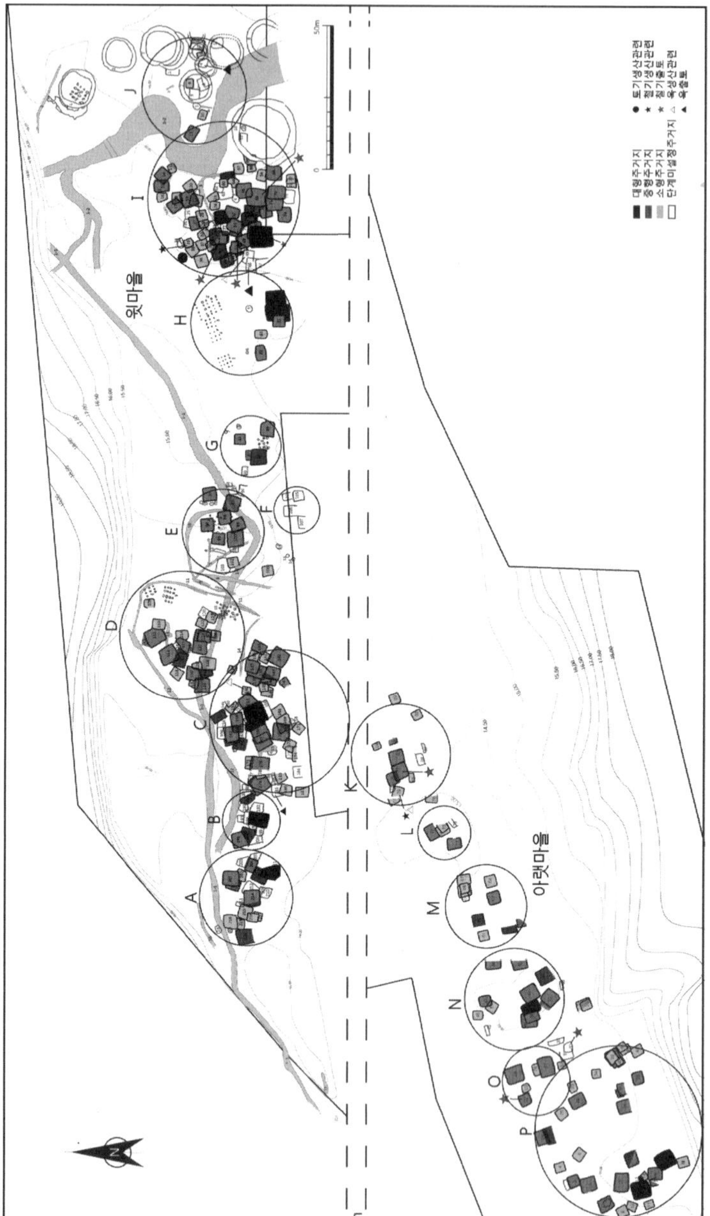

〈그림 13〉 광주 선암동유적 유구 분포

발견된다. 또한 이러한 전문 생산자는 중소형의 주거에 거주하는 것으로 보아 취락 내에서 최상위 신분을 지녔다고 보기는 어렵다.

지석천권의 화순 용강리유적은 3단계로 세분되는데, I단계는 3세기 중반~4세기 후반, Ⅱ단계는 5세기 전반~6세기 중반, Ⅲ단계는 6세기 중반~7세기 중반으로 비정되었다[42]. 이 유적 역시 I단계에는 주거와 주거군 간의 차이가 두드러지지 않지만 Ⅱ단계에 접어들면 그 차이가 심화된다(그림 14). 예를 들어 주거군 H는 주거와 주거군의 규모에서 압도적인 우위를 보이며, 철기류가 가장 집중적으로 확인되었다. 또한 주거군 I는 주거군의 수와 철기류의 집중도로 볼 때 Ⅱ단계의 주거군 중 두 번째의 우위를 점하고 있다. Ⅲ단계에 이르면 주거와 주거군의 수에서 급감하며, 주거군 간의 차이에서도 별다른 차이가 보이지 않는 것으로 보아 취락의 쇠퇴기에 접어든 것으로 사료된다. 용강리 유적은 대형 취락으로서는 드물게 토기 가마나 생산도구가 발견되지 않고 있는데, 아마도 직선거리로 10km 내외의 거리에 위치한 광주 행암동이나 비아유적과 같은 대규모 요업장으로부터 토기를 공급받았을 것으로 추정된다. 용강리의 철기 생산 관련 유구는 단계별로 대형 주거군 내에서 발견되는 경향을 보이지만 대형 주거군 내에서도 일부를 제외하고는 대부분 중소형의 주거지에서 발견된다.

이상에서 논의한 대형 취락의 구조와 위계화를 정리하면 먼저 중대형의 주거지는 주거의 수가 가장 많은 중심 주거군에 위치하는 경향을 보인다. 또한 중심 주거군은 취락의 중앙에 위치하는 경향이 강하며 철기생산 관련 유구와 철기, 옥이 집중 분포한다. 이와 같이 철기생산 관련 주거와 철기, 옥은 중심

---

42) 이영문·한옥민·이재운·최명희, 2011, 『和順 龍江里遺蹟』, 東北亞支石墓研究所.

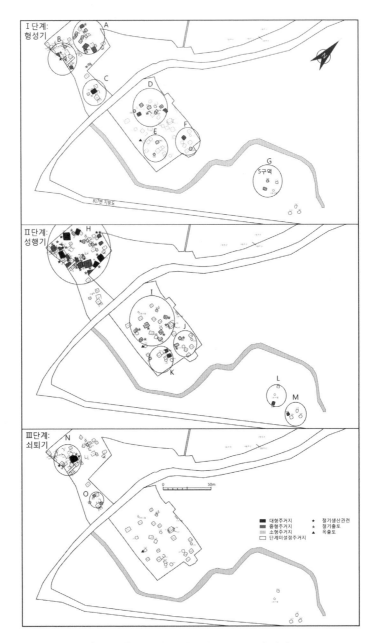

〈그림 14〉 화순 용강리유적 유구 분포와 변화

주거군에 밀집 분포되어 발견되지만 중심 주거군 내에서도 철기 생산 관련 시설은 대형 주거지에서 발견되는 경우가 드물고, 대다수가 중소형의 주거지에서 발견된다. 따라서 중심 주거군에서도 최상위 엘리트는 대형 주거에 거주하고, 철기 전문 생산자는 최상위 리더가 거주하는 중심 주거군 내의 중소형 주거지나 인접하는 소형 주거군의 중소형 주거지에 거주하였던 것으로 추정된다. 결과적으로 철기 전문 생산자는 대형 주거군의 대형 주거지와 일정한 관련성을 보이지만 대형 주거지의 엘리트보다 우월한 신분은 아니었던 것으로 추정할 수 있다. 이러한 수공업 계층의 사회적 지위는 중도문화권의 원삼국시대 취락에서도 유사하게 나타난다[43].

이에 비해 토기 가마나 생산 도구는 중심 주거군에 위치하기도 하지만 취락의 외곽에 위치하는 소형 주거군에서도 발견되며, 주거군의 크기를 불문하고 대부분 소형 주거지에서 발견된다는 공통점을 보이고 있다. 따라서 토기 전문 생산자는 철기 생산자보다도 하위의 계층에 속할 확률이 높은데, 이는 앞에서 살펴 본 철기 전문 관련 유구가 중소형 취락에서 발견되지 않는 반면에 토기 가마와 관련 유물이 소형 취락에서도 활발하게 발견된다는 사실과도 부합한다.

또한 대형 취락의 변화를 통시적으로 볼 때도 일정한 정형성이 나타나는데, 대부분의 마한계 취락은 취락의 규모와 복잡도에서 형성기(3세기 이전)→성행기(4세기)→쇠퇴기(5세기)의 변화를 보인다. 이에 비해 광주 선암동, 화순 용강리와 같은 일부 취락은 5세기 이후 더욱 번창하게 되는데, 이에 대해서는 아래에서 살펴본다.

---

43) 송만영, 2013, 「중도식 주거 문화권의 주거지와 취락」, 『주거의 고고학』 제37회 한국고고학 전국대회 발표요지, 한국고고학회.

4. 전남지역 마한 소국의 경관과 위치 비정

지금까지 전남지역의 마한계 취락을 대형, 중형, 소형취락으로 나누어 취락의 구조와 취락 간의 관계를 유구와 유물을 통해 살펴보았고, 그 결과 취락 간에는 취락의 규모 외에도 수공업의 전문화와 사회적 위계화에서 어느 정도 차이가 있다는 점을 알 수 있었다. 동시에 대형 취락 내에서도 주거와 주거군 간에 사회적 차이가 관찰되며, 시간적 변화 양상 또한 일정한 정형성을 보인다는 점을 살펴보았다. 그렇다면 이제 취락의 규모와 위계화의 정도에 따라 분류된 이들 취락의 구체적인 성격은 무엇이며, 각각의 취락은 서로 간에 어떠한 사회적 관계를 가지고 있었던가에 대한 의문이 따르게 된다. 가령, 삼국지 위지전에 나오는 기사처럼 대형 취락을 국읍이나 읍락으로 상정할 수 있을 것인가? 대형 취락과 주변의 중소형 취락과의 관계는 산발적이고 평행적인 관계인가, 아니면 정치사회적으로 통합된 관계인가? 이것들은 취락 자료만으로 답하기엔 거의 불가능한, 매우 어려운 질문이며, 고분 자료와 결합하여 분석하더라도 쉽게 해결될 수 있는 성질의 것이 아니다. 이러한 한계에도 불구하고 삼한 소국에 관한 하나의 시론으로서 향후 연구의 방향성을 짚어본다는 의미에서 이 문제에 대해 접근해보고자 한다.

삼한 소국의 구조와 성격을 살펴보기 위해서는 먼저 삼한 소국의 수와 위치 비정이 선행되어야 하지만 이 문제 역시 문헌사와 고고학 연구자 간에 의견의 일치를 보지 못하고 있다. 문헌사와 고고학 연구 성과를 참조하면 고창을 포함한 전남지역에서는 13~15개의 마한 소국이 위치하고 있었던 것으로 보는 견해가 대다수이다[44]. 이러한 연구 성과와 자연지세, 그리고 취락 분포를 통해

---

44) 박찬규, 2013, 「문헌자료로 본 전남지역 馬韓小國의 위치」, 『百濟學報』9, 백제학회 ;

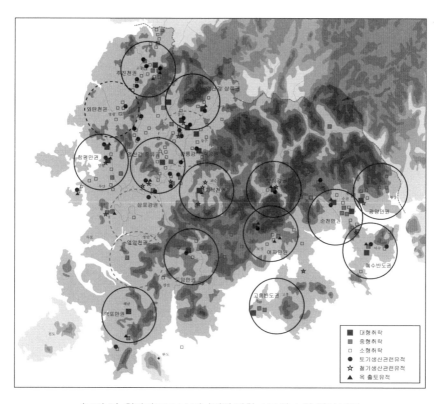

〈그림 15〉 취락자료로 본 전남지역 마한 소국의 수와 위치 비정

마한 소국의 수와 위치 비정을 시도한 결과, 일단 소국 후보지로 17개의 권역을 설정할 수 있었다(그림 15).

　17개의 후보지 중 와탄천권, 황룡강 · 극락강권, 삼포강권, 영암천권은 취락의 분포와 밀도에서 다른 권역과 차이를 보여 이에 대해 살펴볼 필요가 있다.

임영진, 2010, 「묘제를 통해 본 마한의 지역성과 변천 과정」, 『百濟學報』 3, 백제학회 ; 2013, 「고고학 자료로 본 전남지역 마한 소국의 수와 위치 시론」, 『百濟學報』 9, 백제학회 ; 천관우, 1989, 『고조선사 · 삼한사연구』, 일조각.

먼저 영산강 상류와 중류의 중간에 위치한 광주 일원의 황룡강·극락강권에서는 초대형 취락이 밀집하고 수공업시설의 밀집도도 다른 권역보다 현저하게 높은 특징을 보이고 있다. 그런데 이 권역에서 발견되는 취락은 규모를 불문하고 중심 연대가 3~4세기보다는 5세기 이후에 해당한다는 공통점을 보이고 있다. 예를 들어 동림동Ⅱ, 산정동, 선암동, 하남동Ⅲ(이상 대형), 향등(중형)은 4세기대 마한계 요소도 보이지만 대부분은 5세기대 이후 백제 주거와 건물의 특징을 보이고 있다. 소형 취락의 수도 다른 권역에 비해 상대적으로 적은 수가 발견되는 특징을 보이고, 발견된 것들도 대부분 명화동, 산정동 지실I, 세동, 신완, 용강유적과 같이 5~6세기를 중심 연대로 하고 있다.

황룡강·극락강권 취락 경관의 또 다른 특징으로는 대규모 요업장이 발견되는데, 행암동에서는 22기, 비아에서는 4기의 토기 가마가 출토되었으며, 이 가마들의 연대는 5세기대 이후로 알려지고 있다. 따라서 행암동과 비아에서 제작된 토기는 광주 일원의 취락으로 공급되었던 것으로 판단된다[45].

이와 같이 황룡강·극락강권은 3~4세기대 마한계 취락이 상대적으로 적게 발견되고 대부분의 취락은 5세기대 이후 백제계 취락이라고 볼 수 있다. 이와 관련하여 『삼국사기』 동성왕조의 기록이 주목되는데, 기록에 의하면 동성왕은 20년(498년)에 耽羅가 공물과 조세를 바치지 않는 것을 구실 삼아 武珍州(현 광주)까지 親征하게 된다. 5세기 후반 동성왕이 영산강유역권 중 광주에 군사를 이끌고 갔다는 사실은 광주 일대가 5세기 후반 이전에 백제의 지배 지역으로 재편되었고, 이러한 추정은 광주 일대 취락자료에서도 입증되고 있다. 정확하게 언제부터 광주 일대가 백제의 직접 관할권으로 편입되는가는 향후 검토가

---

45) 鄭 一, 2009, 「호남지역 마한·백제 토기의 생산과 유통」, 『호남고고학에서 바라본 생산과 유통』 제17회 호남고고학회 학술대회 발표요지, 호남고고학회.

필요하지만 이 일대는 3~4세기대 마한계의 중심 취락이 발전하지 못한 곳이다. 따라서 마한계의 재지문화가 번성하고 있던 영산강 상류나 중류에 비해 마한계 세력의 공백지대라 할 수 있는 황룡강·극락강권은 백제가 동림동Ⅱ와 같은 거점 취락을 건설하기에 유리한 곳이었다고 판단된다. 이러한 추정이 합당하다면 황룡강·극락강권은 마한 소국의 후보지에서 제외해도 무방하다고 판단된다.

다음으로 와탄천권의 상황을 살펴보면 이 권역에서는 발견된 취락이 절대적으로 적고, 조사된 취락은 모두 소형이라는 공통점을 가지고 있다. 또한 철기생산 관련 시설은 물론이고 주거지에서 철기나 옥도 전혀 발견되지 않는다. 이러한 일반적인 소촌의 모습에서 벗어난 유적은 가마 3기와 주거 1기가 공반된 영광 군동유적인데, 이 유적은 앞에서 살펴본 바와 같이 토기 생산을 전담하는 특수 취락이다. 분묘 자료를 보더라도 와탄천권에서는 이른 시기 소규모의 제형분구묘가 발견되지만, 분구가 고대화된 4세기대의 대형 분구묘나 옹관고분이 확인되지 않고 있다[46]. 취락과 고분의 이러한 양상을 조사의 지역적 편차로 설명하기도 어려운데, 왜냐하면 와탄천권, 주진천권, 함평만권에서 조사된 대부분의 유적은 서해안 고속도로 건설로 인해 발견되었기 때문이다. 이러한 상황을 감안하면 마한의 一國이 와탄천권에 존재했었다고 보기는 어려우며, 이 지역의 취락은 산발적으로 존재했거나 주진천권이나 함평만권 소국의 일부였다고 보는 것이 합리적일 것이다.

취락을 통한 마한 소국의 수와 위치 비정에서 블랙박스 지역은 영암천권과 삼포강권이다. 이 권역들에서는 발견된 취락이 거의 없다고 해도 과언이 아닐

---

46) 김낙중, 2009, 『영산강유역 고분 연구』, 학연문화사.

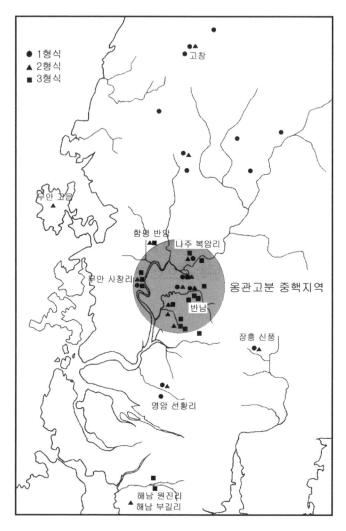

<그림 16> 옹관고분의 분포(김낙중 2009)

정도로 취락이 다른 권역에 비해 극소수가 알려져 있다. 취락의 규모로 보더라도 두 권역에서는 대형 취락이 발견되지 않았으며 중형 취락으로 영암 선황리유적이 유일하다. 또한 토기나 철기, 옥과 관련된 생산시설도 이 권역들에서

는 전혀 발견되지 않고 있다. 이러한 취락양상과는 상이하게 영암천권은 대부분의 문헌사학자들에 의해 一難國으로 비정되고 있다. 또한 4~5세기대의 영암 시종과 나주 반남 일대의 삼포강권은 복합분구묘와 매장시설로 전형 3형식 옹관을 사용하는 옹관고총이 발전된, 영산강 마한 옹관 고분의 '중핵지대'라고 할 수 있다(그림 16)[47].

문헌사와 고분의 연구 성과로 볼 때 영암천권과 삼포강권은 삼한 소국이 위치했을 가능성이 높지만 이와 상반되는 취락 자료에 대해서는 향후 면밀한 검토가 필요하다. 이러한 현상이 발생한 이유를 유추해보면 크게 두 가지의 가능성을 생각해 볼 수 있는데, 먼저 조사의 지역적 편차로 인해 취락이 조사되지 않았을 가능성이다. 이러한 가능성에도 불구하고 고분 자료로 볼 때 삼포강권은 이른 시기의 옹관이 등장하고 '영산강유역양식의 새로운 전용옹관이 등장'[48]하며 5세기대에는 통합된 노동력이 대규모로 투자된 옹관고총이 집중 분포하고 조사되었다는 점에서 납득하기 어려운 측면이 있다.

그렇다면 조사의 편차가 아니고 삼포강권에서는 실제로 중대형 취락이 존재하지 않았을 가능성은 없을까? 이러한 가능성을 완전하게 배제할 수 없는 이유는 당시의 해수면 변동을 생각하면 일면 이해가 된다. 예를 들어 기원후 3세기부터 시작된 해수면의 상승으로 인해 나주 복암리일대의 삼국시대 문화층은 주로 산록에서 조사되며, 복암리 고분군보다 낮은 평야지대에서는 삼국시대 문화층이 발견되지 않는다고 한다[49]. 따라서 복암리 일대보다 해발고도가 낮

---

47) 김낙중, 2009, 『영산강유역 고분 연구』, 그림 16, 학연문화사.
48) 김낙중, 2009, 『영산강유역 고분 연구』, 학연문화사.
49) 임영진, 2011, 「3~5세기 영산강유역권 토착세력의 성장 배경과 한계」, 『百濟學報』 6, 백제학회.

고 산록지대가 거의 없는 시종과 반남일대의 평야지대는 일부 구릉지대를 제외하고 인간이 거주 하기에는 사실상 어려웠을 수도 있을 것으로 판단된다.

　삼포강유역이 인간의 거주공간으로 부적합했다면 4세기대 이후 대규모의 제형분구묘와 옹관고총의 중심지로 부상할 수 있었던 이유는 무엇인가? 이에 대한 이유는 삼포강권의 지리적 이점과 인근에 위치하는 소국의 정치적 관계를 통해 추론해 볼 수 있다. 상술한 바와 같이 3세기대 이후 영산강유역은 영산강 상류까지 항해가 가능할 정도로 넓고 깊은 강이고[50], 삼포강권은 영산강 하류와 서해안으로 접근할 수 있는 내륙 수운 교통의 핵심 요지라고 볼 수 있다. 또한 이 일대는 영산강 중상류와 백포만권, 함평만권을 연결하는 지리적 중심지이기도 하다.

　영산강과 인근 지역의 지역 집단들은 그들의 정치적, 혹은 문화적 연대의 표상으로서 교통과 물류 교류의 중심지인 삼포강권에 엘리트의 분묘를 축조하였을 가능성이 있다. 이러한 의도적이고 계획적인 정치적 연맹과 그 상징물(대형 고분)은 백제와 같은 대외 세력과의 경쟁에서 요구되는 집단의 결속력과 통합 이데올로기를 제고하는 효과를 거둘 수도 있었을 것이다. 또한 지역 공동체간의 좀 더 광역적인 정치적 연합은 고분 축조에 요구되는 노동력의 동원을 수월하게 하였을 것이고, 4세기대 이후 삼포강권의 고분이 훨씬 웅장하고 고대화될 수 있었던 원동력도 이러한 노동력의 집합에서 찾을 수 있을 것이다. 고분의 축조에는 집합적 노동력과 함께 대형의 전용옹관이 요구되는데, 전용옹관은 굳이 삼포강 일대에서 제작할 필요성은 없었을 것으로 추정된다. 왜냐하면 나주 오량동과 같은 전용 가마에서 제작된 옹관은 영산강의 내륙 수

---

50) 임영진, 2011, 「3~5세기 영산강유역권 토착세력의 성장 배경과 한계」, 『百濟學報』 6, 백제학회.

운을 통해 얼마든지 삼포강 일대로 운반이 가능하였을 것이기 때문이다.

이와 같이 삼포강권이 인간의 거주 공간으로 불리고 정치적 상징물로서 고분이 집중적으로 축조되었다면 삼포강권에는 3세기대 이후 마한 소국이 존재했다고 보기는 어렵게 된다. 이러한 가능성을 염두에 두고 삼한 소국의 수와 위치 비정에 관한 논의를 종합하면 일단 와탄천권과 황룡강·극락강권은 소국의 후보지로서 가능성이 매우 낮다고 볼 수 있다. 또한 삼포강권과 영암천권을 포함하느냐의 여부에 따라 계산하면 고창을 포함한 전남지역 마한 소국의 수는 13개에서 15개가 되는 셈이다.

마지막으로 이러한 삼한 소국의 구조와 성격에 대해 종합적으로 살펴보면 각 소국에서는 1~2개(대부분 1개)의 대형 취락을 중심으로 복수의 중형 취락이 분포하고 있었으며, 이들 취락의 주변으로는 가장 많은 수의 소형 취락이 위치하고 있었다고 볼 수 있다. 또한 중형 취락은 대형 취락의 지근거리에 위치하는 경향을 보여준다. 수공업과 옥의 출토에서도 정형성을 보여주는데, 예를 들어 취락의 조사가 상대적으로 부진한 백포만권과 고흥반도권을 제외하고는 철기생산 유구와 옥은 대부분 대형 취락에서 발견되고, 일부는 중형 취락에서 확인되지만 소형에서는 그 예가 거의 보이지 않는다. 토기생산 시설도 철기생산 관련 시설이나 옥과 거의 비슷한 정형성을 보이지만 토기생산을 전업으로 하는 소형의 촌락이 분포한다는 점에서 차이를 보인다. 또한 단위 취락 내부에서도 사회적 차이가 발견되는데, 예를 들어 대형 취락 내부에서도 개별 주거지와 주거군 간에 주거의 크기와 밀도에서 차이를 보이며 수공업의 전문화와 장식문화의 차별화도 확인된다.

이와 같이 삼한 소국은 소형→중형→대형 취락의 순으로 취락 구성원의 수뿐만이 아니라 경제적 부와 사회적 지위에서 차이를 보이고 있다고 판단된다. 역사 기록과 대비하여 이들 취락의 성격을 살펴보면 대형 취락은 국읍이나 읍락으로 보아도 무방할 것으로 판단되며, 중형과 소형 취락은 오늘날의 대촌이나 소촌 정도로 비정할 수 있을 것이다. 현재까지 전남지역에서는 소국별로 대형 취락이 1~2개 정도 발견되지만 원래는 이 보다는 많은 수가 존재했을 것이다. 복수의 읍락 중 복합도와 밀집도가 높은 중심 읍락이 국읍의 역할을 하였다고 가정한다면 현재까지 발견된 이들 대형 취락은 국읍이나 읍락의 기능을 하였을 것이라고 추정된다.

국읍이나 읍락의 규모와 복합도, 소국간의 관계 또한 통시적으로 살펴보았는데, 먼저 3세기 이전의 마한 소국은 소국 내에서 취락별로 어느 정도 위계화가 보이지만 소국간에는 수평적 관계를 유지했던 것으로 추정된다. 이에 비해 4세기대에 이르면 취락의 규모가 증가하고 개별 주거와 주거군 간의 차이도 심화된다. 소국간의 관계에서도 위계화가 서서히 진행되는 것으로 판단되는데, 가령 이 단계에 이르면 대형 취락중에서도 초대형 취락이 등장하며, 철기생산 관련 유구나 분포에서도 소국간에 차별적인 양상을 보이고 있다(그림 15).

5세기대에 접어들면 삼한 소국의 양상은 두 종류의 상반된 양상으로 나타나게 된다. 먼저 태목리, 소명, 중랑, 상방촌AI, 대곡리, 석평과 같은 대부분의 대형 취락은 점차 쇠퇴의 길로 접어들게 된다. 대부분의 중형과 소형 취락도 소멸되기 시작한다. 이에 비해 산정동과 선암동, 용강리, 동림동Ⅱ, 하남동Ⅲ 유적과 같은 대형 취락은 취락의 규모와 복잡도에서 오히려 급격한 성장을 이루게 된다. 이러한 대형 취락의 주변으로는 명화동, 비아, 신완, 풍암동, 향등 유적과 같이 5세기대의 새로운 중소형 취락도 등장한다. 5세기대 취락 경관의 이러한 변화는 백제의 남정으로 인한 마한계 취락의 쇠퇴와 백제 취락의 확산으로 설명될 수 있을 것이다. 또한 마한계 취락의 쇠퇴와 백제계 초대형 취락의 등장은 소국간의 관계에서도 이전 시기와는 다른 양상을 보였을 것으로 추정된다. 예를 들어 소국의 규모와 복잡도에서 그 차이가 심화되며, 일부 소국은 이전의 소국 범위를 넘어서 좀 더 광역적인 범위까지 정치적 지배력이 도달했던 것으로 판단된다. 오량동이나 행암동과 같은 초대형 가마 전업집단의 출현이 5세기대라는 점도 광역적인 범위의 정치체가 존재했음을 보여주는 또다른 증거이다. 이상에서 논한 취락의 통시적 변화는 고분 연구의 결과[51]와도 어느 정도 부합한다는 점을 마지막으로 지적하고 싶다.

VI. 맺음말

이상에서 전남지역 마한 소국의 구조와 성격을 살펴보았다. 모두에서 밝힌 바와 같이 시간과 공간이 엄밀하게 통제되지 않은 상태에서 삼한 소국의 개략적인 스케치를 제시한다는 목적에서 이 글이 작성되었다는 점을 다시 한 번 강조하고 싶다. 예를 들어 삼한 소국의 실체에 접근하기 위해서는 향후 각 소국의 정확한 위치와 범위가 선결되어야 할 것으로 판단된다. 또한 각 소국별로 정치한 편년을 수립한 후에 소국내 취락의 사회적 변화를 통시적으로 분석할 필요가 있다. 물론 시간과 공간이 통제된 취락 자료가 분묘나 패총과 같은 자료와 결합되어야 함은 두 말할 필요도 없다.(이 글의 표와 도면의 작성에 김민정, 신민철, 정다운(전북대 대학원)의 도움을 받았다. 이에 고마움을 표한다)

---

51) 김낙중, 2009, 『영산강유역 고분 연구』, 학연문화사.

● ● ● ● ●

출토유물로 본 전남지역 마한 제국의 사회 성격
− 5~6세기 토기를 중심으로 −

서현주 한국전통문화대학교

Ⅰ. 머리말

5~6세기[1] 전남지역, 특히 영산강유역권에 대한 연구는 최근 고고학 자료를 중심으로 활발하게 이루어지고 있다. 그 중에서도 고분이나 취락, 장신구, 토기 등 다양한 자료들이 대상이 되고 있는데 그 내용에 따라 의미가 약간 다르기도 하다. 영산강유역권의 5~6세기대 유물은 상당히 뚜렷한 특징을 갖고 있으며, 이에 대한 연구는 다양한 개별 기종이나 지역권별로 다루기도 하고 이를 종합하여 편년이나 성격을 다루기도 하였다[2].

이 글에서는 영산강유역권의 5~6세기대 출토유물을 중심으로 이 지역 마한 제국의 사회 성격을 파악해보고자 한다. 영산강유역권의 출토유물 중 장신구나 마구는 비교적 외래적인 성격이 강한 유물이 많아 여기에서는 여러 특징을 잘 보여주는 토기를 중심으로 살펴보고자 한다. 특히, 토기가 5~6세기대 영산강유역권의 다양한 성격을 가장 잘 나타내줄 수 있는 유물이라고 판단되는데 그 중에서도 주로 상당한 조사가 이루어져 묘제와 함께 지역적 차이를 잘 드

---

1) 본고에서 5~6세기대 토기를 다룬 것은 그 이전이나 이후 시기에 비해 영산강유역 토기의 여러 특징들이 잘 드러나는 때이기 때문이다.

2) 박순발, 1998, 「4~6세기 영산강유역의 동향」, 『第9回 百濟硏究 國際學術大會 -百濟史上의 戰爭-』, 忠南大學校 百濟硏究所 ; 李暎澈, 2001, 『榮山江流域 甕棺古墳社會의 構造 硏究』, 慶北大學校 大學院 碩士學位論文 ; 酒井淸治, 2004, 「5·6세기 토기에서 본 羅州勢力」, 『百濟硏究』 39 ; 徐賢珠, 2006, 『榮山江 流域 古墳 土器 硏究』, 學硏文化社 : 2007, 「榮山江流域 古墳의 編年」, 『한일 삼국·고분시대의 연대관(Ⅱ)』, 國立釜山大學校 博物館·國立歷史民俗博物館 : 2012, 「영산강 유역의 토기문화와 백제화 과정」, 『백제와 영산강』, 학연문화사 : 2012, 「영산강유역권의 가야계 토기와 교류 문제」, 『호남고고학보』 42 ; 김낙중, 2012, 「토기를 통해 본 고대 영산강유역 사회와 백제의 관계」, 『호남고고학보』 42.

러내는 고분 출토 유물을 중심으로 하였다. 먼저 이제까지의 연구성과를 바탕으로 영산강유역권 토기의 특징을 몇 가지로 나누어 설명한 후 이를 바탕으로 당시 사회의 성격에 대해 접근해보고자 한다. 여기에서 다루는 시기는 5~6세기대 중에서도 영산강유역권에 대해 다양한 관점에서 논의가 이루어지는 6세기 전반대까지이다.

Ⅱ. 영산강유역권 5~6세기 토기의 특징

1. 독자성[3]

영산강유역권의 토기 변화를 특징적인 기종을 중심으로 정리해보면, 이 지역의 특징적인 토기는 3세기대부터 나타나는데 이중구연호나 광구평저호 등이 있다. 이러한 토기들은 전남지역뿐 아니라 전북지역에서도 상당히 많이 나타난다. 호형분주토기도 이 시기에 영산강유역권을 포함한 금강이남지역에서 나타나며 이후까지 이어질 가능성이 있다. 그러다가 4세기 후반부터는 이 지역만의 독자성이 드러나기 시작하는데 경질의 양이부호와 함께 광구소

---

3) 여기에서 사용한 독자성이라는 표현이 다음에 언급할 외래성과 대비되는 것은 아니다. 영산강유역의 토기가 독자적인 특징을 띠는 데에는 외래계 토기의 영향도 많이 있었기 때문이다. 그리고 주변지역의 토기와 완전히 차별된다는 점에서 독자성이라는 표현을 사용한 것도 아닌데, 백제 토기와는 기종적으로 통하는 부분도 많기 때문이다. 이 부분을 모두 포괄하여 독자성이라고 언급한 것은 백제의 다른 지역과 차별되는 양상을 부각시키고자 한 것이다.

호, 장경소호 등이 성행하고(도면 1-1~5), 5세기경에는 유공광구소호가 추가되어 이어진다. 그리고 고배, 완이나 직구소호(도면 1-25~28) 등도 나타나 이어진다. 5세기 중엽부터는 개배가 등장하며, 발형기대, 대형화된 호형분주토기나 통형분주토기 등도 5세기대에 등장한다. 이후 소위 D형 백제식[4] 개배(필자 D형[5] 또는 당가형[6]), 유개고배, 삼족배, 병 등이 등장한다.

먼저 영산강유역권의 5~6세기대 토기에서 나타나는 특징은 다른 지역에서 보이지 않는 기종이나 형식들이 보인다는 점이다. 이를 백제 토기[7]와 비교해 보면 어느 정도 독자성을 가지는 것으로 볼 수 있다. 영산강유역권의 5~6세기대 여러 지역에서 주류를 이루는 기종은 유공광구소호와 유공장군, 고배, 완, 직구소호, 개배, 기대, 분주토기, 타날문 단경호 등이다. 이 유물들은 주로 고분에서 출토된 것이고, 취락에서 주로 출토되는 토기로는 심발형토기, 장란형토기, 시루 등이 있다.

5세기대에 가장 먼저 나타나는 영산강유역권의 특징적인 토기는 유공광구소

---

4) 백제 토기의 유입이나 영향에 대해서는 가야나 왜, 신라 토기의 유입이나 영향을 언급한 ~계 토기라는 표현이 아닌 ~식 토기라는 표현을 사용하였다. 이를 구분한 것은 영산강유역과 백제와의 관계나 토기 양상의 차이, 다른 주변지역과의 관계나 토기 양상에서의 차이는 동일하게 보기 어렵다는 판단에서이며, 영산강양식토기는 크게 보면 백제양식의 범주에 포함되지만 독특한 지역성을 갖고 있다는 점에서 언급한 것인데 이러한 영산강양식에 대비시켜 백제식이라는 표현을 사용하였다.
5) 필자가 개배 중 D형식으로 분류한 바 있는 것으로(徐賢珠, 2006,『榮山江 流域 古墳 土器 研究』, 學研文化社), 영산강유역권의 지역 형식이지만 백제의 유개고배와 세트되어 나타나기도 하여 이 단계의 대표적인 백제식으로 구분하였다. 이에 대해서는 백제와 왜 등 여러 계통의 영향으로 나타난 현지양식으로 보기도 한다(김낙중, 2012,「토기를 통해 본 고대 영산강유역 사회와 백제의 관계」,『호남고고학보』42).
6) 김낙중, 2011,「장제와 부장품으로 살펴본 영산강유역 전방후원형 고분의 성격」,『한국의 전방후원분』, 학연문화사.
7) 여기에서 백제토기는 대체로 한성기의 경우 한성양식토기를 가리킨다.

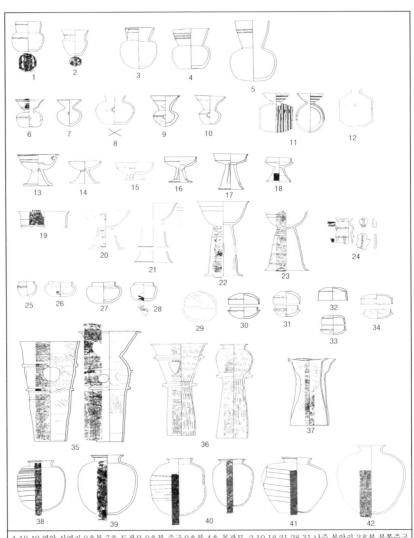

1,19,40.영암 신연리 9호분 7호 토광묘,9호분 주구,9호분 4호 목관묘, 2,10,18,21,28,31.나주 복암리 2호분 북쪽주구
(5점),2호분 주구, 3,38.영암 만수리 4호분 5호 목관묘,7호 목관묘, 4,32,36.나주 신촌리 9호분 경관,4호분 남쪽주구,
9호분 하층, 5,6,11,25.영암 만수리 1호분 분구,4호분 1호 목관묘,2호분 1호 옹관묘,2호분 3호 옹관묘, 7.무안 사창리
고분군 옹관묘 추정, 8.무안 양장리 30호주거지, 9,30.광주 쌍암동고분 석실, 12,15.고창 봉덕 가지구 구1,나지구 구1,
13.광주 하남동 8,35호구, 14,37.함평 진양리 중량유적 구, 16,17,23,35.광주 월계동 1호분, 20.광주 치평동유적 수습,
22,33.나주 덕산리 8호분 주구,11호분 서쪽주구, 24.무안 고절리고분 주구, 26.나주 복암리 1호분 주구 북구, 27,34,
41.나주 복암리 3호분 2호 석실묘,17호 옹관묘,12호 옹관묘, 29.나주 오량동 3-1호,9-3호토기요지, 39.영암 내동리
초분골 1호분 3호 목관묘, 42.나주 덕산리 4호분 갑관

〈도면 1〉 영산강유역권의 5~6세기대 토기들(S1/12, 기대, 분주토기, 단경호 S1/20)

호이다. 이는 장경소호의 기종에 긴 주구가 달린 중국 계수호 등의 사용방법 등이 반영되어 영산강하류지역에서 나타난 것으로 추정되며[8], 유공장군도 백제의 횡병에 유공광구소호의 사용방법이 채용되었을 것으로 추정된다[9]. 오히려 이 토기들이 왜의 須惠器에서 영향을 받아 나타난 것으로 보는 견해도 제시된 바 있다[10]. 유공광구소호는 이후 6세기 전반까지 이어지고 있다(도면 1-6~12).

고배는 영산강유역권에서 무개식이며 대각이 무투창이거나 1단 정도의 낮거나 높은 투창이 있는 것이 먼저 나타나 주류를 이룬다. 백제에서 유개고배이며 무투창대각이 주류를 이루는 것과는 형식적으로 차이가 난다. 비교적 이른 형식은 배신이 완형에 가까운 것이거나 구연부와 신부를 구분하는 돌선이 없는 것이며, 대각은 무투창이다가 점차 투창이 있는 것이 나타난다. 이른 형식은 가야 고배의 영향을 받은 것으로 추정되며, 점차 왜의 須惠器 고배의 영향도 나타난다. 영산강유역권에도 6세기를 전후하여 백제의 유개고배가 나타나는데 수량이 많지는 않은 편이다(도면 1-13~18). 발형기대도 마찬가지로 가야 기대의 영향을 받은 자료가 먼저 나타나고 이후 변화해가는 양상이다. 장흥 상방촌유적 등에서 가야계 기대가 나타난 이후 영암 신연리 9호분 주구 출토품이 그 영향을 받아 나타난 대표적인 자료이다. 이후 발형기대는 방형계 투창이 뚫린 가야계 유물도 있지만, 삼각형투창이 뚫린 대각을 갖는 기대가 나타나며 비교적 대각이 낮은 것에서 높아지는 것으로 변화된다. 6세기 이후

---

8) 출현지역에 대해서는 고창(노미선, 2003, 「유공장군에 대하여」, 『研究論文集』 3, 호남문화재연구원)이나 광주(박형렬, 2011, 「광주 · 전남지역의 유공광구소호」, 『유공소호』, 대한문화유산연구센터 · 국립광주박물관) 지역으로 보는 견해도 있다.

9) 서현주, 2011, 「백제의 유공광구소호와 장군」, 『유공소호』, 대한문화유산연구센터 · 국립광주박물관.

10) 木下亘, 2003, 「韓半島 出土 須惠器(系) 土器에 대하여」, 『百濟研究』 37.

에는 일부 지역에서 백제의 통형기대와 유사한 것들도 보이기 시작한다(도면 1-19~24).

개배는 영산강유역권에서도 5세기 중엽경에 나타나 주류를 이루는 기종이다. 개배는 백제의 대표적인 기종이므로 영산강유역권의 개배 또한 백제로부터 들어온 것인데 여러 지역에서 성행하며 사비기까지도 이어진다. 5세기 후반의 이른 단계에는 개신과 배신의 드림부와 구연부 끝이 뭉툭하게 끝나지만, 5세기말부터의 개배는 지역적인 차이를 보이며 드림부와 구연부 끝이 뾰족하게 좁아져 끝나는 것이 주류를 이룬다. 백제와 비교할 때 영산강유역권의 개배는 차이가 크지는 않지만, 일부 지역의 자료는 상당히 특징적인 모습을 보인다. 전체적으로 배신이나 개신이 높은 것이 많은 편이며, 배신이 평저를 이루는 것도 있고 개신의 상면이 편평해진 것도 있다. 이러한 유물에는 간단한 기호가 각선되어 있는 경우가 많다. 색조에서도 암회청색을 띠는 것이 보이며 소성과정에서 식물로 인한 선상자국이 남아있다. 그러다가 5세기말부터는 구순부가 경사지게 처리된 특징적인 개배도 나타나는데 신부가 둥글게 처리되어 다른 영산강유역권의 개배와는 차이를 보인다. 이는 소성기법이나 유개고배와 세트되기도 하는 점에서 백제와 관련되는 형식이므로[11] 소위 백제식 개배라 할 수 있다.

분주토기는 호형분주토기가 금강이남지역에서 마한단계부터 나타나 이후 일부 고분에서 이어지며 5세기 중엽 이후가 되면 영산강유역권에서 대형화되는 것이다. 이와 함께 통형의 분주토기가 나타나 영산강유역권의 여러 지역에

---

11) 金洛中, 2000, 「5~6世紀 榮山江流域 政治體의 性格」, 『百濟研究』 32, 忠南大學校百濟 研究所 ; 酒井清治, 2004, 「5·6세기 토기에서 본 羅州勢力」, 『百濟研究』 39 ; 徐賢珠, 2006, 『榮山江 流域 古墳 土器 研究』, 學研文化社.

서 성행한다. 특히, 통형분주토기는 일본 고분시대 埴輪의 영향으로 나타나는 것이며 6세기 전반까지 장고분을 비롯한 영산강유역권의 여러 대형 고분들에서 사용된다(도면 1-35~36). 영산강유역권의 통형분주토기는 대체로 원통형과 상부에 나팔부가 있는 호통형이 조합을 이루고, 전체적인 형태와 크기, 1~2줄의 돌대가 돌려지며 그 사이에 3~4개의 투창이 뚫린 점, 도립 또는 분할 성형이라는 점에서 공통된다[12]. 백제에서는 이러한 분주토기가 사용되지 않으므로 이 토기도 영산강유역권 토기의 독자성을 보여주는 대표적인 자료 중 하나이다.

그리고 타날문 단경호는 마한단계의 편구형 원저단경호에서 점차 구형화되는데 이러한 단경호의 변화에는 형태나 타날문양, 제작기법 등으로 보아 아라가야의 승문 타날문 단경호의 영향이 반영되어 있다[13]. 해남 신금유적 등 서남해안지역에서는 아라가야계의 타날문 단경호도 보인다. 5세기대가 되면 영산강유역권의 타날문 단경호는 대체로 구형화되었다가 6세기대가 되면 동체부가 전체적으로 길어지며 말각평저화된 것이 많다[14]. 이와 함께 동체부에는 격자문, 수직집선문, 조족수직집선문, 단선과 다선 수직집선문이 타날되어 문양이 다양하다. 특히, 반남고분군에는 격자문이 많은 편이며 조족수직집선문도 많은 편이다(도면 1-38~42). 이와같이 단경호에 있어서 타날문이 성행하는 것은 한성기 이후 점차 무문화 경향이 나타나기 시작하는 백제 단경호와는 차이가 나는 부분이다. 그리고 단경호의 소성시 횡치소성이 이루어지는 것이 많은 것도 아라가야의 타날문 단경호 영향으로 나타나는 것이어서[15] 백제 단경

---

12) 林永珍, 2003, 「韓國 墳周土器의 起源과 變遷」, 『湖南考古學報』 17 ; 徐賢珠, 2006, 『榮山江 流域 古墳 土器 研究』, 學研文化社.

13) 서현주, 2012b, 「영산강유역권의 가야계 토기와 교류 문제」, 『호남고고학보』 42.

14) 姜銀珠, 2009, 「榮山江流域 短頸壺의 變遷과 背景」, 『湖南考古學報』 31.

15) 朴天秀, 2008, 「近畿地域 出土 三國時代 土器를 통해 본 韓・日關係」, 『韓國古代史研

호와는 다소 차이가 난다.

이와 같이 영산강유역권의 5~6세기대 토기는 상당히 다양한 토기들이 나타나지만 백제에서는 보이지 않는 기종들도 있고, 형식적으로 백제와 구별되는 것들이 주류를 이루고 있다. 그리고 백제에서 주류를 이루는 유개고배, 삼족배나 병, 전형적인 직구단경호, 장고형을 포함한 통형기대 등은 다소 늦은 6세기대에 나타나며 많지 않다는 점에서 백제 토기와의 차이가 강조되고 있다. 또한 5세기대에 직구단경호나 광구장경호가 거의 보이지 않고, 고분에서 중국 도자기가 그다지 보이지 않은 점도 백제 토기와의 차이점으로 들고 있다. 이러한 점 때문에 영산강유역권의 특징적인 토기 양상에 대해서는 영산강유역양식[16] 또는 영산강양식[17]이라고 언급되기도 하였다.

2. 외래성

영산강유역권의 토기에는 다양한 지역과 관련되는 외래계 양상이 나타난다. 다른 지역과 달리 외래계 토기는 반입되는 토기만 있는 것이 아니라 그 기종이나 형식이 재지화되는 양상이 강하다.

외래계 토기 중 가장 먼저 나타나는 것은 가야계로, 4세기 후반부터 광구소호, 약간 늦게 장경소호가 나타난다. 승문 타날문 단경호도 마찬가지이다. 이러

究」49.

16) 박순발, 1998,「4~6세기 영산강유역의 동향」,『第9回 百濟研究 國際學術大會 -百濟史上의 戰爭-』, 忠南大學校 百濟研究所 ; 김낙중, 2012,「토기를 통해 본 고대 영산강유역 사회와 백제의 관계」,『호남고고학보』42.

17) 徐賢珠, 2006,『榮山江 流域 古墳 土器 研究』, 學研文化社.

한 자료들은 5세기 전반대까지 주로 서남해안지역에서 보이기 시작하며 영암 등 영산강하류지역까지 이어져 이 지역에서 주류를 이루게 된다. 5세기부터는 가야계 고배의 영향이 나타나며, 발형기대에서도 가야계 반입 자료와 함께 재 지화가 이루어진다. 그리고 고창지역까지도 가야계 고배나 기대는 영향을 미치 고 있다. 이후 5세기 중엽에는 고분은 아니지만 광주 동림동유적의 102호 구 등 에서도 상부에 점열문이 시문된 소가야의 개배가 여러 점 출토되어 관련 지역 이 좀 더 확대되었음을 알 수 있다. 그리고 6세기를 전후한 시기의 광주 장수동 점등고분에서는 대가야계의 대각 달린 유개장경호 등이 출토되었는데 양이부 호, 병 등과 공반되었고 대가야 양식 중에서도 남원지역과 관련되는 것으로 추 정되었다. 6세기대 고분인 장성 영천리고분에서는 점열문이 시문된 소가야계 의 고배, 광주 명화동고분에서는 대가야의 모자형 꼭지 달린 개 등이 출토되었 다(도면 2-1~19). 대각이 달린 대부호는 대체로 소가야의 대부호와 관련되며 재 지화가 이루어지고 있다(도면 2-17~19). 따라서 가야와 관련되는 자료는 금관 가야, 아라가야, 소가야, 대가야 등 4~6세기대까지 긴 시간에 걸쳐 다양한 계통 으로 나타나며[18] 특히, 5세기대까지는 기종이나 형식이 재지화되는 경향이 강 했음을 알 수 있다.

왜계 토기 자료는 5세기대부터 나타나는데 5세기 후엽부터는 관련 토기도 많아지며 이 토기들의 영향을 받아 재지화된다. 이러한 양상은 장고분 등 고 분에서도 잘 드러난다. 반입된 왜계 토기는 須惠器(系)로 대체로 陶邑TK23단 계에 속하며 그 이후의 陶邑TK47단계와 MT15~TK10단계까지 이어지고 있

---

18) 박천수, 2010, 『가야토기』, 진인진 ; 김낙중, 2011, 「장제와 부장품으로 살펴본 영산강유 역 전방후원형 고분의 성격」, 『한국의 전방후원분』, 학연문화사 ; 서현주, 2012, 「영산강 유역권의 가야계 토기와 교류 문제」, 『호남고고학보』 42.

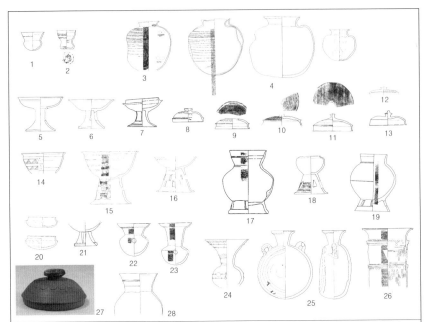

1.함평 성남 1호 토광묘, 2.영암 만수리 4호분 10호 목관묘, 3.해남 신금 55호 주거지, 4.해남 분토 3-1호 토광묘,
5.해남 군곡리 주거지, 6.장흥 지천리 나-13호 주거지, 7.해남현산초교부근수습, 8,14.장흥 상방촌A 43호 주거지,
25호 주거지 9,10,11.광주 동림동 102호북동 구,60호 구,100.101호구, 12.장성 영천리고분, 13.광주 명화동고분
석실, 15,20.고창 봉덕 방형추정분 주구, 16.광주 하남동 9호구10지점, 17.해남 현산초교부근수습, 18.광주 산정동
33호구, 19.해남 월송리 조산고분, 21.광주 월전동 3호 지상건물 북쪽 구상유구, 22,23.나주 복암리 3호분 96석실
1호 옹관,4호 옹관, 24.광주 월계동 1호분 주구, 25,28.해남 용일리 용운 3호 석실묘, 26.함평 노적 2호 주거지,
27.나주 영동리 3호분

〈도면 2〉 영산강유역권 외래계 토기들(도면 S1/12, 단경호, 기대, 분주토기, 단경호 S1/20)

는데[19] 늦은 시기의 자료는 고분에서 출토되는 사례가 많다. 須惠器(系) 토기
의 기종은 개배, 고배, 유공광구소호, 편병(자라병) 등이며 월계동 1호 장고분
의 유공광구소호처럼 모방이 이루어지기도 한다. 분주물 중에서 통형의 분주
토기는 일본열도산 埴輪(3조돌대 추정)으로 추정되는 유물도 있지만 그 영향

---

19) 陶邑TK47단계까지를 대체로 5세기대, MT15~TK10단계를 6세기 전반으로 보고 있다.

을 받아 단순화, 재지화된다. 대체로 5세기 후엽부터 나타나는데 장고분뿐 아니라 방대분, 원분에서도 출토되었으며 광주 향등이나 함평 노적과 같이 주거유적에서도 출토되었다(도면 2-20~26). 그리고 5세기 후반대의 대규모 요지가 조사된 나주 오량동유적의 3-1호 요지 출토 개배 등에서 확인되는 회전깎기기법은 須惠器의 제작기법과 연결될 것으로 추정된다[20].

신라계 토기 자료는 그다지 많지 않은데 개와 장경호 등이 대표적이며, 모두 6세기대 자료이다(도면 2-27~28). 나주 영동리 3호분의 석실묘에서는 개배들, 직구소호 등과 함께 5조의 신라계 반원문과 삼각집선문이 시문된 굽형꼭지 개, 다리를 뗀 삼족배가 출토되었는데 동일한 가마에서 제작·소성한 것으로 보고 있다[21]. 이러한 신라계 개와 삼족배는 색조나 소성시 흔적으로 보아 이 지역에서 제작했을 가능성이 높은데[22] 두 연구자 모두 이 지역 세력이 신라지역과 직접적인 교류를 했던 것을 보여주는 자료로 보고 있다. 그리고 해남 용일리 용운 3호 석실묘에서는 신라계의 장경호가 출토되었다[23]. 영산강유역권에서 신라계 토기는 소수이지만 직접 유입된 토기도 있고 영산강유역권에서 제작했을 가능성이 높은 유물도 포함되어 있어 주목된다.

---

20) 徐賢珠, 2006, 『榮山江 流域 古墳 土器 研究』, 學研文化社.

21) 이정호, 2010, 「출토유물로 본 영동리고분세력의 대외관계」, 『6~7세기 영산강유역과 백제』, 국립문화재연구소·동신대학교문화박물관.

22) 김낙중, 2011, 「장제와 부장품으로 살펴본 영산강유역 전방후원형 고분의 성격」, 『한국의 전방후원분』, 학연문화사.

23) 해남 만의총 1호분에서 출토된 유공 서수형토기는 토우가 달린 점 등에서 신라 토기의 특징이 뚜렷하지만 유공광구호와 통하는 점에서 영산강유역에서 제작된 토기로 추정하고 신라와 관련되는 유물로 본 바 있는데(서현주, 2012, 「영산강 유역의 토기문화와 백제화 과정」, 『백제와 영산강』, 학연문화사) 유사한 장식의 유물이 수습되어 고성지역에서 제작되어 반입된 것으로 본 견해도 있어서(박천수, 2010, 『가야토기』, 진인진) 계통에 대해서는 신중한 검토가 필요하다고 생각된다.

3. 내부적 지역 차이

영산강유역권의 특징적인 토기의 분포 범위는 영산강유역의 본류와 고막천 유역 등 지류 등이며, 북쪽으로는 와탄천유역(고창,영광지역), 함평천유역, 해 남, 장흥, 고흥 일대까지이다. 완주 상운리고분군이나 전주 장동고분군 등 전 북 일부 지역에서도 이 지역에서 제작된 것으로 보이는 유공광구소호가 발견 되어[24] 일부 유물에서는 좀 더 넓은 분포상을 보이기도 한다. 그러나 여러 유 물에서 좀 더 집중적인 양상을 보여주는 곳은 영산강유역의 본류, 지류와 고 창에서 해남 지역까지이다.

이 지역들 내에서 토기의 양상은 어느 정도 통일성을 갖는데, 개배와 함께 유공광구소호와 무개고배의 성행, 분주토기의 분포 등에서 그러하다. 이 지역 들 내에서도 특히, 5세기 후엽~6세기 전반경에는 내부적으로 지역 차이가 두 드러진다. 대체로 개배, 고배, 유공광구소호, 발형기대와 분주토기 등 토기의 기종이나 형식에서 차이가 확인된다. 비교적 토기 자료가 많은 영산강 상류와 중류, 하류 지역에 각각 월계동식, 복암리식, 반남식으로 볼 수 있는 세부 양식 을 설정한 바 있는데 개배, 유공광구소호에서 그 차이가 비교적 잘 드러난다. 개배는 개의 드림부나 배의 구연부 끝이 뾰족하게 끝나는 점은 공통되지만 개 의 상부 중앙이 둥글게 처리된 것, 상부 중앙에 좁게 편평면이 만들어지고 두 꺼운 편인 것, 상부 중앙이 넓게 편평하며 신부에 비해 드림부가 높은 것이 각 각의 세부 양식에 속한다. 후자의 2가지 형식에는 소성시의 식물에 의한 선상 자국이 확인되며, 특히 복암리식에는 각선 부호도 많은 편이다. 유공광구소호

---

24) 서현주, 2011, 「백제의 유공광구소호와 장군」, 『유공소호』, 대한문화유산연구센터 · 국립 광주박물관.

는 저부가 원저, 평저, 말각평저인 것이 각 세부 양식에 많은 편이다[25]. 고배의 경우 영산강 중류와 하류지역에는 그다지 많지 않지만, 상류지역에는 많은 편이고 무개고배, 특히 유투창인 것이 주류를 이룬다. 고막천유역과 해남반도에도 비교적 많은 것으로 추정된다. 고창 등 와탄천유역에서는 조금 일찍부터 무개식이며 낮은 대각에 방형계 투창이 뚫린 것이 보인다. 발형기대나 통형분주토기 또한 시문 문양이나 전체적인 형태에서 영산강 상류와 하류 지역의 양상이 구분되는데[26] 상류지역은 대체로 문양 등에서 복잡한 모습을 보이거나 영향을 받은 외래 토기의 모습이 남아있는데 비해 하류지역은 재지성이 강한 편이다. 호통형를 중심으로 본다면 일본열도 출토품처럼 나팔부가 분명하게 발달한 것과 나팔부가 짧거나 토기 구연부와 유사한 것으로 구분된다[27]. 아직 자료가 많지는 않지만 함평천유역도 통형분주토기로 보아 영산강하류지역의 모습에 가까운 것으로 추정된다[28]. 그리고 호형분주토기도 대형화되면서 이어지는데, 영암 장동고분, 함평 중랑고분 출토품으로 보아 영산강하류지역이나 함평천유역의 특징이다. 그리고 직구소호는 영산강 하류나 중류 지역에서 많이 보인다. 이에 비해 소위 백제식이라고 구분한 개배 형식은 상당히 넓게 분포하는데 영산강중류지역과 와탄천유역에 많은 편이며, 고막천유역도 함평 신덕 1호분 자료로 본다면 적지 않고, 영산강상류지역도 적지 않은 편이다. 영산강 하류지역은 상대적으로 소수가 보인다. 백제식인 무투창대각의 유개고

---

25) 徐賢珠, 2006, 『榮山江 流域 古墳 土器 硏究』, 學硏文化社 : 2012, 「영산강 유역의 토기 문화와 백제화 과정」, 『백제와 영산강』, 학연문화사.

26) 영산강 상류의 광주 쌍암동고분과 월계동고분군, 하류의 나주 신촌리 9호분과 덕산리 8호분 출토 자료에서 잘 확인된다.

27) 林永珍, 2003, 「韓國 墳周土器의 起源과 變遷」, 『湖南考古學報』 17.

28) 서현주, 2012, 「영산강 유역의 토기문화와 백제화 과정」, 『백제와 영산강』, 학연문화사.

배는 그 수가 많지 않지만 와탄천유역에서 확인되며, 영산강중류지역에서도 확인된다[29].

　이러한 상황으로 보아 영산강유역권의 내부적인 지역 차이는 어느 정도 인지되지만, 여러 유물들에서 확연하게 구분된다기 보다는 개배나 유공광구소호 등의 일부 유물에서 주류를 이루는 형식들이 차이를 보이며 확인되는 정도이다. 다른 유물들은 분포 범위가 차이를 보이기도 한다. 이러한 지역적 차이는 시기에 따라 차이를 보이면서 지속화되지 못하여 뚜렷함이 약해지기도 한다. 다만, 내부적으로 가장 뚜렷하게 지역적인 차이가 확인되는 곳은 이전부터 전통성이 강했던 나주와 영암을 중심으로 한 영산강하류지역이다.

4. 단계적 발전과 확산

　앞에서 언급한 것처럼 영산강유역권의 토기는 일정 지역 내에서 어느 정도 통일성이 확인된다. 그럼 각 지역에서의 토기 변화상이나 내부 지역들간의 관계를 살펴보고자 한다.

　각 지역에서 특징적인 토기들의 변화를 살펴보면 그다지 정연하게 변화되어 가지 않는 듯하다. 먼저 영산강상류지역에서의 토기 변화상은 광주 월계동 고분군과 쌍암동고분을 중심으로 파악해 볼 수 있다(도면 3)[30]. 이 지역의 특징

---

29) 서현주, 2012,「영산강 유역의 토기문화와 백제화 과정」,『백제와 영산강』, 학연문화사.
30) 광주 월계동 1호분과 2호분, 명화동고분의 변천상은 고분의 입지와 규모, 통형 분주토기를 포함한 토기 양상의 비교를 통해 시기를 추정하는 것이 가능하다. 동일고분군인 월계동 1호분과 2호분은 석실이 동일유형에 속하지만 석실의 규모와 입지에서 1호분이 선점되었을 것으로 보고되었다. 분주토기에서도 1호분은 일본의 圓筒埴輪과 유사한

적인 토기 중 개배는 개신이나 배신이 낮아지고, 고배는 대각이 높아지는 경향이 있었던 것으로 추정된다. 기대도 마찬가지로 대각이 높아지는 것으로 변화한다. 토기의 변화는 정연하게 나타나는 것은 아니며 대략적인 경향성을 확인할 수 있는 정도이다. 또한 동일 단계로 볼 수 있는 자료의 경우에도 서로 변이가 심한 편이다. 즉, 광주 월계동 1호분과 2호분, 쌍암동 고분에서 출토된 고배나 발형기대 자료들을 비교해보면, 단계적으로 차이가 있다고 본 유물도 유사도가 떨어지지만 동일 단계로 파악한 자료들의 경우에도 세부 모습은 차이가 나서 통일성이 약한 것으로 파악된다. 이 고분들은 동일 고분군에 속하거나 가까운 곳에 위치하고 있다. 함평 신덕 1호분에서 공반된 3점의 고배 자료도 대각이 높은 점은 공통되지만 대각의 세부적인 특징은 차이를 보이고 있다.

그리고 학정리고분군을 중심으로 한 영광지역의 토기 변화상(도면 4)[31]을

정연한 모습을 보이지만 2호분은 투창을 포함한 형태나 분할성형 등의 제작방법 등 변형된 것들도 포함되어 있다(林永珍 2003). 그리고 명화동고분 출토품은 전체적인 형태나 투창의 수가 2호분과 연결되고, 호통형은 없고 원통형만 보이는 점에서 단순화되어 가는 것으로 볼 수 있다. 월계동 1호분은 현재 석관과 함께 목관도 추정되어 추가장이 이루어졌을 것인데, 개배의 경우 석실 출토품 중 개배 중에서 크기가 커서 비교적 이른 단계로 볼 수 있는 것도 있으며 주구에서 일본 須惠器 TK10단계 유공광구소호를 모방한 것도 출토되므로 조영 후 상당한 기간동안 매장이나 제사가 이루어진 것으로 볼 수 있다(徐賢珠, 2007, 「榮山江流域 古墳의 編年」『한일 삼국 · 고분시대의 연대관(Ⅱ)』, 國立釜山大學校博物館 · 國立歷史民俗博物館).

31) 학정리고분군의 1~4호 석실의 변천상은 석실의 입지와 규모, 석실 벽의 축조상태, 토기 양상으로 파악하였다. 석실의 규모가 가장 크고 능선 아래쪽에 입지한 3호가 가장 이르고, 그보다 작은 4호나 2호를 거쳐 규모가 더 작을 것으로 추정되며 가장 위쪽에 있는 1호가 가장 늦을 것으로 보고되었고, 석실 벽의 축조상태에서도 3호는 현실과 함께 연 · 묘도부분까지도 할석을 눕혀쌓기하여 연 · 묘도부분을 세워쌓기한 4호나 2호와는 차이를 보인다. 유물도 기종과 형식에서 차이를 보이는데, 4기의 석실에서 출토된 개배를 비교해보면 전형적인 소위 백제식이 주류를 이루는 3호에서 점차 크기가 작아지고 변형이 나타나는 4호나 2호, 그리고 1호로의 변화가 상정되며 3호는 추가장이 이루어진 것

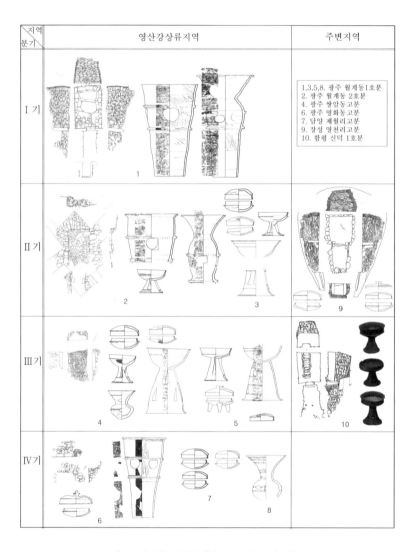

〈도면 3〉 영산강상류지역의 고분과 토기 변천
(석실, 석곽 S1/300, 토기 S1/12, 기대, 분주토기 S1/20) (徐賢珠 2007 도2 일부)

으로 판단된다(徐賢珠, 2007, 「榮山江流域 古墳의 編年」, 『한일 삼국·고분시대의 연대 관(Ⅱ)』, 國立釜山大學校博物館·國立歷史民俗博物館).

분기	유구, 유물
I 기	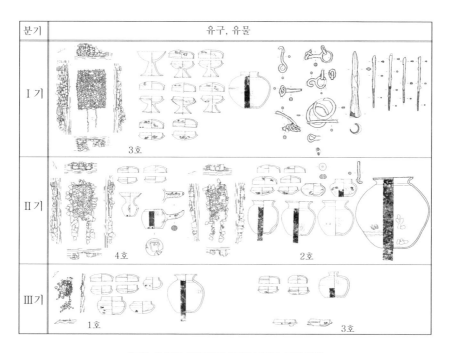
II 기	
III 기	

보면, 동일 고분군이지만 단계별로 개배를 제외한 토기의 기종이 다양하게 나타난다. 이른 단계에는 백제와 관련되는 개배, 고배, 직구단경호가 나타나며, 그 다음 단계들에서는 고배나 직구단경호는 보이지 않고 타날문 단경호, 직구소호 등이 나타나며 이후에도 마찬가지 양상이다. 가장 이른 단계의 유물은 백제 토기의 양상이 강한 유물들인데 이것들이 조합되어서 나온 이후에도 다시 재지적 특징이 강한 유물들이 조합되어 나타나고 있음을 알 수 있다. 이 고분들에서 공반된 개배는 소위 백제식으로 분류한 것으로, 구경의 크기가 큰 것에서 작아지는 것으로 변화된다. 그리고 동시성을 추정할 수 있는 광주 하남동유적의 구 출토 토기 중 타날문 단경호를 보면, 타날문양이나 형태 등이

상당히 다양하게 나타나는 점도 통일성이 떨어지는 양상을 보여주는 것이라 할 수 있다.

이러한 자료들로 보아 영산강유역권에서 단계적 변화를 정연하게 보여주는 토기는 소위 백제식의 토기이며, 그 외의 지역 양식들은 그다지 정연하고 체계적인 발전이나 변화 양상을 보여주지 못하고 있음을 알 수 있다. 유물은 대체적인 변화 흐름을 상정할 수 있을 뿐 단계적 변화가 그다지 뚜렷하지 않다. 백제양식의 토기가 나타나서 공존하더라도 나머지 재지성이 강한 기종들은 체계적인 변화 양상을 보여주지 못한다.

내부적인 토기의 확산에 있어서도 지역 양식의 토기가 이동하거나 확산되는 모습은 그다지 사례가 많지 않다. 오히려 내부에서 토기의 확산도 소위 백제식으로 언급한 개배를 중심으로 이루어지고 있다. 이 개배는 대부분의 지역에서 발견되는 유물로 각 지역에서 각각의 변화 모습을 보이는 것이 아니라 영산강유역권 전체에서 비슷한 변화상을 보인다. 따라서 영산강유역권에서 토기의 변화나 발전을 파악할 수 있는 자료는 소위 백제식 토기의 본격적인 출현과 함께 나타난 일이며, 여러 지역에서 이와 공존하는 지역 양식들은 체계적인 변화 양상이나 확산 모습을 파악하기는 어렵다고 판단된다.

Ⅲ. 토기로 본 영산강유역권 마한 제국의 사회 성격

앞에서 살펴본 것처럼 영산강유역권의 토기는 외부적으로 주변지역, 특히 백제 토기와도 구별되는 독자성, 주변지역의 토기로부터 영향을 받아 외래성이 강하다. 여러 계통의 토기들로부터 영향을 받으면서 영산강유역권의 토기가 형성되며 이것이 이 지역 토기의 중요한 특징이 되고 있는데, 이는 고분에서도 드러나는 양상이다. 영암지역의 장동고분 등에서 가야의 석곽묘와 유사한 무덤이 확인되는 점이나 그 이후 광주, 해남 지역 등에서 장고분 등 왜계 고분이 발견되는 점을 들 수 있다. 이제 이러한 토기의 특징을 바탕으로 영산강유역권의 사회적 성격을 파악해보고자 한다.

먼저 영산강유역권의 토기 문화가 백제와 비교하여 상당히 독자적이라는 점은 인정될 수 있으며 이는 옹관이라고 하는 무덤의 존재로도 증명된다. 이 지역에서 가장 전통적인 유구이자 유물을 대표하는 것이 바로 옹관일 것이다. 이는 영산강유역의 문물 중 가장 전통적인 것인데, 5세기대에 들어서면 영산강하류지역을 제외한 다른 지역에서는 점차 사라진다. 함평이나 해남, 영광 지역 등은 옹관묘가 성행했지만 5세기대가 되면 사라지고 있다. 오히려 이후 나타나는 영산강유역의 유구나 유물 자료는 주변지역의 영향을 받아 나타나게 되면서 독자성이 강해진다.

그렇다고 영산강유역권 토기의 특징이 나타나는데 백제 토기의 영향이 없는 것은 아니다. 백제 토기는 시기에 따라 다르게 나타났을 뿐이지 점진적으로 유입되면서 영향을 미치고 있다. 물론 백제 토기 중 중앙과 직접 관련되는 토기가 유입된 것은 늦은 편이다. 그러나 백제 토기의 영향이 시작된 것은 직구호, 광구호로 보아 5세기 전후이며, 점차 완, 직구소호, 개배 등으로 이어진다. 특히, 개배와 직구소호는 어느 정도 재지화되면서 이 지역의 중요 기종으로 자리잡는다. 이에 비해 조금 늦게 들어오는 유개고배, 삼족배, 병 등의 백제 토기는 큰 형식적인 차이없이 이어진다.

당시 영산강유역권이 어느 정도의 독자성을 가졌다고 보느냐의 문제에서 중요한 것은 결국 백제 토기와의 관계일 것이다. 백제 토기가 이른단계부터 점진적으로 유입되고 있으며 점차 많아지는 점에서 독자적이라고 보기는 어렵다고 판단된다.

그런데 백제의 다른 지방에서는 별도의 기종이 만들어지는 경우가 드물고 그러한 상황이 그다지 넓게 나타나지 않으며 백제 중앙과 통하는 부분도 많기 때문에 영산강유역권의 당시 상황과는 다소 차이가 있다. 이러한 상황이 나타난 것이 당시 백제와 차별성을 강조하고자 한 의도에서 주변지역의 자료들을 수용한 것이라면 이후 백제와 관련되는 기종이 점진적으로 수용될 수 있었을지 의문이다. 따라서 백제 토기의 수용이 본격화되는 단계부터는 백제와 구별되는 지역정치체가 존재하면서 교류에 의해 이러한 토기들이 들어오는 것으로만 보기는 어려울 것으로 판단된다. 광구소호와 장경소호 등의 가야계토기와 유공광구소호는 이 지역의 독자성을 보여주지만, 완, 직구소호, 개배 등이 약간의 시차를 두고 유입되는 단계부터는 수량이나 분포 양상에서 백제 토기와의 관계를 무시할 수 없을 것이다. 이러한 토기들은 이후 여러 지역에서 성행하며 이 지역 토기의 주류가 되고 있다. 따라서 토기문화에서 독자성은 어느 정도 인정되지만 이것이 이 지역에 독자적인 지역정치체가 존재했다고 보기에는 충분하지 않다고 판단된다.

그리고 백제지역 내에서는 영산강유역권이 가장 외래적인 성격을 띠는 곳이다. 백제의 다른 지역보다 시기를 달리하며 다양하게 나타난다. 그 중에서도 가야와 왜의 관계는 상당히 지속적인 양상을 띤다. 이와 관련하여 영산강유역권 토기에서 나타나는 외래성을 어떻게 보아야 하는지가 문제이다. 가야와 왜를 중심으로 많은 교류가 있었던 것으로 보이는데 이러한 외래적 특징이 이 지역 정치체의 성장과 유지 등을 위한 교섭이나 교류에 의한 것인지, 백제의 대외교섭에서 어느 정도의 역할을 담당하는 부분이 있었던 것인지에 대해 살펴보고자 한다.

영산강유역권의 외래적인 성격 중에서 가장 먼저 나타나는 것은 가야와의 관계이다. 4세기대에 서남해안지역에서 승문타날 단경호, 광구소호 등이 나타나며 이것이 영산강하류지역에서 재지화되고 장경소호 등이 나타난다. 이 때에는 백제와의 관계가 두드러지는 것은 아니다. 그러나 이러한 유물이 나타난 이후 백제 토기가 들어오기 시작하고 차츰 백제의 개배도 들어와 주된 기종이 되고 있다. 이와 함께 가야계 토기도 이어지고, 왜계 토기도 나타나고 있다. 따라서 4세기대의 서남해안과 영산강유역의 외래적 성향은 백제와 관련이 적다고 볼 수 있을 것이지만, 5세기대의 상황에 대해서는 그렇게만 보기 어렵다고 판단된다. 그리고 풍납토성에서 보여지는 유공장군과 분주토기 파편 등은 외래성이 강할 때의 백제와 영산강유역권의 관계를 잘 나타내준다고 판단된다. 그리고 가야계 토기가 성행했던 지역은 이동되고 있는데, 4세기 후반대에는 해남, 장흥 등 서남해안지역과 영암 등 영산강하류지역이었던데 비해 5세기 이후, 특히 중엽경에는 고창, 광주 지역 등에서도 이러한 유물들이 나타나고 있는 점에서 이전까지 보였던 가야와의 교류 양상과는 차이가 있다. 백제 중앙에서 발견되는 유물로 보아 5세기 중엽 이후 내륙을 통한 가야와의 교류는 영산강유역의 지역세력이 백제 중앙과 소가야를 연결하는데 중요한 역할을 했음을 보여주는 것으로 추정된다[32].

왜와의 교류에서도 5세기대에는 서남해안지역에 왜계 고분들이 먼저 나타나고, 점차 영산강유역으로 그 양상이 확대된다. 영산강유역의 고분에서 소위 백제식 개배들이 공존하는 점은 백제와의 관계를 보여주는 것이다. 그리고 나주 영동리고분군의 신라계 토기도 시사하는 바가 크다. 이 토기들은 이 지역에서 직접 제작되었는데 신라의 개와 세트화된 토기가 삼족배라는 점에서 이

---

32) 김낙중, 2011, 「장제와 부장품으로 살펴본 영산강유역 전방후원형 고분의 성격」, 『한국의 전방후원분』, 학연문화사.

를 신라와의 직접적인 교류만으로 이해하기는 어렵다고 판단되기 때문이다. 최근 장고분인 해남 용두리고분이나 함평 표산 1호분 등에서 중국 시유도기 편들이 출토되는 양상 또한 장고분 등이 백제와 무관할 수 없음을 말해준다. 따라서 영산강유역에 외래적인 유물이 나타나는 양상에 대해서도 5세기대, 특히 중엽 이후부터는 지역정치체의 의도로만 보기는 어렵다고 판단된다. 4세기 후반대의 상황이 지역세력의 성장과 관련되었다면 이후 5세기부터는 이를 바탕으로 오히려 백제의 대외교섭에서 상당한 역할을 했던 것으로 추정된다.

그리고 영산강유역권의 토기는 강한 외래성으로 인해 상당히 다양하며 변이가 심한 양상을 보인다. 기종의 존재나 형식에서의 통일성은 백제 토기와 비교하면 뚜렷하지만 개별적으로는 변이가 심하다. 이를 바탕으로 내부에서 지역적인 차이도 나타난다. 각 지역마다 중심 고분군과 함께 몇 개의 기종에서 주류를 이루는 형식이 있다고 파악되는데 이러한 양상이 당시 영산강유역권의 내부 상황을 살펴보는데 참고가 된다. 이러한 토기 양상에 대해 지역정치체 또는 소국들의 병존으로 볼 수 있느냐의 문제이다. 그런데 앞에서 살펴본 것처럼 세부적으로 보면 어디까지를 정치체별 권역으로 규정해야 하는지 불분명해진다. 각 지역마다 특징적인 유물은 있지만 그 유물들의 단계적 변화뿐 아니라 단계별 통일성이 뚜렷하지 않아 각 지역을 중심으로 통합의 정도가 상당히 약하다고 보여지기 때문이다. 이는 5세기 말~6세기 전반에 해당하는 영산강유역권의 석실이 단계적인 변화가 뚜렷하기보다는 거의 비슷한 시기에 공존하며 약간의 시차를 가지는 정도로 나타나는 점[33]과도 유사하다.

또한 영산강유역권 전체에서 중심지와 주변 또는 중앙과 지방의 설정이 가

---

33) 金洛中, 2008, 「榮山江流域 初期橫穴式石室의 登場과 意味」, 『湖南考古學報』 29.

능하지 않다[34]. 만일 중심지라고 볼 수 있는 지역이 있다면 주변으로의 확산이 좀 더 드러나야 할 것인데 토기뿐 아니라 다른 유물들이나 유구에서도 그러한 양상이 그다지 확인되지 않는다. 내부적으로 중앙이라고 볼 수 있는 지역은 금동 관이나 관모, 금동신발, 장식대도 등이 출토된 반남고분군을 비롯한 나주지역일 것인데, 영산강상류지역이나 해남반도 등에서 이러한 유물의 확산은 그다지 확인되지 않는다. 영산강유역권 전체에서 토기의 내부적인 통일성과 함께 확산이 나타나는 것은 백제 토기가 본격적으로 나타나면서부터이다. 소위 백제식(또는 당가형) 개배가 영산강유역권의 여러 지역뿐 아니라 백제 중앙이나 다른 지방, 고성 송학동고분군 등 소가야지역 중요 고분에서 보이고 있다. 이러한 점에서 6세기를 전후한 시기에 영산강유역권에서 내부적으로 중심지의 설정이 가능한지에 대해서는 의문이 들며 점차 나주 복암리고분군을 중심으로 한 영산강중류지역이 백제와 관련되면서 영산강유역 전체를 아우르는 중심지가 되어간 것으로 추정된다. 이에 대해 영산강중류지역이 주변지역이나 백제왕권과 밀접하게 교섭한 결과로 보기도 하는데[35] 백제식 토기 등 백제 관련 자료가 주류를 이루는 점에서 교섭만으로 설명되기는 어렵다고 판단된다.

신라의 경우에도 경주양식과 각각의 지방양식 토기가 나타나고, 가야의 경우 신라와 구별되는 특징을 가지면서 각 연맹체마다 특징적인 토기가 드러난다. 대가야연맹체에서는 여러 지역에서 고령양식과 구별되는 재지양식의 토기들이 나타나기도 한다. 또한 이 토기들은 일정 기간동안 비교적 정연한 단

---

34) 김낙중, 2009, 『영산강유역 고분 연구』, 학연문화사 : 2011, 「장제와 부장품으로 살펴본 영산강유역 전방후원형 고분의 성격」, 『한국의 전방후원분』, 학연문화사.

35) 김낙중, 2011, 「장제와 부장품으로 살펴본 영산강유역 전방후원형 고분의 성격」, 『한국의 전방후원분』, 학연문화사 : 2012, 「토기를 통해 본 고대 영산강유역 사회와 백제의 관계」, 『호남고고학보』 42.

계적 변화 양상을 보여준다. 이와 비교해 볼 때 영산강유역권의 토기는 5~6세기대를 중심으로 이러한 양상을 확인하기 어려울뿐 아니라 지역 양식에서는 중심지를 상정하기도 어렵다. 즉, 이 지역에 백제와 구별되는 정치체[36]가 있었다면, 지역 양식의 토기에서 어느 정도의 통일성과 확산성을 지녀야 하는데 그렇지 못한 상황이다. 따라서 당시 영산강유역권에는 여러 지역세력들이 짧은 시간동안 병존하고 있었고, 이와는 별도로 전통성이 강한 반남을 중심으로 한 나주지역은 백제와의 관계를 이어갔던 것으로 추정된다.

Ⅳ. 맺음말

이제까지 영산강유역권의 5~6세기대 토기 양상을 중심으로 사회 성격에 대해 살펴보았다. 영산강유역권의 토기는 백제와 비교할 때 독자성, 외래성이 강하지만, 백제 토기가 점진적으로 유입되는 양상도 함께 나타난다. 그리고 일정 지역을 중심으로 토기의 기종이나 형식에서 통일성이 보이지만 내부적인 지역 차이가 상대적으로 약하고 그 범위도 뚜렷하지 못하다. 또한 각 지역에서 토기의 단계적 변화나 통일성이 약한 편이고, 토기의 확산도 그다지 활발하지 않다. 오히려 이 지역 토기에서의 통일성과 정연성, 확산이 두드러지는 것은 6

---

36) 정치체는 정치적으로 조직된 사회 단위를 의미하는데, 대외적으로는 하나의 단위로서 일정한 자치성을 갖는 취락의 집합체이고 정치적 의미의 중심지가 존재하는 복합적 단위로 파악하였다(김낙중, 2011, 「장제와 부장품으로 살펴본 영산강유역 전방후원형 고분의 성격」, 『한국의 전방후원분』, 학연문화사).

세기를 전후하여 백제식 토기가 본격화되면서부터이다. 따라서 당시 영산강유역권은 사회의 통합 정도가 그다지 강하지 못하고 여러 지역세력이 짧은 시간동안 병존하는 모습을 보여주고 있다고 판단된다.

이 글에서는 이제까지의 5~6세기대 영산강유역권 토기 연구성과를 바탕으로 개략적인 특징을 정리하면서 당시 사회의 성격에 접근해 보았다. 고분뿐 아니라 취락에서도 많은 유물들이 출토되고 있으므로 앞으로는 유물 자료를 체계적으로 정리하면서 사회적 성격을 파악해 볼 필요가 있을 것이다.

백제의 영역확장과 마한병탄

김기섭 한성백제박물관

Ⅰ. 머리말

領域이란 한 나라의 주권(통치력)이 미치는 공간적 범위를 나타내는 근대적인 말로서 넓게는 바다 · 육지 · 하늘을 모두 가리키며 좁게는 육지만 가리킨다. 고대 동아시아에서는 주로 좁은 의미의 영역을 국가의 기준으로 삼았으므로 영역이라는 말보다 領土라는 말을 흔히 사용했다. 영토와 비슷한 말로는 領國, 疆土(畺土), 疆內, 疆宇, 疆界, 疆畔, 疆域, 疆場(畺場), 域內, 境內, 境宇, 境界, 境域, 國界, 國境, 畔界, 界內 등이 있는데, 모두 땅의 경계를 기준으로 삼은 것이다.

영역은 시대를 거슬러 올라갈수록 기준점이 모호해지는 경향이 있다. 인구밀도가 낮았으므로 땅보다 사람에 대한 지배가 더 큰 관심사였기 때문이다. 그런데 사람과 사람 사이의 지배 · 피지배 관계는 분명하지 않은 경우도 적지 않아서 상황과 관점에 따라 판단이 달라질 수 있다. 그런 점에서 영역 · 영토와 세력권 · 영향권을 가려서 적용하기 어려운 경우가 있으며, 영역 · 영토에서도 직접지배, 간접지배, 거점지배 등의 범위를 확정하기 어려운 측면이 있다.

영토는 중앙에서 지방관을 직접 파견해 지배하는 지역, 영역 · 세력권은 직접지배뿐 아니라 토착세력을 통해 간접 지배하는 곳까지 모두 포함하는 지역, 영향권은 중앙과의 관계가 뚜렷하지 않고 중앙과 정치적, 군사적 의무관계가 형성되어 있지 않은 지역이라고 정의하기도 하지만, 세력권과 영향권의 구분점, 영토와 영역의 구분점이 과연 명확할 수 있는지도 의문이다.

전쟁과 지배력 확대가 주요 관심사였던 고대사회에서 영역확장 또는 지배력확장 과정을 가장 잘 설명해주고 있는 것이 바로 직접지배와 간접지배이다. 무력으로 제압한 지역을 중앙이 직접 지배하느냐 아니면 토착세력을 통해 간접 지배하느냐 하는 문제는 그 지역이 영역이냐 아니냐를 판단하는 중요한 기준이 될 수 있다. 간접지배의 경우, 중앙정부는 제압된 지역의 공납을 통해 복속 여부를 판단하며, 복속 대가로서 위세품을 사여했던 것으로 알려진다.

그런데 간접지배는 중앙과 지방의 역학관계에 따라 다양한 형태로 나타날 수 있다. 복속지역의 자치를 보장하면서 대외적인 정치 · 군사 활동만 간섭하거나 제한하는 형태, 중앙정부가 각종 기술과 물자의 생산 · 유통을 장악함으로써 토착지배세력의 권력기반을 약화시키고 대외적인 교섭력을 차단하는 형태 등이 있다. 따라서 간접지배는 간혹 실제 영역인지 아닌지에 대한 논란이 일기도 한다. 더욱이 백제 한성도읍기는 기록이 절대 부족한 데다 馬韓 소국들이 순차적으로 백제에 흡수 통합되는 과정이었기에 백제의 강역과 지배방식을 확정적으로 말하기 어려운 면이 많다. 그래서 이른바 명찰론이라는 기준점이 나오기도 했지만,[1] 명찰이 제대로 기재되지 않았거나 명목과 실제가 다른 경우도 있기에 보완책이 필요하다.

이 글에서는 편의적으로 해석되기도 하는 『삼국사기』의 온조왕대 마한병탄 기사와 『일본서기』 신공기 49년조 기사를 재검토함으로써 4세기 후반 근초고왕 때 남해안까지 영토를 확장했다는 문헌사학계의 일반론을 비판하려고 한다. 그리고 영산강유역의 분묘군을 기준으로 백제가 6세기 중엽까지 전남지역을 영역화하지 못했다고 보는 이른바 '馬韓論'의 문제점에 대해서도 비판적으로 접근하고자 한다.

---

1) 노중국, 2013, 「백제의 영토확장에 대한 몇가지 검토」, 『근초고왕때 백제영토는 어디까지 였나』 한성백제박물관 학술회의.

Ⅱ. 백제의 馬韓併呑 시기와 범위

『삼국사기』「백제본기」에서 백제 영역을 분명하게 밝힌 곳은 온조왕 13년 8월조이다.

> a. 8월에 사신을 마한에 보내 천도하였음을 알리고 마침내 강역을 정하였는데,
> 북쪽으로는 浿河에 이르고, 남쪽은 熊川을 한계로 삼으며, 서쪽으로는 큰 바
> 다에까지 가고, 동쪽으로는 走壤에 이르렀다.[2]

이 기사를 두고 학계는 그동안 부정론, 긍정론, 수정론 등으로 해석이 갈렸다. 『삼국사기』 초기 기록의 사료가치를 인정하지 않는 부정론[3]은 대개 일제시기의 식민통치라는 정치적 목적을 학문적으로 뒷받침하기 위한 방편의 하나로서 정치·사회적 편견에 기초한 역사해석이므로 지금은 학술적 생명력을 잃은 상태이다. 따라서 학계 논의는 자연스럽게 『삼국사기』 초기기록이 비교적 정확하다는 긍정론과 기사 내용에 부분적으로 오류가 있다는 수정론으로 집약된다.

긍정론[4]은 『삼국사기』의 온조왕 13년(6 BC) 기사를 역사적 사실로 받아들

---

2) 八月 遣使馬韓告遷都 遂畫定疆域 北至浿河 南限熊川 西窮大海 東極走壤(『삼국사기』
　권 23 「백제본기」 온조왕 13년).

3) 津田左右吉, 1921, 「百濟における日本書紀記錄」, 『滿鮮地理歷史研究報告』 8 ; 今西龍,
　1934, 『百濟史研究』, 近澤書店.

4) 천관우, 1976, 「삼한의 국가형성(하)」, 『한국학보』 3 ; 이종욱, 1976, 「백제의 국가형성」, 『대
　구사학』 11, 대구사학회 ; 김병남, 2001, 『백제 영토변천사 연구』, 전북대학교대학원 박사
　학위논문.

인다.『삼국사기』「백제본기」 초기 기록은 같은 시기 고구려나 신라 기록에 비해 역사적 합리성을 갖추고 있으므로 사실일 가능성이 높다는 것이다. 백제가 건국 초기에 강역을 확정지을 수 있었던 국력의 기반은 한강유역의 농업 생산력 및 漢郡縣과의 끊임없는 교류였다고 해석한다.

수정론은 후대의 영역확장 사실이 온조왕 때의 일로 소급 기록되었다는 입장이다. 온조왕 13년처럼 강역을 확정하는 일이 실제로는 3세기 중후반(고이왕대)에 일어났다는 견해[5]와 4세기 중후반(근초고왕대)이라는 견해[6]로 나뉜다. 3세기설은 고이왕 때의 官制 정비를 강역확정과 연계시킨 것이며, 4세기설은 근초고왕대의 활발한 군사활동 성과가 시조 온조왕에게 투영되었다는 것이다. 영역의 지리적 범위에 대해서도 학설이 분분하다. 북쪽 浿河의 경우, 예성강설,[7] 대동강설,[8] 이동설[9] 등이 있는데, 가장 널리 알려진 것은 예성강설이지만, 패하라는 이름이 '북쪽 경계'를 의미하는 일반명사 성격을 지닌다는 점과 근초고왕 26년(371) 패하전투에서 승리한 백제가 평양성을 공격했다는 점에서 대동강이나 그 지류인 재령강에 주목하는 견해가 주목받고 있다.

---

5) 이병도, 1976,『한국고대사연구』, 박영사 ; 노중국, 1988,『백제정치사연구』, 일조각 ; 문안식, 2002,『백제의 영역확장과 지방통치』, 신서원.

6) 김기섭, 2000,『백제와 근초고왕』, 학연문화사.

7) 韓百謙,『東國地理志』百濟國都 漢山城條 ; 이병도, 1976, 앞의 책 ; 천관우, 1976, 앞의 논문 ; 문안식, 2002, 앞의 책.

8) 安鼎福,『東史綱』附卷 地理考 浿水考條 ; 도수희, 1980,「백제지명연구」,『백제연구』10 ; 전영래, 1985,「백제남방경역의 변천」,『천관우선생환력기념 한국사학논총』.

9) 丁若鏞,『與猶堂全書』卷6 疆域考卷3 浿水辯條 ; 김기섭, 1994,「백제 근초고왕대의 북경」,『군사』29 ; 임기환, 2013,「백제의 동북방면 진출」,『근초고왕때 백제영토는 어디까지였나』, 한성백제박물관 학술회의.

남쪽 경계인 熊川의 위치에 대해서는 안성천설[10]과 금강설[11]이 있다. 웅천은 熊津과 연계한 이름이므로 지명만으로는 지금의 금강이 유력하지만, 안성천에 주목하는 이유는 백제 초기에는 아무래도 강역이 금강까지 내려가지 못했을 것이라는 판단 때문이다. 그래서 지명비정을 바꾸는 대신 기록이 가리키는 시점을 바꿔 3세기 후반 또는 4세기 초반의 일시적 경계가 웅천(금강)이었다고 본 것이다.

백제의 북방영역에 비해 남방영역에 대한 해석이 더 분분한 이유는 『三國志』에 실린 마한 50여 개 소국의 추이가 오리무중이기 때문이다. 백제가 남쪽으로 영역을 확장했다는 것은 필연적으로 마한 소국들의 멸망 또는 복속을 의미하는데, 目支國을 비롯한 이른바 馬韓聯盟體가 과연 언제 완전히 해체되었는지 알 수 없다. 기록이 전혀 없는 것은 아니다. 『삼국사기』「백제본기」에는 다음과 같은 기록이 전한다.

b-1. 가을 7월에 왕이 말하길 "마한이 점점 약해지고 윗사람과 아랫사람의 마음이 갈리어 그 형세가 오래 갈 수 없을 것 같다. 만일 남에게 병합된다면 입술이 없어지자 이가 시린 격이 되어 후회해도 이미 늦을 것이다. 차라리 남보다 먼저 병합해 훗날의 어려움을 면하는 편이 더 낫겠다"고 하였다. 겨울 10월에 왕이 군사를 내어 겉으로는 사냥한다고 하면서 몰래 마한을 습격하여 마침내 그 국읍을 병합하였다. 그러나 원산성과 금현성만은 굳게

---

10) 이병도, 1976, 앞의 책 ; 강종원, 2012, 『백제 국가권력의 확산과 지방』, 서경문화사.

11) 전영래, 1985, 앞의 논문 ; 김기섭, 1995, 「근초고왕의 남해안진출설에 대한 재검토」, 『백제문화』 24, 공주대학교 백제문화연구소.

지키며 항복하지 않았다.[12]

b-2. 여름 4월에 두 성이 항복하였다. 그 백성을 한산 북쪽으로 옮기니 마한이 마침내 망하였다. 가을 7월에 대두산성을 쌓았다.[13]

b-3. 가을 7월에 탕정성을 쌓고 대두성 백성들을 나누어 살게 하였다. 8월에 원 산성과 금현성을 수리하고 고사부리성을 쌓았다.[14]

위의 기록은 백제가 목지국을 비롯한 마한 제국을 병합하는 과정에 대한 것이라고 흔히 이해한다. 다만, 언제 일어난 일인지에 대해서는 학자마다 의견이 달라서 고이왕대,[15] 책계왕대,[16] 비류왕대,[17] 근초고왕대[18] 등 견해가 다양하다.

고이왕대설은 魏나라 景初 연간(237~239년)에 韓이 대방군 기리영을 공격했다가 응징을 당했다는 『삼국지』 동이전 기사에 주목한 견해이다. 목지국이

---

12) 秋七月 王曰 馬韓漸弱 上下離心 其勢不能久 儻爲他所幷 則脣亡齒寒 悔不可及 不如 先人而取之以免後艱 冬十月 王出師 陽言田獵 潛襲馬韓 遂幷其國邑 唯圓山錦峴二 城固守不下.(『삼국사기』 권23 「백제본기」 온조왕 26년)

13) 夏四月 二城降 移其民於漢山之北 馬韓遂滅 秋七月 築大豆山城.(『삼국사기』 권23 「백 제본기」 온조왕 27년)

14) 秋七月 築湯井城 分大豆城民戶居之 八月 修葺圓山錦峴二城 築古沙夫里城.(『삼국사 기』 권23 「백제본기」 온조왕 36년)

15) 이병도, 1976, 앞의 책 ; 노중국, 1988, 앞의 책 ; 이현혜, 1997, 「3세기 마한과 백제국」, 『백 제의 중앙과 지방』 ; 문창로, 2007, 「백제의 건국과 고이왕대의 체제정비」, 『백제의 기원 과 건국』 ; 강종원, 2012, 앞의 책.

16) 강봉룡, 1997, 「백제의 마한 병탄에 대한 신고찰」, 『한국상고사학보』26.

17) 전영래, 1985, 앞의 논문 ; 문안식, 2000, 「백제의 영역확장과 변방세력의 추이」, 동국대 대학원 박사학위논문.

18) 이기동, 1990, 「백제국의 성장과 마한의 병합」, 『백제논총』 2 ; 김기섭, 1995, 「근초고왕의 남해안진출설에 대한 재검토」, 『백제문화』 24.

주도한 韓 연합세력이 중국 군현세력에게 패배하자 백제가 마한 소국을 차례로 병합했다는 것이다. 고이왕대의 관제 정비도 백제가 목지국 세력을 해체시키고 마한의 중심세력으로 등장하면서 취한 조치로 이해한다.

그런데 『晉書』 「武帝紀」에는 咸寧 2년(276)부터 太熙 원년(290) 사이에 東夷가 조공·귀화·내부했다는 기사가 무려 15회나 실려 있다. 『진서』 「四夷傳」 마한조와 진한조에도 비슷한 기사가 있다. 진나라에 조공한 정치세력은 동이 8국,[19] 동이 17국,[20] 동이 6국,[21] 동이 9국,[22] 동이 10국,[23] 동이 20국,[24] 동이 5국,[25] 동이 29국,[26] 동이 11국,[27] 동이 2국,[28] 동이 7국,[29] 동이 11국,[30] 東夷絶遠 30여국,[31] 동이 7국[32] 등으로 표기되었다. 『진서』 「사이전」 마한조에는 태강 원년(280)·2년·7년·8년·10년, 태희 원년에 마한이 지역 특산물을 바쳤다는 기록이 있다.[33] 이는 이른바 '동이' 내지 '마한'이 아직 하나의 국가로 통합되지 않은 상태이며, 3세기 후반에도 아직 백제라는 이름이 국제사회에서 두각을

---

19) 『晋書』 권3 「武帝紀」 咸寧 2년(276) 2월.
20) 『진서』 권3 「무제기」 함령 2년(276) 7월.
21) 『진서』 권3 「무제기」 함령 4년(278) 3월.
22) 『진서』 권3 「무제기」 함령 4년(278) 是歲.
23) 『진서』 권3 「무제기」 太康 원년(280) 6월.
24) 『진서』 권3 「무제기」 태강 원년(280) 7월.
25) 『진서』 권3 「무제기」 태강 2년(281) 3월.
26) 『진서』 권3 「무제기」 태강 3년(282) 9월.
27) 『진서』 권3 「무제기」 태강 7년(286) 8월.
28) 『진서』 권3 「무제기」 태강 8년(287) 8월.
29) 『진서』 권3 「무제기」 태강 9년(288) 9월.
30) 『진서』 권3 「무제기」 태강 10년(289) 5월.
31) 『진서』 권3 「무제기」 태강 10년 是歲.
32) 『晋書』 권3 「武帝紀」 太熙 원년(290) 2월.
33) 武帝太康元年二年 其主頻遣使入貢方物 七年八年十年 又頻至 太熙元年 詣東夷校尉何龕上獻 咸寧三年復來 明年又請內附.

나타내지 못했음을 의미한다. 그러므로 고이왕 때 백제가 마한연맹체를 해체할 정도로 성장했다고 보기는 어렵다.

백제가 책계왕 때 마한을 병합했다는 주장은 온조왕본기의 마한 병탄이 후대 사건을 소급해 기록한 것이므로 실제 그 사건이 일어난 시점의 기사는『삼국사기』에 집단적으로 누락되었을 것이라는 가정 하에 책계왕본기의 3년~12년의 기사가 집단 누락된 점을 지목한 견해이다. 마침 마한의 사신 파견은 태희 원년을 끝으로 단절되는데, 이는 책계왕 5년(290)에 백제가 마한을 병탄하고, 이듬해인 책계왕 6년(291)에 원산성과 금현성을 항복시켰기 때문이라고 한다. 기사 누락에 착안한 점은 재미있지만,『삼국사기』에서 10여년의 기사 누락은 특별한 사례라고 할 수 없다.「백제본기」에서 개루왕본기는 10년 다음이 28년이며, 그 다음은 39년이다. 초고왕은 5년 다음에 21년으로 넘어간다. 근초고왕은 2년 다음이 21년이고, 개로왕은 즉위년 다음에 바로 14년 기사가 나온다.『삼국사기』의 마한과『삼국지』의 마한을 동질시하는 것도 다소 위험해 보인다.

비류왕대설은 온조왕 26년의 간지 戊辰에서 5주갑 300년을 조정해 비류왕 5년(308)에 맞춘 해석이다.『삼국사기』「신라본기」訖解王 21년(330)에 벽골제를 쌓았다는 기사[34]를 백제 비류왕 27년(330) 기사가 잘못 기입된 것으로 보고, 벽골제 축조를 관개 목적뿐 아니라 백제가 노령산맥 이북까지 진출한 이후 장차 노령 이남을 아우르기 위한 병참기지 만들기의 일환이라고 풀이하였다. 4세기 초에 낙랑·대방군이 멸망했다는 점과 4세기에 백제 국력이 크게 팽창했다는 점을 감안한 정황 중심의 해석이며, 무엇보다 김제 벽골제를 주요 근거로 삼았지만 구체적인 논증은 생략된 해석이다.

---

34) 始開碧骨池 岸長一千八百步.(『삼국사기』 권2「신라본기」訖解尼師今 21년)

근초고왕대설은 고이왕대 백제가 한강 하류지역을 중심으로 비교적 큰 연맹왕국을 수립한 것은 인정하지만, 이를 마한 병합과 직접적으로 연관시키기는 어렵다고 본다. 그리고 『通典』의 "晉나라 이후 여러 나라를 병탄하여 마한 옛 땅에 의거하였다"[35]라는 기록을 토대로 마한 병합이 3세기 말 이후 4세기 무렵에 이루어졌다고 주장한다. 또한 『삼국사기』 온조왕 27년 기사와 『日本書紀』 神功紀 기사가 내용상 부합할 뿐 아니라 간지 또한 '己巳'로 같다는 점에 주목한다. 근초고왕이 군사대국이던 고구려를 제압하고 대방고지로 진출할 수 있었던 것도 마한세력을 병합한 데서 우러나온 결집력 때문이라고 보았다. 다만, 근초고왕이 병합한 마한 땅의 범위에 대해서는 저마다 의견이 달라서 남해안까지 진출했다는 견해와 금강 또는 노령산맥을 한계로 여기는 견해로 나뉜다.

관건은 마한연맹체의 맹주국이던 目支國의 위치이다. 『삼국사기』에서 백제에 병탄되었다는 마한이 목지국을 가리키는 것이라면 그 위치야말로 백제의 영역확장과정을 이해하는 주요 근거일 수 있기 때문이다. 『삼국지』 韓傳의 마한 50여국 중 14번째로 기재된 목지국의 위치에 대해서는 이미 익산, 직산,[36] 인천,[37] 예산,[38] 나주,[39] 천안-아산[40] 등 다양한 주장이 제기되었다.

익산설은 조선시대 실학자들이 제기한 것으로서 『삼국사기』 「열전」 견훤조

---

35) 自晉以後 呑倂諸國 據有馬韓故地.(『通典』 권185 邊防 東夷上 百濟)
36) 이병도, 1976, 앞의 책 ; 노중국, 1990, 「목지국에 대한 일고찰」, 『백제논총』 2 ; 강봉룡, 1997, 앞의 논문.
37) 천관우, 1979, 「목지국고」, 『한국사연구』 24.
38) 김정배, 1986, 『한국고대의 국가기원과 형성』.
39) 최몽룡, 1988, 「반남고분군의 의의」, 『나주반남면고분군』.
40) 권오영, 1996, 「삼한의 '국'에 대한 연구」, 서울대학교대학원 박사학위논문 ; 강종원, 2012, 앞의 책.

의 "백제가 금마산에 개국하여…"라든지 『제왕운기』에서 준왕이 "금마군에… 도읍을 세웠다"는 기록, 그리고 『고려사』 지리지, 『세종실록』 지리지, 『동국여지 승람』 등에 "금마=익산은 본래 마한국"이라고 한 기록에 근거한다. 정약용의 『아방강역고』, 한치윤의 『해동역사』 등이 대표적인 사례이다.

　직산설은 온조가 직산에 도읍을 세웠다는 『삼국유사』 기록에 근거한다. 이 때의 직산이 백제 도읍이 아닌 목지국의 도읍지를 가리킨다는 것이다. 직산 일대에는 都下里, 安宮里, 坪宮里 등 都나 宮과 관련된 지명이 많고, 온조가 정 착해서 위례성을 쌓았다는 전설도 있다는 점을 강조한다.

　예산설과 나주설은 청동기시대 유적·유물 또는 대형옹관묘 분포에 주목한 고고학적 추정이며, 천안설은 청당동유적, 신사리유적, 화성리유적, 아산 배방 유적 등 원삼국시대의 유적들을 목지국의 재지기반으로 이해한 견해이다. 마 한의 원산성·금현성을 함락시킨 뒤 대두산성과 탕정성을 쌓았다는 『삼국사 기』 기록에서 탕정성이 아산으로 비정될 수 있다면 마한의 중심지도 그와 가 까운 지역 곧 천안-아산 일대에서 찾아야 된다는 논리이다.

　목지국의 위치는 『후한서』와 『삼국지』의 동이전에 실린 馬韓 50여 개국의 분 포도를 감안하여 추구하는 것이 합리적이다. 그간 마한 소국에 대한 지명비정 은 나라 이름 기재순서를 樂浪郡·帶方郡과의 거리와 연계하면서 후대의 한 자 지명중 비슷한 발음에 근거해 추론하는 정도였으며,[41] 이를 기준으로 전 남지역의 고대 무덤 분포를 감안하거나[42] 여러 의견을 취합해 부분 조정하기

---

41) 이병도, 1976, 「삼한의 제소국문제」, 『한국고대사연구』, 박영사 ; 천관우, 1979, 「마한제국 의 위치 시론」, 『동양학』 9.
42) 이영문, 2002, 『한국 지석묘 사회 연구』, 학연문화사 ; 임영진, 2010, 「묘제를 통해 본 마 한의 지역성과 변천과정」, 『백제학보』 3, 백제학회.

도 했다.[43] 이에 따르면 앞부분 30여 개국은 지금의 경기·충청지역에 분포하였으며, 뒷부분 20여 개국이 전북·전남지역에 분포한 셈이 된다. 그런데 이러한 마한소국 위치비정의 가장 강력한 기준이랄 수 있는 낙랑군과의 거리가 과연 나라 이름 기재순서에 정확히 반영된 것일까? 당시 낙랑군·대방군의 관리들은 과연 마한 소국의 위치가 가까운지 먼지를 따져 그 순서대로 기록하였을까? 만약 18번째의 莫盧國과 43번째의 莫盧國이 같은 곳을 두 번 적은 것이라면 달리 생각할 여지가 늘어난다.

〈표 1〉 마한소국 위치비정

나라 이름	이병도	천관우	비고
원양국(爰襄國)	경기 화성	경기 파주	
모수국(牟水國)	경기 수원	경기 양주	
상외국(桑外國)	경기 화성	경기 파주,연천?	
소석색국(小石索國)	서해의 섬?	교동도	
대석색국(大石索國)	〃	강화도	
우휴모탁(優休牟涿)	경기 부천	강원 춘천	
신분첨국(臣濆沽國)	경기 양성	경기 가평	臣濆活國, 臣濆沽國 / 전남 순천 낙안(정인보)
백제국(伯濟國)	경기 광주	서울 강남	
속로불사(速盧不斯)	경기 통진	경기 김포	전남 나주 반남(정인보)
일화국(日華國)	?	경기 양평?	
고탄자국(古誕者國)	?	경기 양평?	
고리국(古離國)	경기 양주	경기 여주?	
노람국(怒藍國)	경기 이천	경기 이천?	
목지국(目支國)	충남 직산	인천	月支國

---

43) 박찬규, 2013, 「문헌자료로 본 전남지역 마한소국의 위치」, 『백제학보』 9, 백제학회.

나라 이름	이병도	천관우	비고
자리모로(咨離牟盧)	경기 이천	충남 서산	
소위건국(素謂乾國)	?	충남 보령	
고원국(古爰國)	?	충남 당진?	
막로국(莫盧國)*	?	충남 예산 덕산	전남 보성(정인보)
비리국(卑離國)	전북 옥구	충남 예산 덕산	
고비리국(古卑離國)	전북 고부?	충남 홍성	占離卑國, 占卑離國
신흔국(臣釁國)	대전	충남 온양?	
지침국(支侵國)	충남 예산	충남 예산 대흥	
구로국(狗盧國)	충남 청양?	충남 청양	
비미국(卑彌國)	충남 서천	충남 서천 비인	
감해비리(監奚卑離)	충남 홍성	충남 공주	
고포국(古蒲國)	?	충남 부여	
치리국국(致利鞠國)	충남 서산	충남 서천 한산	전남 화순(정인보)
염로국(冉路國)	?	전북 익산?	
아림국(兒林國)	충남 서천?	충남 서천	
사로국(駟盧國)	충남 홍성	충남 논산 은진	
내비리국(內卑離國)	?	대전 유성	
감해국(感奚國)	전북 익산	전북 익산	
만로국(萬盧國)	충남 보령	전북 옥구	
벽비리국(辟卑離國)	전남 보성? 전북 김제?	전북 김제	전남 화순(신채호), 전남 보성(정인보)
구사오단(臼斯烏旦)	전남 장성	전북 김제 금구	전남 장성(신채호), 전남 장성(정인보)
일리국(一離國)	?	전북 부안,태인?	전남 화순(정인보)
불미국(不彌國)	전남 나주	〃	
지반국(支半國)	?	〃	
구소국(狗素國)	전남 강진?	전북 정읍 고부	전남 담양(정인보)
첩로국(捷盧國)	?	전북 정읍	
모로비리(牟盧卑離)	전북 고창	전북 고창	
신소도국(臣蘇塗國)	충남 태안	전북 고창 흥덕	

백제가 마한(목지국)을 병합하던 무렵의 남방영역 한계선에 관한 학설들을 종합해보면 차령산맥 이북의 서울·경기·충청지역으로 보는 입장과 고사부리성과 벽골제 축조를 긍정하며 전북지역을 포함해 노령산맥 이북으로 보는 입장으로 나눌 수 있다. 그런데 김제 浦橋里에 위치한 이른바 벽골제를 기준으로 비류왕 또는 근초고왕 때의 영역을 논하는 것은 아직 적절치 않다고 생각한다.

길이 약 3km, 높이 약 4m 안팎인 김제 포교리의 제방 규모는 실로 거대해서 이를 쌓기 위해 동원한 인력이 연인원 322,500명에 달한다는 계산이 나왔거니와, 상상을 초월하는 대규모 제방의 축조에 응용된 고도의 측량술을 감안한다면 그에 걸맞는 대규모 정치체로서 백제를 거론하는 것도 무리는 아니다. 더욱이 제방의 하부 炭化層에서 채취한 시료의 방사성탄소연대가 ①1600±100BP ②1576±100BP ③1620±110BP 등 4세기 중반에 해당한다는 조사보고[44]를 백제 강역이 비류왕 때 이미 전북지역에 닿았으며 근초고왕 때에는 더욱 넓어졌다는 추론의 절대적 근거로 이용해왔다. 그러나 이와 같은 해석에는 몇 가지 의문점이 따른다.

첫째, 기록상으로는 벽골제를 축조한 세력이 백제가 아닌 신라로 나온다는 점이다. 신라가 4세기 중반에 전라북도의 김제지방까지 진출했다고는 볼 수 없으므로 이를 백제로 바꾸어 이해하는 것은 지나치게 자의적인 사료 해석이다. 신라가 벽골제를 처음 쌓았는데 작업시점에 대한 기록이 잘못 전해졌을 수 있기 때문이다.

둘째, 규모에 관한 문제이다. 신라 元聖王 6년(790)에 全州를 비롯한 7개 州

---

44) 윤무병, 1976, 「김제 벽골제 발굴보고」, 『백제연구』7, 충남대학교 백제연구소.

의 사람들을 징발해 벽골제를 증축했다는『삼국사기』「신라본기」기록을 참고하면 지금과 같은 규모의 제방이 과연 4세기 중반에 쌓은 것인지에 대한 의문이 제기될 수 있다. 더욱이 벽골제는 고려와 조선시대를 거치면서 몇 차례에 걸쳐 대대적으로 증축 혹은 개축되었던 것이다.

셋째, 1976년 벽골제에 대한 고고학적 조사지점이 水門의 돌기둥[石柱]이 있는 2곳의 경사면에 한정되었으며, 백제 유물은 1점도 수습하지 못했다는 사실이다. 2012~2013년의 2차례에 걸친 발굴조사에서도 백제 4세기 무렵의 유물은 특별히 보고되지 않았다.[45]

넷째, 石材를 가공한 기술이 4세기대로 보기에는 지나치게 수준 높다는 점이다. 수문 바깥에서 조사된 放水路는 길이 1.5m, 폭 50cm 내외의 장방형 석재를 2~3단으로 정연하고 견고하게 구축한 것이었으며, 수문의 양옆에는 높이 5.5m 두께 50~60cm로 다듬어진 4각의 돌기둥을 세웠는데, 1976년 보고자도 이러한 석재 가공 기술은 "웬만한 石室古墳의 축조를 능가하는 높은 수준"이라고 지적하였다. 그런데 주지하듯이 4세기 중반의 백제고분에서는 이만한 기술이 아직 적용되지 못한 것이다. 중앙의 최고위 지배층관련 시설에서도 적용하지 못한 기술을 王都에서 200km정도 떨어진 지방의 제방 축조에 적용했다고 보기는 어렵다. 제방 石柱 수문의 양상과 출토된 기와조각을 근거로 벽골제를 웅진·사비기 이후에 처음 쌓았을 것으로 추정하기도 한다.[46]

다섯째, 試料에 관한 문제이다. 조사 당시 제방의 바닥 面 아래로는 1~2cm

---

45) 곽스도, 2013,「김제 벽골제(사적 제111호) 중심거 발굴조사 보고」,『김제 벽골제와 한국 고대의 수리시설』(제15회 백제학회 정기발표회), 백제학회.

46) 성정용, 2006,「백제의 수리시설과 김제 벽골지」,『한·중·일의 고대 수리시설 비교 연구』, 계명대학교 한국학연구원, 36~38쪽.

두께의 식물탄화층이 깔려있었는데, 보고자에 의하면 제방이 구축되기 전에 무성하게 자란 갈대 등의 低濕性 식물이 압축되어 탄화한 층이라고 한다. 이를 발굴후 8개월 뒤에 원자력연구소에서 측정한 결과 앞서와 같은 방사성탄소연대를 얻었다고 한다. 그러나 습지에서 자생하다 죽은 식물이 인공으로 구축한 흙 아래에 깔린 것에 불과하므로, 이것을 곧바로 제방 축조시기의 판단기준으로 삼기는 어렵다.[47]

비류왕 때 김제 벽골제를 쌓았다는 관점에서 벗어나 백제의 영토관련기사를 검토하면 적어도 『삼국사기』에서는 영토기준점을 제시한 기록이 모두 온조왕본기에 종합 정리되어 있다는 사실을 알 수 있다. 그리고 온조왕본기 자체의 시간순서에 따르면 패하 · 웅천 · 주양 등의 영토한계지점을 설정한 때가 마한병탄보다 이른 시기이며, 그나마도 일부 세력은 잔존하다가 나중에 병합된 것으로 나타난다. 여기에서 주목할 점은 마한을 병탄하기 전에 영토선을 획정했다는 것이다. 이는 단순히 군사력 팽창에 머물지 않고 국가 통치체계를 정비하고 문서화하는 등의 대내외적 질서 구축 후 영토확장을 도모했다는 뜻으로 해석할 수 있으며, 그런 점에서 근초고왕 때의 書記 편찬[48]에 주목해야 한다.

그런데 『삼국사기』에서 백제가 마한을 병탄했다는 온조왕 27년과 『일본서기』에서 백제가 한반도 남부지역을 영토화한 것으로 나오는 근초고왕 24년의 간지가 모두 '己巳年'이며, 정확히 360년 차이라는 점은 주목할 만하다. 『삼국사기』 온조왕본기의 마한병합과 『일본서기』 근초고왕의 영역확장기록이 서로 접합되는 부분이 있다는 사실도 흥미롭다.

---

47) 김기섭, 2000, 『백제와 근초고왕』, 학연문화사, 181~184쪽.
48) 古記云 百濟開國已來 未有以文字記事 至是 得博士高興 始有書記 然高興未嘗顯於 他書 不知其何許人也.(『삼국사기』 권24 「백제본기」 근초고왕 30년)

Ⅲ. 4~5세기 백제의 영역확장과 주변 소국

『일본서기』神功紀 49년조에는 백제 근초고왕 때의 영토확장에 관한 기사가 실려 있다. 흔히 가라 7국 평정기사라고 불리는데, 倭(일본) 입장에서 사실을 심하게 왜곡한 내용이므로 평정이라는 말이 적정한지는 의문이다.

c-1. 봄 3월에 아라타와케(荒田別)·카가와케(鹿我別)를 장군으로 삼았다. 구저 등과 함께 군사를 정돈하고 바다를 건너가 탁순국에 이르러 장차 신라를 공격하려 하였다. 그때 누군가가 "군사의 수가 적어서 신라를 깨뜨릴 수 없다. 다시 사하쿠 카후로(沙白蓋盧)를 올려보내 군사를 늘려달라고 청하자"고 하였다. 곧 木羅斤資와 사사나코(沙沙奴跪)[이들 두 사람은 姓을 알 수 없는 사람이다. 다만, 목라근자는 백제의 장수이다]에게 명령하여 정예군사를 이끌고 사하쿠 카후로와 함께 가게 하였다. 함께 탁순국에 모여서 신라를 공격하여 깨뜨렸다. 그리고 比自㶱·南加羅·㖨國·安羅·多羅·卓淳·加羅 7국을 평정하였다. 이에 군사를 옮겨 서쪽으로 돌아서 古奚津에 이르러 남쪽 오랑캐인 忱彌多禮를 무찌르고 백제에게 주었다. 이에 그 왕인 肖古와 왕자 貴須가 또한 군사를 이끌고 와서 만났다. 이때 比利辟中布彌支半古四邑이 스스로 항복하였다. 이리하여 백제왕 부자와 아라타와케·목라근자 등이 함께 意流村[지금은 州流須祇라고 부른다]에 모였는데, 서로 보고 기뻐하며 예를 두텁게 하여 보냈다. 다만, 치쿠마나가히코(千熊長彦)와 백제왕은 백제국에 이르러 辟支山에 올라 맹서하고, 다시 古沙山에 올라 함께 반석 위에 앉았다. 이때, 백제왕이 맹서하기를 "만약 풀을 깔고 앉으면 불에 탈 염려가 있고, 또 나무에 앉으면 물에 쓸려갈 염려가 있다. 그러므로 반석

위에 앉아서 맹서하는 것은 영원히 썩지 않을 것임을 나타내는 것이다. 이로써 지금부터는 천추만세에 끊임없이 항상 西蕃을 칭하며 해마다 조공할 것이다"라고 하였다. 그리고는 치쿠마나가히코를 데리고 도읍으로 가서 두 터이 예우하였다. 또한 구저 등을 딸려서 보냈다.[49]

위의 내용을 글자 그대로 믿어 倭가 신라, 가야, 그리고 영산강유역을 정복했으며 이로써 任那日本府가 시작되었다고 주장하기도 했다.[50] 그러나 이 기사는 『일본서기』 특유의 천황중심사관으로 사실을 왜곡·윤색한 기사로서 앞뒤가 잘 연결되지 않는 매우 혼란스러운 글로도 유명하다. 즉, 같은 책 神功紀 46년조에는 倭·백제와 매우 우호적인 국가인 것처럼 기록된 卓淳國[51]이 여

---

49) 卅九年春三月 以荒田別·鹿我別爲將軍 則與久氏等 共勒兵而度之 至卓淳國 將襲新羅 時或曰 兵衆少之 不可破新羅 更復 奉上沙白·蓋盧 請增軍士 卽命木羅斤資 沙沙奴跪是二人 不知其姓人也 但木羅斤資者 百濟將也 領精兵與沙白·蓋盧共遣之 俱集于卓淳 擊新羅而破之 因以 平定比自㶱·南加羅·㖨國·安羅·多羅·卓淳·加羅七國 仍移兵 西廻至古奚津 屠南蠻忱彌多禮 以賜百濟 於是 其王肖古及王子貴須 亦領軍來會 時比利·辟中·布彌支·半古 四邑 自然降服 是以 百濟王父子及荒田別·木羅斤資等 共會意流村[今云 州流須祇]相見欣感 厚禮送遣之 唯千熊長彦與百濟王 至于百濟國 登辟支山盟之 復登古沙山 共居磐石上 時百濟王盟之曰 若敷草爲坐 恐見火燒 且取木爲坐 恐爲水流 故居磐石而盟者 示長遠之不朽者也 是以 自今以後 千秋萬歲 無絶無窮 常稱西蕃 春秋朝貢 則將千熊長彦 至都下厚加禮遇 亦副久氏等而送之.(『일본서기』 권9 神功皇后 攝政49년)

50) 末松保和, 1949, 『任那興亡史』, 吉川弘文館.

51) 卅六年春三月乙亥朔 遣斯摩宿禰于卓淳國[斯麻宿禰者 不知何姓人也] 於是 卓淳王末錦旱岐告斯摩宿禰曰 甲子年七月中 百濟人久氏彌州流莫古三人 到於我土曰 百濟王聞東方有日本貴國 而遣臣等 令朝其貴國 故求道路以至于斯土 若能敎臣等 令通道路 則我王必深德君王 時謂久氏等曰 本聞東有貴國 然未曾有通 不知其道 唯海遠浪嶮 則乘大船 僅可得通 若雖有路津 何以得達耶 於是 久氏等曰 然卽今當不得通也 不若 更還之備船舶 而後通矣 仍曰 若有貴國使人來 必應告吾國 如此乃還 爰斯摩宿禰卽以傔人爾波移与卓淳人過古二人 遣于百濟國 慰勞其王 時百濟肖古王 深之歡喜

기에서는 졸지에 평정 대상으로 전락한 점이라든지 신라를 격파하였다면서 느닷없이 가라 제국을 평정 결과물로 제시한 점, 왜의 군사 활동에 백제 장군인 목라근자가 주역으로 나선 점, 그리고 군사 활동에서는 전혀 거론되지 않았던 치쿠마나가히코[千熊長彦]가 느닷없이 나타나 백제왕과의 맹서를 주도한 점 등은 자체 논리로도 모순이다. 따라서 이 기사의 내용을 그대로 사실과 연결시키는 것은 위험천만한 일이다.

『일본서기』에는 백제가 주도한 역사적 사건을 마치 倭 혹은 일본이 주도한 일인양 왜곡한 부분이 적지 않은데, 위의 신공기 49년조를 그중 한 가지 사례로 보기도 한다. 위의 글에서 군사 활동의 핵심은 백제장군 목라근자이며, 침미다례를 획득한 나라도 백제이다. 근초고왕과 태자 근구수가 함께 출정한 점도 예사롭지 않다. 침미다례를 남쪽 오랑캐(南蠻)라고 표현한 것은 백제를 기준으로 한 방위관념이다. 게다가 당시 왜는 일본열도조차 통일하지 못한 상황인데 과연 한반도 남부에서 대규모 군사 작전을 벌일 수 있었을지 의문이다.

그래서 군사 활동의 주체를 백제로 이해하고, 사건이 일어난 시기는 신공기 49년(249년)의 연대를 2주갑(120년) 조정하여 근초고왕 24년(369년)으로 보는 것이 보통이다. 기사 내용처럼 백제가 남해안 일대를 영역화한 것은 5세기 중엽이라는 견해,[52] 429년의 사실이라는 견해,[53] 근초고왕대의 남해안 진출 가능성은 인정하지만 직접지배는 웅진천도 이후라는 견해[54] 등 다양한 해석이

而厚遇焉 仍以五色綵絹各一疋 及角弓箭 并鐵鋌卌枚 幣爾波移 便復開寶藏 以示諸珍異日 吾國多有是珍寶 欲貢貴國 不知道路 有志無從 然猶今付使者 尋貢獻耳 於是爾波移奉事而還 告志摩宿禰 便自卓淳還之也.(『일본서기』 권9 神功皇后 攝政46년)

52) 김기섭, 1995, 앞의 논문.

53) 田中俊明, 1997, 「웅진시대 백제의 영역재편과 왕·후제」, 『백제의 중앙과 지방』.

54) 이근우, 1997, 「웅진시대 백제의 남방경역에 대하여」, 『백제연구』 27.

제기되었다.

이러한 논란의 중심에는 『일본서기』에 중요 인물로 등장하는 목라근자와 그의 아들 木滿致가 있다. 우선 목만치를 475년 문주왕이 웅진으로 천도할 때 동행한 木劦滿致와 같은 사람으로 볼 경우 신공기 49년조를 3주갑(180년) 하향조정해야만 연대가 비슷해진다. 다만 그렇더라도 『일본서기』 應神紀 25년조에 목라근자의 아들 목만치가 구이신왕(420~427)때 국정을 전단했다는 기사와 서로 충돌하는 문제가 발생한다.

한편, 『송서』에는 개로왕 4년(458년) 송나라로부터 관작을 받은 백제사람 가운데 沐衿이라는 이름이 보인다. 목라근자와 음운상 비슷하여 같은 사람으로 보기도 한다. 그렇다면 목라근자는 5세기 중엽의 실존 인물이며, 그의 활약상을 담은 신공기 49년조 기록 또한 본래 5세기 중엽의 사실을 소급해 기록한 것으로 이해할 수도 있다. 그러나 음운이 비슷하다는 점만으로는 추론에 한계가 있다.

백제의 남방영역 확장을 이해할 때 『일본서기』 신공기와 함께 반드시 참고해야 하는 기록은 「梁職貢圖」이다. 중국 남북조시대 梁나라의 元帝(552~554)로 즉위하게 되는 蕭繹이 荊州刺史로 재임하던 중(526~536) 자기 나라에 온 외국 사신들의 모습을 직접 그림으로 그리고 그 나라들에 대해 간략하게 해설한 직공도인데,[55] '百濟國使'조에 백제 사신의 초상과 함께 백제에 관한 간단한 설명문이 실려 있다. 설명문 속에는 "주변 소국으로서 叛波 · 卓 · 多羅 · 前羅 · 斯羅 · 止迷 · 麻連 · 上己文 · 下枕羅 등이 있어 의지한다"[56]는 대목이 있다. 지미, 마련, 상기문, 하침라는 모두 지금의 전라지역에 비정되므로, 이들을

---

55) 이홍직, 1971, 「양 직공도 논고」, 『한국고대사의 연구』, 신구문화사.
56) …旁小國有叛波卓多羅前羅斯羅止迷麻連上己文下枕羅等附之.

소국으로 표현한 것은 백제가 이 지역을 완전히 복속하지 못했다는 뜻일 수 있다.

이처럼 다양한 기록과 해석에도 불구하고 한국 역사학계의 통설은 백제가 근초고왕 때 남해안 일대를 영역화했다는 것이다. 그 근거로서 『통전』의 "진 나라 이후 여러 나라를 병탄하여 마한의 옛 땅에 의거하였다"[57]는 기록을 근 초고왕 때 백제가 마한의 잔여세력까지 완전히 병합한 정황 증거로 해석하고, 『일본서기』 신공기 46년조~49년조의 기사와 『삼국사기』의 온조왕 때 마한병탄 기사를 내용상 대응하는 것으로 해석하며, 온조왕 27년과 근초고왕 24년의 간 지가 '己巳'로 일치한다는 점에 주목한다. 그리고 고구려가 414년에 세운 광개 토왕비에 고구려, 백제, 신라, 임나가라 등의 국명은 보이지만 영산강 유역에 기반을 둔 나라 이름이 보이지 않는 점도 당시 이 지역에 정치적 독립성을 가 진 나라가 존재하지 않았기 때문이라고 해석하는 것이다.[58]

그런데 『일본서기』의 권1~13 기록이 권14~21 기록보다 뒤늦게 작성되었으 며[59] 欽明紀 2년 7월조에 묘사된 백제와 가야 제국의 관계 회상이 神功紀 49 년조보다 사실에 가깝다고 한다.[60] 『일본서기』 흠명기는 聖王의 말을 빌어 4세 기 무렵 백제와 가야의 관계를 다음과 같이 설명하였다.

c-2. 이에 任那에 이르길 "옛날 나의 선조 速古王과 貴首王이 예전 旱岐 등과 처

---

57) 自晋以後 呑倂諸國 據有馬韓故地.(『通典』 권185 「邊防」1 東夷上 百濟)
58) 박찬규, 2010, 「문헌자료를 통해서 본 마한의 始末」, 『百濟學報』 3, 백제학회 ; 노중국, 2011, 「문헌기록 속의 영산강유역-4~5세기를 중심으로-」, 『百濟學報』 6, 백제학회.
59) 森博達, 1999, 『日本書紀の謎を解く-述作者は誰か-』, 中公新書 ; 森博達(심경호 옮김), 2006, 『일본서기의 비밀』, 황소자리.
60) 백승옥, 2012, 「4~6세기 百濟와 加耶諸國」, 『百濟學報』 7, 백제학회.

음으로 화친을 약속하고 형제가 되었소. 이에 나는 그대를 아들과 아우로 삼고, 그대는 나를 아비와 형으로 삼아 함께 천황을 섬기고 함께 강적을 막아내어 나라와 집을 안전하게 하며 지금에 이르렀소. 선조가 예전 한기와 화친한 이야기를 말하거나 생각하면 해와 달이 비추는 것 같소. 이로부터 부지런히 이웃하며 우호를 맺어 마침내 나라 관계가 돈독해지고 은혜가 피붙이보다 두터워졌소.[61]

성왕의 말을 글자 그대로 믿을 수는 없겠으나 『일본서기』神功紀 46년 봄 3월조에 실린 백제 肖古王과 卓淳國 末錦旱岐 사이의 일화를 떠올리게 한다. 문제는 신공기 49년 봄 3월조(c-1) 내용과 충돌한다는 점인데, 이에 대해서는 다른 방식의 해석이 필요하다.

神功紀 49년조를 완전히 무시할 수는 없다. 기록 안에 왜곡의 근거가 어느 정도는 남아있을 것이기 때문이다. 기록 속의 肖古王이 근초고왕이며, 그 행적의 일부를 가공한 것이라면, 일단 신원이 불확실한 木羅近資 등의 행적은 차치하고 근초고왕의 행적에만 집중할 필요가 있다. 기록 속에서 근초고왕이 들른 곳은 意流村[州流須祇]과 辟支山・古沙山 등이다. 벽지산과 고사산의 위치에 대해서는 의견이 분분하므로 단정할 수 없으나, 굳이 2개의 지점에서 맹약한 것은 근초고왕이 서로 다른 집단(나라)의 대표(왕)를 만났기 때문일 것이다. 盟約한 장소를 백제의 완전한 영역으로 볼 수 있을지도 의문이지만, 그렇

---

61) 乃謂任那曰 昔我先祖速古王貴首王 與故旱岐等 始約和親 式爲兄弟 於是我以汝爲子弟 汝以我爲父兄 共事天皇 俱距强敵 安國全家至于今日 言念先祖與舊旱岐 和親之詞 有如皎日 自茲以降 勤修隣好 遂敦與國 恩踰骨肉.(『일본서기』 권19 欽明天皇 2년 秋7월)

다 하더라도 백제의 남방경계는 벽지산·고사산에서 그리 멀지 않았음을 시사한다.

辟支山은 『삼국사기』 지리지의 도독부 관련 지명중 古四州에 속한 辟城縣[62]과 관련지을 수 있으며 백제 碧骨縣이던 金堤[63]에 비정한다. 『삼국지』 동이전의 마한소국 중 34번째에 기재된 辟卑離國, 앞의 c-1에서 백제 초고왕 부자에게 스스로 항복했다는 辟中 등도 같은 곳으로 추정한다. 古沙山은 백제 古沙夫里郡이던 古阜[64]에 비정할 수 있다. 『일본서기』 신공기 49년조의 比利辟中布彌支半古四邑을 김제~고창 사이의 무덤·마을유적에 비정한 고고학적 견해[65]도 있다.

4세기 무렵 백제의 남방경략은 과연 어디까지 이루어진 것일까? 『일본서기』 신공기 49년조를 근초고왕 때의 기록으로 보고 백제가 침미다례와 比利 등의 4~5읍을 복속시켰다고 믿는 입장에서도 군사활동을 곧바로 영역화와 연관짓는 것은 아니다. 백제가 근초고왕 때 영산강유역의 세력을 병합하는 등 남해안까지 영역을 확장한 뒤 檐魯를 설치하고 王侯制를 시행했다는 견해,[66] 근초

---

62) 古四州 本古沙夫里 五縣 平倭縣 本古沙夫村 帶山縣 本大尸山 辟城縣 本辟骨 佐贊縣 本上杜 淳牟縣 本豆奈只.(『삼국사기』 권37 「地理志」 4)

63) 金堤郡 本百濟碧骨縣 景德王改名 今因之 領縣四 萬頃縣 本百濟豆乃山縣 景德王改名 今因之 平皐縣 本百濟首冬山縣 景德王改名 今因之 利城縣 本百濟乃利阿縣 景德王改名 今因之 武邑縣 本百濟武斤村縣 景德王改名 今富潤縣.(『삼국사기』 권36 「지리지」 3)

64) 古阜郡 本百濟古沙夫里郡 景德王改名 今因之 領縣三 扶寧縣 本百濟皆火縣 景德王改名 今因之 喜安縣 本百濟欣良買縣 景德王改名 今保安縣 尙質縣 本百濟上漆縣 景德王改名 今因之.(『삼국사기』 권36 「지리지」 3)

65) 김낙중, 2013, 「고고학 자료로 본 比利辟中布彌支半古四邑의 위치」, 『百濟學報』 9, 백제학회.

66) 노중국, 위의 논문 28~30쪽.

고왕의 親征으로 전북지역까지만 영역화하고 전남지역은 해안일대에 거점을 확보하는 정도였다는 견해[67] 등이 있다.

그러나 가라 7국은 물론 고해진과 침미다례조차 근초고왕 부자의 직접적인 군사활동에 포함되지 않았다는 점을 주목해야 한다. '남쪽의 오랑캐' 침미다례는 결과적으로 나중에 백제 땅이 되었으므로 후대의 기록에서는 '백제에게 주었다'는 식의 표현이 얼마든지 가능하다. 『일본서기』 기록에서 침미다례지역 군사활동의 주역은 백제왕이 아니라 木羅近資이다. 그렇다면 충청 이남지역에서 활동한 木羅氏가 백제에 흡수되면서 백제측의 기록으로 남게 된 그들의 활동상이 나중에 일본으로 건너간 木羅氏 후예 씨족들에 의해 「百濟記」로 새삼 정리되었다는 해석[68]에 비춰 사건의 시기와 내용을 이해할 수도 있다. 즉, 백제가 加羅 7국을 평정했다든지 침미다례를 무찔렀다는 기록은 목라근자 세력의 외교·군사적 활동상을 그 후예들이 왜곡·과장한 결과라는 것이다. 시기는 대략 5세기 전반 또는 중엽으로 추정한다.

침미다례를 무찌른 것이 한반도 서남해안 전역의 영역화를 의미하는지는 따로 생각해보아야 한다. 『삼국사기』에 실린 동성왕 20년의 耽羅親征기사[69]를 감안하여 신공기 49년조 내용을 5세기 후반에 일어난 사건으로 이해하거나[70]

---

67) 정재윤, 2013, 「문헌자료로 본 比利辟中布彌支半古四邑」, 『百濟學報』 9, 백제학회.

68) 李根雨, 1994, 『日本書紀에 인용된 百濟三書에 관한 研究』, 한국정신문화연구원 박사학위논문 ; 1997, 「웅진시대 백제의 남방경역에 대하여」, 『백제연구』 27, 충남대학교 백제연구소.

69) 八月 王以耽羅不修貢賦 親征至武珍州 耽羅聞之 遣使乞罪 乃止[耽羅卽耽牟羅].(『삼국사기』 권26 「백제본기」 동성왕 20년)

70) 이영식, 1995, 「백제의 가야진출과정」, 『한국고대사논총』 7, 가락국사적개발연구원 ; 이근우, 1997, 앞의 논문.

6세기 경의 사건으로 보기도 한다.[71] 최근에는 泗沘遷都(538년)를 전후해 실시한 方郡城制의 37군을 22담로와 비교한 뒤 15개 안팎의 마한 소국이 6세기 초까지 건재했다고 구체적으로 추정하였다.[72] 모두『일본서기』신공기 49년조 기록이 만든 안개구름 바깥에서 4~5세기를 조망하려는 노력의 산물이다.

신공기 49년조에 기초한 백제영역 추정방식에 대해서는 고고학 방면의 비판이 거센 편이다. 영산강유역에 대한 지금까지의 발굴조사결과는 6세기 중엽까지 나주 반남면 고분군으로 대표되는 대규모 甕棺墓와 墳丘墓가 독자적으로 문화 발전을 이루었다는 것이기 때문이다. 그래서 고고학 방면에서는 마한의 독자성을 강조하는 '마한론'이 새롭게 제기되기도 하였다.[73] 이러한 주장은 당시 백제가 이 지역을 영역화하지 못한 채 단지 영향권에만 두었다는 뜻으로 해석할 수 있으며, 백제사와 가야사의 접점을 고려할 때 시대정황에 부합하는 측면도 있다.

그러나 영산강유역의 대형 분구묘와 석실분을 비롯한 묘제를 기준으로 백제 영역의 크기를 판단하는 일에는 세심한 주의가 필요하다. 4~5세기 무렵 백제 중앙의 王室墓域에서는 積石塚, 墳丘墓, 土壙墓 등 다양한 무덤이 만들어졌으며, 같은 유형을 남쪽 경기·충청지역에서도 좀처럼 찾기 어렵다. 석촌동·가락동일대의 백제 무덤 대다수가 이미 파괴된 상태이므로 百濟石室墳의 초기 모습을 정확히 알 수 없으나, 아직은 서울 우면산, 성남 판교 등 王都 漢城

71) 연민수, 2003,『고대한일교류사』, 혜안.
72) 임영진, 2013,「고고학 자료로 본 전남지역 마한소국의 수와 위치 시론」,『백제학보』9, 백제학회.
73) 성낙준, 1985,「영산강 유역의 대형옹관묘 연구」,『백제연구』15 ; 최몽룡, 1987,「고고학적 측면에서 본 마한」,『마한·백제문화』9 ; 임영진, 1995,「마한의 형성과 변천에 대한 고고학적 고찰」,『삼한의 사회와 문화』, 신서원

에서 상당히 떨어진 지점에서만 확인된다. 이는 4~5세기에도 아직 백제문화의 정체성 기준이 획일적이지 않았으며, 문화 다양성이 매우 컸음을 시사한다.

신라 骨品制에서 眞骨은 집의 길이와 너비가 24자를 넘지 못하고, 막새기와를 덮지 못하고, 겹처마를 시설하지 못하고, 懸魚를 조각하지 못하고, 금·은·유석·오채로 집을 장식하지 못했다. 계단돌은 갈지 못하고, 3중 계단을 설치하지 못하고, 담장에는 들보와 마룻도리를 시설하지 못하고 석회를 바르지 못했다고 한다.[74] 이처럼 신분에 따른 제약은 수레, 그릇, 옷 등에 모두 적용되었다. 무덤에 대한 제약기준은 기록되지 않았으나, 일본에서 646년에 반포된 大化 薄葬令이 『일본서기』에 실려 있는 것을 보면 백제에서도 석실분단계에서는 신분별 제약이 있었을 것이다.[75]

따라서 백제의 墓制가 석실분으로 통일되기 전, 문화다양성이 컸던 시기에는 권력의 크기와 정치·사회적 관계를 나타내는 방식이 후대와 달랐을 것으로 짐작된다. 가장 흥미로운 물질적 지표는 백제의 금동관모와 금동신발 등의 꾸미개 위세품이다. 금동관모와 금동신발은 銀花冠飾과 달리 전혀 기록되지 않는데, 이는 귀족 및 지방유력자의 관료화 내지 관제정비의 과도기에 해당한다는 점에서 간접지배와 직접지배, 세력화와 영토화의 중간지점을 시사한다. 이에 대해서는 다른 기회에 자세히 검토하겠다.

---

74) 『삼국사기』 권33 「雜志」 2 屋舍
75) 山本孝文, 2006, 『三國時代 律令의 考古學的 硏究』, 서경문화사.

Ⅳ. 맺음말

백제가 근초고왕 때 남해안까지 영역화했다고 믿는 이들은 백제와 倭의 활발한 정치 · 군사 · 문화교류를 강력한 근거로 삼는다. 늦어도 4세기 중 · 후반에 남해안까지 영역화 · 세력화하지 않았다면 어떻게 활발한 對倭 교류를 벌일 수 있었겠느냐는 것이다. 백제는 고구려에 맞서기 위해 늦어도 4세기 말에는 倭兵을 끌어들였다. 광개토왕비에는 倭라는 글자가 8회나 나온다. 고구려 광개토왕의 남침에 시달리던 백제 아신왕은 397년에 태자 腆支를 倭로 보내 王室婚을 맺기도 하였다.[76] 백제 남쪽에 침미다례와 같은 '남쪽 오랑캐(南蠻)'가 버티고 서있는데 어찌 바다 건너 倭와 자주 교류하고 倭兵을 끌어들일 수 있었겠느냐는 것이다.

그러나 백제와 倭 사이의 교통로가 반드시 영역화 · 세력화를 거친 뒤에 열렸다는 해석은 매우 일방적이다. 377년 · 382년 신라의 對前秦 사신파견은 별개로 하더라도 479년 加羅王 荷知가 南齊로부터 本國王에 임명된 것은 영역화 · 세력화와 교통로 개설이 반드시 일치하는 것이 아님을 나타내준다. 더욱이 백제의 근초고왕은 4세기 후반에 북방의 강적인 고구려를 압도할 정도로 강력한 군사력을 지닌 樂浪太守로서 옛 낙랑군의 지도력을 계승한 인물이 아닌가! 신라와 가야 제국은 물론 바다 건너 倭와의 교류에서도 적극적인 호응을 얻었을 것이며, 그것이 아신왕 때에도 여전히 유효하였을 것이다. 400년에 고구려 광개토왕이 왜적을 쫓아 任那加羅 從拔城까지 이르렀다는 광개토왕비

---

76) 김기섭, 2005, 「5세기 무렵 백제 渡倭人의 활동과 문화 전파」, 『왜5왕 문제와 한일관계』, 경인문화사, 227~229쪽.

문의 사적도 백제의 후방 지원체계를 붕괴시키려는 의도로 읽힌다.

한편, 「梁職貢圖」의 '주변소국'관련 기록과 유적·유물의 문화적 특성을 근거로 전남지역이 6세기 이후에야 백제 영역화했다는 해석도 국가의 정치적 기준과 사회문화적 특성을 지나치게 엄격히 적용한 것은 아닌지 되짚어볼 필요가 있다. 탐라가 공물을 바치지 않자 동성왕이 정벌하려 무진주까지 갔다가 탐라가 사죄하므로 돌아왔다는 앞서의 『삼국사기』 기록, 무령왕이 "봄 정월에 명령을 내려 제방을 튼튼히 하고 중앙과 지방에서 놀고 먹는 자들을 몰아 농사짓게 하였다"[77]는 기록과 "봄 2월에 백제에 사신을 보내 임나의 日本縣邑에 있는 백제 백성으로서 도망하여 호적이 끊긴지 3~4세대가 지난 자를 찾아내 모두 백제로 옮기어 호적에 편입시켰다"[78]는 기록 등을 감안하면 늦어도 무령왕 무렵에는 이미 전남지역에 대한 상당한 행정편제가 이루어졌다고 볼 수 있는 것이다. 무력에 의한 강압적 복속은 정치·경제적 병합에 비해 사회·문화적 소통이 늦다는 사실을 참고해야 한다.

그리고 백제의 병탄대상이던 馬韓의 정치적 단위와 정치력 운영방식에 대해서는 신중한 접근이 필요하다. 4세기 이후에도 여전히 馬韓이라는 이름이 사용되었는지도 의문이지만, 마한 소국의 후예들 사이에 과연 동질감이 있었는지도 의문이기 때문이다.

---

77) 春正月 下令完固隄防 驅內外游食者歸農.(『삼국사기』 권26 「백제본기」 무령왕 10년)
78) 三年春二月 遺使于百濟[百濟本記云 久羅麻致支彌從日本來 未詳也] 括出在任那日本縣邑百濟百姓浮逃絶貫三四世者 並遷百濟附貫也.(『일본서기』 권17 繼體天皇 3년)

백제의 전남지역 마한 제국 편입 과정
− 서남해지역 및 연안도서를 중심으로 −

문안식 전남문화재연구소

I. 문제제기

백제의 마한 복속은『三國史記』백제본기(이하 백제본기)에 따르면 온조왕 27년(A.D. 9)에 완료되었다.[1] 그러나『三國志』韓條에는 마한이 3세기 중엽까지 존재하였으며, 백제도 마한을 구성한 54國 중의 일원인 伯濟國으로 기록되어 있다.[2] 따라서 백제의 마한 병합 시기는 百濟本紀와 韓條 중에서 어느 史書를 取信할 것인가에 따라 차이가 나타날 수밖에 없다.

사실 백제본기 초기기록에 대해서는 허구론, 신빙론, 수정론 등의 견해 차이가 있다.[3] 이 중에서 수정론이 학계의 주류를 이루고 있다. 그러나 수정론을 따르는 논자들도 백제가 마한을 복속한 시기 및 영역확장 과정 등에 대해 의견 차이가 없지 않다.

백제가 마한의 중심지역을 장악한 것은 3세기 중엽에 있었던 중국군현과

---

1)『三國史記』권23, 百濟本紀 1, 溫祚王 27年.

2)『三國志』권30, 魏書 30, 東夷傳, 馬韓.

3) 일제 강점기에 일본고대사 연구를 위한 기초 작업의 일환으로 백제사를 연구한 논자들은 契王 이전의 史料는 조작된 전설의 시대에 불과한 것으로 이해하는 虛構論을 제기하였다(津田左右吉, 1921,「百濟における日本書紀記錄」『滿鮮地理歷史研究報告』8 ; 太田亮, 1928,『日本古代史新研究』; 今西龍, 1934,『百濟史研究』, 近澤書店). 이와는 달리 百濟本紀의 초기사료를 取信한 견해 역시 없지 않다(千寬宇, 1976,「三韓의 國家形成(下)」『韓國學報』3 ; 李鍾旭, 1976,「百濟의 國家形成-三國史記 百濟本紀를 중심으로-」『大邱史學』11 ; 金元龍, 1975,「百濟建國地로서의 한강 하류지역」『百濟文化』7 · 8合 ; 崔夢龍, 1985,「한성시대 백제의 도읍지와 영역」『진단학보』60). 그 외에 百濟本紀의 초기기록 중에서 古尒王 때부터의 史料는 믿을 수 있는 것으로 파악하기도 한다(李丙燾, 1936,「三韓問題의 新考察」『震檀學報』6 ; 金哲埈, 1982,「百濟建國考」『百濟研究』특집호 ; 李基白 · 李基東, 1982,『韓國史講座 I』고대편, 일조각 ; 盧重國, 1988,『百濟政治史研究』, 일조각).

의 충돌이 계기가 된 것으로 이해한다. 목지국 병합 시기는 군현과 전쟁을 주도한 韓族勢力의 首長에 대한 의견 차이에 따라 260년 이전 설[4]과 285년 이전 설[5] 등으로 구분된다. 군현과의 전쟁 이후 진행된 일련의 사건들에 대한 史料 분석을 통하여 272년 무렵에 백제가 목지국을 지배한 것으로 보기도 한다.[6]

백제가 영산강유역을 장악한 시기에 대해서도 『日本書紀』 神功紀 49년 조에 보이는 倭의 삼한 정벌 기사를 재해석하여 近肖古王代에 이루어진 것으로 이해하는 입장이 일반적이다.[7] 그러나 神功紀 기사를 5세기 때에 발생한 것으로 해석하는 견해도 있다.[8] 영산강유역의 토착집단이 6세기를 전후하여 백제의 지배에 들어간 것으로 이해하기도 한다.[9] 한편 고고학계는 영산강유역에 존재하는 대형옹관분이 6세기 중엽까지 조영된 점을 들어 역사학계와 입장을 달리한다.[10]

4) 盧重國, 1990, 「목지국에 대한 일고찰」, 『백제논총』 2, 87쪽 ; 俞元載, 1994, 「晉書의 馬韓과 百濟」, 『한국상고사학보』 17.

5) 李賢惠, 1997, 「3세기 馬韓과 伯濟國」, 『백제의 중앙과 지방』 백제연구논총 5, 충남대 백제연구소.

6) 金壽泰, 1998, 「3세기 중·후반 백제의 발전과 馬韓」, 『마한사연구』 백제연구논총 6, 충남대 백제연구소, 202쪽.

7) 李丙燾, 1976, 『한국고대사연구』, 박영사, 512~515쪽.

8) 山尾幸久, 1989, 『古代の日朝關係』, 塙書房 ; 金起燮, 1995, 「近肖古王代 남해안 진출설에 대한 재검토」, 『백제문화』 24 ; 田中俊明, 1997, 「웅진시대 백제의 영역재편과 왕·후제」, 『백제의 중앙과 지방』, 충남대 백제연구소 ; 李根雨, 1997, 「웅진시대 백제의 남방경역에 대하여」, 『백제연구』 27.

9) 姜鳳龍, 1998, 「5~6세기 영산강유역 옹관고분사회의 해체」, 『백제의 지방통치』, 학연문화사.

10) 成洛俊, 1983, 「영산강유역의 옹관묘 연구」, 『百濟文化』 15 ; 李榮文, 1984, 「전남지방 백제고분연구」, 『향토문화유적조사』 4 ; 李正鎬, 1996, 「영산강유역 옹관고분의 분류와 변천과정」, 『한국상고사학보』 22 ; 林永珍, 1997, 「전남지역 석실분의 立地와 石室構造」, 『제5회 호남고고학회 학술대회 발표요지』 ; 朴淳發, 1999, 「한성백제의 지방과 중앙」, 『백제의 중앙과 지방』, 충남대학교 백제문화연구소.

이와 같이 백제의 전남지역 진출과 馬韓諸國 복속 과정에 대해서는 견해 차이가 적지 않다. 백제와 다른 문화 양식과 전통을 유지한 집단이 오랜 기간에 걸쳐 존재한 사실 역시 부인할 수 없다. 또한 520년대 무렵의 상황을 전하고 있는『梁職貢圖』[11])에는 叛波 및 斯羅 등과 함께 止迷·麻連을 비롯하여 전남지역에 자리한 마한 소국이 열거되어 있다.

이들 중에서 止迷와 麻連을 강진과 광양 방면에 위치한 소국으로 이해한다.[12) 지미 등의 마한 소국이 6세기 전후까지 존속한 사실을 알려주는 사례이다. 전남지역의 마한 토착사회가 근초고왕의 경략 이후 백제의 직접지배 하에

---

11) 職貢圖는 梁의 元帝(재위 552~554)로 즉위하게 되는 蕭繹이 荊州刺史로 재임(526~536)하던 중 외국 사신들의 모습을 그림으로 그리고 간략한 설명을 첨가하였다. 그런데 521년 餘隆(무령왕)의 사신 파견 이후의 기사를 싣고 있기 때문에, 이 무렵 백제 사신이 가지고 온 정보를 토대로 작성된 것으로 이해한다(田中俊明, 1997, 앞의 논문, 272쪽). 이와는 달리 蕭繹의 재임기간을 고려하여 526년부터 534년 사이에 작성된 것으로 이해하는 견해도 있다(金英心, 1990,「5~6세기 백제의 지방통치체제」,『한국사론』22, 67쪽).

12)『梁職貢圖』에 보이는 旁小國의 지명 비정은 일찍부터 연구가 이루어졌다(李弘稙, 1971,「梁職貢圖論考」,『高大 60주년기념논문집』). 叛波와 卓 및 多羅와 前羅는 경남을 중심으로 한 가야 여러 나라, 斯羅는 신라, 止迷와 麻連 및 上己文과 下枕羅는 섬진강 以西의 백제남부 지역에 위치한 것으로 추정한다. 또한 지미와 마련은 영산강유역 일대에 자리한 것으로 보고 있다(이용현, 2012,「양직공도 지미의 위치」,『전남지역 마한 소국과 백제』2012년 백제학회 국제학술회의, 전라남도·국립나주문화재연구소, 318쪽). 이들 지명을 구체적으로 구분하여 叛波는 성주 또는 고령, 卓은 대구 또는 창원, 多羅는 합천, 前羅는 경산, 斯羅는 경주, 止迷는 강진, 麻連은 광양 방면에 위치한 것으로 보는 견해도 있다(金起燮, 2000,『백제와 근초고왕』, 학연문화사, 171~173쪽). 한편 최근 백제유민 陳法子의 墓誌銘이 중국의 시안(옛 長安)에서 발견되었는데, 진법자의 조부 陳德止가 麻連大郡將을 역임한 사실이 기록되어 있다. 마련을 백제의 행정 구역에 해당하는 郡으로 보고 있는데(김영관, 2013,「7~8세기 백제 유민의 발자취」, 공주대 제6회 백제문화 국제심포지엄 발표문),梁職貢圖와 陳法子의 墓誌銘에 보이는 麻連이 동일 대상일 가능성이 높다. 그러나『삼국사기』지리지에 열거된 백제의 군현 관련 사료에는 麻連郡에 대한 기록을 찾을 수 없다.

있지 않았음을 반영한다.

전남지역의 마한사회는 옹관고분 등의 독자적인 문화전통을 오랫동안에 걸쳐 유지하였다. 전남지역 곳곳에서 조사되는 가야를 비롯한 여러 계통의 유물들은 마한 토착집단이 일찍부터 여러 집단과 다양한 관계를 맺었음을 반영한다.[13] 그 반면에 전남지역에서 확인되는 백제계통의 고고 자료는 웅진 천도 이후부터 나타나기 시작한다.[14] 백제의 王侯制 시행,[15] 동성왕의 무진주 친정[16] 등의 문헌 사료 역시 백제의 전남지역 진출이 6세기를 전후하여 본격화 된 사실을 반영한다.

따라서 전남지역 고대사회는 백제의 변경지역 지배 관점을 벗어나 마한 토착사회의 주체적 면모를 고려한 양면적 시각에서 접근할 필요가 있다. 본고에서는 神功紀에 기록된 근초고왕 때의 마한 경략을 인정하는 바탕 위에서 백제의 馬韓諸國 복속과정을 살펴보고자 한다. 백제가 전남지역의 마한제국 복속과정을 3시기로 구분하여 단계적으로 검토할 것이다.

제2장에서는 근초고왕이 추진한 마한 잔여세력 경략과 백제군의 南征을 전

---

13) 가야와 신라 등이 전남지역에 영향력을 확대한 배경 등에 대해서는 다음의 글을 참조하기 바란다. 문안식, 2012, 「백제의 서남해 도서지역 진출과 해상교통로 장악」, 『백제연구』 55.

14) 서현주, 2005, 「웅진 · 사비기의 백제와 영산강유역」, 『백제의 邊境』 2005년도 백제연구 국내학술회의, 162쪽.

15) 백제의 왕후제에 대해서는 다음의 글을 참조하기 바란다. 坂元義種, 1968, 「5世紀の百濟大王とその王 · 侯」, 『朝鮮史研究會論文集』 4 ; 李基東, 1974, 「中國史書에 보이는 百濟王 牟都에 대하여」, 『歷史學報』 62 ; 梁起錫, 1984, 「五世紀 百濟의 王 · 侯 · 太守制에 대하여」, 『사학연구』 38 ; 田中俊明, 1997, 「웅진시대 백제의 영역재편과 왕 · 후제」, 『백제의 중앙과 지방』 충남대학교 백제연구소 ; 文安植, 2005, 「개로왕의 왕권강화와 국정운영의 변화에 대하여」, 『史學研究』 78.

16) 『三國史記』 권20, 百濟本紀4, 東城王 20年.

후한 시기의 토착사회의 동향을 고찰하고자 한다. 제 3장은 웅진 천도를 전후한 시기의 전남지역 마한 토착세력의 추이와 백제의 재진출 과정이 검토 대상이다. 제 4장은 사비천도를 전후하여 이루어진 方郡城制의 실시에 따른 백제화의 진전과 지방사회의 변모를 검토할 것이다. 이를 통해 백제의 전남지역 馬韓諸國 복속 과정 및 토착사회의 존재 양태가 보다 선명하게 드러날 것으로 기대된다.

Ⅱ. 백제의 전남지역 진출과 교역거점 장악

전남지역은 B.C. 4세기를 전후하여 점토대토기와 세형동검을 비롯한 초기 철기문화가 전파되면서 국가형성 단계로 접어들었다. 초기 철기문화가 수용된 이후 새로이 대두하는 사회를 韓으로 보고 있다.[17] 전남지역은『三國志』魏志 東夷傳에 기록된 마한 54소국 중에서 상당할 만한 숫자가 분포하였다.

이들 소국은 청동기시대의 대표적인 무덤 양식인 지석묘가 밀집 분포된 지역에 대부분 위치한 것으로 이해한다.[18] 전남지역의 마한 소국은 영산강유역에 고랍국(장성), 임소반국 · 신운신국(광산 · 나주방면), 여래비리국(화순군 능

---

17) 박순발, 1998,「전기마한의 시공간적 위치에 대하여」,『마한사연구』, 충남대 출판부, 31쪽. 이와는 달리 점토대토기문화를 삼한의 전 단계에 해당하는 衆國 혹은 辰國과 관련된 것으로 보는 견해도 없지 않다(이강승, 2007,「마한사회의 형성과 문화기반」,『백제의 기원과 건국』, 충청남도역사문화연구원, 217쪽).

18) 이영문, 1993,『전남지방 지석묘 사회의 연구』, 한국교원대학교 대학원 박사학위논문, 260쪽. 한편 지석묘를 마한 성립 이전에 해당되는 辰國의 기층문화로 이해하기도 한다(최성락, 1993,『한국 원삼국문화의 연구-전남지방을 중심으로』, 학연문화사).

주면), 일리국(영암) 등이 자리하였다. 그리고 서해안지역은 막로국(영광), 초산도비리국(진도), 구해국(해남군 마산면) 등이 존재하였다. 남해안지역에는 불사분야국(순천시 낙안면) · 원지국(여수) · 건마국(장흥) · 초리국(고흥군 남양면)이 있었고, 보성강 유역에는 불운국(보성군 복내면)이 위치한 것으로 추정한다.[19]

마한 소국의 위치를 청동기시대에 조성된 지석묘의 분포 상태를 통해 비정하는 것은 문제가 없지 않지만, 전남지역의 경우 청동문화를 영위한 집단이 주체적으로 철기문화를 받아들여 성장한 사실을 고려하면 큰 차이는 없을 것이다. 전남지역의 마한 소국은 삼국시대의 주거지를 비롯한 취락의 조사 사례를 통해서도 비슷한 숫자가 확인된다.

전남지역 소국에는 1~2개(대부분 1개)의 대형 취락을 중심으로 복수의 중형 취락이 분포하고, 이들 취락의 주변에 많은 숫자의 소형 취락이 위치한 것으로 밝혀지고 있다. 취락 분포를 통해 전남지역 소국 후보지로 17곳의 권역 설정이 가능하며, 해발 고도가 낮은 저지대를 제외하면 13~15개의 소국이 존재했던 것으로 이해한다.[20] 전남지역 마한 소국의 분포에 대한 최근의 문헌 연구 역시 13국 정도의 숫자가 자리한 것으로 보고 있다.[21]

또한 마한시대의 소국의 범위를 백제 사비기의 지방통치방식인 方-郡-城制에서 方 밑의 郡의 규모와 비슷한 것으로 보기도 한다. 사비기의 郡은 웅진시대의 담로가 변모한 것이며, 전남지역에는 모두 15군이 존재한 것으로 볼 때

19) 신채호, 1925, 「前後三韓考」, 『朝鮮史硏究草』; 천관우, 1989, 『古朝鮮史 · 三韓史硏究』, 일조각, 423쪽.
20) 김승옥, 2013, 「취락으로 본 전남지역 마한 사회의 구조와 성격」, 『전남지역 馬韓 諸國의 사회 성격과 百濟』, 2013년 백제학회 국제학술회의, 72~73쪽.
21) 박찬규, 2013, 「문헌자료로 본 전남지역 馬韓小國의 위치」, 『百濟學報』 9, 백제학회, 65쪽.

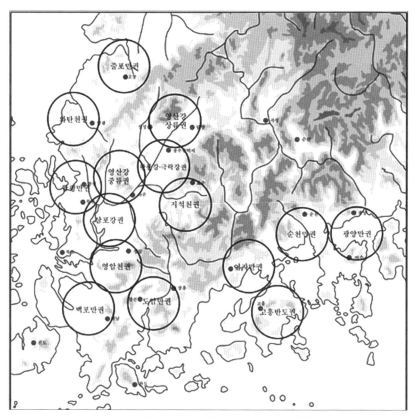

〈그림 1〉 고고학 자료를 통해 본 전남지역 15개 마한 소국
(임영진, 2013, 「전남지역 마한 제국의 사회 성격과 백제」,
『전남지역 馬韓 諸國의 사회성격과 百濟』 2013년 백제학회 국제학술회의)

그 전 단계의 마한 소국은 15국 정도였을 것으로 추정한다.[22]

한편 전남지역을 비롯한 한반도 일대는 A.D. 100~250년 사이에 한랭기로 접어들어, 냉해가 극심해지고 곡물 생산량이 급감하는 등 사회경제적 위기에

---

22) 李基白, 1977, 「사비시대 백제의 지방제도」, 『백제사상 익산의 위치』 제4회 마한·백제문화학술회의 발표요지, 11쪽.

직면하였다.[23] 전남을 비롯한 삼한지역의 사람들은 한랭기가 초래한 가혹한 생활환경 속에서도 철제 도구의 발전과 도작농경의 확대 및 수리시설의 확충 등을 통해 사회 발전을 가속하였다. 그 와중에 점차 지역별로 정치적 구심체가 등장하고 소국 간의 연맹체가 형성되기 시작하였는데,[24] 삼한사회의 수장으로 대두한 인물이 목지국의 辰王이었다.

진왕을 삼한의 여러 소국과 宗主·附庸 관계를 토대로 군현과의 대외교섭에 있어서 주도적인 역할을 수행한 존재로 보고 있다.[25] 진왕의 영향력은 마한 중심의 교역권이 붕괴되고, 철기 보급을 통하여 각 지역별로 새로운 교역의 대상과 중심지가 대두되면서 약화되었다.[26] 삼한 각지의 토착세력은 그 영향력에서 벗어나 독자적인 발전을 꾀하였다.

진왕의 영향력 약화와 더불어 백제와 신라가 유력한 세력으로 등장하기 시작하였다.[27] 백제와 신라 및 가야가 두각을 나타내며 그 수장이 진왕의 역할을 대신하였다.[28] 백제의 경우 고이왕 때에 이르러 비약적인 발전을 이루었다.

---

23) 서력 기원을 전후하여 내륙에서 농사를 짓던 사람들이 해안으로 터전을 옮기게 되어 바다를 이용한 해양자원의 이용이 증가하는 추세를 보였고, 남해안지역에 패총이 다시 늘어나는 현상이 참조된다. 또한 패총의 축조가 활발해진 것은 해안가를 중심으로 기후 한랭화로 인한 농업생산력의 상대적 저하를 극복하려는 노력의 산물로 보고 있다(서현주, 2000, 「호남지역 원삼국시대 패총의 현황과 형성배경」, 『호남고고학보』 11).

24) 李賢惠, 1997, 「삼한의 정치와 사회」, 『한국사』 4, 국사편찬위원회, 264쪽.

25) 李丙燾, 1976, 앞의 책, 240~241쪽.

26) 李賢惠, 1984, 『삼한사회 형성과정 연구』, 일조각, 171쪽.

27) 예컨대 백제의 경우 2세기 중엽에 이르면 목지국과 더불어 유력한 小國으로 부각되었다. 『後漢書』 韓傳에는 "韓은 모두 78개 나라로서 伯濟는 그 중의 하나이다"라고 하여 각 소국들의 명칭은 생략하였지만, 백제를 특별히 언급하고 있다. 마한의 여러 소국 가운데 伯濟國을 거명한 것은 목지국과 함께 마한의 유력한 소국으로 인식된 것을 반영한다(文昌魯, 2005, 「마한의 세력 범위와 백제」, 『한성백제총서』, 87쪽).

28) 이와는 달리 辰王의 실체를 後漢 이후 혹은 3세기 초 帶方郡 설치와 더불어 군현의 韓

백제는 중국 군현과의 무력 충돌[29]을 승리로 이끈 후 연맹왕국을 형성하면서 동서남북에 걸쳐 走壤(강원 평강), 大海(서해), 熊川(안성천), 浿河(임진강)[30]를 각각 사방영역으로 획정할 수 있었다.[31]

한편 백제가 안성천을 넘어 노령산맥 이북의 전북지역을 석권한 시기는 비류왕대이며, 전남지역은 근초고왕대에 이르러 복속된 것으로 이해하는 것이 일반적이다.[32] 백제는 313년에 군현이 축출된 후 건국 이래 숙적이었던 嶺西의 靺鞨勢力을 복속하였으며,[33] 말갈세력을 제압한 후 마한과 경계가 되었던

族對策에 대응하여 토착세력 사이의 이해를 조정하면서 대외교섭권을 장악한 在地機關의 수장으로 보는 견해도 없지 않다(武田幸男, 1994, 「魏志東夷傳における馬韓」, 『文山金三龍博士古稀紀念論叢』, 355쪽).

29) 『三國史記』권24 百濟本紀 2, 古尒王 13年 ; 『三國志』권30, 魏書 30, 烏丸鮮卑東夷傳 30, 韓. 한편 『三國志』東夷傳에는 韓族勢力이 낙랑 등의 군현과의 전쟁에 패한 것으로 기록되어 있지만, 고대 중국인의 역사서술이 華夷觀에 근거하여 대립적인 관계에 있던 이민족의 朝貢이나 禮訪을 대개 항복 또는 歸附 등으로 표현한 사실(高柄翊, 1983, 「中國正史의 外國列傳」, 『東亞交涉史의研究』, 서울대 출판부 ; 金善昱, 1967, 「隋書와 唐書의 백제사료에 관한 檢討」, 『白山學報』3)을 고려할 필요가 있다. 따라서 『三國志』韓傳에 기록된 백제와 군현의 전쟁 관련 사료 역시 고이왕이 무력 충돌에서 승리한 후 외교권을 독점한 상태에서 그 예하집단을 거느리고 대외교섭을 주도한 사실을 반영한 것으로 이해된다(문안식, 2002, 『백제의 영역확장과 지방통치』, 신서원, 96쪽).

30) 走壤 등의 위치 비정에 대해서는 다음의 글을 참조하기 바란다. 문안식, 2002, 위의 책, 109쪽.

31) 이와 관련하여 『삼국사기』백제본기 온조왕 13년 조에 기록된 사방 영역을 적기한 사료가 참조된다. 다만 온조왕 13년 조의 기사의 연대를 그대로 믿을 수 없고, 고이왕 때의 사실을 반영한 것으로 보고 있다(李丙燾, 1977, 『國譯 三國史記』, 을유문화사, 356쪽). 이와는 달리 근초고왕 때의 사실이 소급된 것으로 추정하는 견해도 없지 않다(金起燮, 1995, 「近肖古王代 남해안 진출설에 대한 재검토」, 『백제문화』24, 22쪽).

32) 李丙燾, 1976, 앞의 책, 512~515쪽.

33) 영서 말갈세력의 실체에 대해서는 다음의 글을 참조하기 바란다. 文安植, 1996, 「嶺西濊文化圈의 設定과 歷史地理的 背景」, 『東國史學』30 ; 金澤均, 1997, 「江原濊貊攷」, 『江原文化史研究』2.

안성천을 넘어 차령산맥과 금강을 넘어 호남평야 일대까지 석권하였다.[34] 백제가 천안 일대의 목지국과 익산지역의 건마국 등 마한의 중심세력을 복속한 시기는 차이가 거의 없었다.[35]

전남지역의 마한 토착세력은 4세기 후반에 이루어진 근초고왕의 경략 이전까지 백제와 무관하게 독자적인 발전을 지속하였다. 근초고왕의 남방지역 경략에 대해서는 직접적인 사료가 남아 있지 않아 자세한 사정을 알 수 없는 형편이다. 다만 『日本書紀』 神功紀 49년 조에 기록된 倭의 삼한 정벌 기사를 120년 인하하여 근초고왕 24년(서기 369)에 이루어진 남방 경략에 관한 일로 추정하고 있다.[36] 이에 따르면 백제군의 남방지역 진출은

A. 춘삼월에 荒田別과 鹿我別을 將軍으로 삼았다. 久氐 등과 함께 병사를 갖추어 건너가 卓淳國에 이르러 新羅를 공격하고자 하였다. 이 때 누군가 "군사의 수가 적어 신라를 물리칠 수 없다"고 하였다. 다시 沙白蓋盧로 하여금 군사를 늘려 줄 것을 청하였다. 곧 木羅斤資와 沙沙奴跪(이 두 사람은 그 姓을 알지 못한다. 다만 木羅斤資는 百濟의 장군이다)에게 명해 精兵을 이끌고 沙白蓋盧와 함께 가게 하였다. 함께 卓淳에 모여 신라를 공격하여 물리치고자 하였다. 그래서 比自㶱 · 南加羅 · 喙國 · 安羅 · 多羅 · 卓淳 · 加羅의 七國을 평정하였다. 이에 병사를 서쪽으로 이동시켜 古奚津에 이르러 南蠻 忱彌多禮를 屠戮하여 백제에게 주었다. 이 때 왕 肖古와 왕자 貴須가 역시 군사를 이끌고

---

34) 文安植, 2002, 앞의 책, 230쪽.
35) 이는 백제가 전북 김제지역에 진출하여 벽골제를 320~350년 무렵에 축조한 사례(尹武炳, 1992, 「김제벽골제 발굴보고」, 『백제고고학연구』, 학연문화사, 362쪽) 등을 통해 유추된다.
36) 李丙燾, 1976, 앞의 책, 512~515쪽.

와서 맞으니 比利·辟中·布彌·支半·古四의 邑이 스스로 항복하여 왔다.[37]

라고 하였듯이, 가야 7국을 평정하고 古奚津을 돌아 忱彌多禮를 도륙한 후 比利·辟中 등을 복속하면서 끝나게 되었다.

　백제군은 한성을 출발하여 남으로 내려와 전북 동부지역을 석권한 후 가야지역 경략에 나섰다. 근초고왕이 보낸 남정군의 가야 경략에 대해서 부정하는 입장도 없지 않지만,[38] 사실로 인정하는 견해도 적지 않다.[39] 가라 7국 평정기사는 남부 가야에 대한 교역권 장악 혹은 공납관계 설정과 관련이 있다.[40]

　백제는 가야 외에 왜국까지 연결되는 교역체계를 장악하려고 하였다.[41] 백제는 탁순을 비롯한 가야 7국과 통교하여 동맹을 맺은 후 섬진강 하류지역을 거쳐 忱彌多禮 등이 위치한 전남 서남부지역으로 향하였다.[42] 백제가 주된 공격 대상으로 삼았던 忱彌多禮에 대해서는 다양한 견해가 제기되었다.

　침미다례를 하나의 정치체로 볼 것인가 아니면 침미와 다례라는 두 개의 정치체로 파악할 것인가에 대한 차이가 있다. 그러나 『日本書紀』 神功紀 49년 조 및 應神 8년 조에 인용된 『百濟記』에 모두 침미다례로 표기되어 있기 때문에 단수로 파악할 필요가 있다.

---

37) 『日本書紀』권9, 神功紀 49年 春 三月.

38) 李丙燾, 1976, 앞의 책, 512~515쪽 ; 金泰植, 1994, 「廣開土王陵碑文의 任那加羅와 '安羅人戍兵'」, 『한국고대사논총』6, 83쪽.

39) 千寬宇, 1977·1978, 「復元加耶史」, 『文學과 知性』28·29·31 ; 李基東, 1990, 「백제의 발흥과 對倭國關係의 성립」, 『고대 한일문화교류 연구』, 한국정신문화연구원.

40) 盧重國, 1988, 앞의 책, 121쪽.

41) 李賢惠, 1988, 「4세기 가야사회의 교역체계의 변천」, 『한국고대사연구』1, 172쪽 ; 金泰植, 1997, 앞의 논문, 48~54쪽.

42) 문안식, 2007, 『백제의 흥망과 전쟁』, 혜안, 136쪽.

그 위치에 대해서도 제주[43]와 강진[44] 및 고흥[45] 등으로 보고 있다. 침미다례를 침미와 다례로 나누어 전자를 강진, 후자를 보성으로 구분하기도 한다.[46] 그러나 침미다례는 해남 방면에 위치하였을 가능성이 높으며,[47] 서남해지역의 역내교역 및 가야 · 탐라 등과 연결되는 대외교역 등을 주도하던 해상세력으로 추정된다.[48]

침미다례는『晉書』張華傳[49]에 보이는 新彌國의 전통을 계승한 집단이 지속적인 발전을 이룬 것으로 짐작된다.[50] 침미다례와 관련하여 해남 백포만과 인접한 현산면 황산리 분토 유적과 월송리 조산고분, 삼산면 창리 장고분 등이 참조된다.

한편 백제군이 침미다례를 공격하기 이전에 군사를 집결하여 전력을 재편한 古奚津은 해남 북일면을 비롯한 강진만 권역에 위치했을 가능성이 높다. 고해진의 일본어 발음에 해당되는 '고게이(こけい)'와『新增東國輿地勝覽』에

---

43) 三品彰英, 1962,『日本書紀朝鮮關係記事考證』上, 吉川弘文館, 154~155쪽.

44) 李丙燾, 1976, 앞의 책, 512쪽.

45) 임영진, 2010,「침미다례의 위치에 대한 고고학적 고찰」,『백제문화』43, 12~24쪽.

46) 全榮來, 1985,「백제 남방경역의 변천」,『천관우선생 환력기념한국사학논총』.

47) 盧重國, 1988, 앞의 책, 118쪽. 신미국의 위치를 구체적으로 백포만의 군곡리 패총과 연결시켜 추정하는 견해도 있다(강봉룡, 1998, 앞의 논문, 242쪽).

48) 필자는 종래 해남 백포만 일대를 중심으로 서남해지역 해상활동의 주도권을 장악한 신미국과 침미다례를 별개의 집단으로 이해하였다. 또한 해남 북일 일대의 해상세력을 침미다례로 파악하였는데(문안식, 2002,「낙랑 · 대방의 축출과 전남지역 고대사회의 추이」,『東國史學』38), 본고에서 침미다례를 신미국의 전통을 직접 계승한 후계집단으로 수정하고자 한다.

49)『晉書』권36, 列傳 6, 張華.

50) 문안식, 2013,「강진지역 고대사의 전개」,『강진의 고대문화와 월남사지』2013년 한국고대학회 정기학술대회.

기록된 舊溪所가 발음이 비슷한 점이 참조된다.[51] 『三國志』 동이전에 보이는 구해국 역시 북일과 생활권이 같은 강진 일대에 위치한 것으로 추정한다.[52]

고해진이 북일 방면이 아니라 강진 군동면 파산리 일대에 옹관고분을 남긴 집단과 관련이 있을 가능성도 없지 않다.[53] 고해진을 해남 마산면 일대로 보는 견해도 있다.[54] 그러나 침미다례가 백포만 일대에 위치한 사실을 고려하면, 고해진은 인접한 마산면 일대가 아니라 조금 떨어진 북일 혹은 군동을 비롯한 강진만 권역에 자리하지 않았을까 한다.

백제의 마한 경략은 강진만 권역의 古奚津을 거쳐 忱彌多禮를 장악한 후 比利·辟中 등의 복속을 받아 끝나게 되었다. 比利·辟中 등은 부안·김제를 비롯한 전북 서해안지역에 위치한 것으로 이해한다.[55] 백제는 4세기 전반 비류왕 때에 노령 이북의 전북지역을 점령하였고,[56] 근초고왕은 父王의 남하정책을 계승하여 남해안 일대까지 진출하는 등 마한 복속을 완료하였다.

침미다례를 비롯한 마한 잔여세력은 근초고왕이 보낸 남정군의 경략을 받아 무너졌다.[57] 백제는 중국-가야-왜를 잇는 대외교섭을 주도하면서 서남해지

---

51) 坂本太郎 等 校注, 1994, 『日本書紀』 2, 岩波文庫, 181쪽.
52) 이병도, 1976, 앞의 책, 512쪽.
53) 문안식·이대석 공저, 2004, 『한국고대의 지방사회』, 혜안, 93쪽.
54) 천관우, 1979, 「마한제국의 위치시론」, 『동양학』 9, 230쪽 ; 전영래, 1985, 앞의 글, 141~144쪽.
55) 千寬宇, 1979, 「馬韓諸國의 位置試論」, 『東洋學』 9, 216쪽.
56) 그러나 백제가 노령 이북에 위치한 전북 일대의 재지사회를 완전하게 장악한 것은 아니었다. 이는 지방에 독자적인 기반을 유지한 토착세력이 존재한 사실을 통해 입증된다. 4세기 전·중반에 축조된 여러 지역의 고분에서 환두대도·중국제 도자기·금동대구 등 다양한 위신재가 출토되었는데, 비류왕 때에 이르러서도 재지세력들이 왕권 밑으로 편제되지 않았음을 의미한다(姜鐘元, 2002, 『4세기 백제사연구』, 서경문화사, 127쪽).
57) 백제의 서남방면 진출과정에 대한 최근 연구 동향은 다음의 글을 참조하기 바란다. 강종원, 2013, 「백제의 서남방면 진출-문헌적 측면」, 『쟁점 백제사』 집중토론 학술대회 II』,

역에 영향력을 행사하던 침미다례를 '屠戮'으로 표현될 만큼 단호하게 응징하였다.[58] 최근 조사된 강진 양유동 유적을 비롯하여 남해안 일대에서 조사된 4세기 때의 화재로 폐기된 50여 곳 취락 유적을 근초고왕의 南征과 관련시켜 생각하기도 한다.[59]

백제는 침미다례를 제압하여 해상세력의 재기와 준동을 억제하면서 서남해 지역에 대한 영향력을 확대하였다. 백제는 침미다례가 장악하고 있던 교역체계를 해체하여 가야의 대외교섭 창구에 부속시켰고, 탐라와의 교섭이나 가야를 잇는 부차적인 위상을 갖도록 재편하였다.

백제는 강진과 해남 일대를 장악하여 간접지배 방식의 일환인 공납지배를 실시하였고, 대외교섭 등을 위한 거점 포구는 직접 관할하지 않았을까 한다. 백제는 해안의 교섭거점은 직접 지배하거나 親百濟勢力에게 위탁 관리하였을 가능성이 높다. 서남해지역은 백제의 지배를 받으면서 변화가 일어났다.[60]

榮山內海[61] 연안지역은 영암의 시종면 일대에 옹관고분 축조 집단을 거쳐

한성백제박물관.

58) 문안식 · 이대석, 2004, 앞의 책, 76쪽. 한편 해남 백포만에 위치한 군곡리 패총의 下限이 4세기 전반으로 추정되는데, 4세기 전반 백포만 일대가 무역 중개지 역할과 기능이 감소하면서 쇠퇴한 사실을 반영하는 것으로 보기도 한다(목포대학교 박물관, 1989,『해남 군곡리패총』Ⅲ, 80쪽).

59) 정일 · 최미숙, 2013,「강진 양유동취락의 특징과 고대사적 의미」,『호남고고학보』45.

60) 근초고왕의 경략 이후 백제의 서남해지역 통치방식에 대해서는 간접지배 혹은 직접지배 등으로 이해한다(이병도, 1976,「백제 근초고왕 척경고」,『한국고대사연구』, 박영사 ; 노중국, 1988, 앞의 책, 118~121쪽).

61) 당시의 영산강 하류지역은 남해만 · 덕진만 · 영암만 등의 內海가 펼쳐졌다. 현재의 행정구역 상으로 볼 때 나주 · 영암 · 무안 · 함평 · 목포 등 5개 시군에 걸쳐 있다. 영산강유역의 고대 水域은 현재와 비교할 때 약 6배 이상 되었는데, 이를 '榮山內海'로 표현하고자 한다.

나주 반남집단이 주도권을 장악하였다. 시종과 반남 사이의 주도권 교체[62]는 근초고왕의 南征을 전후하여 일어났다. 백제는 군현을 설치하여 지방관을 파견하거나 직접지배가 불가능한 상태에서 반남세력을 내세워 간접지배를 하는 것에 만족하였다.[63]

서남해의 연안지역 역시 토착사회를 영도하는 중심집단의 변화가 일어났다. 해남 서북권역에 위치한 백포만 일대의 침미다례가 약화되고, 옹관묘 · 석관묘 · 즙석분구묘 · 석실분 등이 다양하게 조성되어 있는 북일 방면의 해상세력이 점차 두각을 나타내게 되었다. 신미국이 약화된 후 북일 신월리토성에 거주하던 집단이 대두한 것으로 이해하기도 한다.[64]

Ⅲ. 백제의 전남지역 재진출과 왕후제 시행

백제의 전남지역에 대한 영향력은 근초고왕과 근구수왕의 치세 이후 고구려의 남하정책에 밀리면서 점차 약화되었다. 백제는 5세기 중엽에 이르러 전

---

62) 이와 관련하여 옹관고분의 매장 형식 변화가 참조된다. 시종의 옹관분은 처음에는 옹관과 목관 혹은 목곽이 동일한 墳丘 중에 들어 있었으나 점차 옹관 위주로 변화되었다. 그 반면에 반남 일대는 시종과는 달리 옹관 일색으로 축조되었다(成洛俊, 1997, 앞의 글, 239쪽). 옹관고분의 중심 편년도 시종지역의 경우 3 · 4세기, 반남지역은 5 · 6세기로 구분된다. 두 지역 사이에 보이는 중심 편년의 차이는 주도권 변화와 관련이 있는 것으로 이해한다(徐聲勳 · 成洛俊, 1988,『나주반남고분군』, 국립광주박물관).

63) 공납지배 혹은 간접지배는 중심국이 복속지역에 대해 상당할 정도로 자치를 보장해주고 공납이라는 복속의례를 통해 통치하는 방식을 의미한다(주보돈, 1996,「마립간시대 신라의 지방통치」,『영남고고학』19).

64) 宋泰甲, 1999,『해남반도의 고대사회와 대외관계』, 목포대학교 대학원 석사학위논문, 12쪽.

남지역을 비롯하여 영서지역, 전북의 동부지역 등에 대한 영향력을 상실하였다.[65] 전남의 경우 백제의 변방통치가 약화되면서 동부지역이 가야의 영향력 하에 놓이게 되었다.[66]

그 반면 서남해지역의 토착집단은 가야와 신라 및 왜국 등과 다양한 관계를 맺었다. 5세기 중엽 이후 장고분이나 백제 계통과는 다른 형태의 석실분,[67] 대가야계 토기가 전남지역 곳곳에서 조사[68]되는 사례가 참조된다. 전남지역 토착집단이 백제의 영향력에서 벗어나 독자적인 대외교섭을 추진하면서 대가야나 왜를 비롯한 기타 세력과 다양한 관계를 맺었음을 반영한다.[69]

백제와 서남해지역 토착집단의 관계는 웅진천도 이후 동성왕의 치세 때에 이르러 변화가 일어나기 시작하였다. 동성왕은 웅진천도 과정에서 초래된 혼란을 수습하면서 백제의 영향력에서 벗어나 있던 서남해지역과 전남의 내륙

---

65) 文安植, 2005, 「개로왕의 왕권강화와 국정운영의 변화에 대하여」, 『史學研究』 78.
66) 백제의 변방통치가 약화되면서 섬진강 하류지역으로 가장 먼저 진출한 집단은 소가야 이었다. 전남 동부지역은 소가야연맹체와 선형적으로 연결되어 교역과 상호 이해관계에 의해 5세기 후엽을 중심연대로 하여 완만한 결속관계를 유지하였다. 그 후 6세기를 전후하여 소가야를 대신하여 대가야가 전남 동부지역에 영향력을 행사한 것으로 보고 있다(李東熙, 2006, 『전남 동부지역 복합사회 형성과정의 고고학적 연구』, 성균관대학교 대학원 박사학위논문, 216~217쪽.)
67) 林永珍, 1991, 「영산강유역 횡혈식석실분의 수용과정」, 『전남문화재』 3, 38~63쪽.
68) 전남지역에서 출토 사례가 늘어나고 있는 대가야계 유물은 서부 경남지역과 밀접한 관계를 반영한다. 대가야 계통의 토기는 장성 영천리, 광주 월계동·쌍암동 등의 영산강유역과 승주 대곡리 등에서 확인되었다.
69) 예컨대 부안군 변산면 죽막동 출토 유물의 경우 영산강유역 일대의 옹관고분 조영집단을 중심으로 하는 在地人이 倭, 加耶의 다양한 세력과 접촉한 상황을 보여준다(林永珍, 1997, 앞의 논문, 57쪽). 죽막동 제사유적에서 출토된 유물의 성격으로 볼 때 그 관계는 6세기 초까지 유지되었으며(韓永熙 外, 1992, 「부안 죽막동 제사유적 발굴조사 진전보고」, 『고고학지』 4, 157쪽), 이들의 중심에 서남해지역의 해상세력이 있었던 것으로 판단된다(문안식, 2006, 『백제의 흥망과 전쟁』, 혜안, 294쪽).

지역 등을 장악하여 왕후제를 시행하였다.

왕후제는 동성왕 때를 전후하여 시행된 것으로 보고 있다.[70] 왕후제 시행은 『南齊書』 백제전에 寧朔將軍 面中王 姐瑾 등이 490년과 495년에 책봉된 사실을 통해 유추된다.[71] 그러나 백제는 동성왕대에 섬진강 유역에 속하는 전북 동부지역과 전남 동부지역은 장악하지 못하였다. 백제가 이들 지역으로 진출한 것은 무령왕 치세에 해당하는 512년과 513년 무렵에 이루어졌다.[72]

동성왕대에 실시된 왕후제의 공간적 범위는 서남해지역과 전남의 내륙지역으로 국한되었다.[73] 동성왕이 이들 지역을 장악한 후 곧바로 담로제를 실시하

---

70) 한편 개로왕대에 미완성으로 끝난 좌·우현왕제가 동성왕대에 이르러 왕후제로 확대된 것으로 파악하는 견해도 있다(鄭載潤, 1999, 『웅진시대 백제정치사의 전개와 그 특성』, 서강대학교대학원 박사학위논문, 99쪽).

71) 『南齊書』 권58, 列傳 39, 東南夷, 百濟.

72) 백제의 섬진강 하류지역 진출 과정에 대해서는 문헌에 직접 전하는 사료가 남아 있지 않다. 다만 『日本書紀』 繼體紀 6년(512) 조에 기록된 上哆唎·下哆唎·娑陀·牟婁의 '任那四縣' 할양 기사를 통하여 추정할 따름이다. 그 위치에 대해서는 낙동강 중상류설(천관우, 1991, 『가야사연구』, 일조각, 43쪽)과 전남 일대로 보는 견해(末松保和, 1949, 『任那興亡史』, 大八洲書店, 115~123쪽), 섬진강 유역으로 좁혀 보는 견해(酒井改藏, 1970, 『日本書紀の朝鮮地名』, 親和) 등이 있다. 그러나 '任那四縣'의 위치는 백제가 약화되었을 때 대가야의 영향력이 미친 섬진강 서쪽의 여수·구례·순천·광양 등으로 추정된다. 왜냐하면 백제가 남원과 임실 등의 섬진강 중상류지역으로 진출한 것은 그 이듬해인 513년이고(『日本書紀』 권17, 繼體紀 7년 11월), 낙동강 유역으로 진출한 것은 530년 무렵에 함안의 안라가야에 郡令과 城主을 두면서 이루어졌기 때문이다(『日本書紀』 권17, 繼體紀 25년 12월). 따라서 백제가 동성왕대에 왕후제를 시행한 범위에서 섬진강 유역에 속하는 전북의 동부지역과 전남의 동부지역은 제외할 필요가 있다(문안식, 2006, 앞의 책, 297쪽).

73) 왕후제 시행과 관련하여 동성왕이 495년에 찬수류를 辟中王에 임명하였는데, 벽중을 전북 김제로 보는 것에 거의 모든 연구자들이 동의하고 있다. 따라서 김제지역은 늦어도 495년 이전에 백제에 복속되었으며, 전남지역 역시 동성왕이 面中王을 책봉한 490년과 495년 무렵에 백제에 다시 복속되었을 가능성이 높다(文安植, 2006, 「백제의 王·侯制施行과 地方統治方式의 變化」, 『역사학연구』 27). 사실 왕후제는 웅진 천도 후 토

지 못하고 왕후제를 시행한 것은 지방통치의 한계를 보여준다. 동성왕대에 왕후에 임명된 인물은 『南齊書』 백제전의 기록과 같이 중앙의 왕족과 귀족들이 대상이 되었다.

그러나 나주 반남면 신촌리 9호분의 금동관과 함평 월야면 예덕리 신덕고분에서 출토된 金銅冠片[74])으로 볼 때 토착세력도 왕·후에 임명되지 않을까 한다. 토착세력 수장층이 왕·후로 임명된 경우 중국의 관작을 제수하는 방식을 따르지 않고, 금동관 등의 위신재를 하사해 준 점에서 중앙 출신과는 차이가 있었다.[75])

착세력이 강한 전라도 일대를 경영하기 위해 시행된 것으로 이해하고 있다(末松保和, 1949, 『任那興亡史』, 大八洲書店, 109~114쪽 ; 鄭載潤, 1992, 「웅진·사비시대 백제의 지방통치 체제」, 『한국상고사학보』 10 ; 田中俊明, 1997, 「웅진시대 백제의 영역재편과 왕·후제」, 『백제의 중앙과 지방』, 충남대 백제연구소). 이와는 달리 동성왕 때에 앞서 개로왕이 왕·후제를 시행한 목적에 대하여 중국과의 儀禮的인 관계(梁起錫, 1984, 「五世紀 百濟의 王·侯·太守制에 대하여」, 『사학연구』 38) 또는 요서지역 경략을 위한 수단으로 보는 견해도 없지 않다(金庠基, 1967, 「백제의 요서경략에 대하여」, 『백산학보』 3) ; 方善柱, 1971, 「백제군의 화북진출과 그 배경」, 『백산학보』 3). 요서진출을 제한된 의미로 받아들여 단순한 '무역권의 인정'이라는 측면에서 이해하는 경우도 있다(盧重國, 1978, 「백제 왕실의 남천과 지배세력의 변천」, 『한국사론』 4 ; 李明揆, 1983, 「백제 대외관계에 관한 一試論」, 『사학연구』 37).

74) 함평군사 편찬위원회, 1999, 「마한·백제의 유적과 유물」, 『함평군사(1)』, 506쪽.
75) 그런데 백제가 신촌리 등의 전남지역 토착세력에게 금동관을 하사한 것은 입점리 등의 금강 하류지역 토착세력에게 내려준 것과는 시기 차이가 있다. 입점리고분군의 중심연대가 5세기 중엽으로 추정되는 사실(崔完奎·李永德, 2001, 『익산 입점리 백제고분군』, 원광대학교 마한·백제문화연구소)에 비하여, 신촌리 9호분에서 출토된 금동관이 5세기 후반(오동선, 2009, 「羅州 新村里 9號墳의 築造過程과 年代 再考 -羅州 伏岩里 3號墳과의 비교 검토」, 『한국고고학보』 73, 한국고고학회 ; 김낙중, 2001, 「5~6世紀の榮山江流域における古墳の性格 - 羅州新村里9号墳·伏岩里3号墳を中心に-」, 『朝鮮學報』 179, 朝鮮學會) 혹은 6세기 초에 만들어진 것(朴普鉉, 1997, 「금동관으로 본 나주 신촌리9호분 을관의 연대문제」 제30회 백제연구 공개강좌, 충남대학교 백제연구소)은 이와 무관하지 않으며, 익산지역과 나주지역의 왕후제 시행 시기가 차이가 있었음을 의미한

한편 서남해지역의 해상세력은 백제의 왕후제 시행과 영향력 확대에 맞서 저항을 꾀하였다. 해상세력은 일정한 거점을 중심으로 영역을 확장하면서 중 앙정부에 맞서는 형태를 취하지 않고 해안과 도서, 바다를 무대로 하였기 때 문에 제압하기 어려웠다. 백제는 해상세력이 독자적인 대외교섭을 추진하자 상당한 부담이 되었다. 동성왕은 이러한 상황을 타개하기 위하여

B. 8월에 왕은 耽羅(탐라는 곧 耽牟羅이다)가 공물과 조세를 바치지 아니하자 친히 정벌하려고 무진주에 이르렀다. 탐라가 이를 듣고 사신을 보내 죄를 빌 었으므로 그만두었다.[76]

라고 하였듯이, 탐라가 공물과 조세를 바치지 않는 것을 구실로 삼아 군대 를 이끌고 무진주에 이르렀다.

탐모라를 제주도로 보는 것이 일반적이지만, 해남과 강진 일대의 해상세력 으로 보는 견해도 없지 않다.[77] 『三國史記』에는 동성왕이 무진주까지 이르자

다. 한편 나주 신촌리 9호분과 함평 신덕고분 등에서 출토된 금동관은 범백제권에서 출 토된 여타의 금동관과 크게 다른 형태로 구성되어 있는 것으로 볼 때 현지에서 자체 제 작되었을 가능성도 없지 않다. 예컨대 무령왕릉 출토의 오라관에 붙은 관식을 비롯하여 공주 수촌리, 서산 부장리, 익산 입점리, 고흥 길두리 출토품들이 고깔 모양의 관형태인 데 비하여 신촌리 9호분은 내관과 외관을 모두 갖춘 형태인데다 문양과 장식에 있어서 다른 관들과 차이가 많이 나타난다. 그러나 백제 중앙정부가 전남지역 마한 소국과 가 야 및 왜 등을 다른 정치체로 구분하여 제작 양식에서 각각 차이를 보인 환두대도를 보 내 준 사실을 고려할 필요가 있다(김낙중, 2007, 「6세기 영산강유역의 장식대도와 왜」, 『영산강유역 고대문화의 성립과 발전』, 국립나주문화재연구소).

76) 『三國史記』 권26, 百濟本紀 4, 東城王 20년.

77) 李根雨, 1997, 앞의 논문, 53쪽 ; 문안식, 2006, 앞의 책, 142쪽.

탐모라가 소식을 듣고 498년에 항복한 것으로 기록되었다.[78) 그러나 『日本書紀』에는 10여 년이 더 지난 508년(武寧王 8, 繼體 2)이 되어서야 탐라가 백제와 통한 것으로 기록[79)되어 차이를 보인다. 양자의 차이는 대상 자체가 다른 이질적인 집단이었기 때문에 발생한 것으로 생각된다.

또한 사료 B에 보이는 무진주 출병과 탐라 정벌은 수군이 아닌 육군이 주체가 되어 추진한 느낌이 든다. 동성왕이 정벌의 대상으로 삼은 탐모라는 바다 건너 존재한 집단이 아니라 무진주와 인접한 내륙지역 혹은 서남해 연안에 위치했을 가능성이 높다. 동성왕의 親征은 서남해 일대에서 큰 영향력을 행사하고 있던 탐모라가 주된 경략의 대상이었다.

이와 관련하여 『高麗史』 지리지에

> C. 고을나의 15대손 고후와 고청 등 형제 3인이 바다를 건너 탐진에 이르니 때는 신라의 성시였다. …읍호를 탐라라고 하였는데, 이것은 올 때 처음으로 탐진에 상륙하였기 때문이다.[80)

라고 하였듯이, 강진 탐진현의 邑號를 '탐라'로 칭한 사실이 주목된다. 탐진 혹은 탐라의 기원에 대해서는 사료 C와 같이 제주를 왕래하던 포구의 명칭에서 비롯된 것으로 이해한다.

탐라의 기원을 제주를 왕래하던 포구의 명칭, 즉 탐진에서 찾는 견해는 서남해지역과 제주도의 교섭이 빈번해진 신라의 통일 이후의 상황을 반영한다.

---

78) 『三國史記』 권20, 百濟本紀 4, 東城王 20年.
79) 『日本書紀』 권17, 繼體紀 2年 12月.
80) 『高麗史』 권57, 地理志 耽羅縣.

이와는 달리 신라가 백제 고토를 차지하기 이전에 해당되는 마한 때에 강진을 비롯한 서남해지역 일대에는 耽牟羅와 下枕羅 등의 소국이 존재하였다. 또한 최근 나주 복암리에서 출토된 목간에 보이는 '毛羅' 역시 耽牟羅와 관련이 있지 않을까 한다.[81]

탐모라는 강진만을 중심으로 하여 서남해 연안 및 도서를 장악하여 고창·부안·김제 등의 전북 서남부의 해안지역까지 일정한 영향력을 행사한 것으로 추정된다. 반남세력을 비롯한 전남 내륙지역의 토착세력이 대세를 따라 왕후제의 시행을 별다른 저항 없이 받아들인 반면에, 해상세력은 백제의 지배를 거부하고 독자적인 대외교섭을 추구하면서 자활을 꾀한 것으로 추정된다.

탐모라를 비롯한 서남해지역의 해상세력은 독자적인 대외교섭을 차단하려는 중앙정부의 간섭을 쉽게 받아들일 수 없었다. 백제의 중앙정부 역시 서남해지역의 해상세력이 독자적인 대외교섭을 추구하는 것을 용납하지 않았다. 왜냐하면 외교교섭과 대외교역 등에 관한 권한은 중앙정부의 전유물이었기 때문이다.

탐모라는 동성왕이 친히 군사를 이끌고 무진주까지 내려오자 저항을 포기하고 굴복하였다. 동성왕은 무력 충돌 없이 탐모라를 복속하여 중앙정부의 권위를 확보하고 해상세력의 독자적인 대외교섭을 차단하는 데 성공하였다. 이로써 동성왕이 서남해지역과 전남 내륙지역을 대상으로 실시한 왕후제는 뿌리를 확고하게 내리게 되었다.

왕후제는 토착세력의 존재를 부정한 것이 아니었고, 이들의 재지기반을 이

---

81) 나주 복암리에서 출토된 목간에 대해서는 다음의 글을 참조하기 바란다. 김성범, 2009, 「나주 복암리 유적 출토 백제 목간과 기타 문자 관련 유물」,『백제학보』창간호 ; 김창석, 2011,「나주 복암리 출토 목간 연구의 쟁점과 과제」,『백제문화』45.

용하여 지방통치의 효율성을 도모하고자 한 방식이었다. 백제의 중앙정부도 토착세력의 기득권을 인정하면서 공존하는 방식을 택하였다.[82] 동성왕은 왕후제 시행을 통해 서남해지역과 전남 내륙의 토착세력을 견제하고 중앙정부의 영향력 확대를 확대하였다.

백제의 영향력 확대에 따른 전남지역의 변모 양상은 고고 유적과 유물을 통해서도 입증된다. 영산강유역에서 백제양식은 흑색마연토기, 초기 개배, 직구소호 등을 중심으로 漢城期부터 보이기 시작하지만, 5세기 말 이후 여러 분야에서 본격적으로 확산된 사실이 확인된다.[83]

Ⅳ. 방군성제 시행과 토착사회 재편

백제의 지방통치는 사비천도를 전후하여 담로제에서 方郡城制로 바뀌었다.[84] 5方은 중방 古沙城, 동방 得安城, 남방 久知下城, 서방 刀先城, 북방 熊津城으로 이루어졌다.[85] 각 方에는 방령 1인과 方佐 2인이 파견되었고, 방은 6~7

---

82) 이는 백제가 서남해지역을 장악한 후에 해당되는 6세기 초반 무렵에 축조된 것으로 알려진 해남 현산면 월송리 조산고분에서 출토된 다양한 유물을 통해 유추된다. 조산고분에서는 백제와 倭를 비롯한 기타 지역과 밀접한 관계를 반영하는 유물들이 출토되었다(徐聲勳·成洛俊, 1984, 『해남 월송리 조산고분』, 국립광주박물관·백제문화개발연구원). 이는 동성왕이 서남해지역을 장악하여 王·侯制를 실시하였음에도 불구하고 해상세력이 일정 정도 독자적인 대외교섭을 계속 하였음을 의미한다.

83) 서현주, 2005, 앞의 글, 162쪽.

84) 盧重國, 1988, 앞의 책, 247~250쪽.

85) 『北史』 권94, 列傳82, 百濟.

내지 10여 개의 郡으로 이루어졌다.

방과 군의 통제를 받는 하위의 지방조직은 200~250개를 헤아리는 城 또는 縣이었는데, 파견된 지방관은 城主 혹은 道使로 불렸다. 현의 숫자가 많은 것은 곧 토착세력의 전통적 세력기반이 그 만큼 약화되고 축소된 것을 의미한다. 백제는 지방조직의 편제에서 田丁戶口 多寡 등을 근간으로 하는 객관적인 기준을 마련하였다. 전국적인 규모의 호구와 전정의 파악은 지방관의 책임 하에 이루어졌으며, 그 기준을 통해 지방통치 조직을 다시 편제하였다.[86] 백제는 전남지역을 포함한 전국에 지방관을 파견하여 방군성제를 실시하면서 직접지배를 꾀하였다.[87]

전남지역 역시 반남세력을 활용한 간접 지배방식을 지양하고, 그 외곽의 중소세력과 직접 연결하는 형태로 추진되었다. 백제의 지방지배는 한 단계 더 발전하였으며, 전남지역의 토착사회는 전통적인 기반이 해체되고 재편되었다. 토착세력 수장층은 중앙에서 파견된 지방관을 보좌하는 하급 실무관료로 전락되었다. 방군성제는 제도상의 변화에만 그치지 않고, 전남지역의 경우 변방사회를 재편하려는 의도와 부합되어 실질적인 변모가 이루어지는 계기가 되었다.[88]

백제는 전국에 걸쳐 5方 37郡 200城을 두었는데, 전남지역에도 서남해의 여러 도서를 비롯한 각지에 郡과 城을 설치하였다. 南方 소속의 14郡과 44縣(城)으로 편제되었다. 백제가 전남지역 각지의 中小 지방세력과 밀접한 관계를 맺게 된 결과 사비식 석실분과 백제산성이 곳곳에 축조되었다.

---

86) 盧重國, 1995, 앞의 논문, 183~187쪽.
87) 盧重國, 1981,「사비시대 백제지배체제의 변천」,『韓㳓劤紀念私學論叢』, 56~57쪽.
88) 文安植, 2002,「百濟의 方郡城制의 實施와 全南地域 土着社會의 變化」,『전남사학』19.

백제의 방군성제 실시에 따른 전남지역의 통치에서 주목되는 점은 나주 반남 등 영향력이 강했던 마한 토착집단을 의도적으로 약화시킨 사실을 들 수 있다.[89] 백제는 영산내해 남쪽지역을 관할하기 위해 月奈郡을 설치하였는데, 반남을 대신하여 인접한 영암 군서면 일대에 治所를 두었다. 그 대신에 반남지역은 半奈夫里縣으로 편제하는 등 강등조치를 하였다. 또한 반남과 더불어 마한시대의 거대한 고분이 위치한 나주 다시면 영동리와 복암리 일대를 관할하기 위해 豆肹縣을 두고, 인접한 나주시내에 치소를 둔 發羅郡이 관할케 하였다.[90]

나주 반남과 다시의 사례 외에 다른 지역에서도 유사한 변화가 확인된다. 무안과 함평 일대를 관할한 勿阿兮郡의 경우 마한 때에 조성된 여러 양식의 고분이 집중 분포된 지역을 屈乃縣(함평읍), 多只縣(함평 해보면과 월야면 일대), 道際縣(무안 해제면) 등 縣으로 편제하였다. 그 반면에 물아혜군의 치소가 위치한 무안읍 일대는 마한시대에 만들어진 고분은 조사되지 않고, 사비식 석실분으로 밝혀진 고절리고분 만이 확인될 뿐이다.[91]

---

89) 한편 백제 동성왕과 나주 신촌리 고분 축조집단, 무령왕과 복암리 고분 축조집단 사이의 밀접한 관계를 고고 자료를 통해 설명한 견해도 없지 않다(김낙중, 2009, 『영산강유역의 고분 연구』 서울대대학원학원 박사학위논문).

90) 백제는 방군성제를 실시하면서 榮山內海에 자리한 南海灣 일대를 관할하기 위해 발라군과 월나군을 설치하였다. 발라군은 오늘날의 나주시내를 행정 치소로 하면서 두힐현(나주 다시), 실어산현(나주 봉황), 수천현(광주 광산구 본량·임곡) 등 남해만 북쪽지역을 주로 관할하였다. 월나군은 영암군 군서면을 행정 치소로 하여 반나부리현(나주 반남), 아로곡현(나주 노안), 고미현(영암 미암), 고시이현(장성 북일), 구사진혜현(장성 진원), 소비혜현(장성 삼계) 등 나주 일부와 장성 및 영암 등을 관할하였다. 다만 영암에서 멀리 떨어진 장성 일대를 발라군이 관할했는지에 대해서는 숙고가 필요하다.

91) 전남지역에서 발굴 조사된 주거유적, 목관묘 및 옹관묘, 석실묘 일람표는 다음의 글을 참조하기 바란다. 임영진, 2012,「고고학 자료로 본 전남지역 마한 소국의 위치」,『전남지역 마한 소국과 백제』2012년 백제학회 국제학술회의, 187~197쪽 ; 국립나주문화재연구

백제는 月㮠郡과 發羅郡 및 勿阿兮郡의 경우와 같이 郡治의 위치 설정을 통해 토착세력의 재편을 꾀하였다. 그러나 강진을 비롯하여 해남과 완도 일대를 관할한 道武郡은 다른 면모가 엿보인다. 도무군의 治所는 5세기 이래 서남해 해상활동의 주요 무대였던 해남 북일면 일대에 들어섰다.[92] 백제는 탐모라의 해상활동 전통을 계승한 도무군을 통해 강진과 해남 및 완도 일대의 연안내륙과 도서를 관할케 하였다.

백제는 도무군 외에 勿阿兮郡과 因珍島郡 및 阿次山郡 등을 활용하여 서남해 海路를 통제하였다. 이들 군현은 海路 통제 외에 주변의 島嶼 관리 등도 담

소, 2011, 『영산강유역의 고대고분』 정밀분포조사보고서, 624~640쪽.

92) 도무군의 치소는 '道康郡의 북쪽 20리에 본래 백제 道武郡이 있었다'라고 언급한 사료 (『大東地志』康津 古邑) 등을 고려하여, 탐진강 상류지역에 해당하는 성천·작천·병영 일대로 보고 있다(목포대 박물관, 2004, 『강진읍성』, 15쪽). 그러나 탐진강 상류지역은 백제 때의 군현 치소가 들어설 만한 거점 성곽이 확인되지 않고 있다. 또한 兵營城의 발굴 조사에서 확인된 백제시대의 기와편이 소량(명지대 한국건축문화연구소, 2005, 『강진 전라병영성지 발굴조사보고서』)에 불과하고, 백제의 군현이 주로 산성 등에 위치한 사실을 고려할 때 고을터(치소)로 활용되지 않았을 가능성이 높다고 한다(고용규, 2012, 「문화재의 유형과 현장」, 『강진군지 II』, 강진군지편찬위원회, 564쪽 각주 57). 그 외에 도무군의 치소와 관련하여 병영면과 인접한 성전면 수양리에서 확인된 백제계통 석실분(崔盛洛·金京七·金珍英, 2007, 『康津 秀陽里遺蹟』, 全南文化財研究院)이 참조된다. 그러나 수암리 부근 역시 백제시대의 성곽이 확인되지 않기 때문에 도무군이 아니라 강진읍 일대를 관할한 동음현에 파견된 지방관을 보좌하던 토착세력의 무덤이었을 가능성이 높다. 따라서 도무군의 치소는 주작산이 흘러내린 낮은 구릉 위에 자리한 해남 북일면 신월리토성(이도학, 2012, 「삼한·삼국시대」, 『강진군지 I』, 85쪽) 혹은 강진만 연안과 해역이 잘 조망되는 성마산성 혹은 독수리봉토성 등에 자리하였을 가능성이 높다. 강진만 권역에 해당하는 해남 북일과 강진 신전 일대에는 삼국시대의 성곽 외에 흥촌리 석정고분과 용일리 용운고분 및 신전면 벌정리고분 등 6세기 중엽 이후 축조된 백제계통의 석실분이 확인된 것으로 볼 때 가능성이 높다. 백제계통의 석실분의 분포 현황에 대해서는 다음의 글을 참조하기 바란다(최영주, 2013, 「百濟 橫穴式石室의 型式變遷과 系統關係」, 『백제문화』 48).

당하였다. 島嶼 관리 및 海域 통제와 관련하여

D-1. 國의 서남쪽에 사람이 거주하는 섬이 15곳인데, 모두 城邑이 있다.[93]

2. 서쪽은 安城을 차지하고, 남쪽은 큰 바다에 인접한다. 『括地志』에 말하기를, "(중략) 또 國 남쪽의 바다 가운데에 큰 섬 15곳이 있어, 모두 城邑을 설치하여 사람이 거주하고 있다"라고 하였다.[94]

라고 하였듯이, 바다 가운데의 '큰 섬'에 城邑을 설치했다는 기록이 참조된다. 사료 D에 보이는 성읍을 지방행정 단위로 이해하는 견해도 없지 않다.[95]

백제가 서남해 도서지역에 설치한 군현의 숫자는 『삼국사기』 지리지에 따르면 8곳에 불과하다.[96] 그러나 『隋書』 百濟傳과 『翰苑』 百濟傳 등에는 서남해의 도서지역에 15곳의 군현을 두었다는 기록이 남아 있다. 『삼국사기』의 기록과는 달리 서남해 도서지역에 7곳 정도의 군현이 더 설치되었을 가능성이 높다.

『삼국사기』 지리지는 신라의 통일 이후 지방편제의 내용을 기본 골격으로 삼았고, 백제 때에 설치되었다가 폐지된 군현은 일부 생략된 것으로 짐작된다.[97] 이와 관련하여 백제시대에 축조된 고분과 성곽이 남아 있는 서남해의 여러 도서들이 주목된다.

이들 유적은 금강 하구의 군산 앞 바다에서 신안과 진도를 거쳐 남해안으

---

93) 『隋書』 권81, 東夷傳 百濟.
94) 『翰苑』 百濟傳.
95) 정동준, 2011, 「백제 5方制의 지방관 구성에 대한 시론」, 『한국고대사연구』 63, 291쪽.
96) 『三國史記』 권37, 雜誌 6, 地理 4, 百濟.
97) 백제는 『新唐書』 백제조에 따르면 37군 200여 성을 두었는데, 『삼국사기』 지리지에는 147곳의 지명 만이 남아 있다. 그 나머지 지역은 신라의 통일 이후 廢縣되어 기록에서 누락되었을 가능성이 높다.

로 이어지는 海路 주변의 도서지역에서 주로 조사되었다. 전북 부안군 위도에서는 백제 계통의 석실분 20여 기가 확인되었고,[98] 서남해의 압해도와 임자도 및 지도 · 비금도 · 신의도 · 하의도 · 안좌도 · 장산도 등에서도 다수의 고분들이 조사되었다.[99]

백제가 서남해 도서에서 지방통치의 거점이 되는 郡을 설치한 곳은 진도와 신안 압해도이었다. 백제는 인구가 많고 면적이 넓은 진도와 서남해의 여러 도서를 관리하기 편한 압해도에 각각 因珍島郡과 阿次山郡을 설치하였다. 인진도군의 치소는 진도읍 일대에 자리하였고, 도산현과 매구리현은 그 북부지역과 남부지역을 관할하였다.

인진도군이 한반도에서 세 번째로 큰 도서지방을 관할하기 위해 설치된 것과는 달리, 아차산군은 서남해의 여러 도서지방에 설치된 군현을 관할하였다. 아차산군의 관할 하에 있던 현은 문헌을 통해 갈초현(비금도)과 고록지현(임자도), 거지산현(장산도) 등 3곳이 확인된다.[100] 그 외에 백제시대에 축조된 고분과 성곽이 조사된 안좌도를 비롯한 여러 도서지역 역시 현이 설치되었을 가능성이 높다.

---

98) 원광대박물관, 2004, 『부안군문화유적분포지도』.

99) 신안 도서지역에 위치된 백제계통 석실분과 성곽의 분포상태에 대해서는 다음의 글을 참조하기 바란다(최성락, 2003, 「신안군 신발견 고고유적 발표와 문화적 성격」, 『다도해 사람들-역사와 공간』, 경인문화사 ; 최성환 편저 2008, 『신안군의 문화유산』, 신안군 · 신안문화원).

100) 일제시대의 조사에 따르면 압해도의 대천리 일대에 백제시대에 조성된 석실분 58기가 있었다. 비금도에도 광대리의 城峙山城 주위에 40여 기의 고분이 분포하며, 그 일부는 백제계통의 석실분으로 확인되었다. 장산도 역시 도창리에 5~6기의 석실분이 분포하며, 장산리와 대리 일대에 장산토성, 공수리에 大城山城이 위치한다. 그 외에 임자도에서도 석실분으로 추정되는 고분의 흔적이 확인되었다(최성환, 2008, 앞의 책, 44 · 56 · 160 · 144쪽).

신안과 진도 및 무안 일대를 관할하던 阿次山郡·因珍島郡·勿阿兮郡 외에
강진과 해남·완도의 도서지역을 관할하던 道武郡 역시 『삼국사기』 지리지에
기록된 4곳의 領縣 외에 더 많은 숫자의 현이 존재하였다. 완도읍 대신리, 청
산도 당락리, 고금도 덕동리 등에서 조사된 백제시대 고분이 참조된다.[101]

청산도 당락리 등에서 조사된 석실분은 도무군이 관할하던 도서지역에 현
이 설치된 사실을 반영한다. 청산도는 강진만을 벗어나 제주로 향하는 거점이
었다.[102] 사실 전라도 해안에서 일본 열도지역으로 항해하는 것은 어려운 일이
아니었다. 청산도 등의 서남해 도서를 거쳐 제주도를 우현으로 바라보면서 해
류와 바람 등을 이용하면 九州의 서북쪽으로 자연스럽게 도달할 수 있다.[103]

일본의 九州에서 대마도를 거쳐 경상도 방면의 해안을 경유하지 않고,[104]
五島列島에서 출발한 후 청산도 해역을 통과하여 서남해지역과 접촉한 집단
도 존재하였다.[105] 또한 장고분이 한반도 서남지역 일대에 국한되어 분포한

---

101) 임영진, 2012, 앞의 논문, 195쪽.
102) 청산도 백련암과 범바위 등 높은 지대에 서면 멀리 80km 정도 떨어진 제주도 한라산
　　 이 아스라이 펼쳐져 보인다. 또한 범바위 정상에 오르면 여수 거문도가 조망되는 등
　　 청산도는 자연지형을 활용한 고대사회에서 남해안 연안 항로의 중심지 역할을 하였
　　 을 가능성이 높다.
103) 한반도의 서남해 연안에서 출발하여 五島列島에 이른 후 북으로 東進하면 구주 북부
　　 의 唐津에 닿고, 남쪽으로 東進하면 아리아께해(有明海)에 도달한다. 그 연안으로 진
　　 입하여 여러 강을 역류하면 나가사키(長崎), 구마모토(熊本), 사가(佐賀)의 서부지역
　　 에 도달할 수 있다(윤명철, 2006, 「고대 東亞지중해의 해양교류와 영산강유역」, 『지방
　　 사와 지방문화』 3권 1호, 186쪽).
104) 당시 문화나 기술 교류의 흐름은 지정학적 조건상 한반도 서남해안을 거쳐 대마도와
　　 北九州로 들어가는 것이 일반적인 루트였다(延敏洙, 1996, 「일본사상에 있어서 九州
　　 의 위치」, 『동국사학』 30, 393쪽).
105) 이들은 麗末鮮初에 왜구가 전라도 해안지역을 약탈하기 위해 왕래하던 五島(고시마)-
　　 三島(미시마)-청산도-고금도 및 가리포 등에 이르는 항로를 이용하였을 가능성이 높
　　 다(강봉룡, 2009, 「고대 한·중 항로와 바닷길」, 『고대 동아시아의 바닷길』, 국립해양문

배경 역시 경상도 해안지역을 경유하지 않고, 五島-청산도-강진만 루트를 통해 서남해지역과 접촉한 집단이 존재하였음을 반영한다. 구주 계통의 석실분과 유사한 영산강식 석실분을 축조한 집단도 비슷한 루트를 통해 접촉하지 않았을까 한다.[106]

백제는 서남해지역을 장악한 후 청산도 등의 遠島에 군현을 설치하여 해역 관리와 해로 통제를 맡겼을 가능성이 높다.[107] 백제가 도서지역에 많은 숫자의 군현을 둔 배경은 서남해의 海路를 장악하여 가야와 신라 등의 외교활동 견제, 마한세력의 독자적인 대외교섭 차단 등을 위해서였다.[108]

서남해의 海域은 백제의 앞마당으로 변모하였고, 도서지역 역시 사비식 석실분이 축조되는 등 문화적 영향을 받게 되었다.[109] 백제가 전남지역을 직접 지배하면서 문화적 변화 역시 필연적이었는데, 토기 제작과 墓制 축조 방식의 변화에 그치지 않고 사찰 건립 등으로 이어졌다.[110]

화재연구소 · 목포대 도서문화연구소).

106) 구주 북부지역에서 조사된 석실분과 영산강유역에서 확인된 지상식 석실분(소위 영산강식 석실분)의 관계에 대해서는 다음의 글을 참조하기 바란다. 柳澤一男, 2006, 「5~6세기 한반도 서남부와 구주」, 『가야, 낙동강에서 영산강으로』 제12회 가야사 국제학술회의 발표집.

107) 한편 백제가 서남해 도서지역에 많은 숫자의 군현을 설치한 배경은 서해남부 斜斷航路 개척 등과 일정한 관련이 있다. 서해남부 斜斷航路는 신라 말에 이르러 장보고선 단에 의해 개척된 것으로 알려져 있다(김상기, 1964, 「麗宋貿易小考」, 『진단학보』 7 ; 김위현, 2004, 『고려시대 대외관계사 연구』, 경인문화사, 207쪽). 그러나 장보고 선단에 앞서 서해남부 사단항로가 개척된 것으로 보는 견해도 없지 않다(신형식, 2005, 『백제의 대외관계』, 주류성, 105쪽 ; 서영수, 2007, 「백제의 대외교섭」, 『백제문화사대계 연구총서』 9, 충청남도 역사문화연구원, 213쪽 ; 김인홍, 2011, 「해상실크로드를 통한 한 · 중 해상 교류」, 『문명교류연구』 2, 한국문명교류연구소).

108) 문안식, 2012, 「백제의 서남해 도서지역 진출과 해상교통로 장악」, 『백제연구』 55.

109) 문안식, 2012, 앞의 논문, 290쪽.

110) 전남지역에 사찰이 건립된 시기에 대해서는 신라의 통일 이후로 이해하는 것이 일반

V. 맺음말

　이상에서 서남해지역 및 연안도서를 중심으로 백제의 馬韓諸國 편입 과정
에 대해 살펴보았다. 본론에서 서술한 내용을 정리하는 것으로 결론에 대신하
고자 한다.

　전남지역은 충청 및 경기 일대와 함께 마한의 영역에 속하였다. 마한의 성
립 시기는 B.C. 4세기를 전후하여 점토대토기 및 세형동검 등의 등장과 관련
이 있다. 마한은 54국에 이르는 소국이 존재하였는데, 전남지역에도 적지 않는
숫자가 분포하였다. 이들 소국은 청동기시대의 대표적인 무덤 양식인 지석묘
가 밀집 분포된 지역에 대부분 위치하며, 청동기문화를 영위한 집단이 주체적
으로 철기문화를 받아들여 성장하였다.

　마한을 비롯하여 변한과 진한은 고대국가로 발전하는 백제와 신라 및 가야
에 흡수되었다. 마한의 경우 충청 및 전북지역의 소국들은 3세기 중·후반 전
후, 전남지역은 4세기 후반에 이르러 백제에 복속되었다. 백제는 근초고왕의
경략을 통해 전남지역에 남아 있는 마한 소국을 장악하였다.

　백제 남정군의 주요 공격 대상이었던 忱彌多禮의 위치에 대해서는 제주와
강진 및 고흥 등으로 보고 있다. 그러나 침미다례는 『晋書』張華傳에 보이는 新
彌國의 전통을 계승한 해남 백포만 일대를 관할하던 해상세력이었다. 백제는

적이다(성춘경, 1999, 『전남 불교미술 연구』, 학연문화사, 10쪽). 그러나 최근 강진 성
전면 月南寺址에서 다량의 백제 기와가 출토된 것으로 볼 때 달리 생각할 여지가 있
다. 월남사지에서 출토된 6세기 후반~7세기 사이에 만들어진 백제 기와는 전남지역
에 사찰이 건립된 시기를 신라의 통일 이전으로 소급할 수 있는 가능성을 제기한다
(민족문화유산연구원, 2012, 「강진 월남사지 시굴조사」, 지도위원회 회의자료).

간접 지배방식의 일환인 공납지배를 실시하였고, 해남과 강진 등에 자리한 대외교섭 거점은 직접 관할하였다.

백제의 영향력하에 있던 서남해지역을 비롯한 전남지역은 변화가 일어났다. 榮山內海 일대는 영암 시종집단을 거쳐 나주 반남집단이 주도권을 장악하였다. 서남해의 연안지역 역시 해남 백포만 일대의 침미다례가 약화되고, 북일 방면의 해상세력이 두각을 나타내게 되었다.

그러나 백제의 전남지역에 대한 영향력은 5세기 이후 고구려의 남하정책에 밀리면서 점차 약화되었다. 백제는 5세기 중엽에 이르러 전남지역을 비롯하여 영서지역, 전북의 동부지역 등에 대한 영향력을 상실하였다. 백제의 변방통치가 약화되면서 전남 동부지역은 가야의 영향력 하에 놓였고, 서남해지역은 대가야 및 왜 등과 다양한 관계를 맺었다.

백제와 서남해지역 토착집단의 관계는 웅진천도 이후 동성왕의 치세 때에 이르러 변화가 일어났다. 동성왕은 웅진천도 과정에서 초래된 혼란을 수습하면서 백제의 영향력에서 벗어나 있던 서남해지역과 전남의 내륙지역 등을 장악하여 왕후제를 시행하였다. 왕후에 책봉된 인물은 중앙의 귀족세력 및 반남 신촌리 9호분 등에서 확인된 금동관이 하사된 토착세력이 대상이었다.

서남해지역의 해상세력은 백제의 왕후제 시행과 영향력 확대에 맞서 저항을 꾀하였다. 백제는 해상세력이 대외교섭을 추진하자 상당한 부담이 되었다. 동성왕은 친정을 통해 서남해지역에서 영향력을 행사하고 있던 탐모라 등의 복속을 받아냈다. 전남지역의 변모 양상은 흑색마연토기, 초기 개배, 직구소호 등의 고고 유적과 유물이 5세기 말 이후 본격적으로 나타난 점을 통해 입증된다.

전남지역의 토착세력은 문화전통을 유지하면서 6세기 전엽까지 독자적인 세력을 유지하였다. 백제가 6세기 중엽 方郡城制를 실시하여 직접지배를 도모하면서 전남지역 토착사회는 변화를 맞게 되었다. 지방의 수장층을 이용하던

舊來의 방식을 지양하고, 방군성제를 통한 일원적 지방지배가 가능해졌다.

백제의 지방지배는 한 단계 더 발전하였으며, 전남지역의 토착사회는 전통적인 기반이 해체되고 재편되었다. 백제는 방군성제를 실시하면서 郡治의 위치 설정 등을 통해 토착집단의 세력재편을 꾀하였다. 또한 서남해 연안지역과 도서지방을 대상으로 勿阿兮郡과 因珍島郡 및 阿次山郡, 道武郡 등을 설치하여 海路 통제와 海域 관리에 나섰다.

백제가 도서지역에 군현을 설치한 목적은 가야와 신라 등의 대외활동 견제, 마한세력의 독자적인 대외교섭 차단 등을 위해서였다. 서남해 海域은 백제의 앞마당으로 변모하였고, 도서지역 역시 백제 계통의 석실분이 축조되는 등 문화적 영향을 받았다. 백제가 전남지역에 지방관을 파견하여 직접 지배하면서 문화적 변화 역시 필연적이었다. 토기 제작과 墓制 축조 방식의 변화에 그치지 않고 사찰 건립 등으로 이어졌다.

中国的汉代土墩墓

중국 한대 토돈묘

胡繼根 中國浙江省考古研究所

漢代土墩墓最早在上世紀50年代已有發現, 如江蘇无錫壁山庄的長腰墩和烏龜墩及仙蠶墩[1] ; 上海靑浦的駱駝墩[2]等, 但当時尙未將墓葬与人工堆筑的土墩納入到同一个考古單元內, 僅視其爲擇葬于高埠的普通漢墓. 至1987年, 浙江的考古工作者在湖州楊家埠發掘了15座外形呈土丘狀, 內涵以數量不等的漢墓爲主体的土墩后, 逐認識到"所發現的土墩, 是從先秦到兩漢時期的人們爲埋墓而專門營建的", 它与常見的同時期墓葬在營建方式, 埋葬習俗等方面有着質地區別, 應是一种新的漢墓類型, 由此提出了"漢代土墩墓"的概念. 其主要特征爲 : 1, 墓坑构建于人工堆筑的土墩內 ; 2, 墓葬均有墓坑(室) ; 3, 隨葬品質地以高溫釉陶和硬陶爲主 ; 4, 年代爲兩漢至六朝 ; 5, 一墩多墓, 且墓葬具有一定的布局設計.

Ⅰ. 土墩墓的分布与特征

到目前爲止, 已發現和發掘的漢六朝時期的土墩墓主要分布在東南沿海地區, 尤以浙江和山東爲最, 其余地區僅見湖南常德一例. 各地墓葬的分布和特点主要爲 :

---

1) 朱江, 1955, 「無錫漢至六朝墓葬清理紀要」『考古通訊』, 第6期, 第27~30頁.
2) 黃宣佩 · 孫維昌, 1959, 「上海市靑浦縣駱駝墩漢墓發掘」『考古』, 第12期, 第688~689頁.

1. 浙江

　　發掘和調査表明, 浙江漢六朝時期的土墩墓數以千計. 墓葬主要集中在北部地區, 尤以湖州地區最爲密集, 目前在湖州楊家埠[3], 安吉天子湖[4], 長興稚城[5]三地已發掘大小土墩數百座. 此外, 在德淸羊家山[6], 余杭大觀山[7], 嘉興皇墳頭[8], 海鹽南抬頭[9], 桐鄕大墳墩[10]等地也有零星發掘. 各地土墩墓的主要特点爲:

---

3) 浙江省文物考古研究所·湖州市博物館, 2005, 「浙江省湖州市楊家埠古墓發掘報告」, 『浙江省文物考古研究所學刊』, 第七輯, 杭州出版社, 第142~295頁 ; 湖州市博物館, 1993, 「浙江湖州窰墩頭古墓淸理簡報」, 『東南文化』 第1期, 第157~161頁 ; 浙江省文物考古研究所, 2002, 「浙江湖州市方家山第三號墩漢墓」, 『考古』 第1期, 第34~45頁 ; 李輝達, 2012, 「湖州市楊家埠二十八號墩漢墓」 浙江省文物考古研究所編 『浙江漢六朝墓報告集』, 科學出版社, 第10~49頁 ; 李輝達·劉建安·胡繼根, 「湖州楊家埠漢代家族土墩墓群及其他墓葬的發掘」 浙江省文物考古研究所編 『浙江考古新紀元』, 科學出版社, 第208~214頁.

4) 安吉縣博物館, 1996, 「浙江安吉縣上馬山西漢墓的發掘」, 『考古』, 第7期, 第47~59頁 ; 田正標·黃昊德·劉建安·郎劍鋒, 2009, 「安吉上馬山漢代古墓群的發掘」 浙江省文物考古研究所編 『浙江考古新紀元』, 科學出版社, 第215~217頁.

5) 孟國平, 2013, 「試談浙江長興地區秦漢時期土墩遺存的堆積成因——以長興夏家廟土墩墓爲例」, 中國社會科學院, 浙江省文物考古研究所合編 『秦漢土墩墓論文集』, 文物出版社, 待刊.

6) 浙江省文物考古研究所編著, 2012, 『起於累土——土台·土墩·土塚』, 浙江古籍出版社, 第195頁.

7) 胡繼根, 2012, 「杭州大觀山果園漢墓發掘簡報」, 浙江省文物考古研究所編 『浙江漢六朝墓報告集』, 科學出版社, 第100~140頁.

8) 嘉興市文物局, 1987, 「浙江嘉興九裡匯東漢墓」, 『考古』, 第7期, 第666~668頁.

9) 浙江省文物考古研究所, 海鹽縣博物館 發掘 資料.

10) 周偉民, 2012, 『文明留痕』, 浙江人民出版社, 第53~57頁.

① 土墩普遍坐落在低矮丘陵的崗地上, 部分位于平原地區. 如楊家埠, 天子湖, 稚城等墓群位于天目山余脉的崗地；皇墳頭, 南抬頭及大墳墩等墓地位于錢塘江冲刷平原北岸. 土墩分布具有成組現象. 如在湖州楊家埠發掘的70余座土墩中, 呈現出以若干个大小基本相等的墩爲一組的現象, 同組中各墩的間距僅爲數米甚至相連, 而組与組之間則相距較遠, 一般在几十或上百米(圖). 又如安吉天子湖墓群, 航拍照片顯示, 同一組中有若干小土墩圍繞一个大土墩的現象.

② 土墩的堆筑有三類不同的方式, 卽新筑類, 沿用類及組合類.

新筑類土墩堆筑于漢代的某个時間段, 土墩內无漢以前墓葬, 按堆筑過程的差异, 又可分爲全堆型和半堆型兩种. 其中全堆型最爲普遍, 土墩系一次性堆成, 墓坑直接挖于土墩內, 坑之四壁卽堆筑而成的熟土壁. 如湖州楊家埠D69, 土墩自上而下分爲④層, 21座漢墓均開口于②層下(圖)；半堆型土墩數量較少, 墩內墓葬的等級往往較高, 墓坑較大. 堆筑時在准備安排墓坑的位置預留出相應的空間, 需要時再在預留位置采用版筑法构建墓壁, 層層夯打而成. 如安吉天子湖上馬山的D78, 野外顯示, 墓坑外有一周不規則的, 封閉式的土坑線, 卽預留的土坑位置(圖).

沿用類卽利用現成的史前土台或先秦土墩墓挖坑埋墓. 根据利用的程度分爲間接型和直接型兩种. 間接型卽在史前土台或先秦土墩墓的基础上加以增高或拓展, 堆筑的地層往往較多, 底層或一側普遍有一或數座先秦時期的墓葬, 如湖州楊家埠D11, 土墩分爲上下⑤層, 內有先秦時期的石室土墩墓1座, 漢墓8座(圖)；直接型卽直接在規模較大的史前土台或先秦土墩墓上挖坑埋墓, 墩內亦往往有史前或先秦墓葬及窯床. 如湖州楊家埠D58, 土墩僅爲上下②層, 墩內4座漢墓与先秦時期的1座石室土墩墓和一條窯床均處于②層下, 其中3座漢墓分別打破先秦墓和窯床(圖).

組合類土墩由若干墓葬或小墩逐步擴大而成, 外觀往往較爲龐大. 如長興稚城夏家廟中的D10 : 大墩南北長47. 3米, 東西寬35. 8米, 高3米, 內含三个小墩(圖).

③ 土墩內的漢墓多數開口于同一層面, 打破關系較少. 部分經過二次擴建的土墩墓中分爲上下兩層, 墓葬有少量的疊壓和打破關系. 墓葬的數量以5~10座最爲常見, 以楊家埠墓群爲例, 最多者21座, 如D69 ; 最少者僅1座, 如D7, 另有一例爲空墩, 如D10[11].

④ 土墩內墓坑的布局具有一定的設計, 墓坑的排列有橫排式和向心式兩种. 橫排式一~三排不等, 并以前后兩排最爲常見, 其中規模較大的墓往往居前或居中, 如湖州方家山三号墩, 13座漢墓分爲前七后六兩排, 其中規模較大的M28位居前排中間[12]. 向心式排列則以規模較大或等級較高的墓葬爲中心, 其余墓葬环繞四周. 同墩中各墓的朝向基本一致, 如楊家埠墓群中的土坑類墓葬往往爲東西走向, 頭向朝西 ; 而磚室類墓葬則往往呈南北走向, 頭向朝南. 此外, 个別土墩的墓葬外圍有茔域界溝, 如安吉天子湖D? M77, 79(累土照片)

⑤ 土墩內的漢墓年代上至戰國末, 西漢初, 下達南朝, 連綿不斷, 并以西漢中期至東漢早期最爲集中. 同一土墩內墓葬的年代往往十分接近或重疊. 墓葬類型以土坑木槨墓占主流, 另有少量的土坑墓, 土坑磚槨墓, 磚室墓及零星的畫像石墓. 葬俗以單葬爲主, 部分爲同穴合葬, 少量爲异穴合葬. 葬具普遍已腐坏无存, 在个別保存較好的墓中, 木槨外形呈箱式, 槨內間隔出棺廂, 邊廂及頭廂, 棺木以榫卯結构的箱式棺爲主, 个別爲獨木棺, 如長興七女墩M4, "棺的橫截面呈'U'字形, 由整段木料雕鑿而成, 殘高0. 65米"[13]. 隨葬品西漢時期以鼎, 盒, 瓿, 壺,

---

11) 浙江省文物考古研究所 · 湖州市博物館, 2005, 「浙江省湖州市楊家埠古墓發掘報告」, 『浙江省文物考古研究所學刊』, 第七輯, 杭州出版社, 第251頁-圖八五.

12) 浙江省文物考古研究所, 2002, 「浙江湖州市方家山第三號墩漢墓」, 『考古』, 第1期, 第35頁-圖二.

13) 胡秋涼, 2012, 「長興七女墩墓中群清理簡報」, 浙江省博物館編 『東方博物』, 第四十三輯, 浙江大學出版社, 第32頁-圖八.

罐, 罍, 灶爲基本組合, 質地以高溫釉陶爲主, 硬陶爲輔 ; 東漢時期以鍾, 五管瓶, 罐, 罍, 灶爲基本組合, 質地以低溫釉陶或靑瓷爲主, 泥質陶爲輔.

2. 上海

發現的地点僅有靑浦駱駝墩和福泉山兩處, 主要特点爲 :

① 土墩坐落于平原地區 ; 分布无一定規律.

② 成因方式與浙江的沿用類直接型相同, 如福泉山墓地建于良渚文化的土台之上.

③ 墓葬年代爲西漢早期至東漢早期. 類型均爲土坑(木椁)墓 ; 葬俗以單葬爲主, 少量爲异穴合葬 ; 隨葬品以鼎, 盒, 瓴, 壺, 罐, 罍, 灶爲基本組合, 質地以高溫釉陶爲主, 硬陶爲輔.

3. 江蘇

已發掘的地点有蘇州浒關[14], 常州醬品厂和恽家墩[15], 宝應縣射陽湖[16], 泗陽

---

14) 姚晨辰 · 金怡 · 聞惠芬, 2007, 「浒關鎭高墳西漢墓群發掘簡報」, 『蘇州文物考古新發現 · 蘇州考古發掘報告專集(2001-2006)』, 古吳軒出版社, 第337~345頁.

15) 黃建秋, 1989, 「常州市醬品廠發現漢墓」, 『東南文化』, 第2期 ; 江蘇常州博物館, 2011, 「江蘇常州蘭陵恽家墩漢墓發掘簡報」, 『南方文物』, 第3期, 第44~58頁.

16) 季壽山, 2006, 「射陽漢代土墩墓保護調查與思考」, 賀雲翱主編『長江文化論叢』, 第四輯.

陳墩[17]等. 土墩墓的主要特点爲:

① 土墩普遍坐落于平原地區, 个别位于丘陵地帶. 如補充例子. 土墩分布具有成組現象. 如泗陽陳墩所在的三庄鄕, "在東西寬2500, 南北長7500米的范圍內, 南北同一軸線上, 已發現40余座封土堆. 這些封土堆大致分成5組, 每組都以一座大型封土堆墓爲中心, 周圍分布着若干小型封土墓".

② 土墩的堆筑方式普遍爲新筑中的全堆型類, 有的土墩具有夯筑現象. 如蘇州滸關高墳, "墳地由黃土版筑, 夯打十分堅硬". 又如江蘇泗陽陳墩, "土墩的堆土自上而下可分爲⑥層, 并經過夯筑".

③ 墓葬開口于同一層面, 打破關系极少. 墓坑的布局具有一定的設計, 墓坑的排列有橫排式, 向心式及环繞式三种. 向心式如常州惲家墩墓地, "土墩中心位置爲17座土坑墓, 除M19外, 墓向均爲南北方向. 四周环形排布16座磚室墓, 磚室墓墓向均指向土墩中心"(圖); 环繞式如蘇州滸關高墳, "墩內9座漢墓呈圈狀分布"(圖).

4④ 墓葬年代为西汉早期至六朝. 类型以土坑木樟墓占主流, 另有少量的土坑墓、土坑磚樟墓, 磚室墓及零星的画像石墓. 葬俗以单葬为主, 个别为异穴合葬. 葬具有箱式棺, 樟两种, 如补充例子. 随葬品的基本组合和质地与浙江相同.

4. 安徽

目前已發掘广德南塘(与浙江長興交界)墓地, 土墩數量近百座. 其主要特点爲:

---

17) 江蘇泗陽三莊聯合考古隊, 2007, 「江蘇泗陽陳墩漢墓」『文物』第7期, 第39~59頁.

① 墓群分布于低矮丘陵的山崗上, 以崗脊部位最爲密集. 有的位于平地發展. 土墩分布具有成組現象, 每組中間的土墩往往較大〔論文〕.

② 土墩的堆筑以新筑類全堆型爲主, 个別爲沿用類間接型.

③ 墓葬的打破關系較少. 數量2～6座最爲常見, 最多者15座. 墓坑的排列有橫排式和向心式两种. 个別墓葬外圍有方形茔域界溝. 如D20(圖).

④ 墓葬年代爲西漢早期至東漢. 類型有土坑墓, 土坑木椁墓, 券頂磚室墓三類. 葬俗以單葬爲主, 个別爲異穴合葬. 隨葬品基本組合与浙江相同.

5. 山東

墓地主要集中在魯東南沿海一線, 如日照海曲[18], 沂南董家岭和宋家哨及侯家宅[19], 五蓮西樓[20], 膠南河頭和紀家店子及丁家皂戶[21], 膠州里岔趙家庄[22], 萊州朱漢[23]等. 其主要特征爲

18) 山東省文物考古研究所, 國家文物局主編, 2003, 「山東日照海曲漢代墓地」, 『2002中國重要考古發現』, 文物出版社 ; 山東省文物考古研究所, 2010, 「山東日照海曲西漢墓(M106)發掘簡報」, 『文物』, 第1期.

19) 黨浩, 2003, 「臨沂市沂南縣董家嶺漢代墓地」, 『中國考古學年鑑・2002』, 文物出版社 ; 崔聖寬, 2003, 「沂南縣宋家哨漢代墓地」, 文物出版社 ; 李日訓, 2003, 「沂南縣侯家宅漢代家族墓」, 『中國考古學年鑑・2002』, 文物出版社, 第244～246頁.

20) 崔聖寬, 2003, 「五蓮縣西樓漢代墓地」, 『中國考古學年鑑・2002』, 文物出版社, 第245頁.

21) 李日訓等, 2004, 「膠南市河頭漢代墓葬」, 燕東生等, 2004, 「膠南市紀家店子漢代墓地」, 宋愛華等, 2004, 「膠南市丁家皂戶漢代墓葬」, 『中國考古學年鑑・2003』, 文物出版社, 第221～223頁.

22) 蘭玉富等, 2006, 「山東膠州趙家莊漢代墓地的發掘」, 國家文物局主編 『2005中國重考古發現』, 文物出版社.

23) 党浩・王緒德, 2004, 「萊州市朱漢商周時期遺址和漢代墓地」, 『中國考古學年鑑・

① 土墩普遍坐落沿海丘陵地區的高岡岭地之上, 同一墓地的土墩分布并无一定的規律.

② 土墩的堆筑分爲兩類, 一類爲先堆筑台基, 然后在台基上造墓并堆筑封土, 再以台基一側或周緣爲依托, 不斷擴大台基并挖筑墓穴, 逐漸形成更大的封土. 另一類是先在岭地上開挖墓穴, 在其上一次性堆筑較大的封土台基, 然后在其上順次造墓, 等封土台基上的墓穴達到一定數量后, 再順台基一側或周緣添筑封土, 并修建墓穴. 有的封土台基周圍有界溝, 如膠州趙家庄墓地中的D2.

③ 土墩內的墓葬多數開口于不同層面, 打破, 疊壓關系較多. 墓坑的布局具有一定的設計.

④ 墓葬年代爲西漢中期偏早至魏晋時期. 類型以土坑木椁墓占主流, 另有部分磚室墓. 葬俗以單葬爲主, 部分爲同穴合葬. 葬具普遍爲箱式木椁, 木棺爲主, 個別爲瓮棺. 隨葬品西漢時期以鼎, 盒, 瓿, 壺, 罐, 甂, 灶爲基本組合, 質地有高溫釉陶和泥質灰陶兩類.

6. 湖南

發現于常德南坪, 腰路鋪, 東風等地東西寬約4公里, 南北長約5公里共20平方公里的地域內. 主要特点爲 :

① 土墩坐落于洞庭湖冲積平原區.

② 土墩的堆筑与浙江的新筑類半堆型相同. 但事先的規划性更爲明顯, 如堆

2003』, 文物出版社, 第208頁.

筑前先埋設底部排水溝, 并以排水溝作爲各墩間的邊界 ; 堆筑時用經過挑選的青膏泥壘筑縱橫相間的標志墙(兆域).

③ 墓葬開口于同一層面, 打破關系极少.

④ 墓坑的布局具有一定的設計, 式典型的家族墓地.

⑤ 墓葬年代爲西漢中期至東漢初期. 類型以土坑木槨墓爲主, 少量爲券頂磚室墓. 木槨墓中的葬具有兩槨一棺, 一槨一棺之別 ; 棺有箱式棺和獨木棺兩种. 隨葬品除少量級別較高的墓葬內有典型嶺南風格的玻璃器和銅器及硬陶盒等外, 与浙江地區无明顯差別.

II. 土墩墓的相关問題

漢六朝土墩墓是一种新型的墓葬類型, 近年來已引起國內外相關學者的關注和重視. 借此机會, 筆者對漢六朝土墩墓的來源, 性質, 對外傳播談一点不成熟的看法.

1. 土墩墓源于江浙地區

從上述各地漢六朝時期的土墩墓主要特征可以看出, 其共性大于异性, 應該是同一种文化的産物, 由此引申出一个問題, 卽哪个文化文化的産物? 其源頭在哪里? 筆者以爲, 源頭應在江南地區的江浙一帶, 理由有二 :

1) 是当地喪葬習俗的傳承和演變；环境与气候制約的産物.

　　由于江南地區海拔較低, 地勢低洼, 以江河, 湖泊及沼澤的濕地類型爲主. 遠在新石器時代晩期, 先民們爲克服濕地多雨, 潮濕的缺憾, 通過人工堆筑土台, 疏導河流等手段, 逐步建立起一套适合江南濕地的聚落模式和信仰价值系統. 在浙江, 以埋葬和居住爲主要目的的土台型遺址和墓地, 早在距今5000多年前的崧澤文化中就已出現, 如嘉興南河浜遺址中崧澤文化時期的土台. 該土台爲平面略呈方形的覆斗狀, 現高1米, 底邊長約13米[24]. 至良渚文化時期, 土台的內涵, 類型及規模更是達到巔峰. 如被譽爲"土筑金字塔"的瑤山高台墓地, 土台用不同的土色堆筑于山丘之上, 形成一處長, 寬, 高米的祭台, 其內有序地埋有13座高規格的墓葬.

　　進入歷史時期后, 這种筑台建墓的喪葬文化傳統進一步得到傳承和發展, 并逐步形成了"天人合一, 擇高而葬"的喪葬觀. 因此, 土墩墓在吳越地區應運而生, 迅猛發展, 成爲商周至戰國早期這一地區的主要乃至近乎唯一的墓葬類型. 在浙江, 人工堆筑的土墩墓遍及全境, 尤以杭嘉湖和宁紹地區最爲集中. 先秦時期的土墩墓主要分布在丘陵崗地及山脊分水線上, 外觀多呈圓形或橢圓形的饅首狀, 土墩直徑大多在20米以下, 高在1～2米之間, 少數大型土墩直徑在30米以上, 高3～5米不等, 土墩体量的大小与墓葬等級或墩內墓葬數量密切相關. 墓葬大多爲平地向上起建, 在選定建墓位置后, 首先進行平整, 局部削低或用土墊高, 墊平, 再在其上构建墓室本体, 待下葬程序完成后直接覆土掩埋, 加筑封土成墩.

　　至漢代, 東漸的楚風尚未消失, 南下的漢制接踵而來, 在外來文化不斷地, 强

---

24) 林永珍 · 孫璐, 2010, 「吳越土墩墓與馬韓丘墓的構造比較」, 『東南文化』, 第5期.

烈地冲擊和影響下, 使得土墩墓的分布范圍和數量驟減. 但政權的更替并不代表着傳統文化的消亡, 漸趨式微土墩墓在局部地區仍頑强的存在和發展, 直至東漢以后才逐漸消失.

2) 年代連綿不斷, 土墩類型齊全.

上述資料表明, 各地發掘的漢六朝時期的土墩墓, 无論是年代的早晚和延續性 ; 還是土墩堆筑類型的的全面性, 浙江均占首位, 其次爲江蘇. 其余地區或出現時間晚于浙江, 江蘇 ; 或流行時間短暫. 如湖南常德南坪地區的墓葬年代僅爲 "西漢中期至東漢初期". 同時, 在江南以外地區發現的土墩墓, 无論是墓地的營建方式, 還是隨葬品的基本組合和質地, 均与当地同時期的墓葬格格不入, 具有明顯的异地風格. 据山東學者介紹, 在魯東南沿海地區土墩墓的隨葬品中, 具有江南地區風格的高溫釉陶器比例高達50%. 究其原因, 應与浙江, 江蘇一帶喪葬習俗的外延, 族种的遷徙有着緊密的聯系.

2. 土墩墓是聚族而葬的墓地

漢六朝土墩墓普遍爲一墩多墓的形式, 因此, 這种土墩墓是家族墓地? 還是公共墓地? 還是擇高而葬的普通墓地? 學者們各執己見, 認識不一.

在各地發現的土墩墓中, 墩內墓葬普遍呈現出墓坑排列有序, 走向一致. 不同時期土墩墓形式的存在反映了區域文化的延續.

我初步認爲, 盡管山東漢墓在墓壙形式和隨葬品等方面有其地方特点, 但墓葬的土墩埋葬方式可能是受了吳越文化因素的影響. 長江以北的蘇北是浙江, 蘇

南地區土墩墓向北傳播影響的過渡地帶,

　　韓國三韓中之馬韓曾流行一种墳丘墓, 墳丘墓大部分聚集在低矮的丘陵頂部或緩坡上, 平面有方形, 梯形, 圓形等, 直徑大多在20米左右, 也有長達100米的, 高度在2~5米左右, 營建過程是：平整地面, 在地面上安置尸身, 或先部分堆土成墳丘, 然后挖土坑安置尸身, 使用木棺, 瓮棺, 石床, 圍石, 燒土等. 可能在中心墳丘內追加埋葬, 或在中心墳丘旁營建小墳丘以追加埋葬, 完成追加葬時再完成全部墳丘. 也可水平或竪直擴張中心墳丘追加埋葬. 在堆土成墳過程中, 墳丘周圍因采土而形成周溝或水塘. 韓國學者通過墳丘墓同我國江南地區吳越土墩墓結構上的比較, 發現二者之間存在諸多相似之處, 認爲"很難排除中國江南地區的土墩墓是韓國馬韓墳丘墓起源的可能性". 馬韓墳丘墓流行于馬韓至百濟時期, 馬韓在『三國志 · 魏書 · 烏丸鮮卑東夷傳』有記載, 事迹大多在我國東漢, 三國時期, 起始年代爲公元前2世紀中叶, 相当于我國西漢中期. 无論從時間還是從空間上, 都与江南吳越土墩墓有不小的跨度. 現在我們如果從魯東南和膠東地區漢代土墩墓的分布事實以及其流行于西漢中期至魏晋這一時間段來審視, 或許能爲馬韓墳丘墓的來源提供有益的線索.

　　把前面關于漢代土墩墓的分析做一下簡單總結, 其傳播路線爲：浙北, 蘇南—蘇北(過渡)—魯東南, 膠東—韓國馬韓(忠淸, 全羅道).

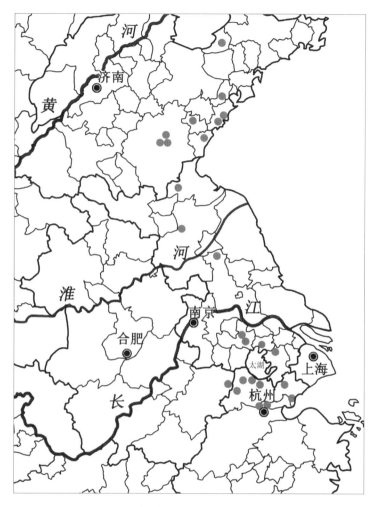

〈图 1〉汉代土墩墓分布

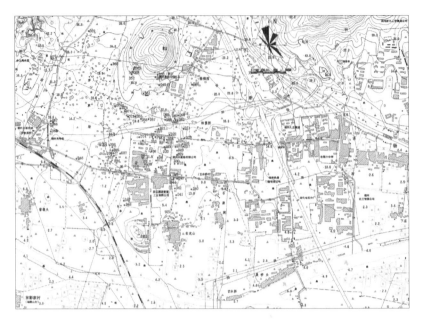

〈图 2〉湖州杨家埠土墩墓分布

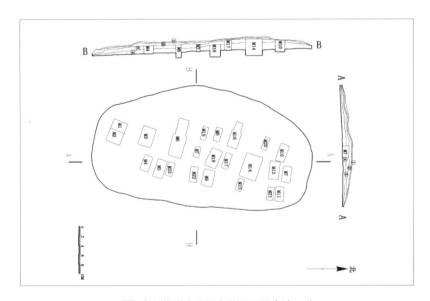

〈图 3〉新筑类全堆型土墩(湖州杨家埠D69)

〈图 4-1〉新筑类预留型土墩(安吉天子湖上马山D78M8—平面)

〈图 4-2〉新筑类预留型土墩(安吉天子湖上马山D78—断面)

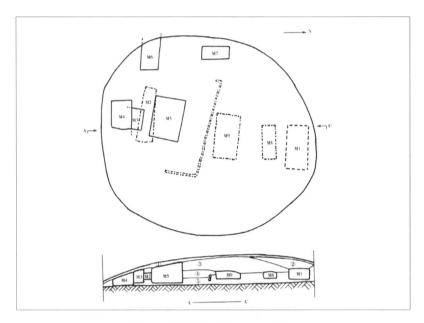

〈图 5〉沿用**类间**接型土墩(湖州**杨**家埠D11)

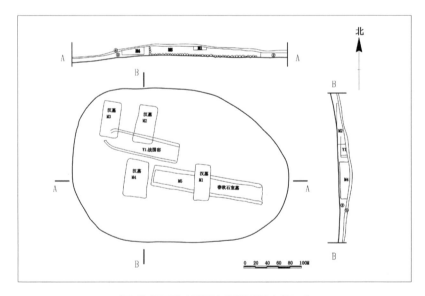

〈图 6〉沿用**类直**接型土墩(湖州**杨**家埠D58)

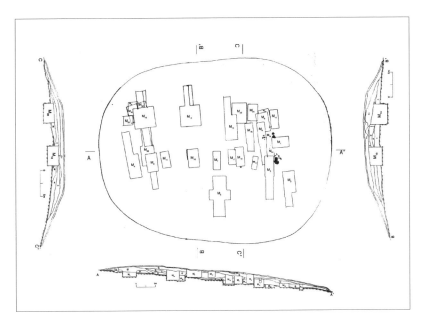

〈图 7〉组合类土墩(长兴夏家庙D10)

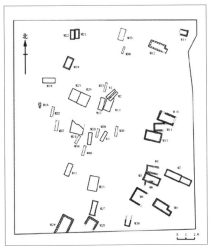

〈图 8〉向心式墓布局(常州恽家墩土墩墓)

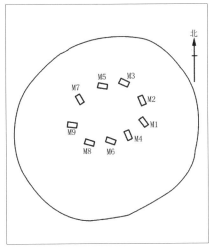

〈图 9〉環绕式墓布局(苏州浒关高坟土墩墓)

중국 한대 토돈묘

후지건 (중국 절강성고고연구소)

번역 **孫璐** (중국 내몽고대학)

한대 토돈묘는 늦어도 20세기 50년대에 발견되었다. 예를 들면, 강소 무석 壁山莊의 長腰墩 · 烏龜墩 · 仙蠶墩, 상해 靑浦 駱駝墩 등이 있다[1]. 그러나 당시에는 무덤과 인공적으로 축조한 토돈을 같은 고고학 단위에 속한 것으로 인식하지 않아서 높은 위치를 선택해서 매장한 한대의 무덤으로만 생각하였다. 1987년에 이르기까지 절강의 고고학자들은 湖州 楊家埠에서 토돈 15기를 발굴하였는데, 이런 토돈들은 외형상 흙언덕으로 보이고 매장주체의 수가 다른 한대 무덤이 주체라고 보았으며, "발견된 토돈은 선진시대~양한시대에 사람들이 무덤을 쓰기 위해 전문적으로 조영한 것"으로 인식되었다[2]. 이는 자주 보인 같은 시기의 무덤과 조영 방식, 매장 풍습 등에 있어서 질적으로 구별되며 새로운 유형으로 보아서 "한대 토돈묘"의 개념을 제시하였다(그림 1). 그 주요 특징은 다음과 같다.

① 묘광이 인공적으로 축조한 토돈 안에 만들어졌다.

② 개별 매장이 모두 묘광(묘실)에 이루어졌다.

③ 부장품은 고온 소성의 釉陶와 경질도기 위주이다.

④ 시기는 양한부터 육조까지이다.

⑤ 一墩多墓이고 개별 매장은 일정한 계획 아래 배치되어 있다.

---

1) 朱江, 1955, 「無錫漢至六朝墓葬淸理紀要」, 『考古通訊』, 6期, 27~30쪽.
2) 黃宣佩 · 孫維昌, 1959, 「上海市靑浦縣駱駝墩漢墓發掘」, 『考古』, 12期, 688~689쪽.

Ⅰ. 토돈묘의 분포와 특징

현재까지 이미 발견되었거나 조사되었던 한~육조 토돈묘는 주로 동남연해 일대에 분포하고 있으며 특히 절강성과 산동성에 가장 많고 호남성 常德에서 한 예만 알려져 있다. 각 지역 무덤의 분포와 주요 특징은 아래와 같다.

1. 절강

절강에는 한~육조 시대 토돈묘가 수천 기 정도 있는데 이는 발굴과 지표조사를 통해 알 수 있다. 주로 북부지역에 집중하고 있으며 특히 湖州 지역에 가장 많다. 현재 湖州 楊家埠[3], 安吉 天子湖[4], 長興 稚城[5] 등 3곳에 크기가 서로

---

3) 浙江省文物考古研究所·湖州市博物館, 2005, 「浙江省湖州市楊家埠古墓發掘報告」, 『浙江省文物考古研究所學刊』, 第七輯, 杭州出版社, 142~295쪽 ; 湖州市博物館, 1993, 「浙江湖州窯墩頭古墓淸理簡報」, 『東南文化』, 1期, 157~161쪽 ; 浙江省文物考古研究所, 2002, 「浙江湖州市方家山第三號墩漢墓」, 『考古』, 1期, 34~45쪽 ; 李輝達, 2012, 「湖州市楊家埠二十八號墩漢墓」, 浙江省文物考古研究所編『浙江漢六朝墓報告集』, 科學出版社, 10~49쪽 ; 李輝達·劉建安·胡繼根, 「湖州楊家埠漢代家族土墩墓群及其他墓葬的發掘」, 浙江省文物考古研究所編『浙江考古新紀元』, 科學出版社, 208~214쪽.

4) 安吉縣博物館, 1996, 「浙江安吉縣上馬山西漢墓的發掘」, 『考古』, 7期, 47~59쪽 ; 田正標·黃昊德·劉建安·郎劍鋒, 2009, 「安吉上馬山漢代古墓群的發掘」, 浙江省文物考古研究所編『浙江考古新紀元』, 科學出版社, 215~217쪽.

5) 孟國平, 2013, 「試談浙江長興地區秦漢時期土墩遺存的堆積成因──以長興夏家廟土墩墓爲例」, 中國社會科學院,浙江省文物考古研究所合編『秦漢土墩墓論文集』, 文物出版社, 待刊.

다른 토돈이 이미 수백 기 조사되었다. 이 외에 德淸 羊家山[6], 余杭 大觀山[7], 嘉興 皇墳頭[8], 海鹽 南擡頭[9], 桐鄕 大墳墩[10] 등 지역에도 가끔 조사된 곳이 있다. 각 지역 토돈묘의 주요 특징은 아래 와 같다.

① 토돈은 낮은 구릉의 민밋한 비탈면에 위치한 것이 일반적이고 일부는 평탄지에 위치한다. 예를 들면 양가부, 천자호, 치성 등의 무덤은 天目山 자락의 비탈면에 위치하고 있으며 황분두, 남대두, 대분돈 등의 무덤은 錢塘江 충적평야의 북안에 위치하고 있다. 토돈의 분포는 군집해서 나누어지는 형상이 존재한다. 예를 들면 호주 양가부에서 조사된 70여기의 토돈 가운데 규모가 대략 같은 토돈들이 한군으로 집중된 현상을 보인다. 같은 군내의 토돈 간의 거리가 몇 미터만이거나 심지어 서로 연결된 상태이다. 그러나 군과 군 사이에 거리가 상대적으로 멀어 일반적으로 수십이나 수백 미터로 떨어진다(그림 2). 안길 천자호 묘군은 항공사진으로 보면 여러 작은 토돈들이 한 큰 토돈 주위를 둘러싼 형상을 이루고 있다.

② 토돈 축조 방식은 3가지가 있는데 新築, 沿用, 組合 등이다. 新築類 토돈은 한대 어떤 시기에 성토한 것으로서 토돈 안에 한대 이전의 매장이 없고 성토 과정의 차이에 따라 全堆型과 半堆型으로 나눌 수 있다. 이 가운데 전퇴형이 가장 보편적인데 토돈은 일차적으로 성토하고 묘광을 토돈 안에 직접 파기 때문에 묘광의 네벽이 모두 성토층에 있다. 호주 양가부 D69를 예로 들 수 있

---

6) 浙江省文物考古硏究所編著, 2012, 『起於累土──土台·土墩·土塚』, 浙江古籍出版社, 195쪽.
7) 胡繼根, 2012, 「杭州大觀山果園漢墓發掘簡報」, 浙江省文物考古硏究所編 『浙江漢六朝墓報告集』, 科學出版社, 100~140쪽.
8) 嘉興市文物局, 1987, 「浙江嘉興九裡匯東漢墓」 『考古』, 7期, 666~668쪽.
9) 浙江省文物考古硏究所, 海鹽縣博物館 發掘 資料.
10) 周偉民, 2012, 『文明留痕』, 浙江人民出版社, 53~57쪽.

다. 토돈은 위에서 아래로 4층으로 나눌 수 있으며 21기의 한 대 무덤 묘광이 ②층에서 확인된 것이다(그림 3). 반퇴형 토돈은 수가 비교적 작은데 토돈 안의 무덤 등급이 높고 묘광도 비교적 크다. 성토할 때 묘광의 위치를 미리 설정해서 공간을 남겨놓으며(預留) 경우에 따라서는 다시 그 위치에서 여러층으로 판축하여 벽을 만들기도 한다. 예를 들면 안길 천자호 上馬山 D78는 조사를 통해 묘광 외곽을 돌아싼 불규칙적인 토광선이 있는데 이는 미리 남겨놓았던 공간을 말해주는 것이다(그림 4).

沿用類는 있던 기존의 선사시대 토돈이나 선진시대 토돈묘를 이용해서 무덤을 만든 것이다. 이용 정도에 따라 간접형과 직접형으로 나눌 수 있다. 간접형은 바로 선사시대 토돈이나 선진시대 토돈묘를 기반으로 높이거나 넓힌 것으로서 성토한 층위가 비교적으로 많으며 밑바닥이나 한 측면에 한 기나 여러 기의 선진시대 무덤이 존재한다. 호주 양가부 D11을 예를 들면, 토돈은 5개 층으로 나눌 수 있는데 그 가운데 선진시대 석실토돈묘 1기, 한대 무덤 8기가 있다(그림 5). 직접형은 큰 규모의 선사시대 토돈이나 선진시대 토돈묘에 바로 묘광을 파서 무덤을 만든 것으로서 토돈 안에 선사시대나 선진시대 무덤이 있거나 가마 유구(窯床)가 항상 존재한다. 호주 양가부 D58은 토돈에 2개층만 있으며 토돈 안에 한대 무덤 4기, 선진시대 석실토돈묘 1기, 가마 유구(窯床)가 모두 ②층에서 윤곽이 확인되었다. 이 가운데 한대 무덤 3기가 각각 선진시대 무덤과 가마 유구를 파괴하였다(그림 6).

組合類 토돈은 여러 무덤이나 작은 토돈으로 확장된 것이고 외관이 비교적으로 크다. 장흥 치성 하가묘의 D10으로 예를 들면, 큰 토돈이 남북 길이 47.3m, 동서 너비 35.8m, 높이 3m이며 안에 작은 토돈이 3개 있다(그림 7).

③ 토돈 안에 있던 한대 무덤은 대략 같은 층에서 윤곽이 확인된 것이며 서로 중복 관계가 자주 보이지 않는다. 일부 2차 확장된 토돈묘가 2층으로 나누

어지며 무덤 가운데 일부 중복과 파괴 관계가 있다. 무덤은 5~10기가 가장 많이 보인다. 양가부 묘군의 예를 들면 가장 많은 것이 21기, 예컨대 D69이다. 가장 적은 것은 1기만 있으며 D7이다. 또한 빈 토돈이 하나 있으며 D10이다[11].

④ 토돈 안의 묘광 배치가 일정한 기획 아래 이루어졌으며 橫式과 向心式 등 2가지로 나눌 수 있다. 횡식은 1~3열 등이 있고 전후 2열식이 가장 자주 보인다. 이 가운데 규모가 비교적 큰 것이 항상 앞이나 가운데 위치한다. 예를 들면 호주 방가산 3호돈에서는 총 13기 무덤이 있는데 앞 7열, 뒤 6열식으로 가장 자주 보이고, 13기 가운데 규모가 큰 편인 M28이 앞 열 중간에 위치한다[12]. 향심식은 비교적으로 큰 규모거나 높은 급의 무덤을 중심으로 다른 무덤들이 이 무덤을 둘러싼다. 같은 토돈 안의 각 무덤의 묘향이 거의 일치한다. 예를 들면 양가부 묘군 토광의 묘향이 항상 동서향이고 침향이 서향인데 전실묘의 묘향이 항상 남북향이고 침향이 남향이다. 그리고 소수 토돈의 무덤 주변에 영역을 표시한 주구가 있으며 안결 천자호 M77, M79를 예로 들 수 있다.

⑤ 토돈 안의 무덤의 연대는 상한이 전국 말~전한 초에 해당할 수 있으며 하한이 남조시대까지 이어지고 전한 중기~후한 초기 무덤이 가장 많다. 동일한 토돈 내의 무덤 연대가 항상 가깝거나 일치한다. 무덤 유형은 토광목곽묘가 주류를 차지하고 소량의 토광묘, 토광전곽묘, 전실묘, 그리고 개별 畵像石묘가 있다. 주로 단장이며 일부가 同穴合葬墓이고 소량이 異穴合葬墓이다. 매장시설은 기본적으로 부식되고 소량의 보존 상태가 양호한 무덤에서 목곽이

---

11) 浙江省文物考古研究所 · 湖州市博物館, 2005, 「浙江省湖州市楊家埠古墓發掘報告」, 『浙江省文物考古研究所學刊』 第7輯, 杭州出版社, 251쪽-圖八五.

12) 浙江省文物考古研究所, 2002, 「浙江湖州市方家山第三號墩漢墓」 『考古』, 1期, 35쪽-圖二.

상자 모양으로 보이고 목곽 안에 격자로 棺箱, 邊箱, 頭箱으로 구분된다. 관은 장부구조로 만든 상자식이 주류이며 개별 목관이 독목관도 있다. 長興 七女墩 M4로 예를 들면 "관의 단면이 'U'자형으로 보이고 통나무로 조각된 것이며 남은 높이 0.65m이다"[13]. 부장품은 전한시대에 鼎, 盒, 瓿, 壺, 단경호, 罍, 부뚜막 등이 기본 조합이 되고 질은 고온 유도가 주류이고 경질토기가 보조적이다. 후한시대에 鐘, 五管瓶, 단경호, 罍, 부뚜막 등이 기본 조합이되고 질이 저온 유도나 청자가 주류이고 연질토기가 보조적이다.

2. 상해

靑浦 駱駝墩과 福泉山 2개소만 발견되었다. 주요 특징이 아래와 같다.

① 토돈은 평야지대에 위치하고 분포에 일정한 규칙이 없다.

② 조성 방식은 절강의 연용형과 같으며 복천산 묘지가 양저문화의 토돈 위에 건축한 것으로 예를 들 수 있다.

③ 무덤 연대는 전한 초기~후한 초기이다. 묘제는 모두 토광(목곽)묘이다. 단장이 주류이고 소량의 이혈합장도 있다. 부장품은 鼎, 盒, 瓿, 壺, 단경호, 罍, 부뚜막이 기본 조합이고 질은 고온 유도가 주류이고 경질토기가 보조적이다.

---

13) 胡秋涼, 2012, 「長興七女墩墓中群淸理簡報」, 浙江省博物館編 『東方博物』, 第四十三 輯, 浙江大學出版社, 32쪽 圖八.

3. 강소

이미 조사된 지점은 蘇州 滸關[14], 常州 醬品廠과 惲家墩[15], 寶應縣 射陽湖[16], 泗陽陳墩[17] 등 있다. 토돈묘의 주요 특징이 아래와 같다.

① 토돈은 일반적으로 평야지대에 위치하고 소량이 구릉에 위치한다. 토돈의 분포는 군집 현상이 보인다. 예를 들면 사양 진돈이 소재한 三庄鄉에서 동서 너비 2,500m, 남북 길이 7,500m의 범위에서 남북 같은 축선에서 40여기가 발견되었다. 이런 무덤들이 대략 5조로 나누어지며 각조마다 한개의 대형 무덤을 중심으로 주변에 여러 개의 작은 무덤들이 분포하고 있는 것이다.

② 토돈의 성토 방식은 보통 새롭게 건축한 전퇴형에 속하고 일부 토돈은 판축 현상이 있다. 예를 들면, 소주 호관 고분은 "墳地가 황토로 판축한 것이고 두드려서 매우 견고하다". 또한 강소 사양 진돈은 "토돈의 성토가 위에서 아래로 6층으로 나눌 수 있으면 판축하였다".

③ 무덤은 같은 층에서 확인되었으며 서로 파괴 관계가 거의 보이지 않는다. 묘광의 포국은 일정한 기획을 통하였으며 묘광의 배치가 횡식, 향심식, 環繞式 3가지 있다. 향심식은 상주 惲家墩 묘지를 예로 들 수 있으며 "토돈의 중심 위치에 토광 17기가 있으며 M19를 제외하면 묘향이 모두 남북향이다. 주변에 16기 전실묘가 둘러싸고 있고 전실묘의 묘향이 모두 토돈의 중심을 향한

14) 姚晨辰 · 金怡 · 聞惠芬, 2007,「滸關鎭高墳西漢墓群發掘簡報」,『蘇州文物考古新發現 · 蘇州考古發掘報告專集(2001-2006)』, 古吳軒出版社, 337~345쪽.

15) 黃建秋, 1989,「常州市醬品廠發現漢墓」,『東南文化』, 2期 ; 江蘇常州博物館, 2011,「江蘇常州蘭陵惲家墩漢墓發掘簡報」,『南方文物』, 3期, 44~58쪽.

16) 季壽山, 2006,「射陽漢代土墩墓保護調査與思考」, 賀雲翺主編『長江文化論叢』, 第四輯.

17) 江蘇泗陽三莊聯合考古隊, 2007,「江蘇泗陽陳墩漢墓」,『文物』, 7期, 39~59쪽.

다"(그림 8). 환요식은 소주 호관 고분을 예로 들 수 있으며 "토돈에 한대 무덤 9기가 횡상으로 분포하고 있다"(그림 9).

④) 무덤의 연대는 전한초기~육조에 해당한다. 형식은 주로 토광목곽묘이고 소량의 토광묘, 토광전곽묘, 전실묘, 그리고 개별 화상석묘도 있다. 단장이 주류이고 개별 이혈합장도 있다. 매장시설은 箱式棺과 槨 2가지가 있다. 부장품의 기본 조합과 질은 절강 것과 같다.

4. 안휘

현재까지 廣德 南塘(절강 장흥과 인접) 묘지가 이미 조사되었으며 토돈의 수량이 근 백기나 있다. 그의 주요 특징이 아래와 같다.

① 묘군은 낮은 구릉의 언덕에 분포하고 있으며 능선에 가장 밀집하고 있다. 일부가 평야지대에 위치한다. 토돈은 군집 현상이 있는데 한 군집의 가운데 위치한 토돈이 비교적 크다.

② 토돈의 성토는 신축류 전퇴형이 주류이며 개별 연용류 간접형도 있다.

③ 무덤의 중복 관계가 적다. 2~6기가 가장 자주 보이고 가장 많은 편이 15기 있다. 묘광의 배치는 橫排式과 향심식의 2가지가 있다. 일부 무덤 밖에 방형의 범위 표시 주구가 있다. D20을 예로 들 수 있다.

④ 무덤의 연대는 전한초기~후한에 해당한다. 형식은 토광묘, 토광목곽묘, 券頂磚室墓 등 3가지로 나눌 수 있다. 주로 단장이고 개별 이형합장도 있다. 부장품의 기본 조합이 절강의 것과 같다.

5. 산동

묘지는 주로 산동 동남 연해안에 집중한다. 예를 들면, 日照 海曲[18], 沂南董家嶺 · 宋家哨 · 侯家宅[19], 五蓮西樓[20], 膠南河頭和紀家店子及丁家皂戸[21], 膠州裡岔趙家莊[22], 萊州朱漢[23] 등이 있다. 주요 특징은 아래와 같다.

① 토돈은 일반적으로 연해 구릉지역의 언덕에 위치하고 같은 묘지 토돈의 분포에 대해 일정한 규칙이 없다.

② 토돈의 성토에 따라 2가지로 나눌 수 있다. 하나는 먼저 臺基를 성토하고 그 다음 대기에서 무덤을 만든 후 다시 성토하고 대기의 한쪽이나 주연에 확장해서 더 큰 분구를 만든 것이다. 또 하나는 먼저 구릉에서 묘광을 파고 그 위에 일차적으로 큰 봉토 대기를 건축하고 그 대기에서 다시 무덤을 만들어 일정한 수량에 달한 다음에는 대기 한쪽이나 주변에 다시 분구를 추가하고 무덤 만든다. 일부 분구 대기 주변에 경계 주구가 있으며 교주 조가장 묘지의 D2를

18) 山東省文物考古研究所, 國家文物局主編, 2003, 「山東日照海曲漢代墓地」, 『2002中國重要考古發現』, 文物出版社 ; 山東省文物考古研究所, 2010, 「山東日照海曲西漢墓(M106)發掘簡報」, 『文物』, 1期.

19) 薫浩, 2003, 「臨沂市沂南縣董家嶺漢代墓地」, 『中國考古學年鑒 · 2002』, 文物出版社 ; 崔聖寬, 2003, 「沂南縣宋家哨漢代墓地」, 文物出版社 ; 李日訓, 2003, 「沂南縣侯家宅漢代家族墓」, 『中國考古學年鑒 · 2002』, 文物出版社, 244～246쪽.

20) 崔聖寬, 2003, 「五蓮縣西樓漢代墓地」, 『中國考古學年鑒 · 2002』, 文物出版社, 245쪽.

21) 李日訓等, 2004, 「膠南市河頭漢代墓葬」, 燕東生等, 2004, 「膠南市紀家店子漢代墓地」, 宋愛華等, 2004, 「膠南市丁家皂戸漢代墓葬」, 『中國考古學年鑒 · 2003』, 文物出版社, 221～223쪽.

22) 蘭玉富等, 2006, 「山東膠州趙家莊漢代墓地的發掘」, 國家文物局主編『2005中國重考古發現』, 文物出版社.

23) 党浩 · 王緒德, 2004, 「萊州市朱漢商周時期遺址和漢代墓地」, 『中國考古學年鑒 · 2003』, 文物出版社, 208쪽.

예로 들 수 있다.

③ 토돈 안의 무덤들이 대부분 같은 층에서 확인된 것이 아니며 서로 중복
이나 파괴 관계가 많다. 묘광의 포국은 일정한 기획을 통하였다.

④ 무덤의 연대는 전한중기초~위진시대에 해당한다. 유형은 주로 토광목곽
묘이고 일부가 동혈합장묘도 있다. 매장시설은 상자식 목곽, 목관이 보편적으
로 사용되고 개별 옹관을 사용한 것도 있다. 부장품은 전한시기에 鼎, 盒, 瓿,
壺, 罐, 釜, 부뚜막 등이 기본 조합을 구성하였으며 고온 유도과 연질 회색 토
기 2가지가 있다.

6. 호남

常德 南坪, 腰路鋪, 東風 등 지역에서 동서 너비 약 4km, 남북 길이 약 5km,
면적 약 20㎢의 구역 안에서 조사되었다. 주요 특징은 아래와 같다.

① 토돈은 동정호 충적 평야에 위치한다.

② 토돈의 성토는 절강의 신축류 반퇴형과 같다. 그러나 기획성이 더 잘 보
인다. 예를 들면 성토 전 미리 저부에 배수구를 설치하고 배수구로 각 토돈의
경계로 삼는다. 성토할 때 선택된 青膏泥로 표시 벽을 쌓았다.

③ 무덤은 같은 층에서 확인되었으며 서로 파괴 관계가 극소수이다.

④ 묘광의 포국은 일정한 기획이 있으며 전형적 가족 묘지이다.

⑤ 무덤의 연대는 전한중기~후한초기에 해당한다. 묘제는 주로 토광목곽묘
이고 소량이 券頂磚室墓이다. 목곽묘의 매장시설은 二槨一棺과 一槨一棺으로
구분할 수 있다. 관은 상자식 관과 통나무 관으로 구분할 수 있다. 부장품은 소
량의 높은 급의 무덤에서 전형적 영남 스타일의 유리기와 청동기, 경질토기 盒

외에 다른 것은 절강지역과 명확한 차이가 보이지 않는다.

Ⅱ. 토돈묘의 관련 문제

한~육조 토돈묘는 신형 무덤 유형이다. 근년에 이미 국내외 학자의 주목과 중시를 많이 받았다. 이 기회로 필자는 한~육조 토돈묘의 기원, 성격, 대외 전파 등에 대해 성숙하지 않은 인식을 발표하겠다.

1. 토돈묘는 절강지역 기원

상술한 각 지역 한~육조 토돈묘의 주요 특징을 통해 그의 공통성이 차이성 보다 크며 같은 문화에 속한 것인 것 같다. 그러나 어떤 문화에 속한 것인지? 그의 기원이 어디에 있는지? 등이 문제가 되었다. 필자는 그의 기원이 강남지역의 강(소)절(강)일대에 있다고 보며 그 이유는 아래와 같다. 총 2가지 있다.

1) 현지 매장 풍습의 계승과 연변이며 환경과 기후 변화의 결과

강남지역은 해발이 비교적으로 낮고 지세가 늦고 주로 강물, 호수나 소택지 등의 유형이다. 신석기 만기부터 고인들은 습지, 비가 많고 습기가 많은 단점을 극복하여 인공 성토한 토대를 만들었다. 강물을 준설한 방식으로 점착 강남 습지에 적응한 취락 패턴과 신앙가치 계통을 만들었다. 절강에서는 매장과 거주를 목적으로 한 토대형 유적과 묘지가 5,000여 년 전의 松澤文化에서 이미 나타났다. 예를 들면 가흥 남하병 유적에 있는 송택문화 시기의 토대가 있다. 이 토대는 평면이 약간 방형으로 보인 복두형이며 현 높이 1m, 저부 한 변길이 약 13m이다. 良渚文化 시대가 되면 토대의 내포, 유형, 그리고 규모는 더욱 절정에 올라갔다. 예를 들면 "토축 금자탑"이라고 한 瑤山高臺 묘지가 있다. 토대는 색깔이 서로 다른 흙으로 구릉에서 성토하고 한 祭臺를 형성하였으며 그 안에 순서대로 높은 급 무덤 13기가 있다.

역사시대에 들어가면 이런 築臺해서 무덤을 만든 장례문화 전통은 진일보 계승과 발전을 하였으며 점차 "天人合一, 擇高而葬"의 장례 이념을 형성하였다. 그래서 토돈묘는 오월지역에서 시대의 요구에 의해서 나와 급격히 발전하고 상주시대~전국 초기에 이 지역의 주요 내지 유일한 무덤 유형이 되었다. 절강에서는 인공적으로 성토한 토돈묘가 전역에 분포하고 있으며 특히 杭嘉湖와 寧紹 지역에 가장 집중된다. 선진시대 토돈묘는 구릉 위나 능선에 주로 분포하고 있으며 외관이 원형이나 타원형의 빵모양으로 보인다. 토돈의 직경은 대략 20m 이하에 해당하고 높이가 1~2m 사이에 해당한다. 소량 대형 토돈은 직경이 30m 이상으로 되며 높이가 3~5m로 일치하지 않는다. 토돈의 크기는 무덤의 등급이나 토돈 안의 무덤의 수와 밀접한 관계가 있다. 무덤은 다개 평야지대에서 위로 건축한 것이고 무덤 위치를 선정한 다음에 우선 땅을 정비하고 국부에 깎거나 돋우고 그 위에 묘실 본체를 만들었다. 장례를 진행한 다음에 바로 흙을 덮어 토돈을 형성한다.

한대에 들어가면 동쪽으로 파급된 초나라 스타일이 아직 남아 있는데 남쪽으로 내려온 한의 제도도 따라와서 외래문화가 끊임없이 강력한 충격과 영향을 기침으로써 토돈묘의 분포 범위와 수량이 급하게 줄어들었다. 그러나 정권의 변화가 전통문화의 소멸을 초래한 것이 아니라 점차 감소된 토돈묘는 일부

지역에서 아직 존재하고 발전하고 있으며 후한 이후 점착 소멸되었다.

2) 연대적으로 이어지는 토돈묘 유형들이 모두 있음

상술한 자료로 보면 각 지역에서 조사된 한~육조 토돈묘들이 연대와 연속성은 물론이고 토돈묘 성토 유형의 전면성에 있어서 절강 것이 가장 앞에 위치하고 그 다음은 강소이다.

다른 지역은 출현 시간이 절강, 강소보다 늦거나 유행 기간이 짧다. 예를 들면, 호남 상덕 남평지역의 무덤 연대가 "전한 중기~후한 초기"에 해당한다. 동시에 강남지역 외에 발견된 토돈묘는 묘지의 조영 방식은 물론이고 부장품 기본 조합과 질도 현지 같은 시기의 무덤과 전혀 같지 않고 명확한 다른 지역 스타일을 가지고 있다. 산동 학자의 소개에 따라, 산동 동남 연해지역 토돈묘의 부장품에서 강남지역 스타일의 고온 유도 비율은 50%에 달하였다. 그 이유는 절강, 강소 일대의 장례 풍습의 외연과 인간 집단의 이동과 밀접한 관계가 있다.

2. 토돈묘는 가족묘

한~육조 토돈묘는 일반적으로 一墩多墓 형식이다. 그래서 이런 토돈묘는 가족 묘지인가? 공공묘지인가? 높은 곳을 선택한 보통 묘지인가? 학자들은 모두 자기 의견을 강조해서 인식이 일치하지 않다.

각지에서 발견된 토돈묘 가운데 토돈 안의 무덤은 보편적으로 묘광 배치가 일정한 순서를 준수하고 방향도 서로 일치한다. 다른 시기 토돈묘 형식의 존재가 구역 문화의 연속을 반영하였다.

필자는 초보적으로 살펴보았다. 산동 한나라 묘의 묘광형식, 부장품 등의 방면에서 지역 특색을 가지고 있지만 무덤의 토돈에서 매장한 방식이 오월문화의 영향을 받은 것으로 생각하였다. 장강 이북의 소북지역은 절강, 소남지역의 토돈묘가 북으로 전파 영향을 끼친 과도지대이다.

한국의 삼한 가운데 마한에서 분구묘가 유행하였다. 분구묘는 대부분 낮은 구릉 정상이나 완만한 경사면에 위치하고 평면이 방형, 제형, 원형 등이 있고 규모가 거의 20m 내외에 해당하고 물론 더 큰 것도 있으며 높이가 2~5m 정도이다. 그 조영 과정은 우선 바닥을 정비하고 지표에 시신을 안치하거나 먼저 성토해서 분구를 만들어 다음 묘광을 파서 시신을 안치하고 목관, 옹관, 석상, 위석, 소토 등을 사용한다. 중심 분구 내에 추가장도 있거나 중심 분구 옆에 작은 분구를 조영해서 추가장해서 추가장이 완성된 다음에 전체 분구를 완성한 것도 있다. 또는 수평이나 수직으로 중심 분구를 확장해서 추가매장을 완성한 것도 있다. 성토해서 분구를 조영하는 과정에 부분 주변에 취토 때문에 형성된 주구나 수당이 있다. 한국학자는 분구묘를 중국 강남지역 오월 토돈묘와 무덤 구조에 있어서 비교 연구를 하였으며 양자 간 여러 유사한 현상이 존재한 것을 발견하였다. "중국 강남지역 토돈묘는 한국 마한 분구묘의 기원이 될 가능성을 배제할 수 없다"[24]. 마한 분구묘는 마한백제 시기에 유행하였는데 마한은『삼국지 · 위서 · 오환선비동이전』에 기록이 있으며 그의 활동이 대부분 중국 후한~삼국 시대에 해당하고 기원전 2세기 중엽부터 시작하며 중국의 전한시기에 해당한다. 시간과 공간에는 모두 강남 오월토돈묘와 작지 않은 차이

---

24) 林永珍 · 孫璐, 2010,「吳越土墩墓與馬韓丘墓的構造比較」,『東南文化』, 5期.

가 존재한다. 그러나 현재 우리가 산동 동남과 교동지역 한대 토돈묘의 분포 사실과 그 유행한 시간이 전한 중기~위진시대에 해당하는 것을 살펴 보면 마한 분구묘의 기원에 대해 유익한 단서를 제공할 수 있을 것 같다.

앞에 한나라 토돈묘에 대한 분석을 간단하게 정리하면 그의 전파 경로는 절(강)북(부), (강)소남(부)–(강)소북(부)(과도지대)–(산동)노동남, 교동─한국 마한(충청, 전라도)이라고 할 수 있다.

"卑離"、"夫里"與"buri"
—馬韓早期社會中百越文化因素的探讨之一

"卑離"·"夫里" 그리고 "buri"–馬韓 早期社會의 百越文化 요소 검토–

張學鋒 中國南京大學

Ⅰ. 問題的緣起

馬韓是“三韓”(馬韓, 辰韓, 弁韓)之一, 其核心區域在朝鮮半島西南部錦江以南的榮山江流域. 歷來治史者多將百濟視爲馬韓之一國, 或將馬韓視爲百濟的一部份, 但今天看來, 百濟與榮山江流域的馬韓各國在文化上並非同軌, 百濟勢力對榮山江流域的介入也經過了一個較長的過程. 換言之, 榮山江流域並非一開始就是百濟的統轄區域.

據中, 韓兩國史料及極具百濟文化因素的出土文物可知, 百濟最早的居住地在扶餘(今中國吉林省一帶), 或與高句麗同種, 是位於北方的“騎馬民族”.[1] 公元前後, 傳說中的百濟始祖溫祚王率族遷至慰禮城(今韓國首爾附近), 四世紀中葉以後, 隨著與高句麗之間的爭戰日趨激烈, 百濟蓋鹵王戰敗被殺后, 其子文周王(475~477年在位)將都城南遷至錦江上游的熊津城(今公州), 聖王(523~554年在位)時期又遷至錦江下游的泗沘城(今扶餘), 直至663年亡國.

南遷后的百濟, 開始積極地向南擴張, 勢力逐漸滲透到了榮山江流域. 公元490年和495年, 百濟兩次遣使中國江南的齊王朝, 要求認可百濟的地位, 并給予其臣僚“王”, “侯”的稱號. 與之同時, 百濟還向耽羅國(今濟州島)遣使. 武寧王時期, 百濟展開了更加積極的外交, 加快了向南方的拓展, 512年進攻加耶地區, 勢力達到了蟾津江下游的河東地區. 從這時開始, 百濟在其領域內建了22個“檐魯”

---

1) 這裡借用了江上波夫, 1984, 『騎馬民族國家—日本古代史へのアプロ—チ—』, 中公文庫的概念, 以示與農耕民族相對. 又見江上波夫 · 佐原真, 1990, 『騎馬民族は來た！?來ない！?』(對談錄), 小學館, 1990.

〈图 1〉"半乃夫□"铭陶片

作爲據點, 由中央派遣王族成員前往駐守, 國家的統治體制逐漸形成.[2] 榮山江流域的馬韓諸國最終被百濟統合, 馬韓地區迅速百濟化, 逐漸失去了文化的獨立性.[3] 本文所言"馬韓早期社會", 即指來自北方的百濟文化强力介入到榮山江流域之前的馬韓社會, 時代大致在公元五世紀末之前.

"百越文化因素"指的是生息在中國大陸東南地區的越人創造的文化因素, 作爲一種獨立的文化, 大致持續到秦漢時期. 在中原華夏文化的影響下, 百越地區自北向南漸次華化, 其文化也逐漸失去獨立性, 融進了中國文化之中.

隨著研究的不斷深入, 有一點已經很明確, 這就是"百越文化因素"在朝鮮半島

---

2) 武田幸男 編, 2008,「三國の成立と新羅·渤海」(李成市執筆),『朝鮮史』, 山川出版社.

3) 據『宋書』卷九七「蠻夷傳·倭國條載, 元嘉十五年(438)倭王珍遣使貢獻, "自稱使持節, 都督倭·百濟·新羅·任那·秦韓·慕韓六國諸軍事, 安東大將軍, 倭王"; 元嘉二十八年(451), 倭王濟"加使持節, 都督倭·新羅·任那·加羅·秦韓·慕韓六國諸軍事, 安東將軍如故."『南齊書』卷五八「東南夷傳·倭國條載: "建元元年(479), 進新除使持節, 都督倭·新羅·任那·加羅·秦韓·慕韓六國諸軍事, 安東大將軍, 倭王武號爲鎭東大將軍."倭王都督範圍的虛實另當別論, 但據上述史料不難發現, 直至五世紀晚期, 馬韓(慕韓)依然是有別於百濟的一個獨立的存在.

西南部及日本列島的南部地區早期文化中表現明顯. 然而, 關於百越文化因素與早期半島, 列島社會的關係問題, 以往的研究主要集中在稻作文化的傳播上, 其他領域的研究尚待進一步開展. 2010年底, 中韓兩國學者在南京就中國江南地區的土墩墓, 土墩石室墓與韓國墳丘墓之間的關係展開了討論, 取得了初步成果.[4] 筆者在研討會的啟發下, 在研讀中韓兩國史料及出土文物的基礎上, 對馬韓早期社會與中國大陸東南地區的百越文化之間的關係產生了濃厚的興趣.

2013年初, 筆者在羅州博物館臨時展廳的陳列中, 見到了羅州紫薇山城出土的模印有"半乃夫口"文字的陶片(圖1), 留下了深刻的印象. 在此後的研讀中, 認識到"半乃夫口"即為『三國史記·地理志』中出現的"半奈夫里". 本文擬以"半乃夫口"為線索, 對『三國志』卷三·「魏書·東夷傳」中關於馬韓諸國的國名展開初步探討, 通過這些思考, 意在提示早期馬韓社會與百越文化因素之間展開比較研究的可能性, 拋磚引玉, 以求方家指正.

II. "卑離"與"夫里"

從史料學上來說, 『三國志』卷三·『魏書』東夷傳是系統記載馬韓地區歷史文化的最早文獻.「東夷傳序」稱: "(魏)景初中, 大興師旅, 誅(公孫)淵, 又潛軍浮海, 收樂浪, 帶方之郡, 而後海表謐然, 東夷屈服. 其後高句麗背叛, 又遣偏師致討, 窮

---

4) 黃建秋, 2011,「江南土墩墓三題」『東南文化』, 第3期 ; 李暉達, 2011,「試論浙江漢代土墩遺存」『東南文化』, 第3期 ; 林永珍, 2011,「韓國墳丘墓社會的性質」『東南文化』, 第4期 ; 曹永鉉, 2011,「馬韓古墳墳丘的區劃盛土法」『東南文化』, 第4期.

追極遠, 逾烏丸, 骨都, 過沃沮, 踐肅愼之庭, 東臨大海. 長老說有異面之人, 近日之所出, 遂周觀諸國, 采其法俗, 小大區別, 各有名號, 可得詳紀."接下來便記錄了東夷各國的情況. 這裡我們關注到"遂周觀諸國, 采其法俗, 小大區別, 各有名號"這句話, 可以判斷『三國志』東夷傳的內容是有人遍歷東夷諸國後記錄下來的, 因此所言基本可信. 從「東夷傳」對馬韓的詳細記載來看, 東遊者也應該到達了榮山江流域的馬韓地區, 因此, 對馬韓地區的記錄也應該可信.

『三國志』東夷傳中詳細記載了三韓各國的名稱, 其中馬韓五十五國, 辰韓, 弁韓各十二國. 這些國名很明顯不是漢語的翻譯, 而是三韓語言的譯音.『東夷傳』稱: "辰韓在馬韓之東, 其耆老傳世, 自言古之亡人避秦役來適韓國, 馬韓割其東界地與之. 有城柵. 其語言不與馬韓同."所言"避秦役", 或許是在中國秦漢帝國成立之後的壓力下南遷的族群, 但很難將之理解爲是"秦朝的亡人", 但其從北方遷徙而來, 這一點是可信的.「東夷傳」不僅將辰韓十二國的國名與弁韓十二國的國名混在一起記述, 而且還稱"弁韓與辰韓雜居, 亦有城郭. 衣服居處與辰韓同. 言語法俗相似, 祠祭鬼神有異, 施竈皆在戶西", 强調弁韓與辰韓之間的共性, 而看不到其與馬韓之間的共性. 因此可以推測, 辰韓, 弁韓亦與高句麗, 百濟一樣, 是來自北方的"騎馬民族". 因此, 就三韓而言, 馬韓在半島南部的歷史要比辰韓, 弁韓古老得多. 並且從"辰王常用馬韓人作之, 世世相繼, 辰王不得自立爲王"一句來看, 從北方遷徙而來並寄居於馬韓東部地區的辰韓(弁韓或許也一樣), 直到公元三世紀左右, 都還沒有完全擺脫寄居馬韓的"亡人"色彩. 那麼, 有別於"騎馬民族"辰韓, 弁韓的馬韓, 其早期社會又是一種什麼樣的風貌呢?

其實, 『三國志』東夷傳對"三韓"的記載, 已經是"騎馬民族"辰韓, 弁韓以及百濟等族群南遷並取得相當發展以後的狀況了, 否則不會出現韓"有三種"這種說法, 也不會將百濟政權的母體"伯濟國"列爲馬韓之一. 因此, 「東夷傳」所載公元三世紀的馬韓諸國, 絕不是一個文化意義上的族群, 應該是一個混雜了多個族群的地

域概念.

「東夷傳」所列馬韓五十五國, 是按照什麼順序來排列的, 我們無從知曉 ; 又因其皆爲譯音, 其意亦無從知曉. 但是, 其中有一組有著明顯共性的國名, 卽 : 卑離國, 占卑離國, 監奚卑離國, 內卑離國, 辟卑離國, 牟盧卑離國, 如來卑離國, 楚山涂卑離國, 共八國, 如果加上音近或形近的古離國, 咨離牟盧國, 卑彌國, 古蒲國, 致離鞠國, 一離國, 不彌國, 楚離國在內, 共有十六國, 幾乎占到了馬韓五十五國的三分之一. 這些國名均以"卑離"這個讀音結尾或含有與"卑離"相近的讀音, 這或許是地名中的所謂"通名".

馬韓五十五國中至少有十余國的國名帶有"卑離"或與之相近的讀音, 這應該不是一種偶然, "卑離"一定具有某種相同的意思. 固然, 這十余個"卑離", 與現今榮山江流域的地名已很難一一對照, 然而可幸的是『三國史記 · 地理志』留下了一批帶有與"卑離"幾乎同樣讀音的"夫里"的地名, 非常值得關注, 今以『三國史記』卷三七「地理志四 · 百濟」爲綱膽列於下 : [5]

熊川州(今公州)

1) 所夫里郡 一云泗沘

『三國史記』卷三六「地理志三」熊州扶餘郡條亦稱 : "本百濟所夫里縣."

2) 古良夫里縣

『三國史記』卷三六「地理志三」熊州任城郡靑正縣(『高麗史』稱淸陽縣)條亦稱 :

5) 金富軾, 1997, 『三國史記』, 鄭求福等譯注, 朝銀文化社(2002年修訂第3版) ; 辛兌鉉(石村), 1958, 『三國史記地理志研究』, 鐘宇社 ; 宋河振, 1983, 『三國史記 地理志의 地名語 研究—音韻 및 借字表記上의 特色 究明—』, 全南大學校大學院 國語國文學科 國語學 專攻碩士論文.

"本百濟古良夫里縣".

完山(今全州)

3) 古沙夫里郡

『三國史記』卷三六「地理志三」全州古阜郡條亦稱 : "本百濟古沙夫里縣."

4) 夫夫里縣

『三國史記』卷三六「地理志三」全州臨陂郡澮尾縣條亦稱 : "本百濟夫夫里縣."

武珍州(今光州)

5) 未冬夫里縣

『三國史記』卷三六「地理志三」武州玄雄縣亦稱 : "本百濟未冬夫里縣."金正浩 『大東地志』卷十二南平“沿革” : "本百濟未冬夫里, 新羅置未多夫里."

6) 半奈夫里縣

『三國史記』卷三六「地理志三」武州潘南郡條亦稱 : "本百濟半奈夫里縣."金正 浩『大東地志』卷十二羅州“古邑” : "藩南 南四十里本百濟半奈夫里, 唐滅百濟, 改 半那, 爲帶方州領縣. 新羅景德王十六年, 改潘南郡, 領縣二 : 野老, 昆湄."

7) 毛良夫里縣

『三國史記』卷三六「地理志三」武州武靈郡高敞縣條亦稱 : "本百濟毛良夫里縣."

8) 尒陵夫里郡 一云竹樹夫里 一云仁夫里

『三國史記』卷三六「地理志三」武州陵城郡亦稱 : "本百濟尒陵夫里郡."

9) 波夫里郡

『三國史記』卷三六「地理志三」武州陵城郡富里縣條亦稱 : "本百濟波夫里縣."

新羅統一半島後, 對舊百濟地區的行政建置及地名進行了改革, 『三國史記』

地理志中的地名卽多爲新羅景德王(742~764年在位)時所改.

中嶋弘美在『三國史記』地理志의百濟地名語研究—韓·日地名語比較의觀點에서—'一文中指出：高句麗地名以"忽"標記"城"(골), 百濟地名中則用"夫里"表示"城"或"邑". 百濟地名中的"夫里"是從馬韓的"卑離"引申而來, 並維持了末母音. ……在百濟地名中的"夫里"原來是指"平原", 後來演變成表示"城", "邑"的地名語.[6] 中嶋氏在這一問題上至少明確了以下兩點：一是"夫里"源自馬韓的"卑離", 另一是"夫里"原意爲"平原". 然而, 如果再往前考慮一步, 馬韓的"卑離"又源自何處？"平原"是"卑離"的原義還是引申義？ 關於這兩個問題, 如果先講結論的話, 那就是"卑離"或爲壯傣語族的百越語, 其義或爲"城邑".

Ⅲ. "卑離"與"buri"

『三國史記』地理志"本百濟某某縣"云云, 指的是新羅統一前百濟政權所設之縣. 如前文所述, 百濟强力介入榮山江流域是公元五世紀末以後的事, 因此, "本百濟某某縣"這樣的說法, 與其說是"百濟"地名, 不如說是"馬韓"地名. 從『三國史記』地理志所載与"夫里"有關的地名, 均集中在錦江以南的榮山江流域, 卽馬韓的核心區域. 因此可以說, "卑離"→"夫里"是馬韓地名的特色.

那麼, 馬韓地名中的"卑離"又源自何處？ 在通過水稻傳播所構築起來的早期東亞歷史文化交流這一大背景下, 能夠考慮到的就是百越文化.

6) 中嶋弘美, 2011,「三國史記 地理志의 百濟 地名語 研究—韓·日 地名語 比較의 觀點에서—」『語文研究』第39卷 第3號.

鳥越憲三郎, 若林弘子在其著『倭族トラジャ』(トラジャ, 生活在印尼的民族 Toraja)中提出了"倭族"的概念, 認爲一個族群只要符合以下三點, 卽以中國長江下游以南地區爲原住地, 以水稻種植爲主要經濟生活以及居住形式爲干欄式建築, 卽可將之稱爲"倭族".[7] 鳥越, 若林二氏當然是站在日本的立場上如此命名的, 但如果站在東亞古史的立場上, 所謂"倭族"就是百越民族.[8]

百越民族的文化因素當然不止鳥越, 若林二氏總結出來的三點, 據迄今爲止的研究, 積具特色的"百越文化因素"大致包含以下一些內容：經濟生活以稻作爲主；居住形式以干欄式建築爲主；生產工具以有段石錛, 有肩石器及木質農具爲主；生活用具以木器及幾何印文陶爲特色；社會生活上有斷髮文身, 拔牙的習俗；喪葬採用崖葬或土墩木槨, 土墩石室的形式；信仰上有蛇崇拜, 鳥崇拜及雞卜等；語言爲有別於中原華夏語的壯傣語族, 等等.[9] 以上這一系列的文化因素, 或多或少, 在榮山江流域公元前後的聚落遺址中均有所表現, 其中在光州新昌洞低濕地遺址中表現得尤爲明顯.[10] 新昌洞遺址出土的水稻植硅體, 稻粒, 鍬, 杷, 鐮刀柄等木質生產工具, 杵, 臼, 食器等木質生活用具, 環壕聚落形態及干欄式居住遺跡, 以及鳥形木製品等等, 都顯示出了比較典型的百越文化特色.

隨著越人的遷徙, 馬韓地區的地名也不可避免地帶上了百越的色彩, 今天能夠推定的就是"卑離", "夫里".

看到"卑離", "夫里", 馬上聯想到的是今泰國地名中的"buri". 檢索泰國府縣

7) 鳥越憲三郎 · 若林弘子, 1995, 『倭族トラジャ』 大修館書店.

8) "越"字的古音擬音爲wut或wat, wet, 爲入聲字, 急讀卽爲"倭", 緩讀可爲"倭土", "委奴", "怡土", "伊土"等.

9) 陳國强 · 蔣炳釗 · 吳綿吉 · 辛土成, 1988, 『百越民族史』, 中國社會科學出版社. 各篇的基礎上補充.

10) GwangJu National Museum, 2012, 『A Time Capsule Buried 2,000 Years Ago』.

名, 可以發現綴有"buri"府縣名至少有30個左右, 其中最著名的有干乍那武里(Kanchanaburi, 又稱北碧府), 暖武里(Nonthaburi), 巴眞武里(Prachinburi), 華富里(Lopburi), 素攀武里(Suphanburi)等, 主要集中在泰國的中部及東北部.[11]

關於泰國地名中"buri"的解釋, 現今學界通常認爲其源自印度的梵語或巴利語, 但卻少有嚴密的論證, 只是推測"buri"是隨著小乘佛敎而傳入的.[12] 戴紅亮在『西雙版納傣語地名研究』中認爲, 泰國及中國雲南西雙版納等地都存在著梵語或巴利語的移植地名和借詞地名. 移植地名基本上都來自于印度的某個地名, 如阿羅毗(西雙版納), 興哈臘他(老撾), 都巴巴兒打臘他(泰國)等, 這些地名只出現在佛經文獻中, 在現實生活中很少使用. 借詞地名是借用了梵語或巴利語的詞彙, 如vat"瓦"(寺廟), thaat"塔"(塔)等等. "buri"也是一個借詞.[13] 但是, 巴利語中表示"城市"的單詞"nakhon"(那空, 那坤)是比較確定的, 而對"thani"(他尼)和"buri"(武里)這兩個詞卻很難確定是否眞的源自巴利語, 只是推測性地稱其"梵語或巴利語"而已.

西雙版納傣語屬漢藏語系壯侗語族壯傣語支, 屬於這個語族的語言除傣語外, 中國國內還有壯語, 布依語, 侗語, 水語, 毛南語, 黎語, 仡佬語, 東南亞地區有泰語, 老撾語, 緬甸的撣語, 越南北部的白傣語和黑傣語, 儂語, 以及印度東部阿薩姆邦的阿霍姆語等, 它們都有很親近的同源關係, 這些親屬關係的語言與這些民族在歷史上具有族源關係是相當一致的. 而這個歷史上的族源就是"百

---

11) 詳細請參見wenku.baidu.com的泰國地名.
12) 羅美珍, 1999, 「傣, 泰語地名結構分析及地圖上的音譯漢字」『民族語文』, 第2期) ; 戴紅亮, 2004, 「西雙版納傣語地名研究」, 中央民族大學 中國少數民族語言文學院 博士學位論文 ; 戴紅亮, 2010, 「壯, 泰, 傣通名比較及其反映文化演變」『遼東學院學報(社會科學版)』, 第12卷 第3期.
13) 戴紅亮, 『西雙版納傣語地名研究』, 第28~29頁.

越”, 這在學術界已經是公認的結論.

　以上是利用泰國地名“buri”所作的分析, 希望能夠通過“百越”這個紐帶, 將之與榮山江流域馬韓地名中的“卑離”, “夫里”聯繫在一起.

　生活在中國大陸東南部的“于越”(又稱“大越”), “閩越”, 是百越民族中的主體之一, 但由於這些地區秦漢以後的快速漢化, 能夠明確判斷的古越語地名已經不多.[14] 就“buri”而言, 由於“ri”這個音經常轉寫成漢字的“里”, 所以又與黃河流域秦漢以來鄉里的“里”難以區別. 然而, 如果根據某個地名的歷史背景, 我們依然能夠找出一些蛛絲馬跡來. 如蘇州東郊的甪直古稱“甫里”, 音“buri”, 這是于越人的一個重要地點.[15] 『越絶書』卷二「越絶外傳記吳地傳第三」中“至武里死亡, 葬武里南城”的“武里”, “妻北武城, 闔廬所以候外越也”的“武城”, 恐亦均與“buri”有關. 再如秦漢時閩越王無諸所都“冶”, 據考證爲今福建浦城, 這裡的浦城或許就是“buri”漢化以後的地名[16], 浦城就是“buri”, “浦”是其音, “城”是其“義”. 并由此想到今中國東南沿海及台灣等地常見的“埔”, “步”, “埗”, “甫”, “浦”, “埠”等地名可能均爲源自“buri”古越語地名.

---

14) 周振鶴·游汝杰, 1980, 「古越語地名初探」『復旦大學學報(社會科學版)』, 第4期 ; 上海人民出版社, 1986, 『方言與中國文化』 ; 鄭張尙芳, 1994, 「古越地名人名解義」『溫州師範學院學報』, 第4期.

15) 張學峰關, 2013, 「吳國歷史的再思考」范金民·胡阿祥 主編, 『江南地域文化的歷史演進文集』, 三聯書店.

16) 陳國强·蔣炳釗·吳綿吉·辛土成, 「東甌與閩越」『百越民族史』, 蔣炳釗執筆.

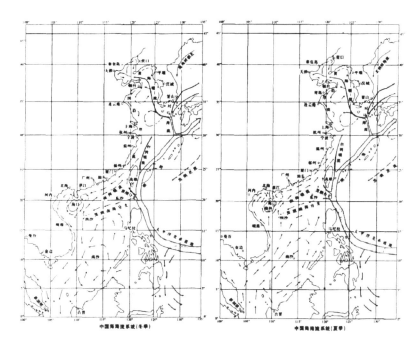

〈图 2〉中國沿海季風洋流示意圖

Ⅳ. 餘論

　　以上論述了"卑離","夫里"與"buri"之間可能存在的語源關係. 關於百越民族
的航海技術及其向海外的遷徙, 先賢已多有論述, 此處不再贅述. 總之, 從日本
列島發現的以稻作爲主要經濟生産方式的彌生文化遺址來看, 至遲在公元前
六七世紀, 越人卽已帶著稻作技術遷徙到了海東諸島. 在論述朝鮮半島早期稻
作的傳入時, 通常存在著兩種截然不同的觀點：一是主張東北亞地區的早期稻
作通過陸路經中國北方地區傳入朝鮮半島北部, 由此繼續向半島南部的馬韓地

區傳播, 然後傳向日本 ; [17] 另一是主張存在著多種傳播路線的可能性, 除北方路線外, 從中國大陸東南沿海直接傳播到朝鮮半島南部和日本列島的可能性更大.[18] 站在歷史學, 民族學及考古學的立場上綜合考慮, 筆者贊成後一種意見, 稻作隨著越人直接沿黑潮, 台灣暖流及對馬海流傳向朝鮮半島西南部及日本西南諸島和九州的可能性最大(圖2).[19]

遷向海外的越人或許被稱作"外越", 『越絕書』卷二「記吳地傳」中有"婁門外力士者, 闔盧所造, 以備外越", "婁北武城, 闔盧所以候外越也", "富陽里者, 外越賜義也", "秦始皇三十七年……因徙天下有罪謫吏民置南海故大越(筆者注 : 大越即于越, 核心地域在今浙江北部)處, 以備東海外越"等數處, 蒙文通先生認爲"外越"即爲遷向海外的越人.[20] 如果『越絕書』的這些記載可信的話, 那麼, 早在公元前五六世紀, 從中國大陸通往海外的各航路都已形成, 遷往海外的越人也時不時地回到故地來從事貿易. 可見利用黑潮, 台灣暖流, 對馬海流連接中國大陸東部沿海與半島, 列島之間的航路歷史非常悠久, 並一直爲後代所繼承.『三國志』卷四七「吳書‧孫權傳」載:"遣將軍衛溫, 諸葛直將甲士萬人, 浮海求夷洲及亶洲. 亶洲在海中, 長老傳言秦始皇帝遣方士徐福, 將童女數千人入海, 求蓬萊神山及仙藥, 止此洲不還. 世相承有數萬家. 其上人民, 時有至會稽貨布(市?), 會稽東縣人海行, 亦有遭風流移至亶洲者. 所在絕遠, 卒不可得至, 但得夷洲數千人還."亶

17) 趙現鐘, 2012,「稻作과 民族文化의 形成」所示傳播路線圖, GwangJu National Museum, 『A Time Capsule Buried 2,000 Years Ago』, 第216頁.
18) 柳田國男‧安藤廣太郎‧盛永俊太郎等, 1969,「稻の日本史」第1, 2, 3圖所示『筑摩書房』; 江上波夫, 1984,「騎馬民族國家—日本古代史へのアプローチ—」第352頁所示"米の道推定図",『中公文庫』.
19) 崔爽崔爽等, 2011,「季風洋流對於中國沿海風帆助航船舶的影響」,『中國水運(下半月)』, 11月.
20) 蒙文通, 1983,『越史叢考』, 人民出版社, 第102~108頁.

洲, 通常認爲就是耽羅, 卽今濟州島. 濟州島緊鄰馬韓, 夷洲亦有可能是倭.[21]

因此, 越人早在公元前數個世紀就已經到達了榮山江流域, 先是保持著原有的百越文化, 在後來的發展中與榮山江流域的土著逐漸融合, 共同形成了馬韓(甚至是三韓)的早期社會.『三國志』東夷傳中"其民土著, 種植, 知蠶桑, 作綿布", "其男子時有文身", "東方人名我爲阿", "男女近倭, 亦文身", "作廣幅細布", "卑離"等記載, 以及光州新昌洞遺址發現的稻作文明, 生産工具, 糧食加工工具, 干欄式建築形式, 鳥形木製品(與建築鴟尾有關), 等等, 都反映出了公元前後馬韓社會中濃厚的百越文化因素.

最後, 話題回到羅州出土的"半乃夫口"銘陶片上來. "卑離", "夫里"是"城邑"之意, 這似乎已經沒有太大的疑問, 那麼"半乃"或"半奈"又會是什麼意思呢? 如果站在壯傣語族(百越語言)的立場上充分發揮想像的話, 那麼, Baan, 壯傣語族的語言中意爲"村莊", "村寨", 亦卽聚落, 邑落之意, 傣語漢譯時寫作"曼", 壯語漢譯時寫作"板", "晚"; Naa, 壯傣語族語言中意爲"田", "水田", "稻田".[22] BaanNaa(半奈, 半乃)的意思就是"村田", "邑田". "半乃夫里"就是"有村莊有稻田的地方", 這與羅州一帶自古以來卽爲朝鮮半島南部的穀倉地帶這一自然特徵正好相符.

"半乃夫口"銘陶片的出土地點羅州正是馬韓(後爲百濟)的半奈夫里縣, 今潘南郡是其餘緒, 地點非常明確. 如果對照『三國史記·地理志』所載各"夫里"與『三國志·東夷傳』所載馬韓諸國"卑離", 那麼, "所夫里"或許就是"楚山涂卑離國", "半奈夫里"或許就是"內卑離國", "毛良夫里"或許就是"牟盧卑離國", "尒陵夫

---

21) 夷洲, 中國學者皆考證爲今台灣島, 但從其與亶洲的位置關係及音韻學上來看, 不排除其爲倭國的可能性.
22) 戴紅亮, 『西雙版納傣語地名研究』, 第46頁.

里"或許就是"兒林國", "波夫里"或"夫夫里"或許就是"辟卑離國".

當然, 上述關於"卑離", "夫里", "buri"的探討, 只是在百越文化因素背景下的一個語音上的推測, 稱不上有足夠的依據, 但是, 這樣的推測, 或許能夠爲馬韓早期社會研究的展開打開一扇窗戶.

"卑離" · "夫里" 그리고 "buri"
−馬韓 早期社會의 百越文化 요소 검토−

장쉐펑 (중국 난징대학)

번역 孫璐 (중국 내몽고대학)

I. 문제 제기

마한은 "삼한"(마한, 진한, 변한) 중 하나이고 그 핵심 구역이 한반도 서남부 금강 이남의 영산강유역이다. 사학자들이 항상 백제가 마한 소국의 하나라고 생각하거나 마한이 백제의 일부라고 보지만 현재 보면 백제는 영산강유역의 마한 제국과 문화에 있어서 같은 범주에 속하지 않으며 백제 세력이 영산강유역에 진입한 것도 비교적 긴 과정을 경과하였다. 다른 말로 표현하면 영산강유역은 처음부터 백제의 통제 영역에 속한 것이 아니었다.

중·한 두 나라의 사료와 백제 문화 요소가 포함된 문화재를 통해 백제는 가장 먼저 거주했던 지역이 부여(현재 중국 길림성 일대)에 있으며 고구려와 같은 종일지도 모르고 북방에 위치한 "기마민족"이다[1]. 전하는 바에 따르면

---

[1] 여기에는 江上波夫, 1984, 『騎馬民族國家─日本古代史へのアプローチ─』, 中公文庫에 있는 개념을 인용하였다. 농경민족과 구별된 개념으로 표시한다. 또한 江上波夫와 佐原 眞의 對談錄, 1990, 『騎馬民族は來た！？來ない！？』, 小學館, 1990.

기원전후에 백제 시조 온조왕이 집단을 이끌고 위례성(현재 한국 서울 근처)으로 이동하였다. 4세기 중엽 이후, 고구려와의 전쟁이 점차 고조되었고 백제 개로왕이 패해서 죽음을 당했다. 그의 아들 문주왕(475~477년 재위)이 남으로 금강 상류의 웅진성(현재 공주)으로 천도하였다. 성왕(523~554년 재위) 시기에는 다시 금강 하류의 사비성(현재 부여)으로 천도하였는데 663년 멸망할 때까지 사용하였다.

남천 후의 백제는 적극적으로 남하 확장하기 시작하였고 세력이 점착 영산강유역으로 진입하였다. 기원 490년과 495년에 백제는 2차례 중국 강남의 제 왕조로 사신을 파견하였고 백제의 지위를 인정하기를 요구하였으며 자기 신하한테 "왕", "후"의 호칭을 하사하라고 하였다. 이와 같은 시기에 백제는 耽羅國(현재 제주도)에도 사신을 파견하였다. 무령왕 시기에 백제는 더욱 적극적 외교를 전개하였고 남방으로의 확장을 가속화하였다. 512년에 가야지역을 공략해서 백제 세력이 섬진강하류의 하동지역에 달하였다. 이 때부터 백제는 그 영역에서 22 "檐魯"를 건설해서 거점지로 사용하였다. 중앙에서 왕실 구성원을 파견해서 거기에 주둔시키고 국가 통제 체도가 점차 형성되었다[2]. 영산강유역의 마한제국은 최종적으로 백제에게 병합되었으며 마한지역은 급속히 백제화되고 문화의 독립성을 점차 잃어버렸다[3]. 본고에서 말하는 "마한조기사

---

[2] 武田幸男 編, 2008,「三國の成立と新羅·渤海(李成市執筆)」,『朝鮮史』, 山川出版社.

[3] 『宋書』권97「蠻夷傳·倭國條」에서는 元嘉十五年(438)에 倭王珍이 사신을 파견해 조공하고 "自稱使持節, 都督倭·百濟·新羅·任那·秦韓·慕韓六國諸軍事, 安東大將軍, 倭王"; 元嘉二十八年(451)에 倭王濟가 "加使持節, 都督倭·新羅·任那·加羅·秦韓·慕韓六國諸軍事, 安東將軍如故"라고 기록하였다. 『南齊書』卷58「東南夷傳·倭國條」에는 "建元元年(479), 進新除使持節, 都督倭·新羅·任那·加羅·秦韓·慕韓六國諸軍事, 安東大將軍, 倭王武號爲鎭東大將軍"라고 하였다. 倭王都督範圍가 진실인지 따로 검토해야 되지만 상술한 사료를 보면 적어도 5세기 만기까지 마한(慕韓)이 아직 백제와 구별된

회"는 북방 백제문화가 영산강유역에 강력하게 진입하기 전의 마한사회를 말한 것이며 시대가 대략 기원 5세기말 이전에 해당한다.

"백월문화요소"는 중국 대륙 동남지역의 越人이 창조한 문화요소를 말한 것이다. 하나의 독립된 문화로서 백월문화는 대략 진한시대까지 지속하였다. 중원 夏 문화의 영향으로 백월지역이 북에서 남으로 점차 중원화되고 그 문화도 점착 독립성을 잃어버려 중국 문화를 닮게 되었다. 연구의 심화에 따라 하가지 점을 확인할 수 있다. 즉, "백월문화요소"는 한반도 서남부와 일본 열도 남부 지역의 초기문화에서 이미 명확하게 보인다. 그러나 백월문화요소가 초기 한반도, 일본열도 사회와의 관계 문제에 있어서 과거 연구는 주로 벼농사 기원에 대해 집중하고 있었으며 다른 영역 연구는 아직 진일보 전개를 기대하고 있다. 2010년 말에 중·한 학자들이 남경에서 중국 강남지역 토돈묘, 토돈석실묘와 한국 분구묘와의 관계에 대해 검토해 보았으며 초보적 성과를 취득하였다[4]. 필자는 이 세미나의 영감으로 중·한 사료와 출토 문화재를 살펴 본 기초에서 마한 초기 사회와 중국 대륙 동남지역의 백월문화와 사이의 관계에 대해 깊은 흥미가 생겼다.

2013년 초에, 필자는 나주 박물관의 임시전시실에서 나주 장미산성에서 출토한 "半乃夫口" 명문 토기 편을 보았는데(그림 1), 깊은 인상을 새겼다. 이 다음 연구 과정에서 "半乃夫口"는 바로 『삼국지·지리지』에서 나타난 "半奈夫里"이다. 본고에서는 "半奈夫里"를 단서로 『삼국지』 권30 「위서·동이전」에 있

독립 존재였다.

4) 黃建秋, 2011, 「江南土墩墓三題」 『東南文化』, 3기 ; 李暉達, 2011, 「試論浙江漢代土墩遺存」 『東南文化』, 3기 ; 林永珍, 2011, 「韓國墳丘墓社會的性質」 『東南文化』, 4기 ; 曹永鉉, 2011, 「馬韓古墳墳丘的區劃盛土法」 『東南文化』, 4기.

는 마한제국의 나라 명칭에 대해 초보적 검토를 하려고 한다. 이런 검토로 초기 마한사회와 백월문화요소의 비교 연구의 전개 가능성을 제시하고 성숙되지 않은 의견으로 학자의 고견을 끌어내고 싶다.

Ⅱ. "卑離"와 "夫里"

사료학에서 말하면, 『삼국지』 권3 「위서·동이전」은 가장 먼저 마한지역 역사문화를 계통적으로 기록한 문헌이다. 「동이전 序」는 "(魏)景初中, 大興師旅, 誅(公孫)淵, 又潛軍浮海, 收樂浪,帶方之郡, 而後海表謐然, 東夷屈服.其後高句麗背叛, 又遣偏師致討, 窮追極遠, 逾烏丸,骨都, 過沃沮, 踐肅愼之庭, 東臨大海.長老說有異面之人,近日之所出,逐周觀諸國,采其法俗,小大區別,各有名號,可得詳紀."를 말하였다. 이 다음에 동이 각국의 상황을 기록하였다. 여기에는 우리가 "逐周觀諸國, 采其法俗, 小大區別, 各有名號" 이 말을 유의하였는데『삼국지·동이전』의 내용이 어떤 사람이 동이 제국을 유력한 다음에 기록한 것 같아서 이 내용은 기본적으로 믿을 수 있다. 「동이전」에서 마한에 대한 기록이 아주 자세한 기록을 보면 이 유력한 사람이 영산강유역의 마한지역에도 도착하였으니까 마한지역에 대한기록도 믿을 만하다.

『삼국지』 동이전에서 삼한 각국의 명칭을 자세히 기록하였다. 이 가운데 마한 55국, 진한, 변한 각자 12국이 있다. 이런 국가명들이 분명히 중국어의 번역이 아니라 삼한 언어의 음역일 것 같다. 「동이전」은 "辰韓在馬韓之東, 其耆老傳世, 自言古之亡人避秦役來適韓國, 馬韓割其東界地與之.有城柵.其語言不與馬韓同"라고 하였다. 여기서 말했던 "避秦役"은 아마 중국 진한제국 건국 후의 압력으로 남천한 인간집단일 것 같다. 그러나 "진나라에서 도망 온 사람"으로 이해하기가 어렵고 단 그가 북방에서 이동한 것을 믿을 만하다.『동이전』은 진한 12국의 국가명이 변한 12의 국가명과 혼합해서 같이 기록하는 것뿐만 아니라 "弁韓與辰韓雜居, 亦有城郭.衣服居處與辰韓同.言語法俗相似, 祠祭鬼神有異, 施竈皆在戶西"라고 하였다. 변한과 진한 사이의 공통성을 강조하지만 그와 마한의 공통성이 보이지 않다. 그러므로 진한, 변한이 고구려와 백제 같은 북쪽에서 내려온 "기마민족"이다. 그래서 삼한을 말하면 마한은 한반도 남북에 있는 역사가 진한, 변한보다 훨씬 길다. 그리고 "辰王常用馬韓人作之, 世世相繼, 辰王不得自立爲王"으로 보면 북방에서 내려오고 마한의 동부지역에 거주한 진한(변한 이자도 같다)은 적어도 기원 3세기 정도까지더라도 마한에 소속한 "도망자" 색채를 벗어날 수 없었다. 그렇면 "기마민족"인 진한, 변한과 구별되는 마한의 초기 사회가 어떤 성격인가?

사실은『삼국지』동이전은 "삼한"에 대한 기록은 이미 "기마민족"인 진한, 변한 그리고 백제 등 인간 집단의 남천 다음에 상당히 발전된 후의 상황이다. 아니었으면 한이 "3가지 있다"는 설이 있지 않을 거고 백제 정권의 모체인 "伯濟國"을 마한의 한 소국으로 기록된 것도 없을 것이다. 그래서 「동이전」에서 기록된 기원 3세기의 마한제국은 절대 한 문화 의미 상의 인간 집단이 아니고 여러 집단을 혼합한 지역 개념인 것 같다.

「동이전」에서 기록된 마한 55국은 어떤 순서로 배열한 것인지 우리가 알 수 없는데 국가명도 모두 음역이라서 그의 뜻도 알 수 없다. 그러나 이 가운데 명확한 공통성을 보인 국명이 있다. 즉 "卑離國, 占卑離國, 監奚卑離國, 內卑離國, 辟卑離國, 牟盧卑離國, 如來卑離國, 楚山涂卑離國" 등 8개가 있다. 만약 음이나 형이 비슷한 古離國, 咨離牟盧國, 卑彌國, 古蒲國, 致離鞠國, 一離國, 不彌國, 楚離國을 포함하면 총 16국이 있다. 이 수량이 거의 마한 55국의 삼분의 일을 차지하였다. 이런 국명들이 모두 "卑離" 발음으로 끝나거나 "卑離" 발음과 유사한 것 포함해서 이것이 아마 지명 가운데 소위 "통명"이라고 한 것이다.

마한 55국 가운데 적어도 10여개 국의 국가명에 "卑離"나 그와 비슷한 발음을 포함하는 것은 우연이 아닌 것 같으며 "卑離"가 어떤 고유한 뜻을 가지고 있는 것이다. 물론 이 10몇 개 "卑離"는 현재 영산강유역의 지명과 일일이 대응할 수 없지만 다행이 『삼국사기』 지리지에서는 "卑離"와 거의 같은 발음으로 "夫里"인 지명을 여러개 기록하였다. 이것은 매우 주목할 만하고 『삼국사기』 권37 「地理志四 · 百濟」에 의해 아래와 같이 정리된다⁵⁾.

熊川州(今公州)

1) 所夫里郡 一云泗沘

『三國史記』卷三六「地理志三」熊州扶餘郡條亦稱 : "本百濟所夫里縣."

2) 古良夫里縣

『三國史記』卷三六「地理志三」熊州任城郡靑正縣(『高麗史』稱淸陽縣)條亦稱 : "本百濟古良夫里縣".

完山(今全州)

3) 古沙夫里郡

『三國史記』卷三六「地理志三」全州古阜郡條亦稱 : "本百濟古沙夫里縣."

---

5) 金富軾, 1997, 『三國史記』, 鄭求福 等 譯注, 朝銀文化社(2002年修訂第3版) ; 辛兌鉉(石村), 1958, 『三國史記地理志研究』, 鐘宇社 ; 宋河振, 1983, 『三國史記 地理志의 地名語 研究―音韻 및 借字表記上의 特色 究明―』, 全南大學校大學院 國語國文學科 國語學 專攻 碩士論文.

4) 夫夫里縣

『三國史記』卷三六「地理志三」全州臨陂郡澮尾縣條亦稱：“本百濟夫夫里縣.”

武珍州(今光州)

5) 未冬夫里縣

『三國史記』卷三六「地理志三」武州玄雄縣亦稱：“本百濟未冬夫里縣.”金正浩『大東地志』卷十二南平“沿革”：“本百濟未冬夫里, 新羅置未多夫里.”

6) 半奈夫里縣

『三國史記』卷三六「地理志三」武州潘南郡條亦稱：“本百濟半奈夫里縣.”金正浩『大東地志』卷十二羅州“古邑”：“藩南 南四十里本百濟半奈夫里, 唐滅百濟, 改半那, 爲帶方州領縣.新羅景德王十六年, 改潘南郡, 領縣二：野老,昆湄.”

7) 毛良夫里縣

『三國史記』卷三六「地理志三」武州武靈郡高敞縣條亦稱：“本百濟毛良夫里縣.”

8) 尒陵夫里郡 一云竹樹夫里 一云仁夫里

『三國史記』卷三六「地理志三」武州陵城郡亦稱：“本百濟尒陵夫里郡.”

9) 波夫里郡

『三國史記』卷三六「地理志三」武州陵城郡富里縣亦稱：“本百濟波夫里縣.”

신라는 한반도를 통일한 다음에 구 백제지역의 행정 치소와 지명에 대해 개혁하였다. 『삼국사기』「지리지」에 있는 지명은 신라 경덕와(742~764년) 때 변경한 것이 많다.

中嶋弘美는 『三國史記』 地理志의 百濟 地名語 研究―韓·日地名語比較의 觀點에서―’ 글에서 고구려 지명이 “忽”로 “성”(골)을 표시하고 백제지역에 “夫里”로 “성”이나 “읍”을 표시한다. 백제 지명 중 “夫里”는 마한의 “卑離”에서 파생한 것이고 마지막 모음도 유지하였다.…백제 지명에서 "夫里"는 원래 "평야"를 말한 것인데 나중에 "성", "읍"을 표시한 지명 용어를 되었다[6]. 中嶋씨는 이 문제에 대해 적어도 아래 2가지 확인하였다. 하나는 "夫里"가 마한의 "卑離"에 기원한 것이고 하나는 "夫里"의 뜻이 원래 "평야"이다. 그러나 더 생각해 보면 마한의 "卑離"는 어디서 기원한 것인가? "평야"는 "卑離"의 원래 뜻인지 파생한 뜻인지? 이 2문제에 대해 결론부터 말하면 "卑離"는 壯傣語族의 百越語에 속하고 그 뜻이 "성읍"인 것 같다.

Ⅲ. "卑離"와 "buri"

『삼국사기』 지리지에서 "本百濟某某縣"라고 한 것은 신라가 통일 전에 백제가 설치한 현을 말한 것이다. 앞에 논술한 것처럼, 백제는 영산강유역에 강력하게 진입한 것은 기원 5세기 말 이후의 일이다. 그래서 "本百濟某某縣" 이런 설은 "백제" 지명이라고 보다 "마한"지명이라는 것이 더 합리적이다. 『삼국사기 · 지리지』에서 기록된 "夫里"와 관련된 지명을 보면 모두 금강 이남의 영산강유역, 즉 마한의 핵심지역에 집중하고 있다. 그러므로 "卑離" → "夫里"는 마한 지명의 특색이라고 할 수 있다.

그러면 마한 지명에 있는 "卑離"는 또 어디서 기원한 것인가? 벼농사 전파로 구조한 초기 동아시아 역사문화 교류의 큰 배경으로 생각이 날 수 밖에 없는

---

6) 中嶋弘美, 2011, 「三國史記 地理志의 百濟 地名語 研究—韓 · 日 地名語 比較의 觀點에서—」, 『語文研究』, 第39卷 第3號.

것이 바로 백월문화이다.

鳥越憲三郎 · 若林弘子는『倭族トラジャ』(トラジャ는 인도네시아에 거주한 민족인 Toraja족)에서 "왜족"의 개념을 제시하였다. 한 인간 집단은 아래와 같은 3가지가 부합되면 "왜족"이라고 할 수 있다고 생각한다. 즉, 중국 장강하류 이남 지역이 원주지에 해당하고, 벼농사가 주요 생업 방식이며, 거주 방식이 干欄式建築인 것이다[7]. 물론 鳥越과 若林씨는 일본의 입장에서 이렇게 명명하였는데 동아시아 고대사의 입장으로 보면 소위 "왜족"이 바로 백월민족이다[8].

백월민족의 문화요소는 鳥越과 若林씨가 정리한 3가지만 있는 것은 당연히 아니다. 현재까지 진행된 연구로 보면 아주 독특한 "백월문화요소"는 대략 아래와 같은 내용을 포함한다. 즉, 생업활동은 주로 벼농사이고, 거주 방식은 주로 干欄式建築이고, 생산 도구는 주로 有段石錛 · 有肩石器 · 목제농구 등이고, 사회 생활에는 斷髮文身 · 발치풍습 등이 있고, 장례는 崖葬이나 토돈목곽 · 토돈석실 등의 형식이 있고, 신앙에 있어서 뱀 숭배 · 새 숭배 · 닭 점치기 등이 있고, 언어는 중원 華夏語와 구분되는 壯傣語族에 속하는 것 등 있다[9]. 이상의 문화요소는 많든지 적든지 간에 영산강유역 기원 전후의 취락유적에서 보이는 것이 있으며 특히 광주 신창동저습지 유적에서 매우 잘 보이고 있다[10]. 신창동유적에서 출토된 벼규산체 · 쌀 · 삽 · 杷 · 낫자루 등 목제생산도구 · 절굿공이 · 절구통 · 식기 등의 목제 생활용구, 환호취락 형태와 干欄式 주거 유

---

7) 鳥越憲三郎 · 若林弘子, 1995,『倭族トラジャ』, 大修館書店.

8) "越"의 고대 발음 擬音음 wut나 wat, wet이며, 入聲字이고, 급하게 읽으면 바로 "왜"이고 천천히 읽으면 "왜토", "위노", "이토", "伊土" 등이다. 백제와 왜의 관계는 앞으로 과제로 설정해서 여기서 깊게 연구하지 않겠다.

9) 陳國强 · 蔣炳釗 · 吳綿吉 · 辛土成, 1988,『百越民族史』, 中國社會科學出版社. 이 바탕으로 보충이 있다.

10) GwangJu National Museum, 2012,『A Time Capsule Buried 2,000 Years Ago』.

적, 조형 목제품 등이 모두 비교적 전형적인 百越文化의 특징을 보여준다.

越人의 이동에 따라 마한 지역의 지명도 피할 수 없이 백월 특색을 가지게 되었는데 현재 추정할 수 있는 것이 바로 "卑離", "夫里"에 해당한다.

"卑離", "夫里"를 보면 현재 태국 지명 중 "buri"가 생각난다. 태국 府縣名을 검색해 보면 "buri"로 끝나는 부현명이 적어도 30여개가 있으며 그 중에 가장 유명한 것이 Kanchanaburi(北碧府라고도 한다.), Nonthaburi, Prachinburi, Lopburi, Suphanburi 등이 있으며 주로 태국의 중부와 동북부에 집중된다[11].

태국 지명 중 "buri"에 대한 해석은 현재 학계에서 일반적으로 그것이 인도의 범어나 Pāli-Bhāsā어로 인식되는데 엄격한 논증 과정이 많지 않으며 "buri"가 소승 불교를 따라 전입된 것으로 추정한 것 뿐이다[12]. 戴紅亮은 『西雙版納傣語地名硏究』에서 태국과 중국 운남성 西雙版納 등의 지역에 모두 범어나 Pāli-Bhāsā어에서 이식된 지명과 외래어가 존재한다고 살펴보았다. 이식된 지명은 거의 인도의 어떤 지명에서 나온 것이고 예를 들면 阿羅毗(西雙版納), 興哈臘他(老撾), 都巴巴兒打臘他(泰國)등이 있다. 이런 지명들은 불교 경전에서만 나타나고 현실 생활에서 별로 사용되지 않는다. 외래어 지명은 범어나 Pāli-Bhāsā 단어를 빌려 쓰고 예를 들면 vat"瓦"(사절), thaat"塔"(탑)등이 있다. "buri"도 한 외래어이다[13]. 그러나 Pāli-Bhāsā 언어에서 "도시"를 표시한 단어인 "nakhon"(那空, 那坤)은 비교적 고정한 것이지만 "thani"(他尼)와 "buri"

---

11) wenku.baidu.com의 태국 지명을 참고한다.
12) 羅美珍, 1999,「傣, 泰語地名結構分析及地圖上的音譯漢字」,『民族語文』, 2期 ; 戴紅亮, 2004,「西雙版納傣語地名硏究」, 中央民族大學 中國少數民族語言文學院 博士學位論文 ; 戴紅亮, 2010,「壯, 泰, 傣通名比較及其反映文化演變」,『遼東學院學報(社會科學版)』, 第12卷 第3기.
13) 戴紅亮,『西雙版納傣語地名硏究』, 28~29쪽.

(武里)두 단어가 진짜 Pāli-Bhāsā에서 나온 것을 확인하기가 어렵고 "범어나 Pāli-Bhāsā"로 추측만 할 수 있다.

西雙版納 傣語는 漢藏語系 壯侗語族 壯傣語支에 속하고 이 어족에 속한 언어가 傣語 외에 중국 국내에 아직 壯語·布依語·侗語·水語·毛南語·黎語·仡佬語, 동남아 지역의 泰語, 라오스語, 미얀마의 撣語(Shan-language), 베트남 북부의 白傣語와 黑傣語·儂語, 그리고 인도 동부 阿薩姆邦(Assam)의 阿霍姆語(Ahom) 등이 있다. 그들은 모두 가까이 동원 관계가 있고 이런 친척 관계가 있는 언어와 이런 민족들이 역사적으로 같은 민족 기원 관계와 일치한다. 이 역사적 族源은 바로 "百越"이며 이것은 학계에서 이미 공인을 받은 것이다.

상술한 내용은 태국 지명 "buri"에 대한 분석이고 "백월" 이 연결 고리를 통해 영산강 유역의 마한 지명인 "卑離", "夫里"와 연결될 수 있기 바란다.

중국 대륙 동남부에 거주한 "于越"("大越"이라고도 한다), "閩越"은 백월 민족의 주체 중 하나이다. 그러나 이런 지역은 진한시대 이후 급속히 漢化되어서 명확하게 古越語로 판정할 수 있는 지명이 이미 많지 않다[14]. "buri"로 말하면 "ri" 발음을 항상 한자 "里"로 번역하기 때문에 황하유역 진한시대 이래 향리의 "里"자와 구분하기가 어렵다. 그러나 어떤 지명의 역사 배경에 의해 우리가 아직도 단서를 찾을 수 있다. 예를 들면 蘇州 東郊의 甪直 고대에 "甫里"라고 하고 발음이 "buri"이다. 여기는 월인의 중요 지점 중 하나이다[15].『越絕書』권2「越絕外傳記·吳地傳第三」에서 "至武里死亡, 葬武里南城"의 "武里",

---

14) 周振鶴·游汝杰, 1980,「古越語地名初探」『復旦大學學報(社會科學版)』, 4期 ; 上海人民出版社, 1986,『方言與中國文化』; 鄭張尙芳, 1994,「古越地名人名解義」『溫州師範學院學報』, 4期.

15) 張學峰關, 2013,「吳國歷史的再思考」, 范金民·胡阿祥 主編,『江南地域文化的歷史演進文集』, 三聯書店.

"婁北武城, 闔盧所以候外越也"의 "武城" 아마 모두 "buri"와 관련이 있다. 또한 진한시대에 閩越王 無諸의 도성인 "冶"는 현재 북건성 浦城으로 고증하였는데 여기서 포성이 아마도 "buri"가 한화 이후의 지명인 것 같고[16] 포성이 바로 "buri"이고 "浦"가 발음이고 "성"이 뜻이다. 그리고 현재 중국 동남 연해, 대만 등 지역에서 자주 보인 "埔", "步", "埗", "甫", "浦", "埠" 등의 지명이 모두 "buri"에서 기원한 古越語 지명으로 언급할 수 있다.

Ⅳ. 餘論

상술한 "卑離", "夫里"와 "buri"와의 사이에는 語源 관계가 존재할 것 같다. 백월 민족의 항해술과 해외 이동에 대해 선행 연구가 이미 많아서 여기에는 군말을 하지 않겠다. 총괄적으로 말하면 일본열도에서 발견된 주요 생업방식이 벼농사인 彌生文化 유적을 보면 적어도 기원전 6~7세기에 월인이 이미 벼농사 기술을 가지고 해동 제도로 이동해 왔다. 한반도 초기 벼농사 전입을 논술 할 때 분명히 다른 두가지 논점이 항상 존재한다. 하나는 동북아시아 지역의 초기 벼농사가 육로로 중국 북방을 경유해서 한반도 북부로 전입되어 한반도 남부의 마한지역에 전파되어 마지막으로 일본열도에 들어갔다는 것이다[17]. 다른 하나는 전파경로가 여러 개 있을 가능성을 주장하고 북방 노선 외

---

16) 陳國强·蔣炳釗·吳綿吉·辛土成,「東甌與閩越」,『百越民族史』, 蔣炳釗執筆.

17) 趙現鐘, 2012,「稻作과 民族文化의 形成」의 전파 노선도, GwangJu National Museum, 『A Time Capsule Buried 2,000 Years Ago』, 216쪽.

에 중국 대륙 동남연해에서 바로 한반도 남부와 일본열도로 전파하였을 가능성이 더 높다는 것이다[18]. 역사학, 민족학, 고고학의 입장을 종합적으로 고려하면 필자는 두 번째 의견을 찬성한다. 벼농사는 원인에 따라 흑조, 대만 난류, 對馬海流를 타고 한반도 서남부와 일본 서남제도, 규슈로 들어왔을 가능성이 가장 크다(그림 2)[19].

해외로 이동한 월인은 "外越"이라고 할 수 있을 것 같다. 『越絶書』 권2 「記吳地傳」에서 "婁門外力士者, 闔廬所造, 以備外越", "婁北武城, 闔廬所以候外越也", "富陽里者, 外越賜義也", "秦始皇三十七年……因徒天下有罪謫吏民置南海故大越[20]處, 以備東海外越" 등 기록으로 蒙文通 선생이 "外越"이 해외로 이동된 원인이라고 생각한다[21]. 만약 『越絶書』의 기록을 믿을 수 있으면 적어도 기원전 5~6세기에 중국 대륙에서 해외로 나가는 항로가 이미 형성되었으며 해외로 이주한 월인도 가끔 고향에 돌아와서 무역하였을 것이다. 그래서 흑조, 대만 난류, 對馬海流를 이용해서 중국 대륙 동부연해에서 한반도, 일본열도를 연결시킨 항로는 역사가 매우 길고 계속 계승하고 사용되었다. 『삼국지』 권47 「吳書·孫權傳」에서 "遣將軍衛溫, 諸葛直將甲士萬人, 浮海求夷洲及亶洲. 亶洲在海中, 長老傳言秦始皇帝遣方士徐福, 將童女數千人入海, 求蓬萊神山及仙藥, 止此洲不還. 世相承有數萬家. 其上人民, 時有至會稽貨布(市?), 會稽東縣人海行, 亦有遭風流移至亶洲者. 所在絶遠, 卒不可得至, 但得夷洲數千人還"을 기록

---

18) 柳田國男·安藤廣太郎·盛永俊太郎 등, 1969, 「稻の日本史」 第1, 2, 3圖所示 『筑摩書房』; 江上波夫, 1984, 「騎馬民族國家―日本古代史へのアプローチ―」 第352頁所示 "米の道推定図", 『中公文庫』.
19) 崔爽 외, 2011, 「季風洋流對於中國沿海風帆助航船舶的影響」 『中國水運(下半月)』, 11月.
20) 大越 즉 于越이며 核心地域은 현재 浙江北部에 위치한다.
21) 蒙文通, 1983, 『越史叢考』, 人民出版社, 102~108쪽.

하고 있다. 亶洲는 일반적으로 耽羅로 생각하고, 즉 현재 제주도이다. 제주도는 마한과 인근하고 夷洲도 왜일 수 있다[22].

　　그래서 월인은 적어도 기원전 여러 세기 전에 이미 영산강유역에 도착하였다고 본다. 먼저 고유한 백월문화를 유지하고 그 다음 발전에 영산강유역의 토착세력과 융합해서 공동으로 마한(심지어 삼한)의 초기 사회를 형성하였을 것이다. 『三國志』東夷傳에서 "其民土著, 種植, 知蠶桑, 作綿布", "其男子時有文身", "東方人名我爲阿", "男女近倭, 亦文身", "作廣幅細布", "卑離" 등의 기록이 있으며 광주 신창동 유적에서 발견된 도작문명, 생산도구, 식량가공도구, 干欄式建築形式, 조형목제품(建築 鴟尾와 관련 가능) 등은 모두 기원 전후 마한 사회의 짙은 백월문화 요소를 반영하고 있다.

　　마지막으로 나주에서 출토된 "半乃夫口" 명문 기와 편으로 돌아온다. "卑離", "夫里"가 "성읍"의 뜻인 것에 대해서는 큰 의문이 없을 것 같다. 그러면 "半乃"나 "半奈"는 어떤 뜻인가? 壯傣語族(백월언어)의 입장에서 충분히 상상해 보면 Baan는 壯傣語族의 언어 뜻으로 "村莊", "村寨" 즉 취락, 읍락의 뜻이다. 傣語가 漢어로 번역될 때 "曼"으로 쓰고 壯語에서 漢어로 번역할 때 "板", "晚"으로 쓴다. Naa는 壯傣語族 언어에서 뜻이 "田", "水田", "稻田"이다[23]. BaanNaa(半奈, 半乃)의 뜻이 "村田", "邑田"이다. "半乃夫里"는 "마을과 논이 있는 곳"이다. 이것은 바로 나주 일대가 예로부터 한반도 남부의 곡창지대인 자연 특징과 부합한다.

　　"半乃夫口" 명문 기와편 출토 지점인 나주는 바로 마한(나중에 백제로 됨)

---

22) 夷洲는 中國學者들은 모두 台灣島로 고증하였는데 그와 亶洲의 위치 관계, 그리고 音韻學으로 고려해 보면, 倭國일 가능성을 배제할 수 없다.

23) 戴紅亮, 『西雙版納傣語地名研究』, 46쪽.

의 半奈夫里縣이고 현재 潘南郡이 그의 餘緖이며, 지점이 매우 확실하다.『三國史記』地理志에서 기록된 "夫里"와『三國志 · 東夷傳』에서 기록된 마한제국 "卑離"를 대조해 보면 "所夫里"가 아마 "楚山涂卑離國"일 것이고 "半奈夫里"가 아마 "內卑離國"일 것이며, "毛良夫里"가 "牟盧卑離國", "尒陵夫里"가 "兒林國", "波夫里"나 "夫夫里"가 "辟卑離國"일 것 같다.

물론 상술한 "卑離", "夫里", "buri"에 대한 검토는 그냥 백월문화 요소 배경 아래 어음에 있어서 추측한 것이다. 충분한 증거를 될 수는 없을 것이다. 그러나 이런 추측은 마한 초기사회 연구의 전개에 있어서 다른 길을 보여줄지도 모른다.

日本畿内地域の馬韓・百済関係考古学資料の性格

일본 기내지역의 마한・백제 관련 고고학 자료의 성격

宮崎泰史 日本大阪府教育委員會

Ⅰ. はじめに

　古墳時代中期から後期にかけての日本畿内地域での「馬韓, 百済」から渡來人(移住者)の存在を示す考古資料として, それ以前には畿内地域では見られなかった日韓で共通する遺構や遺物を上げることが出來る. 今回, 具体的に取り上げる對象として, 大壁建物, 井桁井戸, 須惠器窯, 韓式系土器(軟質・瓦質・陶質), U字形板狀土製品, 鳥足文タタキメ土器, 直線文タタキメ土器, 移動式カマド, 馬の飼育, 馬の儀礼などがある. 韓式系土器, 初期須惠器は器形や製作技法が朝鮮半島の三國時代の軟質土器, 陶質土器に酷似していることから, 渡來人の故地を究明するうえで, 有効な資料といえる. また, 大壁建物, 須惠器窯, 井桁井戸, U字形板狀土製品は直接的に, そして遺構に付屬し, それが出土する遺跡での渡來人の活動の痕跡を示す確實な資料である.

　今回は, 考古遺物として韓式系土器の中でも最も馬韓・百済と關連の深い資料として, U字形板狀土製品, 鳥足文タタキメ土器, 直線文タタキメ土器, 移動式カマド, 淺鉢, 蓋, 坏付瓶を取り上げ, 畿内での資料の集成を行ってみた(表1). 結果, これらの資料は大阪府, 奈良縣, とくに大阪府に集中してみられることをより一層明らかにすることが出來た.

II. 馬韓·百濟と関連する資料

1. 須惠器生産

　古墳時代中期(5世紀前後)に生産が開始される須惠器生産に朝鮮半島南部の人々が深く關わっていたことはよく知られている. 大阪府の南部に位置する陶邑窯跡群はその代表といえる. 5世紀から9世紀にかけて約1,000基の窯跡が8つの地區, 西から谷山池地區(略称TN), 大野池地區(ON), 光明池地區(KM), 栂地區(TG), 高藏寺地區(TG), 富藏地區(TM), 陶器山地區(MT), 狹山池地區(SY)に分けられている[1]. しかし, ここ數年, 日本列島の各地で出現期の窯跡が發見, あるいは再評価され, 須惠器生産の開始を巡る議論が活發になっている[2]. 陶邑窯跡群での初期の須惠器と系譜の異なる文様や器形が生産され, 朝鮮半島南部から日本の各地に移住した人々(工人)の存在が明らかになってきた. しかしながら, いずれも短期間で生産を終え, 継續して生産が行われている陶邑窯跡群が質, 量ともに中心であることに間違いはない. 窯構造の上でも, 複數の特徴から現段階では決定的な決め手はないのが實情である.

---

1) 宮崎泰史, 2007,「陶邑窯跡群と窯跡の分布について」,『2005年度共同研究成果報告書』(財)大阪府文化財センタ-.
2) 大阪朝鮮考古學研究會, 2010,『地域發表及び初期須惠器窯の諸樣相-予稿集-』, 第22回東アジア古代史·考古學研究會交流會.

2. 韓式系土器

　韓式系土器という名称は「朝鮮半島からもたらされた土器, あるいはその影響下で渡來人および在地の者が日本で製作し, 彼地の土器の諸特徴を如實に表す土器の總称として用いることにする. 本書では特に軟質土器を中心に紹介しているが, 本來はこれに限ることなく瓦質・陶質土器を含めた名称として使用されるべきものである. また, 日本で生産された硬質土器は, 当然のことながら須惠器と呼ばれるものである.」と植野浩三氏によって定義されている[3].

　最近では, 韓式系土器の研究の進展に伴い, 韓式系土器をめぐる分類上の問題点が提起され, 土器の硬軟によって集落の性格を區別し, 軟質土器のセット關係によって渡來人が居住した集落を限定する研究も進められている[4]. さらに韓式系土器研究會を主宰する田中清美氏は「韓式系土器は朝鮮半島の三國時代の軟質土器(赤燒土器)に器形や製作技法が酷似した列島出土の土器を指し, 渡來人が列島で製作した軟質土器や彼らが持ち込んだ軟質土器を倭人が模倣した土器をも含めた總称としておく」と定義し[5], 土師質で半島系の成形・調整技法をもつ土器とういう狭義の韓式系土器として使われることが多く, 陶質土器や陶質土器か初期須惠器なのかあいまいなものを除外して考えていく傾向が強くなっている. 初

---

3) 植野浩三, 1987, 「韓式系土器の名称」『韓式系土器研究 I』韓式系土器研究會.
4) 今津啓子, 1994, 「渡來人の土器」,『古代王權と交流 ヤマト王權と交流の諸相』名著出版.
5) 田中清美, 2010, 「長原遺跡出土の韓式系土器」,『韓式系土器研究』XI 韓式系土器研究會.

期須惠器は器形や製作技法が朝鮮半島の三國時代の軟質土器, 陶質土器に酷似していることから, 渡來人の故地を究明するうえで, 有効な資料であることに変わりはないと考えられる.

今回, 韓式系土器の名称については「器形や製作技法が三國時代の朝鮮半島の南部地域にあった百濟・新羅・伽耶諸國で見られる陶質土器, 赤褐色軟質土器に酷似したもので, 渡來人が半島から持ち込んだもの, あるいはこちらで製作した土器の總称」として用い, 赤褐色軟質土器の影響下にあるものを韓式系(軟質)土器, 陶質土器の影響下にあるものを韓式系(陶質)土器と呼称することとする. したがって, 韓式系(陶質)土器と呼称するものの中には当然, 初期須惠器とすべきものが含まれている可能性は高いことは承知していることを断っておきたい. ただし, 單に酸化焔燒成と還元焔燒成を區別する際には便宜的に前者を土師質, 後者を須惠質と呼称している.

3. 鳥足文タタキメ土器

通常の平行タタキメに, 鳥の足の形をタタキ板に彫りこんだもの(図30~34)で, 「鳥足文タタキ土器」[6), 「鳥足形タタキ文土器」[7), 「鳥足文タタキメの土器」[8)などと呼称され, 韓國では「鳥足垂直集線文」とも呼称されて

---

6) 田中清美, 1994, 「鳥足文タタキと百濟系土器」『韓式系土器研究』Ⅴ, 韓式系土器研究會.
7) 竹谷俊夫, 1995, 「日本と朝鮮半島出土の鳥足形タタキ文土器の諸例-その分布と系譜-」『西谷眞治先生古希記念論文集』, 勉誠社.
8) 櫻井久之, 1998, 「鳥足文タタキメのある土器の一群」『大阪市文化財協會 研究

いる. 畿内地方における鳥足文土器は, 大阪府(河内), 奈良縣(大和)の二つの地域に集中している.

土師質と須惠質のものがあり, 土師質が大半で, 土師質の一部は國内で製作された可能性も指摘されている[9]. 須惠質は大阪府蔀屋北遺跡, 讃良郡條里遺跡, 池島・福万寺遺跡, メノコ遺跡, 城遺跡, 鎌田遺跡, 大坂城跡, 瓜破遺跡, 久宝寺遺跡, 楠遺跡, 大和川・今池遺跡, 奈良縣南郷丸山遺跡, 赤尾崩谷1号墳, 星塚1号墳, 京都府中臣遺跡など15例. 土師質は大阪府蔀屋北遺跡, 八尾南遺跡, 鎌田遺跡, 大坂城跡, 長原遺跡, 城山遺跡, 太田遺跡, 日下遺跡など9例が知られている.

鳥足文タタキメ土器は, 三國時代の百濟土器や榮山江流域の土器に見られるタタキメと同様であることから朝鮮半島の南西部, すなわち百濟中心地域や榮山江流域との關わりが深い資料といえよう. 田中清美氏は最近の日韓での鳥足文土器の研究成果から, 長原遺跡での鳥足文土器について, 長原I期前半の5世紀前半頃に忠清道地域から渡來人が伝えた可能性が高いと考え, 長原II期を通して, 彼らは北方に擴がる河内低地の開發を倭王權の管理下で担っていたと考えている. 長原III期(TK23・47型式)の鳥足文土器については錦江以北地域から列島に渡った渡來人に關係するものと考え, 5世紀後半には長原遺跡周辺での牧の経營に移行していた可能性を考えている[10].

紀要』, 創刊号.
9) 櫻井久之, 1998, 前掲.
10) 田中清美, 2010, 前掲.

4. 直線文タタキメ土器

通常の平行タタキメに, ほぼ直角に一本の直線をタタキ板に彫りこんだ
もの(図35~37)で, 「鳥足文タタキE類, 擬鳥足文」[11], 「長方形格子叩き文」[12]と
呼称され, 韓國では「單線横走垂直集線文」と呼称されている. 一本以上の直
線を彫り込むもの(図36-2), 格子タタキメに斜交して一本の直線をタタキ
板に彫り込んでいるもの(図37-6)も見られる. 直線文タタキメは大阪府南
部にある陶邑窯跡群(TK73, TK85号窯跡)から見つかっていることから, 「直
線文タタキメ土器」は日本列島に須惠器製作を伝えた人々の故地(須惠器
工人, 窯の操業にかかわる人の出自)を示す資料[13]との評価が与えられて
いる. 鳥足文タタキメと同じく, 三國時代の百濟土器や榮山江流域の土器
に見られるタタキメと同様であることから, TK73号窯, TK85号窯には百濟,
馬韓の影響が考えられよう. 蔀屋北遺跡では生駒西麓産の胎土をもつ土器
に, 直線文タタキメが施されていることから, 畿内(大阪)で製作されたこと
が明らかな資料もある. 鳥足文タタキメと同様, 土師質と須惠質のものが
ある. 須惠質は大阪府蔀屋北遺跡, 小阪合遺跡, 陶邑・大庭寺遺跡, メノコ
遺跡, 城遺跡, 鎌田遺跡, TK73号窯, TK85号窯, 岸之本南遺跡, 寺田遺跡, 和
泉寺遺跡, 奈良縣南郷大東遺跡, 唐古・鍵遺跡など12例. 土師質は大阪府蔀
屋北遺跡, 奈良縣南郷丸山遺跡, 南郷大東遺跡など3例が知られている.

---

11) 田中清美, 1994, 前掲.
12) 酒井清治, 2006, 「渡來系土器から見た日韓交流」, 『葛城氏の實像-葛城の首長
とその集落-』奈良縣立橿原考古學研究所付屬博物館特別展図録第65冊.
13) 宮崎泰史編, 2006a, 「渡來人との關わり」, 『年代のものさし―陶邑の須惠器』近
つ飛鳥博物館.

5. U字形板狀土製品(焚口縁飾り)

1) 名称

U字形板狀土製品(図20)は, 平面U字形を呈する厚さ1~2cmの板狀の土製品である. 造り付けの竈などの焚き口の前面に立て, それを保護・装飾するための土製品で, 形狀から「U字形板狀土製品」[14], 用途から「竈焚口枠」[15], 「造付け竈の付屬具」[16], 「竈枠裝飾」[17], 「焚口縁飾り」[18]と呼称されている. 蔀屋北遺跡で全体の形狀が明らかになるまでは, 「用途不明の生駒西麓産の土製品」, 「用途不明板狀土製品」と呼称されていた[19]. 持ち運ばれて移動する土器とは異なり, U字形板狀土製品は遺構に付屬し, それが出土する遺跡での渡來人の活動の痕跡を示す確實な資料といえる.

2) 系譜と分類

田中淸美氏は日韓兩國の出土土製品を集成し, 日本國内の出土例は朝鮮半島の三國時代, 百濟や高句麗で用いられていた造り付け竈の焚口を

---

14) 宮崎泰史, 2002b, 『讃良郡條里遺跡(蔀屋北遺跡)發掘調査概要』Ⅳ, 大阪府教育委員會.

15) 徐賢珠, 2003, 「三國時代の竈の焚口枠について」, 『韓國考古學報』50輯.

16) 田中淸美, 2003, 「造付け竈の付屬具」, 『續文化財學論集』, 文化財學論集刊行會.

17) 權五榮・李亨源, 2006, 「壁柱(大壁)建築研究のために」, 『日韓集落研究の現況と課題(Ⅱ)』.

18) 宮崎泰史編, 2006a, 前揭.

19) 西口陽一編, 1991, 『讃良郡條里遺跡發掘調査概要・Ⅱ』, 大阪府教育委員會.

保護する器具の系譜を引く「造り付け竈の付屬具」であり, 475年の漢城滅亡などにより渡來した百済の人々によりもたらされたとしている[20].

　濱田延充氏は日韓兩國の出土土製品を集成し, 型式分類をおこなっている[21]. 分類の基準になるのは土製品表面突帶の取り付けられる位置, 及び形狀で, 時期差を持つA~Dの4型式が設定されている. 各型式の詳細は, A類は小阪合遺跡出土例(図29-14)等に代表される表面中央部に突帶をもつもの, B類は陶邑窯跡群ON231号窯出土例(図29-15)に代表される突帶をもたないもの, C類は蔀屋北遺跡出土例に代表される兩側緣に突帶を持つもの(図24-5), D類は溝昨遺跡出土例にみる片側の側緣に庇狀の突帶をもつもの(図29-1-6)である. 共伴する土器により各型式の所屬時期はA, B類が5世紀前半, C類は5世紀後半, D類は6世紀以降となる. 韓國出土例と各型式を比較檢討すると, A·B類は百済風納土城出土例に, C類は馬韓榮山江流域出土例に類似していることから, 濱田氏は韓國側の資料でもU字形板狀土製品の型式差が, 時期差を反映しており, 各時期の朝鮮半島のU字形板狀土製品の影響の中で, 日本國内のA·B類とC類が成立している可能性を指摘した. そしてD類のように日本獨自の型式の存在も示唆した. 藤田道子氏は, 蔀屋北遺跡の豊富な資料の整理を通じて, 突帶の有無及びその形狀によりI~Ⅴのタイプに分類(詳細については個別遺跡の項で記述する)し, 詳細に分析·檢討を行い「蔀屋北遺跡のU字形板狀土製品は朝鮮半島, 特に韓國榮山江流域から渡來した人々が使用した特別な土製品であり, 渡來系の集落のカマドに設置される一種のシンボル的なも

---

20) 田中淸美, 2003, 前掲.
21) 濱田延充, 2004, 「U字形板狀土製品考」『古代學研究』167, 古代學研究會.

のであったかもしれない. あるいは祭りの時のみ使用されるものであったことも想定できる.」としている[22].

3) 出土例

日本での出土例は, 現在までのところ畿内に限定され, 大阪府17遺跡, 奈良縣1遺跡で確認されている(図21, 表1).

4) 時期

四條畷市蔀屋北遺跡, 寝屋川市讃良郡條里遺跡, 長保寺遺跡, 高宮八丁遺跡, 和泉市大園遺跡は5~6世紀, 八尾市八尾南遺跡, 木の本遺跡, 奈良縣天理市中町西遺跡は5世紀, ON231号窯, 上町谷1・2号窯, 五反島遺跡は5世紀前半, 八尾市池島・福万寺遺跡例は6世紀前半, 堺市大庭寺遺跡例は奈良時代, 八尾市中田遺跡例は中世, 一須賀古墳群内, 茨木市溝咋遺跡, 八尾市小阪合遺跡は時期不明である. ただし, 形狀から八尾市小阪合遺跡のものは5世紀前半に遡る可能性が考えられる.

5) 用途

韓國ソウル・風納土城9号住居内から竈の焚き口の前面に立った狀態

---

22) 藤田道子, 2010, 「蔀屋北遺跡出土のＵ字形板狀土製品について」, 『蔀屋北遺跡
Ⅰ』, 大阪府埋藏文化財調查報告第2009-3, 大阪府教育委員會.

で出土したことから, その用途の一端が明らかとなっている. 接合後の個体で322点(最小個体数20前後)の出土例がある蔀屋北遺跡では, 竪穴住居をはじめとしてU字形板狀土製品が原位置を保った状態で確認された例はない. ただし, 土坑A1135のように, 近接した地点で使用された後に廃棄された狀態で検出された例(図22)がある. 唯一, 大阪府東大阪市池島・福万寺遺跡では土製品の再整理の結果, 使用されていたことを示す状態で出土していることが明らかになった[23). 2つの造り付けカマドを内部にもつ建物30のカマド1からU字形板狀土製品が出土している(図23). 時期は6世紀前半で, 竪穴ではあるが, 西側に柱列を設けた片屋根をもつ建物と報告され, 竈屋という炊飯關連施設と考えられている.

6. 移動式カマド

　天井部に平坦面をもつ移動式カマドは, 先に触れたU字形板狀土製品そして羽釜とともに蔀屋北遺跡では5世紀中~後半頃(TK208~TK23型式)に出現する. 陶質土器, 韓式系土器の出現よりも後出する. そしてコップ形の製塩土器の最盛期と重なる点で,「移動式カマド」,「U字形板狀土製品」,「羽釜」,「コップ形の製塩土器」は, その出現の背景に何らかの關連性が想定される. 丁度, 馬の齒・骨の出土量が多い段階でもあり, 馬の飼育に關してあらたに朝鮮半島からの人の移住を示す資料といえる. また, 幅

---

23) 畑 暢子, 2008,「資料紹介 池島・福万寺遺跡出土 U字形板狀土製品」,『大阪文化財研究』第33号, (財)大阪府文化財センター.

廣の水平な天井部をもつ移動式カマドは，U字形板狀土製品とセットで，今までのところ蔀屋北遺跡，寝屋川市讃良郡條里遺跡，長保寺遺跡のみで確認されている点で，ウマの需要に對応すべき展開した5世紀後半の牧の範囲を示す資料(故地を同じくする人々によって)として評価することも出來よう[24].

Ⅲ. 出土遺跡の概要

1. 蔀屋北遺跡

蔀屋北遺跡は大阪府の東部，四條畷市大字蔀屋・砂に所在し，生駒山地から流出する小河川によって形成された沖積地に立地する。蔀屋北遺跡の所在する北河内周辺は『日本書紀』などの文獻から，「河内の馬飼い」と呼ばれる渡來系の人々によって牧の経營がなされ，馬の飼育にあたっていたと考えられてきた[25]。考古學的にも四條畷市周辺は寝屋川市，東大阪市を含めて，馬齒，馬骨，韓式系土器，多量の製塩土器が集中することに注目し，日本列島の中でもいち早くウマの飼育(牧の経營)が開始された地域

---

24) 宮崎泰史, 2012,「家畜と牧場」,『時代を支えた生産と技術 古墳時代の考古學 5』同成社.
25) 佐伯有清, 1974,「馬の伝承と馬飼の成立」,『日本文化の探求 馬』, 社會思想社.

として位置づけられている[26].

2000年に發見され, 2001年より「なわて水みらいセンター」建設に伴う發掘調査を開始し, 2010年までに7ヶ所の調査區(H地區・A~F調査區), 付帶工事に伴う10ヶ所の調査區, 約27,000㎡の調査が實施された[27].

調査の結果, 古墳時代の集落は5世紀前半に形成され, 5世紀中頃~後半に最盛期を迎え, 6世紀後半まで繼續するが, 7世紀以降(一部, 10世紀, 12世紀に掘立柱建物が確認されるが)は主に水田域そして畑地として利用されていく様子が明らかとなった. とりわけ, 古墳時代(5~6世紀)に屬する遺構・遺物が多數檢出され, 古墳時代を代表とする集落遺跡として注目されている. 淺い谷や區畫の溝によって5つの居住域(北東・南東・南西・西・北西)に分けられている(図10). 檢出された遺構は竪穴住居73棟(大壁建物1棟), 掘立柱建物84棟, 井戸27基, そして夥しい數の土坑, 大溝, 溝, 柱穴などがある. なお, 井戸27基のうち6基の井戸枠には船材が轉用されていた. これは外洋を航海する準構造船の船材で, 朝鮮半島からの移住者, ウマを運んだ船の可能性が指摘されている. また, 集落を區畫する大溝からは馬具, 韓式系土器, U字形板狀土製品, 製塩土器, 移動式カマド以外に, 大量の土器とともに鐵製品, 木製品, 骨角製品, 玉類(瑪瑙・翡翠勾玉, 琥珀玉, ガラス玉, 滑石製臼玉, 土玉など), 石製品, 土製品(当て具, 鞴の羽口, 土錘, 紡錘車など), 埴輪, 動植物遺体など多様な遺物が出土している. 鐵製品では鎌, つり針, 刀子, 斧, 鑿, 鏃, 椀形鍛冶滓などがあり, いず

26) 野島稔, 1979,「大阪府下における製塩土器出土遺跡」,『ヒストリア』82 ; 1984「河内の馬飼」,『万葉の考古學』, 筑摩書房.
27) 大阪府教育委員會, 2010,『蔀屋北遺跡I』, 大阪府埋藏文化財調査報告第2009-3 ; 2012『蔀屋北遺跡Ⅱ』大阪府埋藏文化財調査報告第2011-1.

れも保存状況は良好である. 木製品には鍬, 杵などの農具, 斧柄, 槌などの工具や容器, 建築部材, 織機具, 刀形や舟形などの祭祀具, 琴, 弓や刀剣装具(柄頭・鞘・鞘尻)などの武器類とともに木屑なども出土しており, 集落内で手工業生産を行っていたことが明らかとなっている. また, 鹿角製品でも一般的な集落では珍しい刀剣装具(柄頭・鞘尻)などが出土している. なかでも2点の柄頭は, 古墳以外で出土する例としては唯一の例である. 表面に水銀朱が塗布され, 内面には接着剤として使用された漆が付着していることから, 實際に剣もしくは刀に装着していたことが明らかである. 骨製品では祭祀具として卜骨が出土している. また, H地区の大溝H11の土壤を洗浄した際に穀類ではコメの量を凌駕するコムギが採取され, 家畜(ウマの飼育)と關連してコムギ生産の可能性が指摘されている[28].

大壁建物(図12), 井桁に組んだ井戸枠(図9), 馬具(木製の輪鐙・鞍, 鑣轡), 馬の埋葬土坑(図13~15), 多量の製塩土器, 韓式系土器(図16), U字形板狀製品(焚口縁飾り)の出土によって, 主に馬の飼育に關わった集落で, 集落に居住した人々の出自が朝鮮半島西半部とのつながりが深い人々であったことが明らかとなっている.

古代の牧について, 堀田啓一は考古學的視点から考えると, 「(1)馬を飼育するという馬生産の主要な要素の遺構は, 牧に關連する施設であり, 牧の周囲を巡る木柵・土壘・溝(濠), 馬屋・牧の管理棟・倉庫などの建物, 馬飼(人)の住居, 水施設などが想起される. (2)側面的要素としては, 牧の立地基盤としての水田や畑地をはじめ, 馬の飼育に使われた道具・器具類,

---

28) 大庭重信, 2010, 「渡來人と麥作」『待兼山考古學論集』II, 大阪大學考古學研究室.

馬の生育させるために不可欠な塩・かいばなどの食糧の問題があげられる.」と指摘している[29]. 蔀屋北遺跡の調査成果は, これらの要素を具体的に検証していく上で注目される.

以下, 蔀屋北遺跡を中心として, 遺跡ごとにU字形板狀土製品, 鳥足文タタキメ土器, 直線文タタキメ土器, 移動式カマド, 韓式系土器淺鉢・蓋, 坏付瓶の順に記述していく.

U字形板狀土製品は, 詳細な分析が行われている[30]. その成果を参考にして, まとめてみると以下のようになる. 接合後の個体で322点が, 竪穴住居, 井戸, 土坑, 溝等さまざまな遺構から出土しているが, ほぼすべてが蔀屋北3期の遺構から出土している. 北東居住域が出土点數の60%を占める. 各個体を構成する破片の分布狀況をみてみると, いずれも原位置から撤去されて破片が分散している狀況(図17)を示しており, 1箇所の土坑などからすべての破片が出土した個体は, 唯一南西居住域の土坑A1135(図22)だけである. このため藤田は「U字形板狀土製品は蔀屋北3期に集中的に出土しているが, この時期の竪穴住居や掘立柱建物の内部に据え付けられていた狀況ではないようである」とし, 住居外に設置した可能性が高いと考えている.

突帯の有無及びその形狀により次のI~Vのタイプに分類している(図18). 中央に突帯を貼り付けたものや, 装飾的に突帯をX字形に張り付け

---

29) 堀田啓一, 1998, 「今年のシンポジウムを迎えるにあたって」『わが國最古の牧 ~北河内の馬飼集団を考える~』歴史シンポジウム資料, 寝屋川市.
30) 藤田道子, 2010, 前揭 ; 2012, 「古墳時代中・後期の土器・土製品」『蔀屋北遺跡 Ⅱ』, 大阪府埋藏文化財調査報告第2011-1, 大阪府教育委員會.

たものは出土していない.

Ⅰタイプ-突帯は粘土を両側からつまみ, ナデ上げて成形しており, 断面は三角形状だが角がなく先端は丸い. 胎土は生駒西麓産である.

Ⅱタイプ-内縁に突帯をもつもので, 「相欠き部」は逆L字で, 突出幅は上下不均等で上側が幅廣い. 胎土は生駒西麓産, 非生駒西麓産の両者がある. aは内縁に沿って体部をL字型に折り返して突帯をつくるタイプで, 突帯断面が台形のものである. bは突帯を貼り付けるタイプで, 突帯の形状から今後さらに細分される可能性もある.

Ⅲタイプ-内外縁に沿って断面台形状の突帯が貼り付けられているタイプで, Ⅲタイプは表面に半乾燥した状態の製品を2分割する際の目印のヘラ記号や, 裏面に紐縄の壓痕がみられるなど成形段階の目印を殘したままの資料が多い. これは土台の板に張ってあった紐縄と思われ, 土台から取り外しが容易になるようにした工夫であろう. 蔀屋北遺跡では全体の88%がこのタイプで, 「蔀屋北タイプ」と呼称するに相応しいタイプといえる.

Ⅳタイプ-外縁に沿って断面台形状の突帯が貼り付けられているタイプ. 裏面に工具痕が殘り, 胎土は非生駒西麓産. 相欠きは端部の厚みを薄くして段を作り出して形成している. このような相欠きは陶邑ON231号窯灰原出土資料(図29-16)と同様の作り方である.

Ⅴタイプ-突帯が無いタイプ. 胎土は非生駒西麓. 寝屋川市長保寺遺跡では生駒西麓産のもがあり, 相欠き部の形状は逆L字形を呈している(図28-2). 裏面には工具痕が殘る.

図24-1はⅠタイプで, 天井部幅15cm, 厚さ2.5cmをはかる. 突帯は粘土を両側からつまみ, ナデ上げて成形しており, 断面は三角形状だが角がなく先

端は丸い. 胎土は生駒西麓産である. 北東居住域の落込みC2895, 竪穴住居C3767, 土坑C3342, 包含層から出土したものが接合した. 図24-2は内外縁に突帯を張り付けるタイプで, 蔀屋北遺跡の突帯分類ではⅢタイプに相当すると考えられるが, 突帯の断面が蒲鉾状で, 外縁の突帯をやや内側に張り付けるⅢタイプと異なり, 内縁と同様に板状部の側面に接して, 突帯を張り付けていることから, 別タイプとしたほうがいいかもしれない. 左側の脚部片で, 外面は格子タタキメで成形し, 裏面には木目が明瞭に殘る. 幅10.4cm, 厚さ1.4cmをはかり, 胎土は生駒西麓産である. なお, 報告では突帯形状Iタイプとしている[31]. 図24-3・4は内縁を折り返してL字形の突帯をつくるⅡaタイプで, 3は右側の天丼部片で, H地區の大溝H11の2層から出土した. 天丼部幅13.5cm, 厚さ1.5cmをはかり, 表面の調整は横方向のナデ, 裏面は木目が殘るが, 一部ナデ調整を施す. なお, 同一個体と考えられるものが, 3層から出土している. 色調は灰黄色を呈し, 胎土は非生駒西麓産である. TK208型式~TK47型式の須惠器が共伴する. 4は右側の天丼部から肩部の破片で, 南西居住域と區畵溝A434から出土した. 天丼部幅10.6cm, 厚さ1.7cmをはかり, 表面は全体を斜め方向にナデ調整, 突帯の外側に沿ってナデ調整で仕上げる. 裏面には細かい木目が殘る. 内縁側面は面取り状にヘラ削りが施されて, 一部裏面にも及んでいる. 胎土は生駒西麓産である.

　図24-5は南西居住域の土坑A1135から出土した. 土坑A1135の平面プランは長楕円形で, 長さ6.15m, 幅2.55m, 深さ0.6mをはかる. 5は下層から多量の須惠器, 土師器, 須惠器系土器とともに鳥足文タタキメの認められる

---

31) 藤田道子, 2012, 前掲.

陶質土器(図30-6)や滑石製の双孔円板2点・臼玉88点, 砥石そして移動式カマド(図38-1)とともに出土している. さらに, 焼土・炭層・灰層に混じって夥しい数の製塩土器約82kg, 個体数にして推定1641個体にのぼる資料が同時に出土した(図22). 中層及び下層から出土した須恵器はI型式4・5段階(TK23〜TK47型式)に相当するものである. 内外縁に沿って断面台形状の突帯を貼り付けるⅢタイプで, 蔀屋北遺跡では全体の88％がこのタイプで,「蔀屋北タイプ」と呼称するに相応しいタイプといえる. なお, 本例ははじめてU字形板状土製品の全体の形状が明らかとなった資料である. 右側の肩部の一部は破損している. 幅84.6cm, 天丼部幅12.7cm, 厚さ1.2cmをはかる. 裏面は成形時の土台板の細かい木目が殘るが, 木目がナデ調整で消されている部分もある.

　図25-1・2, 図26-1・2はⅢタイプで, 図25-2, 図26-2には表面に半乾燥した状態の製品を2分割する際の目印のヘラ記号を施している. 図26-1は蔀屋北遺跡で幅が最大の大きさのものである.

　図27-1は外縁に突帯を張り付ける突帯Ⅳタイプで, 相欠き部は端部の厚さを薄くして段を作り出している. 全体幅は推定64cm, 天井部幅10cm, 推定高43cm, 厚さは1.2cmをはかる. 表面はナデ, 裏面はヘラ状工具によるナデ調整を施している. なお, 裏面に紐縄の壓痕が認められた. これは土台の板に張ってあった紐縄と思われ, 土台から取り外しが容易になるようにした工夫であろう. 色調はにぶい黄橙色を呈し, 胎土は非生駒西麓産である. 土坑K1-10144, (TK23〜47型式), 流路K1-08013(TK10〜TK43)から出土した.

　図27-2は突帯を設けていないⅤタイプで, 右側の肩部に相当すると考えられる. 幅約10cm, 厚さ1.9cmをはかり, 表面はナデ調整, 裏面には工

具痕が殘る. 破片のため相欠き部については不明で, 胎土は非生駒西麓で
ある. なお, 寝屋川市長保寺遺跡では生駒西麓産のもがあり, 相欠き部の
形狀は逆L字形を呈している(図28-2).

以上, U字形板狀土製品の所屬時期は, ほぼすべて蔀屋北3期(TK23・47
型式)で5世紀の第3・4四半期に相当する. ただし, ⅡaタイプがH地區の
溝11の3層から出土しており, 蔀屋北2期(TK216~TK208型式)に遡る可能
性も想定される. なお, 大きさは4タイプに分けることができる. 幅80cm,
84~86.4cm, 89.4~93cm, 100~114.8cmである.

移動式カマドは出土量, 種類ともに豊富で, 図化された資料は約100点
を数える. 報告書では, 掛け口の形狀でA~Dの4タイプにわけているが,
ここでは蔀屋北遺跡を特徴付けるA, Bタイプを對象とする(図19). ただ
し, 稀有の資料として掛け口を2つもつもの, 掛け口の徑が通常の移動式
カマドの徑よりも小さいものは扱う.

移動式カマドAタイプは內外面とも體部から屈曲し, 掛け口は平坦面を
なす. 胎土は生駒西麓産23例, 非生駒西麓産(土師質)3例がある. 外面は平
行タタキ調整を施している. 図35-7, 図38-1はAタイプで, 掛け口の口徑は
約22cmをはかる.

図38-1は土坑A1135の下層より出土した(図22). 平底の甕を倒立させた
ような形態を呈し, 水平な天井部をもつ. 掛け口は徑219×22cmの円形を
呈する. 天井部幅28.9×29cm, 基部幅43.3cm, 高さ32cmをはかる. 體部上
位に1對の角狀の把手が下向きに取り付けられている. 掛け口は天井部で
屈曲して, 幅約3.6cmの平坦面をつくり, 端部はヘラケズリ調整を施し, シ
ャープな面をつくる. 焚き口の庇部分は, 上部がやや上方に張り出す「付
け庇」である. 焚き口の上部からつづく庇は, 基部に向かうほど張り出し

の度合いが弱くなる. 庇高は先端部を一部欠損するが, 掛け口高(天井部)を上回らないタイプ. 庇の上面・左右側面には, 製作~乾燥時の支えとして使用した植物茎の痕跡と考えられる竹管文状のスタンプ痕が認められた. その平面および断面の形状が一定していないことから, 先端がやわらかい(植物質?)棒状のものを使用したものと考えられる. 焚き口は, 幅36.4cm, 高さ25.2cmをはかり, 立面形は肩のまるい台形をなす. 焚き口の両側は端部を内外に肥厚させ, 幅廣の面をもつ. 焚き口の背面には徑3.2×3.4cmの円形の「煙り出し孔」を穿つ. 焚き口の裾部両側には, 支脚状の低い小突起を付し, わずかに裾あきになる. 背面については欠損のため, 小突起の有無は不明. 体部外面には縦方向の平行タタキメ, 内面はナデ調整を施している. 胎土中には雲母・角閃石が多量に含まれ, 暗灰褐色を呈する, いわゆる「生駒西麓産」と呼ばれるものである.

体部上位には端の収束しない水平方向の淺い沈線を巡らし, その位置に左右一對の牛角状把手を下向きに取り付けている. 把手の下面側には, 庇の上面・左右側面に観察されたような竹管文状のスタンプ痕が各一ヶ所に認められた. 掛け口の内外面に施されたヘラケズリ調整は, 倒立して成形した時に生じた, はみ出した粘土を整えるためであろう. おそらく, カマドの製作方法は, 把手の付け方や庇部分の支え痕跡(竹管文状のスタンプ)から, 平底の甑のような器を倒立させ, 製作されたと考えられる.

Bタイプは, 外面は体部から屈曲し, 内面は体部から屈曲せず上内方に伸び, 掛け口に平坦面をもつ. 胎土は生駒西麓産2例, 非生駒西麓産(土師質)1例がある. 外面はナデで, 内面はハケもしくはケズリ調整を施している. 図38-2, 図39-1・2はBタイプで, 掛け口の口徑は22~23cmをはかる.

現在のところAタイプは, 他では讃良郡條里遺跡で1~2例, 長保寺遺跡

で1例確認されている. Bタイプは, 大阪府東大阪市鬼虎川遺跡(図39-2)で1例確認されている.

　以上, Aタイプの移動式カマドはⅢタイプのU字形板狀土製品が出土している遺跡でのみ確認されることから, 両者に強い關連性が想定される. おそらく, Aタイプの移動式カマドはⅢタイプのU字形板狀土製品を装着していたカマドの狀態を土製品に寫し取ったもので, 「庇」は外縁, 「焚き口の両側の突帶狀に肥厚した端部」は内縁に, それぞれ對應すると考えられる.

　図40-2は掛け口を2つもつもので, 溝C4264から出土した. 掛け口の徑15.8cmをはかる. 上面はヘラミガキ調整, 側面はハケメ調整を施し, 色調は黄灰色を呈している. 図40-3はドーム狀を呈するもので, 土坑C4083から出土した. 掛け口の徑は16.8cmをはかる. 上面・側面はハケメ, 内面は強いケズリ狀のナデ調整を施し, 色調はにぶい橙色を呈している. 報告書では「移動式カマドというより, 造りつけカマドの付屬具, 掛け口上部を覆う器具等の用途を持つと思われる.」としている[32]. なお, 北側に接して位置する讚良郡條里遺跡では掛け口を3つ有するものも出土している(図40-1).

　鳥足文タタキメ土器は6点(図30-1~6)出土している. 1は大溝E090001中層から出土した韓式系(陶質)土器甕の体部片, 2は大溝E090001下層から韓式系(軟質)土器鉢, 4は大溝E090001中層から出土した移動式カマドの体部片である. 3は大溝H11の3層から出土した陶質土器瓶で, 口径8.9cmをはかる. 体部外面に右開きの鳥足文タタキメを横方向に連續的に巡らしている. 肩部はヨコナデ, 内面は丁寧なナデ調整を施している.

---

32) 藤田道子, 2010, 前掲.

TK216~TK23型式の須恵器が共伴する. 5は土坑F1120から出土した陶質土器廣口壺で, 口徑16.7cm, 器高23.6cmをはかる. 体部外面の上位に右開きの鳥足文タタキメを装飾的に1段巡らしている. MT15型式の須恵器が共伴する. 6は土坑A1135から出土した陶質土器廣口壺である. 肩部~体部にかけて一部破損しているが, 口徑15.6cm, 器高27cm(推定)をはかる. 底部は平底で, 体部外面に鳥足文タタキメを施した後に, 螺旋状沈線を巡らしている. 内面は下から上に向けて丁寧なナデ調整を施している.

　直線文タタキメ土器は10点出土している. 図35-1は土坑C3485・3486から出土した韓式系土器甑の底部片で, 胎土は生駒西麓産である. 外面はタタキメの上からナデ調整を施している. 出土した須恵器は須恵器編年I型式4段階に相当する(表2). 須恵器, 須恵器系土器, 土師器, 移動式カマドAタイプ, U字形板状土製品, そして多量の炭化物と共に製塩土器が出土した. 大量の灰・炭と小型製塩土器の破片が出土したことから, C3485・3486は製塩の最終工程である焼き塩を行った後の廃棄土坑と推定され, 時期及び出土資料の構成は土坑A1135(図22)と共通する. 図35-2は竪穴住居F12から出土した韓式系(軟質)土器甕の体部片と考えられ, TK23型式の須恵器, 土師器, 韓式系土器, 製塩土器, 砥石, 臼玉などともに出土している. 図35-3~6はD調査區包含層第9~10層から出土した. 韓式系(陶質)土器の壺の体部片と考えられる. 図35-7は土坑K1-10144から出土した移動式カマドAタイプである. 体部外面に直線文タタキメを施している. 胎土は生駒西麓産であることから, 図35-1と同様, 明らかに大阪府内で作られたことがわかる資料といえる. 須恵器, 韓式系土器, 須恵器系土器, 製塩土器, 土師器, 移動式カマド, U字形板状土製品が共伴する. 図35-8はH地區の大溝H11の1層から出土した韓式系(陶質)土器甕の体部片で, 内面はヨコナデ

後, 縦方向に間隔をあけ, 上方へナデあげている. 螢光X線分析の結果, 陶邑領域に對応するという判定がなされている[33].

図35-9は土坑D607から出土した韓式系(陶質)土器の体部片で, 內面はナデ調整を施している. 韓式系(軟質)土器甑, 有孔円板が共伴する. 図35-10は谷F1から出土した韓式系(軟質)土器甑と考えられている体部片である.

淺鉢は1点出土している. 図41-1は韓式系(陶質)土器淺鉢で, 復元口徑13.4cmをはかる. 外面はヘラケズリ調整を施している.

蓋は2点(図42-1·2)出土している. 15は百濟系の韓式系(陶質)土器蓋で, 土坑C3837から出土した. 色調は明靑灰色を呈している. 時期はTK216型式~TK208型式に比定される. 16は大溝E090001下層から出土した韓式系(瓦質)土器で, 色調は灰色を呈している. 時期はTK216型式以前で5世紀前半に比定される.

2. 讚良郡條里(蔀屋北)遺跡(大阪府寢屋川市)

財団法人大阪府文化財センターによって, 2004年~2007年(讚良郡條里遺跡03-6·06-3), 2003年から2007年(讚良郡條里遺跡03-3·06-2), 2009年~2010年(讚良郡條里遺跡09-1)に調査が實施された. いずれの調査區も南側に位置する蔀屋北遺跡と同一の遺跡群を形成すると考えられる(図11). 讚良郡條里遺跡03-6·06-3調査區, 讚良郡條里遺跡03-3·06-2調査區で

---

33) 三辻利一, 2010, 「蔀屋北, 鬼虎川遺跡出土硬質土器の螢光X線分析」『蔀屋北遺跡I』, 大阪府埋藏文化財調査報告第2009-3, 大阪府教育委員會.

は, 蔀屋北遺跡で確認されている大溝(大溝H11, 大溝F, 大溝D900, 大溝E090001)に續く遺構と考えられる「落込み」,「流路1」が檢出され, 古墳時代中期~後期の多量の須惠器, 土師器, 韓式系土器, 製塩土器, 陶質土器, U字形板狀土製品, 移動式カマド, 埴輪, 劍形土製品, 石製·土製紡錘車(算盤形を含む), 金屬製の輪, 鐵製品(鎌·鋤先·鏃·曲柄刀子·鑄造鐵斧·刀子), 鐵滓, 玉類, 砥石, 鞴の羽口, 須惠器の窯壁片, 木製品(鍬, 杵などの農具, 斧柄, 槌などの工具や容器, 建築部材, 織機具, 刀形や舟形などの祭祀具, 琴, 弓や刀劍裝具(鞘·把)などの武器類, 下駄, 輪鐙, 鞍), 骨角製品, 動物骨とともに木屑なども出土しており, 集落内で手工業生産を行っていたことが明らかとなっている[34].

　図30-7·8, 図40-1, 図41-2は讚良郡條里遺跡03-6·06-3調査區落込みから出土したもので, 図30-7·8は鳥足文タタキメを施した韓式系(陶質)土器の壺體部片である. 図40-1は3つの掛け口をもつ移動式カマドで, 掛け口の徑は14.5cmをはかり, 外面はハケ調整後, 一部ナデ調整を加えている. 同様なタイプが土坑2592, 土坑2301から各1点出土している. 図41-2は韓式系(軟質)土器淺鉢である. なお, U字形板狀土製品はいずれも蔀屋北Ⅲタイプで, 11点出土している.

　図41-3は讚良郡條里遺跡03-3·06-2調査區流路1から出土した韓式系(軟質)土器淺鉢で, 口徑20.4cm, 器高7.2cmをはかる大型品である. 體部外面

---

34) 奧村茂輝編, 2008,『讚良郡條里遺跡Ⅶ』, (財)大阪府文化財センター調査報告書第182集 ; 森本 徹編, 2009,『讚良郡條里遺跡Ⅸ』, (財)大阪府文化財センター調査報告書第188集 ; 福佐美智子·小林千夏編, 2011,『讚良郡條里遺跡Ⅹ』, (財)大阪府文化財センター調査報告書 第210集.

には縄蓆タタキメを施し, 底部外面には不明瞭ながらも方形の壓痕が認められる. 器形などから三國時代の百濟地域, 全羅南道地域の陶質土器に系譜が求められる. なお, U字形板狀土製品はいずれも蔀屋北Ⅲタイプで, 5点出土している.

2012年8月には, 商業施設建設工事に伴って寝屋川市教育委員會・四條畷市教育委員會・公益財団法人大阪府文化財センターによって調査が實施され, 2-1區で古墳時代中期から後期の竪穴住居, 掘立柱建物, 井戸, 溝などの遺構を檢出している[35]. 詳細については, 現在報告書作成中のため明らかにできないが, 珍しい資料として井桁をもつ井戸が出土している(図8). 時期は5世紀後半から6世紀前半に比定され, 10段分を檢出している. 大園遺跡例(図7), 蔀屋北遺跡例(図9)に次いで3例目となる. 構造は風納土城の木製井戸と共通している点で, 蔀屋北遺跡, 讚良郡條里遺跡に移住した人々の故地を窺い知る上で, 興味深い資料といえる.

3. 長保寺遺跡

1990年度に大阪府教育委員會が實施した調査(調査当時は讚良郡條里遺跡と呼称)で, 自然河川, 包含層から4点のU字形板狀土製品が出土している. なかでも3區の東半部の下層で檢出された自然河川では韓式系土器, 初期須惠器, 土師器, 木製品とともに出土している. U字形板狀土製品

---

35) 寝屋川市教育委員會・四條畷市教育委員會・公益財団法人大阪府文化財センター, 2012, 「讚良郡條里遺跡現地説明會資料」, 平成24年3月24日.

いずれも蔀屋北Ⅲタイプである. 調査当時は, 用途がわからず「用途不明の生駒西麓産の土製品」として, 報告では紹介された. 日本におけるU字形板狀土製品の嚆矢である[36]. 蔀屋北遺跡と同様, 船材を再利用した井戸枠が3基檢出され, 遺跡の性格として港の機能が推測され, U字形板狀土製品, 天井部に平坦面をもつ移動式カマドでも共通する.

図28-1は91-1區南調査區で第Ⅴ層(古墳時代包含層)よりまとまって出土したU字形板狀土製品で, 同一個体と考えられている. 天井部での幅12.5cmをはかる. 蔀屋北Ⅲタイプである. 同様な小片が91-1調査區南調査區土坑4からTK47型式の須惠器等と共伴して出土している. 図28-2は91-1南調査區第4面土坑4から出土した. 突帶をもたないもので, 左側の天井部の破片で, 表面はナデ, 裏面は未調整である. 蔀屋北Ⅴタイプで, 胎土は生駒西麓産である. 図28-3は92-3區の溝5から出土した蔀屋北Ⅲタイプの右側の肩部の破片である. 時期については報告では「出土遺構からは, 古墳時代中期(TK208型式の須惠器)~後期の土器が出土しており, この時期幅の中で土製品の時期が求められる」としている[37].

また, 天井部に平坦面を持つ移動式カマドが91-1區北調査區第4遺構面土坑1から, 5世紀末~6世紀初頭の須惠器, 土師器, 製塩土器, 動物骨, 植物種子とともに出土している. 蔀屋北遺跡の移動式カマドA(図38-1)と同じタイプで, 外面は平行タタキメを施し, 胎土は生駒西麓産である[38].

---

36) 西口陽一編, 1991, 前掲書.
37) 濱田延充, 2001a, 「用途不明板狀土製品について」, 『韓式系土器研究』Ⅶ, 韓式系土器研究會.
38) 濱田延充編, 1993, 『長保寺遺跡』, 寝屋川市教育委員會.

4. 木の本遺跡(大阪府八尾市)

　2点のU字形板狀土製品が出土している[39]. いずれも內緣に突帶を張り付けており, 蔀屋北遺跡の突帶分類ではⅡbタイプに相当する. 図28-4は古墳時代の包含層から出土した左側の脚部片で, 幅約12cm, 厚さ1.4cmをはかる. 表面はタテ方向のナデ, 裏面には作業台に使用した木目の壓痕が明瞭に認められた. 色調はにぶい橙色で, 胎土は生駒西麓産である. 共伴する須惠器はTK208~TK23型式という. 図28-5は立會調査時に出土した右側の肩部から脚端部の破片である. 幅約10.8cm, 厚さ1.8cmをはかる. 表面は縱方向のナデ, 裏面は大部分剝離しているが, 成形時に粘土を押し廣げた際に付いた作業台(板材)の木目の壓痕が認められた. 色調はにぶい橙色で, 胎土は非生駒西麓産である.

5. 高宮八丁遺跡(大阪府寝屋川市)

　長保寺遺跡の北東約600mに位置する. 第2次調査で古墳時代の自然河川から出土した. 図28-6は右側の肩部片で, 蔀屋北Ⅲタイプで, 胎土は生駒西麓産である. 所屬時期については, 報告では「明確な時期が求められないが, おおむね古墳時代中~後期の中で收まるものと思われる.」としている[40].

6. 池島・福万寺遺跡

---

39) 大阪府教育委員會, 2012,『蔀屋北遺跡Ⅱ』,大阪府埋藏文化財調査報告第2011-1.
40) 濱田延充, 2001a, 前揭.

河内平野の東南部, 八尾市と東大阪市にまたがって位置する. U字形板狀土製品, 鳥足文タタキメ土器の壺体部1片が出土している.

U字形板狀土製品は, 2007年の再整理時に確認された[41]. 出土遺構は, 建物30やその周辺の遺構・包含層から出土している. 建物30は「南北3.1m, 東西2.4mの長方形の竪穴狀遺構とその西側に並ぶ6基の柱穴で構成される. 竪穴狀遺構の内部には柱穴はみられないことから現段階では柱穴側が高い片屋根の構造を想定している.」とし, 竈屋という炊飯關連施設と考えている[42](森本1995). 内部に造り付けカマドを2基有し, 6世紀前半の須惠器, 土師器, 移動式カマド, U字形板狀土製品, 製塩土器が出土した. U字形板狀土製品(図28-7~10)はいずれも生駒西麓産の胎土をもち, 内緣に突帶を張り付けている. 裏面には作業台に使用した木目の壓痕が認められた. 7・8は建物30のカマド1から出土した. 7は推定幅約93cm, 幅12.1~14.7cm, 突帶の厚さ3.2~3.7cmをはかる. 8は左側の肩部の破片で, 幅17.4cm, 突帶の厚さ3.7cmをはかる. 9は建物30西側の柱穴付近, 10は建物12のピット内から出土した. 9は右側の脚部片で, 幅10.3cm, 突帶厚さ3.2cmをはかる. 10は右側の肩部片で, 幅12.7cm, 突帶の厚さ2.7~2.9cmをはかる.

図30-9は94-1・2調査區の第10層から出土した鳥足文タタキメ土器で, 報告では「第10層からは, 土師器や須惠器, 瓦器椀等の細片が出土してお

---

41) 畑 暢子, 2008, 前揭.
42) 森本 徹編, 1995, 『池島・福万寺遺跡發掘調査概要ⅩⅡ - 90-1・90-4調査區 (1990~ 1992年度)調査概要-』, (財)大阪文化財センター.

り, 弥生土器も少数ではあるが出土している. また鳥足文叩きを持つ陶質土器片が1点出土している. この他, 刀子や鐵鏃, 馬鍬の齒, 釘, 鎌などの鐵製品が出土している.」としている[43]. 韓式系土器(陶質)甕または壺の破片と考えら, タタキメ成形後に沈線を巡らしている.

7. 溝咋遺跡(大阪府茨木市)

U字形板狀土製品が5片出土している(図29-1~6). いずれも外縁に突帯がつくタイプである. 1は溝咋遺跡(その1)の調査で, 包含層から出土したもので, 突帯は庇狀で高い. 報告書では「土師器で器形・用途は不明である. 厚さ1.5cmの盤狀で, 一方は幅が狭くなりやや湾曲し, 一方は幅が廣くなる形狀で, 縁がやや外方に低くたちあがる. 縁の高さは, 幅が狭い方で2cm, 高い方で3.8cmであり, 幅が廣くなるにつれて高さを増す.」としている[44]. 右脚部に相当すると考えられる.

2~6は溝咋遺跡(その3)の調査で出土したもので, 2~5は3D區河川2中層(古墳時代中期~後期)から, 6は3D區炭集中部分から出土した[45]. 2は左肩部の破片, 3は天井部分とみられ, 1と同様に突帯は庇狀で高い. 4・5は裏

---

43) (財)大阪府文化財調査研究センター, 1997, 『池島・福万寺遺跡發掘調査概要ⅩⅧ-94-1・2調査區の概要-』.

44) (財)大阪府文化財調査研究センター, 2000a, 『溝咋遺跡(その1・2)』, (財)大阪府文化財調査研究センター調査報告書 第49集.

45) (財)大阪府文化財調査研究センター, 2000b, 『溝咋遺跡(その3・4)』, (財)大阪府文化財調査研究センター調査報告書 第50集.

面には作業台に使用した木目の圧痕が明瞭に認められることから, 5は左脚部の中位, 4は左肩部の破片であることがわかる.

8. 八尾南遺跡(大阪府八尾市)

大阪府八尾市の西木の本1~4丁目, 木本, 若林町1~3丁目に位置し, 東西約0.5km, 南北約1.3kmの廣がりをもつ旧石器時代から鎌倉時代に至る複合遺跡である. なかでも, 古墳時代初頭から前期の土師器は, 中河内地域を代表とする標識資料として周知されている. また, 西側に位置する長原遺跡と同様, 古墳時代中期(5世紀前半~中頃)の朝鮮半島系の韓式系土器(廣口壺・平底鉢・小型鉢・把手付鍋・長胴甕・蓋)が多く出土することでもよく知られている. 韓式系土器や鍛冶關連遺構や遺物から, 新來技術を招來した百濟系を中心とした渡來系の技術集団の集落と考えられている[46]. 第8次調査でU字形板狀土製品, 第18次調査で鳥足文タタキメ土器, 韓式系(軟質)土器淺鉢が出土している.

U字形板狀土製品は第8次調査の西區第4層から須惠器, 土師器, 多量の埴輪とともに出土している. 図29-7は右側の天井部から肩部にかけての破片である. 移動式カマドにみられる庇狀の突帯を内縁に接して張り付けている. 出土地点は建物に付随する炊事施設と考えられるSK-21, 井戸SE-4に相当する場所で, 先述した池島・福万寺遺跡と同じ様相を示し, U

---

46) 原田昌則編, 2008, 『八尾南遺跡第18次發掘調査報告書』, (財)八尾市文化財調査研究會報告117 ; 田中清美, 2010, 前掲.

字形板狀土製品は炊飯關連施設での使用が想定される. 報告者は, 西側に溝によって區畵された遺構の空白地帶が認められ, これを放牧地とし, また近接して檢出された掘立柱建物, 方形區畵・柵列, 土坑SK-18をそれぞれ馬屋, 一時的な係留地, 水溜め狀遺構等の施設として想定している. さらに, 井戸SE-4からTK216型式の須惠器, 土師器とともに木製鞍が出土していることから, 馬の飼養を行っていた集團の集落の可能性を指摘している[47]. U字形板狀土製品の使用者と馬の飼養の關連性が考えられる.

第18次調査區YS92-18は初期須惠器成立時期にあたるTG232型式~TK73型式段階に成立した居住域で, 土師器, 韓式系土器, 初期須惠器, 鍛冶關連(鞴の羽口), 玉類(滑石製勾玉・臼玉), 砥石などが出土している[48]. 鳥足文タタキメ土器(図31-1・2), 淺鉢(図41-14)は落込み狀遺構SO101から須惠器, 土師器, 韓式系土器と出土した. 須惠器はわずかで土師器, 韓式系(軟質)土器が大半を占めている. 淺鉢(図41-14)は報告では, 淺めの體部を有する小型鉢とし, 「TG232型式にみられる百濟系の初期須惠器を模倣したものと考えられる」としているが, 朝鮮半島の南西部にみられる陶質土器淺鉢を模倣した韓式系土器の可能性も考えられよう.

図31-1・2は韓式系土器甑・鍋で, 體部外面に鳥足文タタキメを施している. いずれも燒成は良好で, 色調は淡赤橙色を呈し, 同一工人によって製作された可能性を指摘している. そして, 形狀や法量, 鳥足文タタキメの施文方法の類似性から, 北西に約400m離れた長原遺跡NG95-36次調査

47) 原田昌則編, 1995, 「八尾南遺跡第8次調査(YS87-8)」, 『八尾南遺跡』, (財)八尾市文化財調査研究會報告47.
48) 原田昌則編, 2008, 前揭書.

區の7B層出土の韓式系土器(図33-2~7)と同一製作集団あるいは同一工人の製作が高いという.

　図42-9はSK107から, 図42-10はSD102から出土した韓式系(軟質)土器蓋で, いずれも5世紀前半に比定されている. 24は口徑13.4cm, 器高3.6cmをはかり, 色調は灰黄色を呈し, 天井部中央につまみを貼り付けた痕跡がある.

　また, SP251から土師器小型丸底壺とともに口徑16cmをはかる韓式系(陶質)土器の廣口壺(図43-4)が出土している. 報告では5世紀前半の初期須惠器としているが, 頸部の突帶間に2帶の波狀文を巡らすタイプは, 須惠器では類例を知らない. 田中清美氏は湖西地域の陶質土器の可能性が高いと考えている[49].

9. 一須賀古墳群內(大阪府河南町)

　一須賀古墳群は, 太子町および河南町に擴がる6世紀から7世紀前半の群集墳で, 1.5km四方に約260基の古墳が確認されている[50]. U字形板狀土製品(図29-8)は1986年8月10日に一須賀古墳群內の河南町大宝4丁目で採集され, 近つ飛鳥博物館で保管されていた[51]. 相欠き部を含む右側の上部の破片で, 幅14.4cm, 厚さ1.3cmをはかり, 內緣に接して突帶を張り付け

49) 田中清美, 2010, 前掲.
50) 宮崎泰史, 2006b, 「研究ノート―須賀古墳群の調査Ⅵ―分布·出土遺物の再整理作業から-」, 大阪府立近つ飛鳥博物館館報10.
51) 鹿野曡, 2007, 「一須賀古墳群出土U字形板狀土製品」, 『大阪府立近つ飛鳥博物館館報11』.

ている. 色調は赤褐色を呈している.

10. 上町谷1・2号窯(大阪府大阪市)

窯に伴う第4層から, 須恵器無蓋高坏・壺・器台・甑・甕, 韓式系(軟質)土器, 土師器とともにU字形板狀土製品の可能性がある土製品(図29-9)が出土している. 報告では「著しく軟質の不明品は3片が殘存しており, そのうち一辺が肥厚している. U字形土製品の可能性がある.」としている. 出土遺物及び「直線型」に分類できる窯體の形態から, ON231型式を含む廣義のTK73型式に位置つけられている[52].

11. 中町西遺跡(奈良縣天理市)

U字形板狀土製品が2点(図29-10・11)出土している[53]. いずれも土師質で, 10はC地區自然流路07から初期須恵器, 韓式系土器とともに出土したもので, 時期は古墳時代中期末と考えられている. 形狀は「上端部の凸帶は, 斷面形狀が緩やかな凸狀で, 幅1.2cm, 高さ0.9cmを測る. 張り付けら

---

52) 市川 創, 2012, 「上町谷1・2号窯について」『韓式系土器研究』XⅡ, 韓式系土器研究會.
53) 伊藤雅和・本村充保, 2003, 『中町西遺跡』, 奈良縣立橿原考古學研究所調査報告第85冊 ; 坂 靖, 2010, 「中町西遺跡の造り付け竈焚き口枠」, 『靑陵』第131号, 奈良縣立橿原考古學研究所.

れたものであるかどうかはわからない. 中央の凸帯は, 断面形状が台形
で, 上底幅1.0cm, 高さ1.5cmを測る. 張り付けた痕跡が明瞭で, 右に向か
い, やや下方に湾曲している. 上端の凸帯と, 中央の凸帯の幅は, 6.5cmを
測る. 外面の凸帯間には, 指頭圧とみられる凹凸があり, 内面は上端部に
剥離痕がみられる. 剥離痕は段状になっていて, 製作時にほどこされたも
のである可能性もある.」と説明している[54]. 左端に切り離した(粘土を切
り取った)痕跡があることから, 右側の上端部分で, 相欠き部の形状は逆L
字形と考えられる. 上下端, および中央に突帯を有するタイプと考えられ
る. 11はB地区自然流路05から出土したもので, 時期は古墳時代中期中葉
~後期と考えられている. 形状は「上端部で凸形と凸形を組み合す形式の
焚き口枠で, 凸形の方にあたる. 幅15.7cm, 残存長17.0cm, 凸帯部を含め
た厚さ5.2cm, 凸部の幅5.4cm, 長さ4.0cmを測る. 下端部に幅1.5cm, 高さ
1.4cmの凸帯が張り付けられている. また, 上端から約2.5cm下方には凸
帯の剥離痕がある. その場合, 凸帯の間隔はおよそ12cmになり, そのほぼ
中間に凸部がつくことになる. 外面には全体に指壓痕が残り, 内面と下端
部側面には, 作業台に使用されたと考えられる簀の子状の壓痕が残る.」
と説明している[55]. 外縁の突帯がやや内側に入り込む型式は, 部屋北Ⅲタ
イプに通じる. しかし, 上面がやや湾曲していることから, 図とは上下逆
の可能性も考えられる.

12. 五反島遺跡(大阪府吹田市)

54) 坂 靖, 2010, 前掲.
55) 坂 靖, 2010, 前掲.

U字形板狀土製品(図29-12)は1986年度に實施された調査によって, 古墳時代の河道から出土したもので, その後の再整理によって, その存在が明らかとなった. 「細長い板狀の破片で, 兩面とも斜め及び縱方向の平行タタキを施した痕跡がみられます」と説明されている. そして上縁, 下縁に突帯を有しない点及び表裏の成形にタタキメを施している点, ON231号窯例に共通することから, 報告者は5世紀前半と考えている[56]. 土師質で, A面が表と考えられ, 殘存長約23cm, 幅約14cm, 厚さ約1.3cmをはかる. A面の上方の左端は相欠き部と考えられ, 本例は右側の脚部の上部の破片と推測される.

13. 小阪合遺跡(大阪府八尾市)

河内平野の南部に位置し, 弥生時代中期から中世にかけての複合遺跡である. U字形板狀土製品と考えられる土製品(報告では, 須惠質塼狀土製品)が2点(図29-13・14), 直線文タタキメ土器が1点(図36-1)出土している[57]. 13は包含層第Ⅲ層から出土したもので, 左側の脚部片である. 幅15cm, 厚さ1.5cmをはかり, 内縁に突帯を貼り付けている. 右の裏面には

---

56) 吹田市立博物館, 2005, 「五反島遺跡出土の竈形土器」, 『吹田市文化財ニュース』No. 26.
57) (財)大阪府文化財調査研究センター, 2000c, 『小阪合遺跡』, (財)大阪府文化財調査研究センター調査報告書第51集.

作業台に使用された板材の木目の壓痕が観察された. 14は溝326から出土した. 右側の天井部の破片で, 幅11.1cm, 厚さ1.8cmをはかる. 外縁に突帯, 内面に「X」字状に突帯を貼り付けている. 表面はナデ調整を施し, 裏面には作業台に使用された板材の壓痕がわずかに観察された. いずれも所屬時期は不明である.

図36-1は, 直線文タタキメによって成形された大甕で, 口徑29.5cm, 器高48.6cmをはかる. 落込み416上層からTG232~TK23型式の須惠器, 土師器, 韓式系土器とともに出土した.

14. ON231号窯跡

大阪府堺市に所在する. 陶邑窯跡群の北西部に位置し, 大野池地區(略称, ON), 同地區には濁り池窯跡(ON326), 上代窯跡(ON227), ON46号窯(ON16)など5世紀前半の窯跡が多く分布している. 1993年に灰原の調査[58], 2007年に窯本体部と灰原の一部の調査が實施されている[59]. U字形板狀土製品は, 灰原から初期須惠器とともに4点(図29-15~18)が出土している. 1994年の報告書では「板狀の土製品で, 原形はコの字形を呈すると考えられるものは, あるいは窯の焚き口を構成するものかも知れなかっ

---

58) 西口陽一編, 1994,『野・井西遺跡・ON231号窯跡』, (財)大阪府埋藏文化財協會調査報告書第86輯.
59) 堺市教育委員會, 2008,『野・井西遺跡(NNIN-1)・陶邑窯跡群(ON231)發掘調査概要報告』, 堺市埋藏文化財調査報告第122冊.

た. 表面には, 一面に格子叩きを施し, 裏面はナデ調整, 端部はヘラで面取りをしていた. 下端を階段状にしたものは, あるいは別の部品と組み合わせるための處置と考えられた.」とされていたが, 2003年, 田中清美氏によってU字形板狀土製品として認識されることになる[60]. いずれも須惠質で突帶を持たず, 表裏の成形に格子タタキメを施している. 表面は格子タタキメが明瞭であるが, 裏面は格子タタキメ後にナデ調整を施している. 15は左側で, 天井部での幅12cm, 厚さ1.5cmをはかる. 相欠き部は端部の厚みを薄くして段を作り出している. 16は左右不明の脚端部片, 17は左側の脚部片である. 現在, 共伴資料によって時期がわかる資料としては, 國内で最古の資料となっている. 18は2007年の調査で灰原から出土した左右不明の脚端部の破片で, 幅10cm, 厚さ0.9cmをはかる. やや軟質で, 淡灰色を呈す.

15. 陶邑・大庭寺遺跡

大阪府南部に位置する陶邑窯跡群の栂地區(堺市)の北東部緣邊に位置する. 調査は1986年~1993年まで實施され, 繩文時代から中世に至る多數の遺構・遺物が檢出された. 古墳時代中期の遺構には初期須惠器窯跡2基(TG231・232号窯), 竪穴住居, 溝, 土壙墓, 土器溜まり(選別場), 旧河川などが見つかり, 生產・選別・流通・工人の居住の場というように關連する狀

---

60) 田中清美, 2003, 前揭.

況で檢出され, その成果は初期の須恵器生産集団の集落構造の一端を明らかにしたといえる.

図29-19はU字形板状土製品の右側部分で, 相欠き部と先端部は破損している. 奈良時代の包含層から出土したが, 古墳時代に遡る可能性がある[61]. 須恵質で, 内外縁の突帯は粘土の貼り付けではなく, L字状に折り曲げて作り出している. 表面の調整は平行タタキメを施した後に, 脚部はナデ仕上げしている. 裏面は成形時に押し当てていた作業台の木材の木目が壓痕として觀察される. 図36-2は溝1100-OSから出土した軟質の直線文タタキメ土器で, 壺もしくは甕の体部片と考えられ, タタキ後に沈線を巡らしている. TK73型式の須恵器, 韓式系(軟質)土器が出土している. 図42-3はTK73型式の1-OL土器溜まりの上層から出土した兩耳付蓋である[62].

16. 大園遺跡(大阪府和泉市)

東西約1.5km, 南北約1kmの廣がりをもつ後期旧石器時代から中世に至る複合遺跡で, 西日本での有数の古墳時代の集落遺跡として位置づけられている. 1967年, 第二阪和國道建設予定地内遺跡分布調査の際に土器片が採集され, 1973年度に試掘調査, 1974年から本格的な調査が開始され

61) 富加見泰彦・山上雅弘編, 1990, 『陶邑・大庭寺遺跡II』, (財)大阪府埋藏文化財協會調査報告書第50輯.
62) 藤田憲司・奧和之・岡戸哲紀編, 1995, 『陶邑・大庭寺IV』, (財)大阪府埋藏文化財協會調査報告書第90輯.

た.

1975年度(第7次)に調査が實施された第Ⅱ地區で, 溝によって方形に囲まれた區畫內から掘立柱建物, 竪穴住居, 大壁住居, 井桁に組んだ井戸が檢出されている(図6·7). 遺物は4世紀末の多量の埴輪, 5世紀前半~後半の須惠器, 土師器, 馬齒, 石製模造品(有孔円板, 臼玉, 管玉, 刀子)などが出土している. 大壁住居は, 調査当時は方形周溝遺構と呼称され, 一辺約8mをはかり, 區畫內では中心的な施設と考えられる. 井桁に組んだ井戸9は徑0.8m, 深さ0.85mをはかり, 5世紀中頃~後半の須惠器, 土師器, 韓式系土器甕, 埴輪が出土している[63].

1980年度(第18次)の調査で, 井戸SE202から須惠器, 土師器とともにU字形板狀土製品が出土している[64]. 下層は5~6世紀, 最上層は6世紀である. U字形板狀土製品(図29-20)は須惠質と考えられ, 幅16.8cm, 厚さ1.5cmをはかる. 右側の脚部で, 內緣に突帶を張り付け, 外面の成形は平行タタキメを施している. なお, 隣接した地点で, 布留形甕と韓式系土器甕を組み合わせた「合わせ口の甕棺墓SK24」なども見つかっている. 他に, 韓國·盤橋里, 兵庫縣龍野市尾崎遺跡(図41-9)と同様, 体部外面に斜格子タタキメを施した韓式系(陶質)土器淺鉢, そして円筒形土製品などが出土している.

17. 中田遺跡(大阪府八尾市)

---

63) 大阪府教育委員會, 1976, 『大園遺跡發掘調査槪要·Ⅲ』, 大阪府文化財調査槪要 1975.
64) 大阪府教育委員會, 1981, 『大園遺跡發掘調査槪要·Ⅵ』.

第8次NT91-8調査區, 溝SD207から出土したU字形土製品である. 共伴資料は12世紀後半から14世紀末に比定されている. 報告書では「高さ37.8cmを測り, 裏面には藁？の痕跡が明瞭に遺存し, 土壁に張り付けていたような状況である. また部分的に炭が付着している. 形狀とこれらのことを考え合わせると, かまどの焚き口部分である可能性がある」としている[65]. 外縁に突帯を設け, 幅は14cmで, 厚さは突帯を含めると8cmをはかる. 相欠き部分は逆L字形である. 時期が新しいため今回は, 類例の紹介にとどめ, 図面を掲載していない.

18. メノコ遺跡(大阪府大東市)

　古墳時代から奈良時代にかけての集落遺跡である. 1991年に大東市教育委員會によって調査が實施され, 溝SD201, 落込狀遺構SX01, 包含層(採集品)から鳥足文タタキメ土器4片, 直線文タタキメ土器1片が出土している(図31-5~8). 5は包含層から出土した鳥足文タタキメを施した韓式系(陶質)土器の体部片で, 6・7は落込狀遺構SX01から出土した鳥足文タタキメを施した韓式系(陶質)土器の体部片で, 8は溝SD201から出土した韓式系(陶質)土器壺の体部片とみられ, 左開きの鳥足文タタキメを施した後に, 沈線を巡らし, 下半部に格子タタキメを施している. 図36-3は韓式系土器

---

65) (財)八尾市文化財調査研究會, 1995, 「中田遺跡第8次調査」, 『中田遺跡』, (財)八尾市文化財調査研究會報告49.

(硬質), 直線文タタキメ土器で, 田中の分類[66]ではE類で, 擬鳥足文とされているものである.

19. 城遺跡(大阪府四條畷市)

　図31-9は99-1調査區溝11から出土した韓式系(陶質)土器の体部片で, 外面に鳥足文タタキメを施している. 図31-10は03-1調査區旧河川の中層から出土した韓式系(陶質)土器の体部片で, 外面に鳥足文タタキメを施している. いずれも色調は灰色を呈し, 胎土は緻密で, 焼成良好である.

　図37-6は97-1調査區古墳1から出土した韓式系(陶質)土器廣口壺と考えられる. 報告では「韓式系須惠質甕である. 体部外面は正格子目に短い一本線が平行に走る叩き調整後, 螺旋狀に巡ると思われる幅約3mmの沈線が施されている. 内面はナデ調整で下半部には無文の当て具痕が見られる. 殘存高8.2cm, 厚さ0.6~0.8cm. 色調：内面は靑灰色, 外面は暗靑灰色, 斷面は赤褐色. 胎土は緻密, 焼成は良好(硬質).」としている[67]. 本例は直線文タタキメの一種と考えられ, 平行タタキメの代わりに正格子タタキメを使用し, 直角ではなく斜め方向に一本の直線をタタキ板に彫りこんだもので, 日本では類例をみないタタキメである.

20. 南鄕丸山遺跡(奈良縣御所市)

---

66) 田中淸美, 1994, 前揭.
67) 村上 始, 2006, 『一般國道163号擴幅工事に伴う發掘調査』, 四條畷市教育委員會.

奈良縣御所市に所在し，南郷遺跡群の一つ．図31-12は鳥足文タタキメを施す韓式系(陶質)土器で，図37-2は直線文タタキメを施す韓式系(軟質)土器で，いずれも器形は不明である[68]．

21. 鎌田遺跡(大阪府四條畷市)

2000年の調査で，古墳時代中期の大溝から，韓式系(陶質)土器淺鉢(図41-4)，鳥足文タタキメ土器(陶質・軟質)土器が出土している[69]．大溝は幅約4m，深さ約1.1mをはかり，層中よりI型式2~3段階の須惠器，土師器，製塩土器，韓式系土器，滑石製臼玉384，チャート製臼玉，滑石製管玉3・有孔円板7，ガラス玉3，土玉6，金製装飾品，木製の祭祀具(鋸歯狀木製品・凹形板狀木製品2・台狀木製品・槽・木鍬3・鳥形木製品・木錘11・鋤鍬3・竪杵1)，鹿角製刀子柄，砥石，桃核など多種多様な遺物が出土し，蔀屋北遺跡での大溝出土資料の様相に近似している．鳥足文タタキメ土器は軟質1片(図31-11)，図化されていないが，陶質は4片を確認している．

22. 大坂城跡(大阪府大阪市)

68) 坂靖，2010，「葛城の渡來人-豪族の本據地を支えた人々-」『研究紀要』第15集，財団法人由良大和古代文化研究協會．
69) 村上始，2001，「大阪府鎌田遺跡の調査速報」『祭祀考古』第21号，祭祀考古學會．

(財)大阪府文化財センターが調査を實施した2B調査區谷１から2点の鳥足文タタキメを施した韓式系土器(図32-1 · 2)が出土している[70]. 谷1の時期は6~7世紀である. 報告によれば「1は軟質土器で外面に鳥足文タタキを施す. 色調は乳白色を呈する. 2は須惠器壺の胴部と考えられる. 内面に丁寧なナデ調整が施され, 外面に平行條線と装飾文の叩きを殘している. 胎土は粘性の強い極めて精良なもので燒成も良好である. 色調は灰色を呈する. 12世紀代を中心に展開する瀬戸内東部系製品の一部であろうか.」としているが, 図32-2は韓式系(陶質)土器と考えられる.

　図41-5はOS99-16次調査區第5b層から出土した韓式系(陶質)土器淺鉢である[71](寺井2002). 口徑12.2cm, 器高4.4cmをはかり, やや小振りである. 体部外面に正格子タタキメを施している. 報告によると形態的特徴とともに「底部に小さな隅丸方形の壓痕が見られる. 円板狀の底部の上に継ぎ足して成形している. 外面に格子タタキメを施される.」とし, 朝鮮半島での類例との比較檢討を行い, 5世紀代の全羅南道地域に系譜を求められ, 陶質土器の可能性が高いという.

23. 久宝寺遺跡(大阪府八尾市)

---

70) (財)大阪府文化財センター, 2002,『大坂城跡發掘調査報告Ⅰ』(367頁, 図版348).
71) 寺井 誠, 2002,「韓國全羅南道に系譜が求められる土器について」,『大坂城跡Ⅴ』, (財)大阪市文化財協會.

久宝寺遺跡は, 八尾市南久宝寺一丁目を中心として東西1.6km, 南北1.8kmの範囲に廣がる縄文時代晩期から近世にかけての府域を代表する大規模な複合遺跡である. とくに, 古墳時代では廣範囲にわたって遺構が檢出されている. 鳥足文タタキメ土器2点, 陶質土器蓋が出土している.

図32-3は1995年の調査で, 近世の包含層から出土した韓式系(軟質)土器の体部片である. 外面に鳥足文タタキメを施し, 色調は黒褐色を呈している[72].

図32-4は(財)八尾市文化財調査研究會が實施した第24次調査區SK21046から出土した韓式系(陶質)土器の体部片で, 外面に鳥足文タタキメを施した後に, 沈線を巡らしている. 6世紀後半の土師器甕とともに出土しているが, 報告者は硬質の韓式系土器で, 5世紀前半に遡る可能性を指摘している[73]. 図42-4はNR31002から出土した韓式系(陶質)土器蓋で, 復元口徑16.0cm, 器高2.5cmをはかる. 「ほぼ扁平な天井部から, 口縁端部は平坦で内傾している. 片方のみ殘存している耳は, 上面から斜め方向に孔が穿たれている. 色調は赤褐色であるが, 上面は灰かぶりのため白っぽくなっている. 燒成は良好・堅緻である. なお, 本例については武末純一氏から百濟系の土器であるとのご教示を受けている」とし, 時期については河川として機能が停止した布留式新相(4世紀末~5世紀初頭)と考えている. ま

---

72) 後藤信義・本田奈津子編, 1996, 『久宝寺遺跡・龍華地區(その1)發掘調査報告書』, (財)大阪府文化財調査研究センター調査報告書第6集.

73) (財)八尾市文化財調査研究會, 2001, 『久宝寺遺跡第24次發掘調査報告書』, (財)八尾市文化財調査研究會報告69.

た, NR5001からも蓋(図42-5)が出土している[74].

24. 瓜破遺跡(大阪府大阪市)

瓜破遺跡は旧石器時代から室町時代にかけの複合遺跡で, 東西1.7km, 南北1.6kmの廣がりをもつ. 東には長原遺跡が隣接している. 図31-3はUR1次調査區の下層から出土した. 韓式系(陶質)土器壺の体部片と考えられ, 外面に右開きの鳥足文タタキメを施し, 上半部にナデ調整を加えている. TK216~TK23型式の須惠器, 土師器, 製塩土器などとともに出土している[75].

UR00-8次調査區第8c層から韓式系(陶質)土器甕の体部片(図31-4)が出土している[76]. なお, 東に位置する長原遺跡において, 鳥足文タタキメ土器はすべて軟質であり, ある意味で對照的である.

25. 楠遺跡(大阪府寝屋川市)

鳥足文タタキメ土器(図30-10)は, 第2次調査I區第Ⅴ層最下部から古墳時代中期~後期(おもにTK216型式)の須惠器蓋坏・はそう・高坏形器台・無蓋高坏・大甕, 土師器甕, 須惠器系土器の大型高坏, 滑石製(勾玉・臼玉),

---

74) (財)大阪文化財センター, 1987, 『久宝寺北(その1~3)』.
75) 鎌田博子, 1987, 「瓜破」『韓式系土器研究』I, 韓式系土器研究會.
76) (財)大阪市文化財協會, 2002, 『瓜破遺跡發掘調査報告Ⅱ』.

桃核, 馬の臼歯とともに出土した. 報告では「韓式系(軟質)土器の甕で, 体部に鳥足文タタキメを施した後に, 暗文状の淺い沈線を巡らしている. 胎土は砂粒をほとんど含まない精良なもので, 色調は淡灰色~橙白色を呈している.」としているが, やや燒成の甘い陶質土器の廣口壺と考えられる. 図42-7はI區溝6から出土した兩耳付蓋で, ON231~TK73型式の須惠器, 韓式系土器, 馬の下顎臼歯片とともに出土した[77]. なお, 馬の資料は, 第1次調査區土坑2[78]と同樣, 古墳時代中期では最も古い例となっている.

26. 大和川今池遺跡(大阪府松原市)

大阪府教育委員會が調査を實施した2・3區包含層から, 鳥足文タタキメを施した韓式系(陶質)土器の破片が5点以上出土している[79].

27. 赤尾崩谷1号墳

鳥足文タタキメを施した韓式系(陶質)土器甕が1号墳北側斜面から出土している. 報告では須惠器甕としている[80].

---

77) 濱田延充編, 2001b, 『楠遺跡Ⅱ』, 寝屋川市文化財資料25, 寝屋川市教育委員會.
78) 寝屋川市史編纂委員會, 2000, 『寝屋川市史』第1卷, 寝屋川市.
79) 大阪府教育委員會, 1996, 『大和川今池遺跡發掘調査概要・ⅩⅢ』.
80) 橋本輝彦・木場佳子, 2004, 「赤尾崩谷古墳群の調査」, 『今來の才伎 古墳・飛鳥の渡來人』大阪府立近つ飛鳥博物館図録36.

28. 中臣遺跡（京都府京都市）

第79次調査で, 6世紀前半の土壙墓からTK10型式の須惠器とともに鳥足文タタキメを施した韓式系(陶質)土器廣口壺(図31-13)が出土している[81].

29. 星塚1号墳（奈良縣天理市）

星塚1号墳は全長約37mの前方後円墳である. 図32-7は周溝ブリッジの西側から出土した韓式系(陶質)土器壺で, 口徑15.2cm, 器高約38cmをはかり, 外面に鳥足文タタキメを施した後に, 沈線を巡らしている. 須惠器, 木製品とともに出土した. なお, 螢光X線分析では國産品(須惠器)と判定されている[82].

30. 長原遺跡

81) 丸山義廣, 2005,「山城の渡來人-秦氏の場合を中心に-」,『ヤマト王權と渡來人』サンライズ出版.
82) 竹谷俊夫, 1995, 前掲.

城山遺跡, 八尾南遺跡と一連の遺跡群と考えられており, 全國的にも韓式系土器が多量に出土する遺跡として注目されている. 調査によって破片を含めて33点の鳥足文タタキメ土器が出土しており, 器種も廣口壺, 甑, 鉢, 移動式カマドと豊富で, すべて軟質である. 日本國内で最も多い点数が確認されている. 田中清美は最近の日韓での鳥足文土器の研究成果から, 長原遺跡での鳥足文土器について, 長原I期前半の5世紀前半頃に忠淸道地域から渡來人が伝えた可能性が高いと考え, 長原II期を通して, 彼らは北方に擴がる河内低地の開發を倭王權の管理下で担っていたと考えている. 長原III期(TK23・47型式)の鳥足文土器については錦江以北地域から列島に渡った渡來人に關係するものと考え, 5世紀後半には長原遺跡周辺での牧の経営に移行していた可能性を考えている[83]. なお, 河内低地部では, 5世紀後半の遺跡から出土する馬骨の資料が急増することと關連する可能性が考えられよう.

　図32-9は地下鐵31工區地區溝SD03から出土した韓式系(軟質)土器廣口壺で, 口徑20cm, 器高約27cmをはかり, 体部外面に右開きの鳥足文タタキメを施している[84]. 弥生時代後期末として, 評価されていた[85]が, 古墳時代中期の朝鮮半島系の土器として位置付ける意見もある[86].

　図33-1はNG16次調査區から出土した韓式系(軟質)土器甑または壺の体部片で, 外面に右開きの鳥足文タタキメを施している. TK73型式の須惠

---

83) 田中清美, 2010, 前揭.
84) (財)大阪文化財センター, 1986, 『城山(その2)』.
85) 田中清美, 1994, 前揭.
86) 寺井 誠, 2006, 前揭.

器, 韓式系土器とともに出土している.

　NG95-36次調査區では長原7B層から鳥足文タタキメを施した6個体以上の韓式系(軟質)土器(鍋・甑・甕・平底鉢)がまとまって出土している図33-2~7. いずれも色調(灰白色~橙色)・胎土は共通し, 同一のタタキ板原体を用いて作られたと考えられている.「長原遺跡周辺において製作されたものと思われる. 今回出土の鳥足文土器は, 百濟からの渡來人がこの地に移り住み, 自らの使用する土器について, そのうちの一定量を自給する生活を行っていたことを示していよう.」と評価している[87]. そして, 同層中より陶質土器や滑石製の臼玉・劍形關製品・双孔円板, 硬玉製勾玉などとともに出土していることから, 鳥足文タタキメの土器とともに祭祀の場で使用するため, セットとして製作された土器群であったものと指摘している.

　NG95-14次調査區ではSD701から, ON46~TK23型式の須惠器, 製塩土器, 移動式カマドとともに鳥足文タタキメを施した韓式系(軟質)土器が出土している. 図34-1は壺の破片と考えら, 内面はナデ調整を施している[88].

　NG95-49次調査區では第7a~第7b層(図34-2~4)及び第7a層(図34-5)から鳥足文タタキメを施した体部片が4点出土している. 2は移動式カマドと考えられている[89].

　NG96-71次調査區では第7ｂ層及びSD701から鳥足文タタキメを施した壺または甕, 移動式カマドが出土している[90]. 図34-6・9・13・14・17・18は

87) 櫻井久之, 1998, 前揭.
88) (財)大阪市文化財協會, 2000,『長原・瓜破遺跡發掘調査報告ⅩⅤ』.
89) (財)大阪市文化財協會, 2000, 前揭書.
90) (財)大阪市文化財協會, 2001,『長原・瓜破遺跡發掘調査報告ⅩⅥ』.

第7b層, 図34-7・8・10~12・15・16・19はSD701から出土したもので, 8~11, 12~19は胎土・燒成・色調, タタキの狀況から同一個体の壺もしくは甕と考えられ, 12~19はタタキ原体, 内面のヘラケズリの存在, 胎土・燒成から同一個体の移動式カマドとされている. 時期はTK23~TK47型式で, いずれも軟質である. また, 近隣の95-49次調査でも鳥足文タタキメを施した移動式カマドが報告されている.

NG99-15次調査區SD717からTK73~TK216型式の須惠器, 土師器, 韓式系(軟質)土器平底鉢とともに韓式系(陶質)土器蓋・淺鉢が出土している. 蓋(図42-12)は平坦な天井部をもち, 口縁端部はわずかに内傾する. 口縁部の内外面はヨコナデ, 天井部外面にはカキメ調整を施している. 淺鉢(図41-6)は, 坏身の形狀を呈し, 口徑14.6cm, 器高4.7cmをはかる. 体部外面下半は靜止ヘラケズリ, 上半はヨコナデ調整を施している. 報告書では須惠器として扱っている. 図41-8は同調査區SX706から出土した韓式系(陶質)土器淺鉢で, 口徑11cm, 器高4.6cmをはかる. 口縁部から体部下半にかけて平行タタキメを施し, 底部外面には轆轤の下駄痕と考えられる壓痕が観察される. 燒成は良好で, 色調は灰白色を呈している. 5世紀前半, TK73型式と考えられている. なお, 図41-6・8は「器形や口縁部の形態は三國時代の百濟の陶質土器に類似している」としている[91].

NG02-8次調査區では, 第11層から鳥足文タタキメを施した韓式系(軟質)土器の体部片が6点(図34-20~25)出土している. 近接して出土したことから同一個体と考えられている[92].

---

91) (財)大阪市文化財協會, 2002, 『長原遺跡發掘調査報告』Ⅷ.
92) (財)大阪市文化財協會, 2005, 『長原遺跡發掘調査報告』ⅩⅡ.

図41-7はNG03-6次調査區SK068から出土した韓式系(軟質)土器淺鉢で, 口徑21cm, 器高9.7cmをはかる大型品である. 外面に縄蓆文タタキメを施している. 底部外面は被熱している. 寺井[93]によれば全羅南道地域を中心に嶺南地域の南西部に分布しているようである. なお, 同層より土師器, 韓式系土器, 臼玉, 骨片が出土している. 時期は長原I期後半(TK73~TK216型式)に比定されている[94]

31. 城山(大阪府大阪市)

(財)大阪文化財センターによって1983年~1985年にかけて行われた調査で, 鳥足文タタキメの土器が2点(図32-5・6)出土している[95]. 5はSX0743から出土したら韓式系(軟質)土器甕の口縁部片で, 土師器, 初期須惠器, 韓式系土器, 製塩土器, 炭化した木片, 管玉1点とともに出土した. 時期は5世紀前半~中頃で, 祭祀に關連する遺構であろうと考えられている. 6は溝SD0804から出土した韓式系(軟質)土器長胴甕で, 土師器, 韓式系土器とともに出土した. 口徑15.6cm, 器高25cmをはかり, 体部外面に右開きの鳥足文タタキメ, 底部に平行タタキメを施している. 時期は5世紀前半~中頃と考えられる.

また, 城山4・5号墳では廣口壺, 城山6号墳では周溝底の主体部から陶質

---

93) 寺井 誠, 2002, 前掲.
94) (財)大阪市文化財協會, 2005, 前掲書.
95) (財)大阪文化財センター, 1986, 前掲書.

土器の平底鉢が出土しており, 被葬者は榮山江流域を故地とする渡來人と考えられている[96].

32. 布留遺跡(奈良縣天理市)

図32-8は5世紀前半の土坑から出土した韓式系(軟質)土器で, 口徑25.8~26.2cm, 器高21.3cmをはかる. 注ぎ口を有する「く」の字狀口緣で, 一對の牛角狀把手が付く. 体部外面に左開きの鳥足文タタキメを施している. TK73型式の須惠器, 土師器, 韓式系土器(壺・平底鉢・把手付鍋)が共伴して出土している[97].

33. 太田遺跡(大阪府茨木市)

C2區の第4層から出土した. 同層から, 土師器, 韓式系土器が出土している. 図31-14は韓式系(軟質)土器甕か壺の体部片で, 底部は格子タタキメ, 体部は右開きの鳥足文タタキメを施している. 色調は橙色~赤灰色を呈している[98].

---

96) (財)大阪文化財センター, 1986, 前掲書.
97) 竹谷俊夫・日野宏, 1993, 「布留遺跡杣之內地區出土の初期須惠器と韓式系土器」『韓式系土器研究』IV, 韓式系土器研究會.
98) 鎌田博子編, 1998, 『太田遺跡發掘調査報告書』, 名神高速道路內遺跡調査會.

34. 日下遺跡(大阪府東大阪市)

　田中淸美氏の論文の中で「鳥足文C類かE類が施された甑」として紹介されている[99].

35. 南鄕大東遺跡(奈良縣御所市)

　奈良縣御所市に所在し, 南鄕遺跡群の一つ. 調査によって5世紀前半~後半の須惠器, 土師器, 韓式系土器(陶質・軟質), 馬齒, 木製品, 鐵滓451.47g, フイゴ羽口8点, 砥石3点, 石製品, 玉類, 土製品, 銅製品などが出土している. 直線文タタキメ土器は, 軟質1点, 陶質2点がある.

　図36-4はSX01上層から出土した韓式系(陶質)土器廣口壺で, 口徑17.6cm, 器高17.6cmをはかる. 体部外面に直線文タタキメ, 底部内面には無文当て具痕が認められる. 同層中よりTK208~TK47型式の須惠器, 土師器, 韓式系土器, 製塩土器, ミニチュア土器が出土している.

　図36-5・図37-1は5トレンチの層不明から出土した直線文タタキメ土器で, 図37-1は軟質の平底鉢で, 口徑17.6cm, 器高17.6cmをはかる. 内面はナデ調整を施している. 図36-5は陶質の壺の体部片と考えられ, 内面はナ

---

99) 田中淸美, 1994, 前揭.

デ調整を施している. なお, 報告書の中で, 直線文タタキメが施された平底鉢, 廣口壺は「外面に平行叩きの木目に直交して一條の横線が引かれた文様の叩き」について「その叩きの分布域から考えて百濟・全羅南道地域系である」と説明している[100].

36. TK73号窯(大阪府堺市)

陶邑窯跡群の高藏寺(略称, TK)地區の北西部に位置する5世紀前半の窯跡で, 須惠器編年の型式名(TK73型式)となっている. 図37-3・4は灰原から出土した大甕で, 外面に直線文タタキメを施している[101].

37. TK85号窯

TK73号窯に近接して構築されているTK73型式の窯跡である. 図37-5は灰原から出土した大甕で, 外面に直線文タタキメを施している[102].

38. 岸之本南遺跡(大阪府富田林市)

---

100) 小栗明彦, 2003,「南鄕遺跡群出土韓式系土器の系譜」,『南鄕遺跡群Ⅲ』, 奈良縣立橿原考古學研究所調査報告第75冊.
101) 中村 浩編, 1978,『陶邑Ⅲ』, 大阪府文化財調査報告書第30輯, 大阪府教育委員會(第67図, 第75図, 図版32-4).
102) 中村 浩編, 1978, 前掲書.

5世紀前半の井戸の上層から須恵器高坏蓋, 土師器甕, 下層から韓式系土器甑, 土師器高坏・鉢, 須恵器高坏・甕が出土した. 図37-8は須恵器甕で, 口徑13.9cm, 殘存器高23cmをはかる. 体部全体に自然釉がかかり, 色調は紫灰色を呈している. 体部外面に施した直線文タタキメはやや不鮮明である. 口縁端部は輕いナデによりわずかに窪み, 面をもつ. なお, 近接して檢出された土坑2から土師質の当て具が出土している[103].

39.　寺田遺跡(大阪府和泉市)

　第1次調査の河川1500から, 直線文タタキメを施した甕もしくは壺(図37-7)と考えられる体部片が出土している[104].

40.　和泉寺跡(大阪府和泉市)

　直線文タタキメを施した韓式系(陶質)土器の鉢と考えられる口縁部片が出土している. 現在, 報告書作成中.

41.　唐古・鍵遺跡(奈良縣田原本町)

103) 橋本高明, 1999,『岸之本南遺跡發掘調査概要』大阪府教育委員會.
104) 三好 玄編, 2013,『寺田遺跡Ⅲ』, 大阪府埋藏文化財調査報告2012-2, 大阪府教育委員會.

84次調査區方墳ST101の周溝から，5世紀後半~6世紀前半の須恵器蓋坏とともに直線文タタキメを施した韓式系(陶質)土器廣口壺(図37-9)が出土している[105].

42. 四ツ池遺跡(大阪府堺市)

図41-12は韓式系(陶質)土器淺鉢で，住居址から5世紀前半の須恵器，土師器とともに出土している[106].

43. 陶邑・伏尾遺跡(大阪府堺市)

韓式系(陶質)土器蓋(図42-6)・淺鉢(図41-11)が出土している[107].

44. 尾崎遺跡(兵庫縣龍野市)

105) 田原本町教育委員會, 2002, 「唐古・鍵遺跡第84次調査」, 『田原本町埋藏文化財年報2001年度』.
106) 樋口吉文, 1978, 「四ツ池遺跡出土の須恵器」, 『陶邑Ⅲ』, 大阪府文化財調査報告書第30輯.
107) (財)大阪府埋藏文化財協會, 1990, 『陶邑・伏尾遺跡 A地區』, (財)大阪府埋藏文化財協會調査報告書第60輯.

古墳時代中期の流路から, 韓式系土器の平底鉢とともに韓式系(陶質)土器浅鉢(図41-9)が出土している. 口径14.8cm, 器高5.1cmをはかる[108]. 体部外面に斜格子タタキメを施している.

45. 瓜破北遺跡(大阪府大阪市)

　図41-13は茶褐色シルト層から出土した韓式系土器浅鉢で, 口径14.9cm, 器高4.2cmをはかる. 体部外面下半は手持ちヘラケズリ調整を施している[109].

46. 出合遺跡(出合窯)

　出合遺跡は兵庫縣神戸市西區玉津町出合, 中野1・2丁目に位置する弥生時代から中世に至る複合遺跡である. 古墳時代中期から後期の竪穴住居跡から陶質(系)土器, 軟質系土器, 初期須惠器, 製塩土器が出土している. 窯内から須惠器壺・甕・甑, そして焼成部から須惠質の甑・壺・甕, 瓦質氣味の甑・甕・平底浅鉢, 軟質系土器壺・平底浅鉢, 土師器片, 須惠器焼成の平底浅鉢(図41-10)が出土している. 窯の構造, 遺物の特徴から, 現在知

108) 岸本道昭, 1995, 『尾崎遺跡Ⅱ』, 龍野市教育委員會.
109) (財)大阪市文化財協會, 1980, 『瓜破北遺跡』.

られる日本最古の須惠器窯といえ, 4世紀後半に百濟地域(忠淸道から全羅南道地域, 錦江流域以南)からの渡來人たちが住み始め, 自らが使用するため, とともに關連する人々に提供するため, 窯を築き, 須惠器, 瓦質土器, 軟質系土器などを生産・操業したものと考えられている[110]. なお, 窯跡を切る溝から陶製無文当て具が出土している.

47. 小阪遺跡(大阪府堺市)

図42-11はC地區河川1から出土した兩耳付蓋である[111].

48. 鬼虎川遺跡(大阪府東大阪市)

第22次調査で檢出された大溝から, 5世紀後半(TK47)の須惠器, 土師器, 韓式系土器, 須惠器系土器, 製塩土器, 移動式カマド, 坏付瓶, 鞴の羽口, 滑石製双孔円板, 砥石, サヌカイト, 馬歯, 馬骨, 桃核等の多種多様な資料がまとまって出土している[112]. 坏付瓶は, 器形および胎土から陶質土器で,

---

110) 龜田修一, 2010, 「播磨出合窯の調査概要」『地域發表及び初期須惠器窯の諸様相-予稿集-』第22回東アジア古代史・考古學研究會交流會, 大阪朝鮮考古學研究會.
111) (財)大阪文化財センター, 1992, 『小阪遺跡』, (財)大阪文化財センター.
112) 宮崎泰史編a, 2002, 『鬼虎川遺跡第22次調査概要報告』, (財)東大阪市文化財協會・大阪府教育委員會.

2点出土した. 図43-1は「体部の一部を欠損しているのみで, ほぼ完存する. 器高22cm, 体部徑10.6cm, 坏部の口徑は8.5×10.4cmをはかる. 口縁端部には淺い凹線を一條巡らしている. 成形は坏部と体部を別・につくり, やや乾燥した段階で, 坏部に徑約1.5cmの孔を空け, 頸部に粘土紐を補塡して, 体部と接合している. 体部外面の調整は平行タタキメ後に, 上半部に回轉ナデ, 下半部に輕いナデを施す. 坏部は底部に回轉ヘラケズリ, 口縁部は回轉ナデ調整」. 色調は灰色を呈し, 燒成は良好で, やや軟質. 図43-2は坏部の破片で, 1と同じく軟質で, やや瓦質を帯びる. 移動式カマド(図39-2)は蔀屋北遺跡の図39-1と同じく天井部に平坦面をもつBタイプで, 平底の甕を倒立させたような形態を呈し, 水平な天井部をもつ. 掛け口は徑22.1cmの円形を呈する. 天井部幅約25.9㎝, 基部幅45.5㎝, 高さ37㎝をはかる. 体部上位に1對の角狀の把手が下向きに取り付けられている. 掛け口は天井部で屈曲して, 幅約2.0㎝の平坦面をつくり, 端部はヘラケズリ調整を施し, シャープな面をつくる. 焚き口の庇部分は, 上部がやや上方に張り出す付け庇である. 焚き口の上部からつづく庇は, 基部に向かうほど張り出しの度合いが弱くなる. 庇高は, 掛け口高(天井部)をわずかに下回る. 焚き口は, 幅36㎝, 高さ27㎝をはかり, 立面形は台形をなす. 焚き口の両側は端部に面をもつ. 焚き口の背面には徑3.0㎝の円形の煙り出し孔を穿つ. 焚き口の裾部両側には, 支脚狀の小突起を付し, 裾あきになる. 背面については欠損のため, 小突起の有無は不明である. 体部外面には縦方向のハケメ, 內面はハケメ後に上半部をヘラケズリで調整している. 胎土中には雲母・角閃石が多量に含まれ, 暗灰褐色を呈する, いわゆる「生駒西麓産」と呼ばれるものである.

49. 大同寺（和歌山縣和歌山市）

両耳付壺・蓋が出土している. 図42-8は出土狀況から古墳の副葬品であった可能性が考えられている[113].

50. 外山（奈良縣櫻井市）

図43-3は1930年に發見された坏付瓶で, 口徑8.4cm, 器高18.2cmをはかる. 体部は橫ナデ調整で, 燒成は良好である. 共伴した遺物から, TK10~TK43型式, 6世紀後半を中心とした年代が考えられている[114].

---

113) 河上邦彦・奧田豊, 1972,「和歌山市における陶質土器」,『關西大學文學部考古學研究室紀要第4冊 和歌山市における古墳文化』, 關西大學.
114) 東京國立博物館, 1994,『東京國立博物館藏須惠器集成Ⅰ(近畿篇)』; 木下 亘, 2002,「鬼虎川遺跡出土の坏付き瓶について」,『鬼虎川遺跡第22次調査槪要報告』, 大阪府教育委員會・(財)東大阪市文化財協會.

表1 畿内におけるU字形土製品、鳥足文タタキメ土器、直線文タタキメ土器、移動式カマド、韓式系土器浅鉢・蓋、坏付瓶　出土地名表

	遺跡名	所在地	U字形板状土製品	鳥足文タタキメ	直線文タタキメ	移動式カマドA	移動式カマドB	浅鉢	蓋	坏付瓶	
01	蔀屋北	大阪府四條畷市	◎○	■○	■◎○	◎○	◎◎	■	■△		土製あて具、井桁井戸
02	讃良郡条里	大阪府寝屋川市	◎	■		◎	○	○			井桁井戸
03	長保寺	大阪府寝屋川市	◎			◎					
04	木の本	大阪府八尾市	◎○								
05	高宮八丁	大阪府寝屋川市	◎								
06	池島・福万寺	大阪府八尾市	◎	■							
07	溝咋	大阪府茨木市	○								
08	八尾南	大阪府八尾市	○	○				○	○		
09	一須賀古墳群内	大阪府河南町	○								
10	上町谷1・2号窯	大阪府大阪市	○								
11	中町西	奈良県天理市	○								
12	五反島	大阪府吹田市	○								
13	小阪合	大阪府八尾市	■		■						
14	ON231号窯(陶邑窯跡群)	大阪府堺市	■								
15	陶邑・大庭寺	大阪府堺市	■		■				■		
16	大園	大阪府和泉市	■						■		井桁井戸
17	中田	大阪府八尾市	△(中世)								
18	メノコ	大阪府大東市		■	■						
19	城	大阪府四條畷市		■	■						
20	南郷丸山(南郷遺跡群)	奈良県御所市		■	○						
21	鎌田	大阪府四條畷市		■○				■			
22	大坂城跡	大阪府大阪市		■○				■			
23	久宝寺	大阪府八尾市		■○					■		
24	瓜破	大阪府大阪市		■							
25	楠	大阪府寝屋川市		■					■		
26	大和川・今池	大阪府松原市・堺市		■							
27	赤尾崩谷1号墳	奈良県桜井市		■							
28	中臣	京都府京都市		■							
29	星塚1号墳	奈良県天理市		■							
30	長原	大阪府大阪市		○				■			
31	城山	大阪府大阪市		○							
32	布留	奈良県天理市		○							
33	太田	大阪府茨木市		○							
34	日下	大阪府東大阪市		○							
35	南郷大東(南郷遺跡群)	奈良県御所市			■○						
36	TK73号窯(陶邑窯跡群)	大阪府堺市			■						
37	TK85号窯(陶邑窯跡群)	大阪府堺市			■						
38	岸之本南	大阪府富田林市			■						土製あて具
39	寺田	大阪府泉大津市			■						
40	和泉寺	大阪府和泉市			■						
41	唐古・鍵	奈良県田原本町			■						
42	四ツ池	大阪府堺市						■			
43	陶邑・伏尾	大阪府堺市						■	■		
44	尾崎	兵庫県龍野市						■			
45	瓜破北	大阪府大阪市						○			
46	出合窯	兵庫県神戸市						■			
47	小阪	大阪府堺市									
48	鬼虎川	大阪府東大阪市					◎			■	
49	大同寺	和歌山県和歌山市							■		
50	外山	奈良県桜井市								■	

◎土師質(生駒西麓産)　■須恵質　○土師質　△瓦質

表2　須恵器編年対照表

中村 (1978・2001)			田辺 (1968)		田辺 (1981)			森 (1958・1962)		藤田 (2012) <蕎屋北編年>	田中 (2010) <長原編年>	歴年代 (参考)
I型式	第1段階	前期								I期	I期前半 (TG232) (ON231) (TK73)	5世紀前半
		後期	I期	TK73型式	I期	TK73型式	須賀2号窯段階	I期	前半			412年
							TK73号窯段階				I期後半	
	第2段階			TK216型式		TK216型式						
	第3段階			TK208型式		TK208型式	ON46号窯段階			II期	II期	5世紀中頃
							TK208号窯段階					
	第4段階			TK23型式		TK23型式			後半	III期	III期	471年
	第5段階			TK47型式		TK47型式						5世紀後半
II型式	第1段階		II期	MT15型式	II期	MT15型式		II期		IV期	IV期	6世紀前半
	第2段階			TK10型式		TK10型式	TK10号窯段階				V期	6世紀中頃
	第3段階			(　)			MT85号窯段階	III期	前半	V期		6世紀後半
	第4段階			TK43型式		TK43型式			後半			588年
	第5段階			TK209型式		TK209型式						
	第6段階			(　)					末			616年前後 641年 645年
III型式	第1段階		III期	TK217型式	III期	TK217型式		IV期	前半			648年
												660年
	第2段階			(　)		TK46型式						
	第3段階			(　)		TK48型式			後半			682～685年
												694～710年
IV型式	第1段階		IV期	MT21型式	IV期	MT21型式		V期	前半			701～710年
												716～725年
	第2段階			(　)		(　)						749年
				(　)								
	第3段階			TK7型式		TK7型式			後半			753年 781～784年
	第4段階											8世紀末
V型式	第1段階		V期	TK122型式	V期	MT83型式		VI期				824年
	第2段階			MT5型式								

(宮崎泰史　2007「陶邑の変遷」『年代のものさし - 陶邑の須恵器 - 』平成17年度冬季企画展　大阪府立近つ飛鳥博物館)
の図2・3を一部加筆して転載

引用文献
中村　浩編　1978『陶邑』III　大阪府教育委員会
中村　浩　2001『和泉陶邑窯　出土須恵器の型式編年』美容書房出版
田辺昭三　1966『陶邑古窯址群I』　平安学園考古学クラブ
田辺昭三　1981『須恵器大成』角川書店
森浩一　1958「和泉河内窯出土の須恵器編年」『世界陶磁全集』第1巻　河出書房
森浩一・石部正志　1962「後期古墳の討論と回顧」『古代学研究』第30号　古代学研究会
田中清美　2010「長原遺跡出土の韓式系土器」『韓式系土器研究』XI　韓式系土器研究会
藤田道子　2012「古墳時代中・後期の土器・土製品」『蕎屋北遺跡II』大阪府埋蔵文化財調査報告第2011-1　大阪府教育委員会

図1 古墳時代中期おける
韓半島系土器出土集落遺跡
分布図

（古代学研究会年度拡大例会シンポジウム資料集
『集落から探る古墳時代中期の地域社会』
をもとに中久保辰夫作成）に一部加筆

図2 摂津・河内地域の主要韓式系土器
出土遺跡分布図

（田中2005）に一部加筆

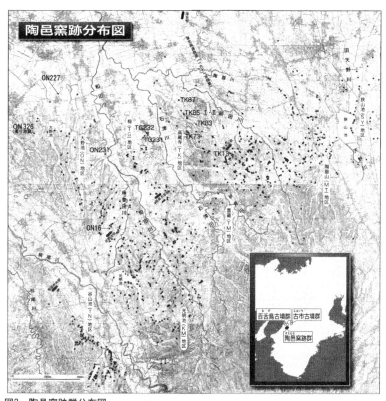

図3 陶邑窯跡群分布図 （近つ飛鳥博物館2006）に一部加筆

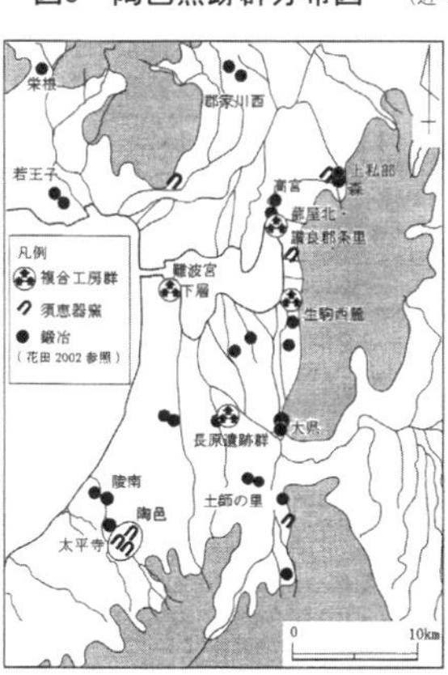

図4 摂津・河内地域の主要韓式系土器出土遺跡分布図 （中久保2013）

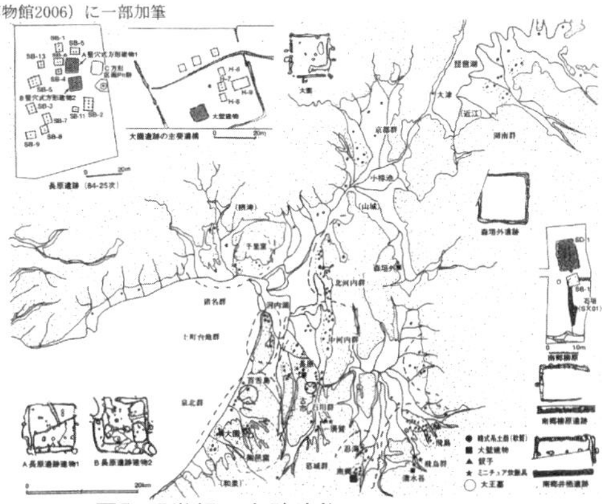

図5 5世紀の大壁建物 （花田2005）

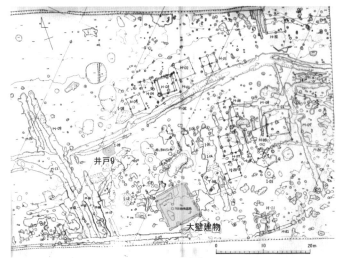

図6 大阪府和泉市 大園遺跡 (第7次) 第II地区 遺構配置図 (大阪府教育委員会1976)に一部加筆

図7 大阪府和泉市 大園遺跡 井戸9
(大阪府教育委員会1976)

図8 大阪府寝屋川市 讃良郡条里遺跡 井戸 (寝屋川市教育委員会他2012)

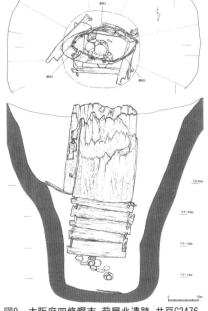

図9 大阪府四條畷市 蔀屋北遺跡 井戸C2476
(大阪府教育委員会2011)

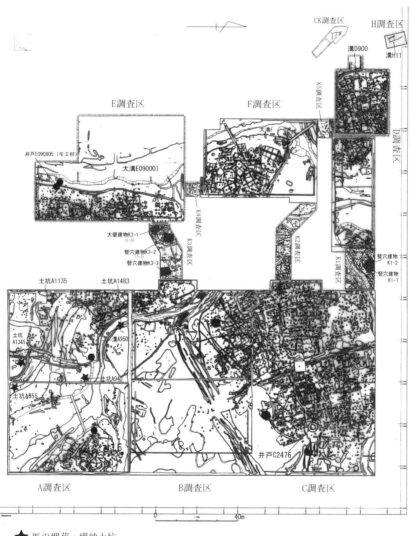

UK調査区　H調査区

溝D900　溝H11

E調査区　F調査区

大溝F

井戸E090805（モミ材）

大溝E090001

大壁建物K3-1
(1-3)

竪穴建物K3-2
(1-3)

竪穴建物K3-3

土坑A1135　土坑A1483

土坑
A1345

溝A950

竪穴建物
K1-2

竪穴建物
K1-1

土坑A940

土坑A655

井戸C2476

A調査区　B調査区　C調査区

0　　　　　　40m

★　馬の埋葬・埋納土坑

●　井戸（船材転用）

◎　井戸（井桁）

図10　大阪府四條畷市 蔀屋北遺跡 古墳時代中・後期 遺構全体図（大阪府教育委員会2012）に一部加筆

図11 讃良郡条里遺跡・蔀屋北遺跡 古墳時代中・後期 遺構全体図（福佐・小林2011）に一部加筆

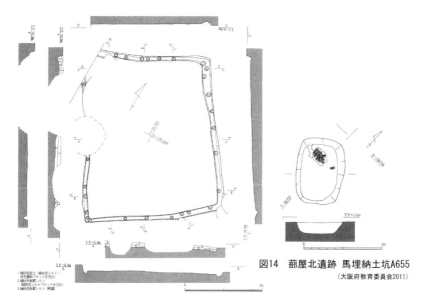

図14　蔀屋北遺跡　馬埋納土坑A655
（大阪府教育委員会2011）

図12　蔀屋北遺跡　大壁建物K3-1　（大阪府教育委員会2012）

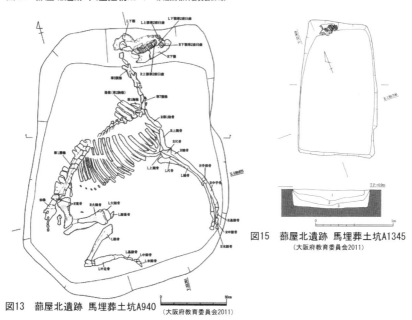

図15　蔀屋北遺跡　馬埋葬土坑A1345
（大阪府教育委員会2011）

図13　蔀屋北遺跡　馬埋葬土坑A940　（大阪府教育委員会2011）

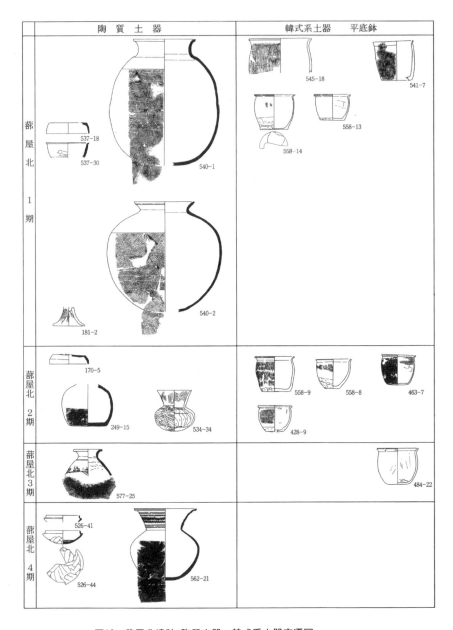

図16 蔀屋北遺跡 陶質土器・韓式系土器変遷図

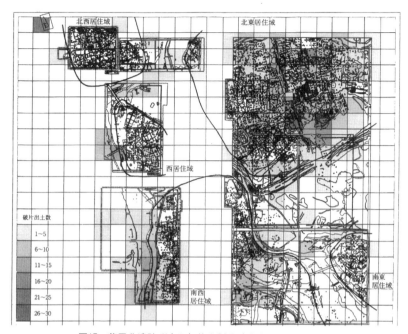

図17　蔀屋北遺跡　U字形板状土製品破片出土分布図（藤田2010）

図18　U字形板状土製品　突帯の形状（藤田2010）

図19　移動式カマド
　　　天井部に平坦面をもつ
　　　口縁部の形状（藤田2010）

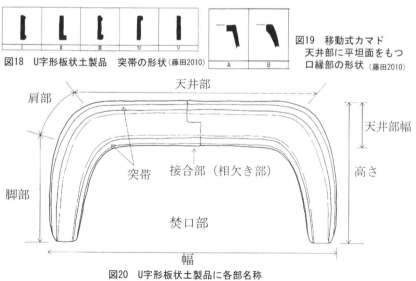

図20　U字形板状土製品に各部名称

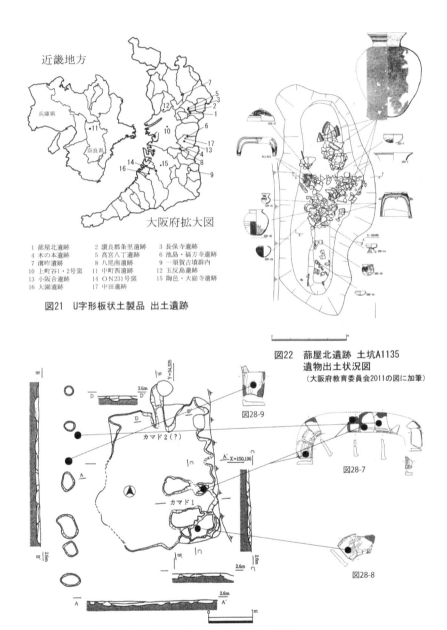

近畿地方

兵庫県

•11

奈良県

大阪府拡大図

1 蔀屋北遺跡　　　　2 讃良郡条里遺跡　　　3 長保寺遺跡
4 木の本遺跡　　　　5 高宮八丁遺跡　　　　6 池島・福万寺遺跡
7 溝咋遺跡　　　　　8 八尾南遺跡　　　　　9 一須賀古墳群内
10 上町谷1・2号窯　 11 中町西遺跡　　　　 12 五反島遺跡
13 小阪合遺跡　　　　14 ON231号窯　　　 15 陶邑・大庭寺遺跡
16 大園遺跡　　　　　17 中田遺跡

図21　U字形板状土製品　出土遺跡

図22　蔀屋北遺跡　土坑A1135
　　　遺物出土状況図
　　　（大阪府教育委員会2011の図に加筆）

図28-9

図28-7

図28-8

カマド2（?）

カマド1

図23　池島・福万寺遺跡　建物30　平面・断面図（畑2008の図に加筆）

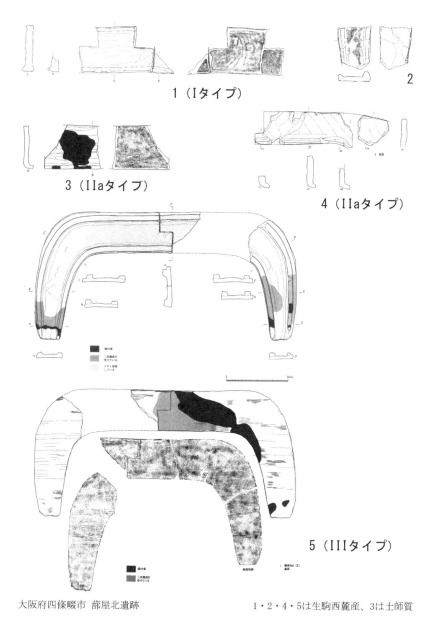

1（Iタイプ）

2

3（IIaタイプ）

4（IIaタイプ）

5（IIIタイプ）

大阪府四條畷市 蔀屋北遺跡　　　　　　　　1・2・4・5は生駒西麓産、3は土師質

図24　U字形板状土製品（1）　（1/10）

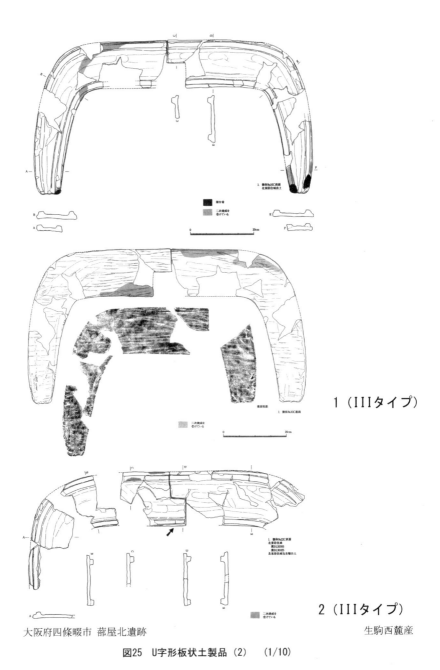

1（IIIタイプ）

2（IIIタイプ）

大阪府四條畷市 蔀屋北遺跡　　　　　　　　　　　　　生駒西麓産

図25　U字形板状土製品（2）　（1/10）

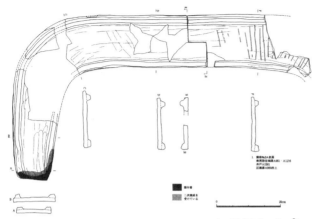

1（IIIタイプ）最大級の大きさ

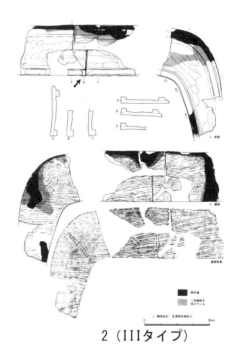

2（IIIタイプ）

大阪府　四條畷市　蔀屋北遺跡　　　　　　　　　　　　生駒西麓産

図26　U字形板状土製品（3）　（1/10）

1（IVタイプ）

2（Vタイプ）

大阪府四條畷市　蔀屋北遺跡　　　　　　　　　　　　　　土師質（非生駒西麓産）

図27　U字形板状土製品（4）　　（1/10）

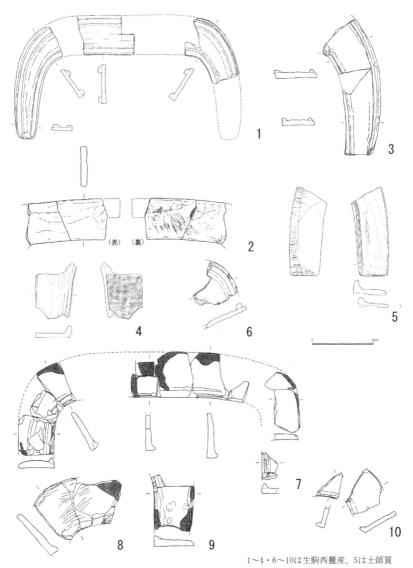

1〜4・6〜10は生駒西麓産、5は土師質

1〜3（大阪府寝屋川市 長保寺遺跡）、4・5（大阪府八尾市 木の本遺跡）、
6（大阪府寝屋川市 高宮八丁遺跡）、7〜10（大阪府 池島・福万寺遺跡）

図28　U字形板状土製品（5）　（1/10）

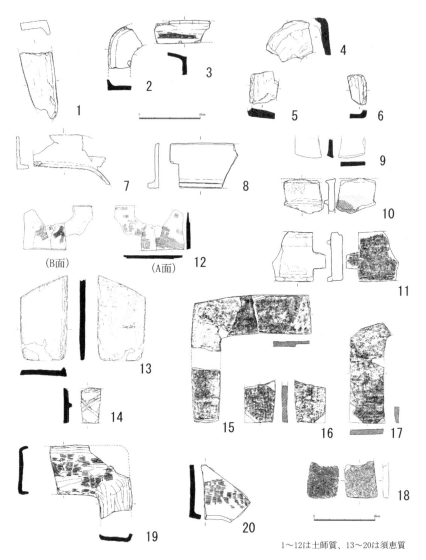

1～12は土師質、13～20は須恵質

1～6（大阪府 溝咋遺跡）、7（大阪府 八尾南遺跡）、8（大阪府 一須賀古墳群内）、
9（大阪府 上町谷1.2号窯）、10・11（奈良県 中町西遺跡）、12（大阪府 五反島遺跡）、
13・14（大阪府 小阪合遺跡）、15～18（大阪府 ON231号窯）、19（大阪府 陶邑・大庭寺遺跡）、
20（大阪府 大園遺跡）

図29　U字形板状土製品（6）　　（1/10）

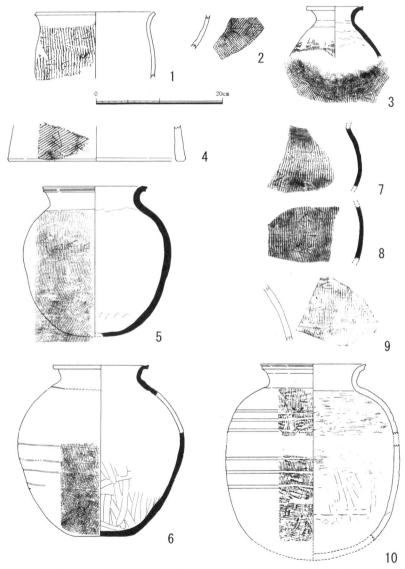

1～6（大阪府 蔀屋北遺跡）、7・8（大阪府 讃良郡条里遺跡）、9（大阪府 池島・福万寺遺跡）、
10（大阪府 楠遺跡）

1・4は土師質、2・3・5～10は須恵質

図30　鳥足文タタキメ土器（1）　（1/5）

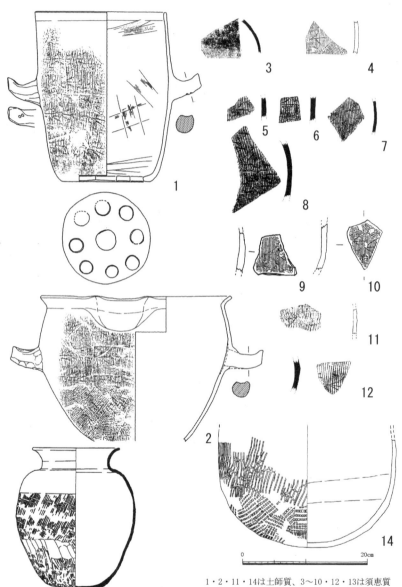

1・2・11・14は土師質、3～10・12・13は須恵質

1・2（大阪府 八尾南遺跡）、3・4（大阪府 瓜破遺跡）、5～8（大阪府 メノコ遺跡）、
9・10（大阪府 城遺跡）、11（大阪府 鎌田遺跡）、12（奈良県 南郷丸山遺跡）、13（京都府 中臣遺跡）、
14（大阪府 太田遺跡）

図31　鳥足文タタキメ土器（2）　（1/5）

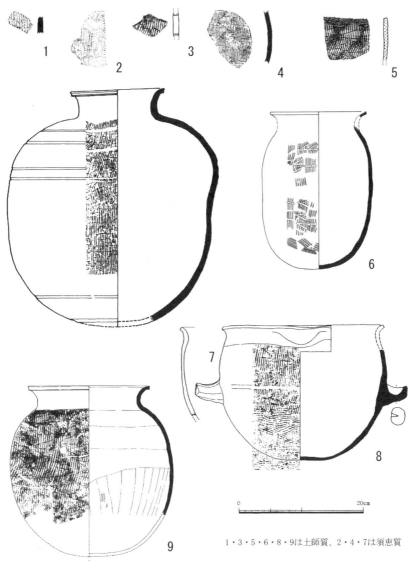

1・3・5・6・8・9は土師質、2・4・7は須恵質

1・2（大阪府 大坂城跡）、3・4（大阪府 久宝寺遺跡）、5・6（大阪府 城山遺跡）、
7（奈良県 星塚1号墳）、8（奈良県 布留遺跡）、9（大阪府 長原遺跡）

図32　鳥足文タタキメ土器（3）　（1/5）

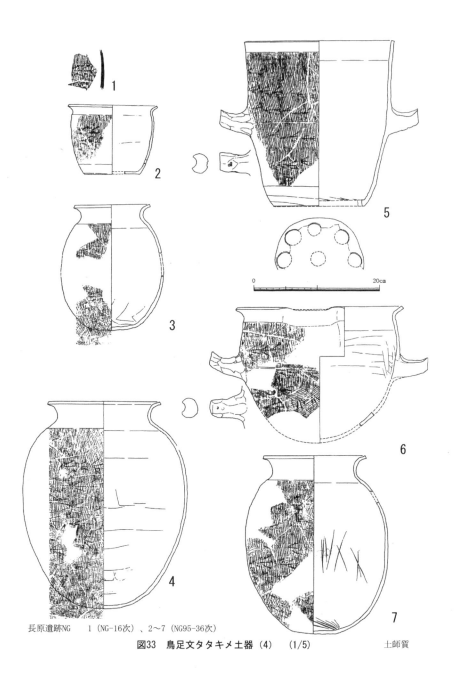

長原遺跡NG　　1（NG-16次）、2〜7（NG95-36次）

図33　鳥足文タタキメ土器（4）　（1/5）　　　　　　　　土師質

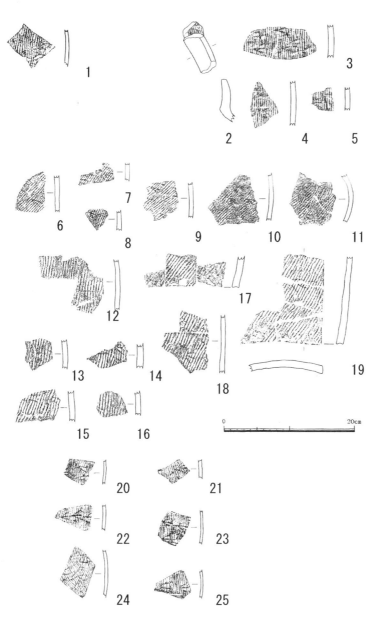

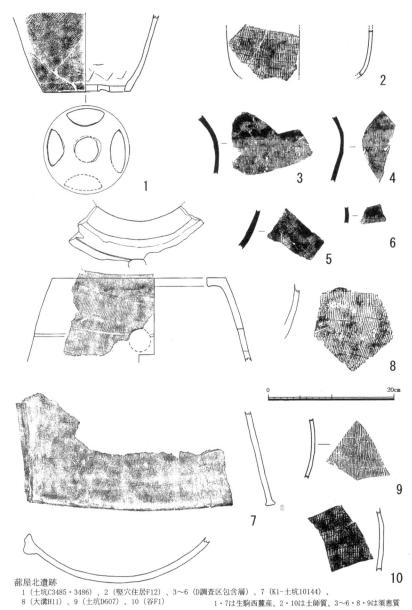

蔀屋北遺跡
　1（土坑C3485・3486）、2（竪穴住居F12）、3～6（D調査区包含層）、7（K1-土坑10144）、
　8（大溝H11）、9（土坑D607）、10（谷F1）　　　　　1・7は生駒西麓産、2・10は土師質、3～6・8・9は須恵質

図35　直線文タタキメ土器（1）　（1/5）

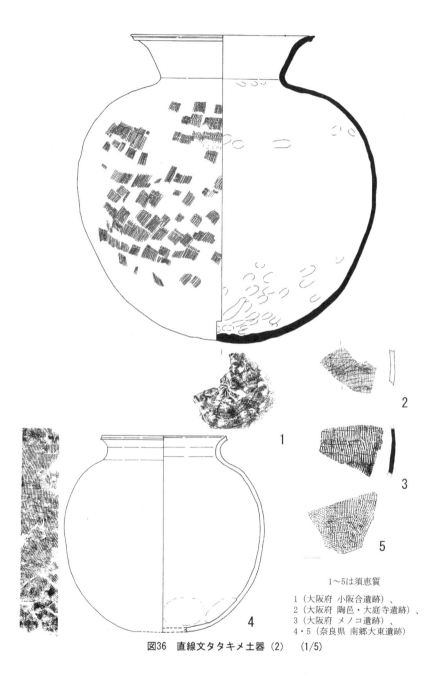

図36　直線文タタキメ土器（2）　（1/5）

1〜5は須恵質

1 （大阪府　小阪合遺跡）、
2 （大阪府　陶邑・大庭寺遺跡）、
3 （大阪府　メノコ遺跡）、
4・5 （奈良県　南郷大東遺跡）

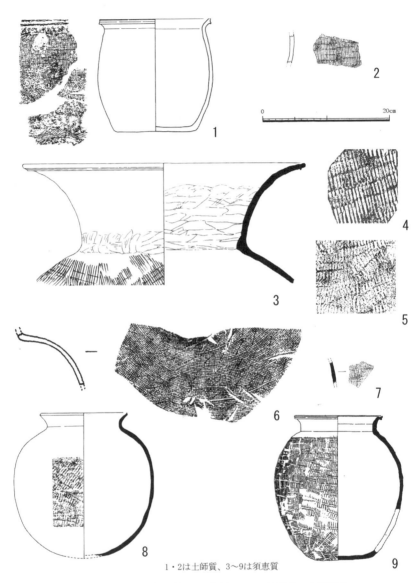

1・2は土師質、3〜9は須恵質

1（奈良県 南郷大東遺跡）、2（奈良県 南郷丸山遺跡）、3・4（大阪府 TK73号窯跡）、
5（大阪府 TK85号窯跡）、6（大阪府 城遺跡）、7（大阪府 寺田遺跡）、8（大阪府 岸之本南遺跡）、
9（奈良県 唐古・鍵遺跡）

図37　直線文タタキメ土器（3）　（1/5）

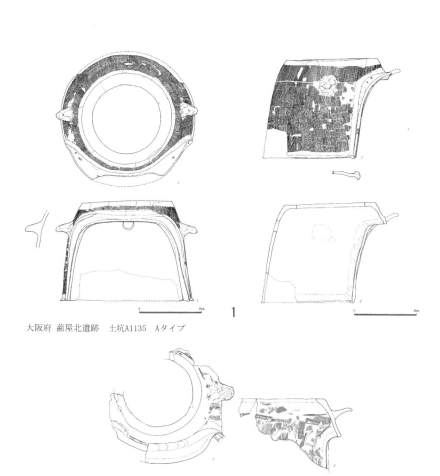

大阪府　蔀屋北遺跡　土坑A1135　Aタイプ

1

大阪府　蔀屋北遺跡　区画溝B130670　Bタイプ

2

胎土は生駒西麓産

図38　移動式カマド（1）　（1/10）

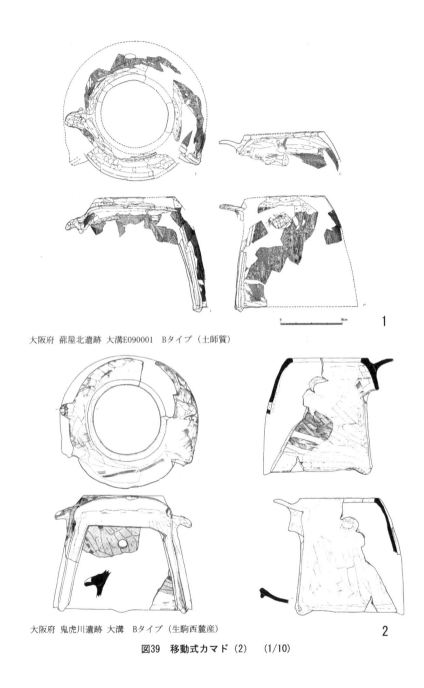

大阪府　蔀屋北遺跡　大溝E090001　Bタイプ（土師質）

1

大阪府　鬼虎川遺跡　大溝　Bタイプ（生駒西麓産）

2

図39　移動式カマド（2）　（1/10）

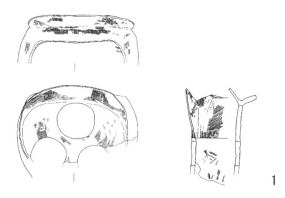

大阪府 寝屋川市 讃良郡条里遺跡03-6・06-3調査区 落込み（第11層）

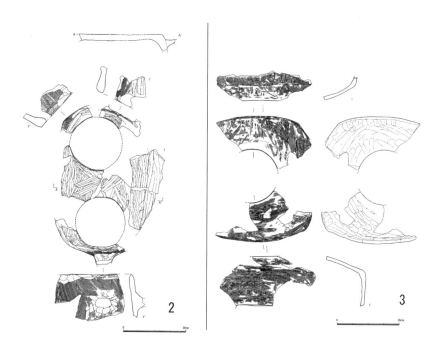

大阪府 四條畷市 蔀屋北遺跡 溝C4264

大阪府 四條畷市 蔀屋北遺跡 土坑C4083

第40図　移動式カマド（3）　（1/10）

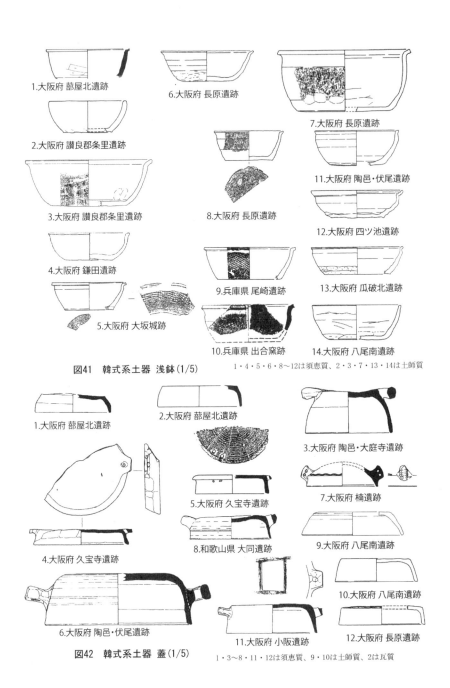

1.大阪府 蔀屋北遺跡

2.大阪府 讃良郡条里遺跡

3.大阪府 讃良郡条里遺跡

4.大阪府 鎌田遺跡

5.大阪府 大坂城跡

6.大阪府 長原遺跡

7.大阪府 長原遺跡

8.大阪府 長原遺跡

9.兵庫県 尾崎遺跡

10.兵庫県 出合窯跡

11.大阪府 陶邑・伏尾遺跡

12.大阪府 四ツ池遺跡

13.大阪府 瓜破北遺跡

14.大阪府 八尾南遺跡

図41　韓式系土器　浅鉢(1/5)

1・4・5・6・8〜12は須恵質、2・3・7・13・14は土師質

1.大阪府 蔀屋北遺跡

2.大阪府 蔀屋北遺跡

3.大阪府 陶邑・大庭寺遺跡

4.大阪府 久宝寺遺跡

5.大阪府 久宝寺遺跡

6.大阪府 陶邑・伏尾遺跡

7.大阪府 楠遺跡

8.和歌山県 大同遺跡

9.大阪府 八尾南遺跡

10.大阪府 八尾南遺跡

11.大阪府 小阪遺跡

12.大阪府 長原遺跡

図42　韓式系土器　蓋(1/5)

1・3〜8・11・12は須恵質、9・10は土師質、2は瓦質

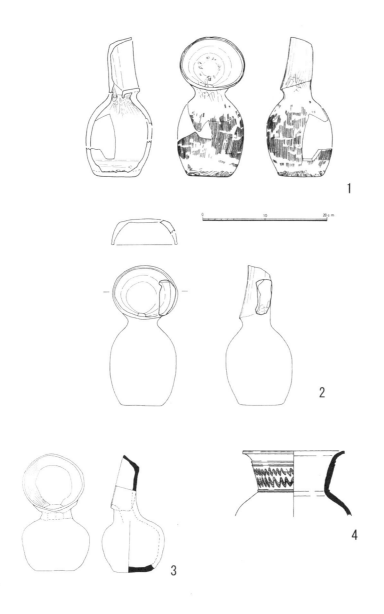

1・2（大阪府東大阪市 鬼虎川遺跡）、3（奈良県桜井市 外山）、4（大阪府八尾市 八尾南遺跡）

図43　韓式系（陶質）土器　（1/5）

일본 기내지역의 마한·백제 관련 고고학 자료의 성격

미야자키 타이지 (일본 오사카부교육위원회)

번역 최영주 (전남문화재연구소)

Ⅰ. 시작하며

고분시대 중기부터 후기에 걸쳐 일본 기나이지역의 「마한·백제」에서 도래인(이주자)의 존재를 보여주는 고고자료로 그 이전에는 기나이지역에서는 볼수 없었던 것으로 한일에서 공통되는 유구나 유물을 들 수 있다. 이번에 구체적인 대상인 대벽건물, 井자형 우물, 쓰에끼 가마, 한식계토기(연질·와질·도질), U자형판상토제품, 조족문토기, 직선문토기, 이동식부뚜막, 말의 사육, 말의례 등이다. 한식계토기, 초기 쓰에끼는 기형이나 제작기법이 한반도 삼국시대의 연질토기, 도질토기와 흡사하기 때문에 도래인의 故地를 규명하는데 유효한 자료라고 할 수 있다. 또한 대벽건물, 쓰에끼 가마, 井자형 우물, U자형판상토제품은 직접적으로 그리고 유구에 부속되어 그것이 출토하는 유적에서의 도래인의 활동 흔적을 보여주는 확실한 자료이다.

이번에는 고고유물로서 한식계토기 중에서도 마한·백제와 관련이 깊은 자료인 U자형판상토제품, 조족문토기, 직선문토기, 이동식부뚜막, 천발, 개, 배부병을 주제로 기나이지역에서 자료 집성을 하였다(표 1). 결과, 이러한 자료는 오사카부, 나라현, 특히 오사카부에 집중되어 있음을 더욱 명확하게 되었다.

II. 마한·백제와 관련된 자료

1. 쓰에끼 생산

고분시대 중기(5세기 전후)에 생산이 시작되는 쓰에끼 생산에는 한반도 남부 사람들이 깊이 관여했던 것으로 잘 알려져 있다. 오사카부 남부에 있는 스에무라 가마터군이 그 대표라고 할 수 있다. 5세기에서 9세기에 걸쳐 약 1,000기의 가마터가 8개 지구, 서쪽부터 다니야마이케(谷山池)지구(약칭TN), 오노이케(大野池)지구(ON), 고묘이케(光明池)지구(㎞), 도가(栂)지구(TG), 다카쿠라지(高藏寺)지구(TG), 도미쿠라(富藏)지구(TM), 도키야마(陶器山)지구(MT), 사야마이케(狹山池)지구(SY)로 나누어진다[1]. 그러나 최근 몇 년간 일본열도의 각지에서 출현기의 가마터가 발견되고, 또는 재평가되어 쓰에끼 생산의 시작을 둘러싼 논의가 활발해지고 있다[2]. 스에무라 가마터군에서의 초기 쓰에끼와 계보가 다른 문양이나 기형이 생산되고, 한반도 남부에서 일본 각지로 이주한 사람들(공인)의 존재가 밝혀졌다. 그러나 모두 단기간에 생산을 완료되며 계속해서 생산이 이루어지고 있는 스에무라 가마터군이 질, 양 모두 중심임에는 틀림없다. 가마 구조상에서도 여러 특징에서 현 단계에서는 부정할 수 없다.

---

1) 宮崎泰史, 2007, 「陶邑窯跡群と窯跡の分布について」, 『2005年度共同研究成果報告書』(財)大阪府文化財センター.
2) 大阪朝鮮考古學研究會, 2010, 『地域發表及び初期須惠器窯の諸樣相-予稿集-』, 第22回 東アジア古代史・考古學研究會交流會.

2. 한식계토기

한식계토기라는 명칭은 「한반도에서 가지고 온 토기, 혹은 그 영향으로 도래인과 재지의 사람이 일본에서 제작하고 그 지역 토기의 여러 특징을 여실히 드러내는 토기의 총칭으로 사용한다. 본고에서는 특히 연질토기를 중심으로 소개하고 있지만, 본래는 이에 제한하지 않고 와질·도질토기를 포함한 명칭으로 사용되어야 할 것이다. 또한 일본에서 생산된 경질토기는 당연히 쓰에끼라는 것이다.」고 우에노 코조씨에 의해 정의되었다[3].

최근에는 한식계토기 연구의 진전에 따라 한식계토기를 둘러싼 분류상의 문제점이 제기되고, 토기의 경도에 따라 취락의 성격을 구분하고 연질토기의 세트 관계에 의해 도래인이 거주 한 마을을 제한하는 연구도 진행되고 있다[4]. 또한 한식계토기 연구회를 주재하는 다나카 키요미씨는 「한식계토기는 한반도의 삼국시대 연질토기[赤燒土器]에 기형이나 제작기법이 흡사한 열도 출토의 토기를 가리키며, 도래인이 열도에서 제작한 연질토기나 그들이 들고 온 연질토기를 왜인이 모방한 토기를 포함한 총칭으로 해둔다.」고 정의[5](하고, 하지끼에서 반도계의 성형·조정 기술을 가진 토기로 말하는 협의의 한식계토기로 사용되는 경우가 많으며, 도질토기나, 도질토기가 초기 쓰에끼 인지 모호한 것을 제외한 것을 생각하는 경향이 강해지고 있다. 초기 쓰에끼는 기형이나 제작기법이 한반도 삼국시대의 연질토기, 도질토기와 흡사하기 때문에 도래인의 故地를 규명하는데 유효한 자료라는 것은 변함이 없다고 생각된다.

---

3) 植野浩三, 1987, 「韓式系土器の名称」『韓式系土器研究 I』, 韓式系土器研究會.
4) 今津啓子, 1994, 「渡來人の土器」『古代王權と交流 ヤマト王權と交流の諸相』, 名著出版.
5) 田中淸美, 2010, 「長原遺跡出土の韓式系土器」『韓式系土器研究』XI 韓式系土器研究會.

이번에 한식계토기의 명칭에 대해서는 「기형이나 제작기법이 삼국시대 한반도 남부지역에 있던 백제·신라·가야제국에 보이는 도질토기, 적갈색 연질토기와 흡사한 것으로 도래인이 한반도에서 들여온 것, 혹은 열도에서 제작한 토기의 총칭」으로 이용되고, 적갈색 연질토기의 영향 아래에 있는 것을 한식계(연질)토기, 도질토기의 영향 아래에 있는 것을 한식계(도질)토기라고 호칭하고자 한다. 따라서 한식계(도질)토기라고 호칭하는 것들 사이에서는 당연히 초기 쓰에끼로 봐야 할 것이 포함되어 있을 가능성이 높다라는 점을 말하고자 한다. 그러나 단순히 산화염소성과 환원염소성을 구별 할 때 편의상 전자를 하지끼, 후자를 쓰에끼라고 부르고자 한다.

3. 조족문토기

보통 평행 타날에 새의 발 모양을 타날판에 새겨 넣은 것(도 30~34)으로 「鳥足文土器」[6], 「鳥足形文土器」[7], 「鳥足文形土器」[8] 등으로 호칭되고, 한국에서는 「鳥足垂直集線文」이라고도 호칭되고 있다. 기나이지역의 조족문토기는 오사카부(카와치), 나라현 (야마토)의 두 지역에 집중되고 있다.

하지끼와 쓰에끼가 있는데, 하지끼가 대부분으로 하지끼의 일부는 일본 내

---

6) 田中淸美, 1994, 「鳥足文タタキと百濟系土器」『韓式系土器研究』Ⅴ 韓式系土器研究會.
7) 竹谷俊夫, 1995, 「日本と朝鮮半島出土の鳥足形タタキ文土器の諸例-その分布と系譜-」『西谷眞治先生古希記念論文集』勉誠社.
8) 櫻井久之, 1998, 「鳥足文タタキメのある土器の一群」『大阪市文化財協會 研究紀要』創刊号.

에서 제작되었을 가능성도 지적되고 있다[9]. 쓰에끼는 오사카부 시토미야키타(蔀屋北)유적, 사라군조리(讚良郡條里)유적, 이케시마 · 후쿠만지(池島 · 福萬寺)유적, 메노코(メノコ)유적, 죠(城)유적, 카마타(鎌田)유적, 오사카죠(大坂城)유적, 우리와리(瓜破)유적, 구보지(久宝寺)유적, 구스노키(楠)유적, 야마토가와 · 이마이케(大和川 · 今池)유적, 나라현 난고마루야마(南鄕丸山)유적, 아카오쿠즈레다니(赤尾崩谷)1호분, 호시즈카(星塚)1호분, 쿄토부 나카도미(中臣)유적 등 15예가 있다. 하지끼는 오사카부 시토미야키타(蔀屋北)유적, 야오미나미(八尾南)유적, 카마타(鎌田)유적, 오사카죠(大坂城)유적, 나가하라(長原)유적, 시로야마(城山)유적, 오타(太田)유적, 구사카(日下)유적 등 9예가 알려져 있다.

조족문토기는 삼국시대 백제토기나 영산강유역의 토기에서 보이는 타날문과 같은 형태이기 때문에 한반도의 남서부, 즉 백제 중심지역이나 영산강유역과의 관계가 깊은 자료이다. 다나카 키요미씨는 최근 한일의 조족문토기의 연구성과에서 長原유적에서 조족문토기에 대해 長原 I기 전반인 5세기 전반 무렵에 충청도지역에서 도래인이 전했을 가능성이 높다고 생각하고, 長原 II기를 통해서 북쪽으로 펼쳐진 카와치(河內) 저지대 개발을 왜 왕권의 감독하에 담당하고 있었다고 생각하고 있다. 長原 III기(TK23 · 47형식)의 조족문토기는 금강 이북지역에서 열도로 건너온 도래인에 관계하는 것으로 생각하고, 5세기 후반에는 長原유적 주변에서 목장 경영으로 전환했을 가능성을 생각하고 있다[10].

---

9) 櫻井久之, 1998, 앞의 논문.
10) 田中清美, 2010, 앞의 논문.

4. 직선문토기

보통 평행 타날에 거의 직각으로 하나의 선을 타날판에 새겨 넣은 것(도 35~37)으로, 「조족문타날 E류, 유사조족문」[11], 「장방형 격자타날문」[12]이라고 호칭되며, 한국에서는 「단선횡주수직집선문」이라고 부르고 있다. 한 개 이상 의 직선을 새기 것(도 36-2), 격자 타날에 비스듬히 교차되고 한 개의 직선을 타날판에 새겨 넣어져 있는 것(도 37-6)도 보인다. 직선문 타날은 오사카부 남 부에 있는 스에무라 가마터군(TK73, TK85호 가마터)에서 발견된 것에서 「직 선문타날토기」는 일본열도 쓰에끼 제작을 전했던 사람들의 故地(쓰에끼 공인, 가마의 조업에 관련된 사람의 출자)을 나타내는 자료[13]라는 평가된다. 조족문 타날과 마찬가지로 삼국시대 백제토기나 영산강유역의 토기에서 보이는 타 날문과 같은 것에서 TK73호 가마와 TK85호 가마는 백제, 마한의 영향을 생각 할 수 있다. 蔀屋北유적에서는 生駒西麓産의 태토로 토기에 직선문 타날이 베 풀어지고 있기 때문에 기나이(大阪)에서 제작된 것이 분명한 자료도 있다. 조 족문 타날과 같은 양상으로 하지끼와 쓰에끼의 것이 있다. 쓰에끼는 오사카부 蔀屋北유적, 고사카아이(小阪合)유적, 陶邑·오바데라(大庭寺)유적, メノコ유 적, 城유적, TK73号窯, TK85号窯, 기시노모토미나미(岸之本南)유적, 데라타 (寺田)유적, 이즈미데라(和泉寺)유적, 나라현 난고(南郷大東)유적, 카라코·카 기(唐古·鍵)유적 등 12예가 있다. 하지끼는 오사카부 蔀屋北유적, 나라현 南

---

11) 田中淸美, 1994, 앞의 논문.

12) 酒井淸治, 2006, 「渡來系土器から見た日韓交流」, 『葛城氏の實像-葛城の首長とその集 落-』 奈良縣立橿原考古學研究所付屬博物館特別展図録第65冊.

13) 宮崎泰史編, 2006a, 「渡來人との關わり」, 『年代のものさし一陶邑の須惠器』, 近つ飛鳥 博物館.

鄕丸山유적, 난고오히가시(南鄕大東)유적 등 3예가 알려져 있다.

5. U자형판상토제품(아궁이틀)

1) 명칭

U자형판상토제품(도 20)은 평면 U자형을 보이며, 두께 1~2cm의 판상 토제
품이다. 부뚜막 아궁이 앞에 세우고 그것을 보호·장식하는 토제품으로 형상
에서 「U자형판상토제품」[14], 용도에서 「아궁이틀」[15], 「부뚜막의 부속구」[16], 「아
궁이테」[17], 「아궁이테 장식」[18]라고 호칭되고 있다. 蔀屋北유적에서는 전체의
형상이 밝혀 질 때까지 「용도불명 生駒西麓産의 토제품」, 「용도불명 판상토제
품」이라고 호칭되었다[19]. 들고 나르는 토기와는 달리, U자형판상토제품은 유
구에 부속되어 있어, 그것이 출토된 유적을 보면 도래인의 활동 흔적을 보여
주는 확실한 자료라고 할 수 있다.

---

14) 宮崎泰史, 2002b,『讚良郡條里遺跡(蔀屋北遺跡)發掘調査槪要』Ⅳ, 大阪府教育委員會.
15) 徐賢珠, 2003,「三國時代の竈の焚口枠について」『韓國考古學報』50輯.
16) 田中淸美, 2003,「造付け竈の付屬具」『續文化財學論集』, 文化財學論集刊行會.
17) 權五榮·李亨源, 2006,「壁柱(大壁)建築研究のために」『日韓集落研究の現況と課題
    (Ⅱ)』.
18) 宮崎泰史編, 2006a, 앞의 논문.
19) 西口陽一編, 1991,『讚良郡條里遺跡發掘調査槪要·Ⅱ』, 大阪府教育委員會.

2) 계보와 분류

다나카 키요미씨는 한일 양국의 출토 토제품을 집성하여 일본에서 출토된 예를 한반도 삼국시대 백제나 고구려에서 이용되고 있던 부뚜막의 아궁이를 보호하는 기구의 계보인「부뚜막의 부속구」에서 찾았으며, 475년 한성 멸망 등에 의해 도래한 백제 사람들이 들고 온 것이다[20].

하마다씨는 한일 양국의 출토 토제품을 집성하고 형식분류를 했다[21]. 분류 기준이 되는 것은 토제품 겉면 돌대의 부착 위치 및 모양으로, 시간차를 가지는 A~D의 4타입으로 설정된다. 각 형식의 자세한 내용은 A류는 小阪合유적 출토 예(도 29-14) 등으로 대표되는 겉면 중심부에 돌대를 갖는 것, B류는 陶邑窯跡群 ON231호 가마 출토 예(도 29-15)로 대표되는 돌대를 갖지 않는 것, C류는 蔀屋北유적 출토예로 대표되는 양쪽 가장자리에 돌대를 가진 것(도 24-5), D류는 미조쿠이(溝咋)유적 출토 예에 보이는 한쪽 측면 가장자리에 차양 모양의 돌대를 갖는 것(도 29-1-6)이다. 공반되는 토기에 의해 각 타입의 해당 시기는 A · B류가 5세기 전반, C류는 5세기 후반, D류는 6세기 이후가 된다. 한국 출토 예와 각 형식을 비교검토하면 A · B류는 백제 풍납토성 출토 예, C류는 마한 영산강유역 출토 예와 유사하기 때문에 하마다씨는 한국측 자료에서도 U자형판상토제품의 형식차가 시간차를 반영하고 있으며, 각 시기의 한반도 U자형판상토제품의 영향 속에서 일본의 A · B류와 C류가 성립되어졌을 가능성을 지적했다. 그리고 D류와 같이 일본의 독자적인 형식의 존재도 시사했다. 후지타 미치코씨는 蔀屋北유적의 풍부한 자료의 정리를 통해 돌대의 유무

---

20) 田中淸美, 2003, 앞의 논문.
21) 濱田延充, 2004,「U字形板狀土製品考」,『古代學硏究』167, 古代學硏究會.

및 그 형상에 따라 I~V타입으로 분류(자세한 내용은 개별 유적에서 설명)하고 상세하게 분석·검토를 해서「蔀屋北유적의 U자형판상토제품은 한반도, 특히 한국 영산강유역에서 도래한 사람들이 사용한 특별한 토제품이며, 도래계 마을의 부뚜막에 설치되는 일종의 상징적인 것이다. 또는 제사 때만 사용되는 것이었다고도 상정할 수 있다」고 하였다[22].

3) 출토 예

일본에서의 출토 예는 현재까지 기나이에 국한되고, 오사카부 17개 유적, 나라현 1개 유적에서 확인되고 있다(도 21, 표 1).

4) 시기

시조나와테시 蔀屋北유적, 네야가와시 讚良郡條里유적, 죠보지(長保寺)유적, 다카미야핫죠(高宮八丁)유적, 이즈미시 오조노(大園)유적은 5~6세기, 야오시 八尾南유적, 키노모토(木の本)유적, 나라현 텐리시 나카마치니시(中町西)유적은 5세기, ON231호 가마, 우에마치다니(上町谷)1·2호 가마, 고탄지마(五反島)유적은 5세기 전반, 야오시 池島·福万寺유적 예는 6세기 전반, 사카이시 大庭寺유적 예는 나라시대, 야오시 나카타(中田)유적 예는 중세, 이치스카(一須賀)고분군내, 이바라키시 溝咋유적, 야오시 小阪合유적은 시기 불명이다. 그러나 형상에서 야오시 小阪合유적은 5세기 전반으로 거슬러 올라갈 가능성

---

22) 藤田道子, 2010,「蔀屋北遺跡出土のU字形板狀土製品について」『蔀屋北遺跡I』, 大阪府埋藏文化財調査報告第2009-3, 大阪府教育委員會.

을 생각할 수 있다.

5) 용도

한국 서울 풍납토성 9호 주거지에서 부뚜막 아궁이 앞에 세워진 상태에서 출토된 것으로 그 용도가 분명해졌다. 접합 후의 개체에서 322점(최소 개체수 20점 전후)의 출토 예가 있는 蔀屋北유적에서는 수혈주거를 비롯해 U자형판상토제품이 원위치를 유지한 상태로 확인 된 예는 없다. 그러나 토갱 A1135처럼 근접한 지점에서 사용된 후 폐기된 상태로 발견된 예(도 22)가 있다. 유일하게 오사카부 히가시오사카시 池島·福万寺유적에서 토제품의 재정리 결과, 사용된 흔적을 보여준 상태로 출토되는 것으로 확인되었다[23]. 2개의 부뚜막을 내부에 갖는 건물 30의 부뚜막 1에서 U자형판상토제품이 출토된다(도 23). 시기는 6세기 전반으로 수혈에서 확인되는데, 서쪽에 기둥 열을 설치한 한쪽 지붕을 가진 건물로 보고되는데, 주방으로 취사와 관련된 시설로 생각된다.

6. 이동식 부뚜막

천정부에 평탄면을 갖는 이동식부뚜막은 앞서 언급한 U자형판상토제품, 그리고 전이 달린 솥과 함께 蔀屋北유적에서는 5세기 중~후반 무렵(TK208~TK23형식)에 출현한다. 도질토기, 한식계토기의 출현보다 나중에 출

---

23) 畑 暢子, 2008,「資料紹介 池島·福万寺遺跡出土 U字形板狀土製品」,『大阪文化財研究』第33号, (財)大阪府文化財センター.

현한다. 그리고 컵 모양의 제염토기 전성기와 겹치는 점에서 「이동식부뚜막」,
「U자형판상토제품」, 「전이 달린 솥」, 「컵 모양의 제염토기」는 그 출현배경에 어
떤 관련성이 예상된다. 대체로 말의 이빨, 뼈의 출토량이 많은 단계이기도 해
서 말의 사육은 새롭게 한반도에서 사람들의 이주를 보여주는 자료라고 할 수
있다. 또한 넓은 수평의 천정부를 가진 이동식부뚜막은 U자형판상토제품과
세트로 지금까지 蔀屋北유적, 네야가와시 讚良郡條里유적, 長保寺유적에서만
확인된다는 점에서 말의 수요에 대응해서 전개된 5세기 후반의 목장 범위를
나타내는 자료(故地가 같은 사람들에 의해)로 평가할 수도 있을 것이다[24].

Ⅲ. 출토 유적의 개요

1. 蔀屋北유적

蔀屋北유적은 오사카의 동부, 시죠나와테시 大字蔀屋 · 砂에 소재하고 生
駒山地에서 유출하는 소하천에 의해 형성된 충적지에 위치한다. 蔀屋北유적
이 소재하는 北河內 주변은 『일본서기』등의 문헌에서 「카와치 말 사육사」로 불
리는 도래계의 사람들에 의해 목장 경영이 이루어지고, 말의 사육에 임하였다
고 생각되어 왔다[25]. 고고학에도 四條畷市 주변은 네야가와시, 히가시오사카
시를 포함하여, 말 이빨, 말 뼈, 한식계토기, 다량의 제염토기가 집중되는 것에

---

24) 宮崎泰史, 2012, 「家畜と牧場」, 『時代を支えた生産と技術 古墳時代の考古學5』, 同成社.
25) 佐伯有淸, 1974, 「馬の伝承と馬飼の成立」, 『日本文化の探求 馬』, 社會思想社.

주목하고 일본열도 속에서도 먼저 말 사육(목장 경영)이 시작된 지역으로 자리 매김하고 있다[26].

2000년에 발견되어 2001년부터 「나와테 물 미래 센터」 건설에 따른 발굴조사를 시작하여 2010년까지 7개소의 조사지구(H지구 · A~F조사지구), 부대 공사에 따른 10개소의 조사지구, 약 27,000㎡의 조사가 실시되었다[27].

조사결과, 고분시대의 취락은 5세기 전반에 형성되어 5세기 중반~후반에 전성기를 맞아, 6세기 후반까지 계속되지만, 7세기 이후(일부 10세기, 12세기에 굴립주건물이 확인)는 주로 논 또는 밭으로 이용되어 가는 모습으로 밝혀졌다. 특히 고분시대(5~6세기)에 속하는 유적 · 유물이 다수 발견되어 고분시대를 대표하는 취락유적으로 주목받고 있다. 얕은 계곡과 구획된 구에 의해 5개의 거주지역(동북 · 남동쪽 · 남서 · 서 · 북쪽)으로 나누어진다(도 10). 발견된 유구는 수혈 주거 73동(대벽건물 1동), 굴립주건물 84동, 우물 27개, 그리고 엄청난 수의 토갱, 大溝, 溝, 기둥 구멍 등이 있다. 또한 우물 27기 중 6기의 우물 틀은 船材가 전용되고 있었다. 이것은 외양을 항해하는 준 구조선의 선재로, 한반도에서의 이주자, 말을 운반했던 배의 가능성이 지적되고 있다. 또한 마을을 구획하는 大溝에서 마구, 한식계토기, U자형판상토제품, 제염토기, 이동식부뚜막 이외에 대량의 토기와 함께 철제품, 목제품, 골각제품, 옥류(마노 · 비취곡옥, 호박옥, 유리옥, 활석제臼玉, 토옥 등), 석제품, 토제품(박자, 목제 안장, 토제 추, 방추차 등), 하니와, 동식물유체 등 다양한 유물이 출토되고 있

26) 野島 稔, 1979, 「大阪府下における製塩土器出土遺跡」『ヒストリア』82 ; 1984, 「河内の馬飼」『万葉の考古學』, 筑摩書房.

27) 大阪府教育委員會, 2010, 『蔀屋北遺跡I』, 大阪府埋藏文化財調査報告第2009-3 ; 2012, 『蔀屋北遺跡II』, 大阪府埋藏文化財調査報告第2011-1.

다. 철제품은 낫, 낚시 바늘, 도자, 도끼, 착, 화살촉, 완형 단야 찌꺼기 등으로 모두 보존 상태는 양호하다. 목제품에는 괭이, 절구공이 등의 농기구와 도끼자루, 망치 등의 공구나 용기, 건축부재, 베틀 도구, 도형과 주형 등의 제사 도구, 거문고, 활이나 도검 장구(柄頭 · 鞘 · 鞘尻)등 무기류와 함께 톱밥 등도 출토되고 있어, 마을에서 수공업생산을 행했던 것이 분명해졌다. 또한 녹각제품에서도 일반적인 취락에서는 드문 도검 장구(柄頭 · 鞘尻) 등이 출토되고 있다. 그 중에서도 2점의 병두는 고분 이외에서 출토하는 예로는 유일한 예이다. 겉면에 수은주가 도포되어 내면에 접착제로 사용된 옻칠이 부착되어 있기 때문에 실제로 검이나 칼에 장착하고 있었던 것이 분명하다. 골제품은 제사 도구로서 복골이 출토되고 있다. 또한 H지구의 大溝 H11의 토양을 세척 할 때 곡류는 쌀의 양을 능가하는 밀이 채취되어 가축(말 사육)과 관련하여 밀 생산의 가능성이 지적되고 있다[28].

대벽건물(도 12), 井자형으로 짠 우물 틀(도 9), 마구(목제의 윤등 · 안장, 재갈), 말의 매장 토갱(도 13~15), 다량의 제염토기, 한식계토기(도 16), U자형판상토제품(아궁이틀 장식)의 출토에 의해 주로 말 사육에 관련된 마을로, 마을에 거주하는 사람들의 출신이 한반도 서반부와의 관계가 깊은 사람들이었음이 분명해졌다.

고대 목장에 대해 호리타 케이치는 고고학적 관점에서 볼 때 「(1) 말 사육은 말 생산의 주요한 요소인 유구는 목장에 관련한 시설이며, 목장 주위로 목책 · 토루 · 구(호), 마구간 · 목장의 관리동 · 창고 등의 건물, 마사(인)의 주거, 물 시설 등이 상기된다. (2) 측면적인 요소로는 목장의 위치 기반으로서의 논이나

---

28) 大庭重信, 2010, 「渡來人と麥作」 『待兼山考古學論集』 II, 大阪大學考古學研究室.

밭을 비롯해 말 사육에 사용된 도구 · 기구류, 말을 생육시키는 데 필수적인 소금 · 여물 등 식량 문제를 들 수 있다」고 지적하고 있다[29]. 蔀屋北유적의 조사 성과는 이러한 요소를 구체적으로 검증해 나가는데 있어서 주목된다.

이하 蔀屋北유적을 중심으로 유적마다 U자형판상토제품, 조족문토기, 직선문토기, 이동식부뚜막, 한식계토기 천발 · 개, 배부병의 순으로 기술하고자 한다.

U자형판상토제품에 대한 상세한 분석이 이루어지고 있다[30]. 그 성과를 참고하여 정리해 보면 다음과 같다. 접합 후 개체에서 322점이 수혈주거, 우물, 토갱, 구 등 다양한 유구에서 출토되는데, 거의 모든 蔀屋北 3기의 유구에서 출토되고 있다. 북동쪽 거주 공간 출토 점수가 60%를 차지한다. 각 개체를 구성하는 파편의 분포를 살펴보면 모두 원위치에서 철거되고 파편이 분산되어 있는 상황(도 17)을 보이고 있어, 1개소의 토갱 등에서 모든 파편이 출토한 개체는 유일하게 남서쪽 거주 공간의 토갱 A1135(도 22)이다. 이 때문에 후지타는 「U자형판상토제품은 蔀屋北 3기에 집중적으로 출토되고 있지만, 이 시기의 수혈주거와 굴립주건물의 내부에 고정시킬 수 있던 상황은 아니다」며, 주거 외부에 설치했을 가능성이 높다고 생각한다.

돌대의 유무 및 그 형상에 따라 다음 I~V타입으로 분류하고 있다(도 18). 중앙에 돌대를 붙인 것이나 장식적으로 돌대를 X자형으로 붙인 것은 출토되고 있지 않다.

---

29) 堀田啓一, 1998, 「今年のシンポジウムを迎えるにあたって」『わが國最古の牧~北河內の馬飼集団を考える~』歴史シンポジウム資料, 寝屋川市.
30) 藤田道子, 2010, 앞의 논문 ; 2012, 「古墳時代中 · 後期の土器 · 土製品」『蔀屋北遺跡 II』大阪府埋藏文化財調査報告第2011-1, 大阪府教育委員會.

I타입-돌대는 점토를 양쪽에서 잡고 손으로 올려 성형하고 단면은 삼각형이지만 모서리가없고 끝은 둥글다. 태토는 生駒西麓産이다.

II타입-내연에 돌대를 가지는 것으로,「접합부」는 역L자로 돌출 폭은 상하 고르지 못해 위쪽이 폭이 넓다. 태토는 生駒西麓産, 非生駒西麓産의 양자가 있다. a는 내연을 따라 체부를 L자형으로 배치하여 돌대를 만드는 타입으로, 돌대 단면이 사다리꼴이다. b는 돌대를 붙이는 타입으로 돌대 모양에서 향후 더욱 세분화 될 가능성도 있다.

III타입-내외 가장자리를 따라 단면 사다리꼴 모양의 돌대가 부착되어 있는 타입으로, III형식은 겉면에 반건조 상태의 제품을 2분할 때 목리의 기호나 뒷면에 노끈 압흔이 보이는 등 성형단계 표시를 남긴 자료가 많다. 이것은 설치 판에 걸치고 있던 노끈이라고 생각하고 설치 판으로부터 분리가 용이하기 위한 궁리인 것이다. 蔀屋北유적에서는 전체의 88%가 이 형식으로 「蔀屋北타입」이라고 호칭하는 것에 상응한 형태라고 할 수 있다.

IV타입-외부 가장자리를 따라 단면 사다리꼴 모양의 돌대가 부착되어 있는 타입이다. 뒷면에 공구 흔이 남아 있고, 태토는 非生駒西麓産이다. 접합부는 단부의 두께를 얇게 하여 단을 만들어 형성하고 있다. 이러한 접합부는 陶邑 ON231호 가마 출토 자료(도 29-16)와 같은 제작방법이다.

V타입-돌대가 없는 타입이다. 태토는 非生駒西麓産이다. 네야가와시 長保寺 유적에서는 生駒西麓産 것도 있고, 접합부는 역L자형을 보이고 있다(도 28-2). 뒷면에는 공구 흔이 남아 있다.

도 24-1은 I 타입으로 천정부 폭 15㎝, 두께 2.5㎝ 정도이다. 돌대는 점토를 양쪽에서 잡고 나데로 올려 성형하고 단면은 삼각형이지만 각이 없는 선단은 둥글다. 태토는 生駒西麓産이다. 북동쪽 거주지역의 함몰 C2895, 수혈주거 C3767, 토갱 C3342, 포함층에서 출토된 것이 접합된다. 도 24-2는 내외 가장자리에 돌대를 붙이는 타입으로, 蔀屋北유적의 돌대 분류에서는 III유형에 해당한다고 생각되지만, 돌대의 단면이 반원형으로, 외연의 돌대를 약간 안쪽 에 붙이는 III유형과 달리, 내연과 마찬가지로 판상부의 옆면에 접해서 돌대를 붙이고 있기 때문에 다른 유형으로 보는 편이 좋을 것 같다. 왼쪽 각부편으로 외면은 격자문으로 성형하고 뒷면에는 나뭇결이 선명하게 남아 있다. 폭 10.4 ㎝, 두께 1.4㎝ 정도로 태토는 生駒西麓産이다. 또한 보고에는 돌대 형상 I 타입으로 보고 있다[31]. 도 24-3 · 4 내연을 뒤집은 L자형 돌대를 만드는 IIa타입으로, 3은 오른쪽 천정부편으로 H지구의 大溝 H11의 2층에서 출토되었다. 천정부 폭 13.5㎝, 두께 1.5㎝ 정도로 겉면의 조정은 횡방향의 나데, 뒷면은 나뭇결이 남아 있지만 일부에 나데 조정을 하고 있다. 또한 동일한 개체로 생각된 것이 3층에서 출토되고 있다. 색상은 회황색을 띠며, 태토는 非生駒西麓産이다. TK208형식~TK47형식의 쓰에끼가 공반된다. 4는 오른쪽 천정부에서 견부편으로 남서쪽 거주지역과 구획구 A434에서 출토되었다. 천정부 폭 10.6㎝, 두께 1.7㎝ 정도로 겉면은 전체를 대각선 방향으로 나데 조정, 돌대의 외부에 따라서 나데 조정으로 마무리한다. 뒷면에는 세세한 나뭇결이 남아있다. 내연 측면은 면을 다듬는 상으로 헤라 깎기가 베풀어지고, 일부의 뒷면에도 확인된다. 태토는 生駒西麓産이다.

　도 24-5는 남서쪽 거주지역의 토갱 A1135에서 출토되었다. 토갱 A1135의 평면형태는 장타원형이고 길이 6.15m, 폭 2.55m, 깊이 0.6m 정도이다. 5는 하층에서 다량의 쓰에끼, 하지끼, 쓰에끼계 토기와 함께 조족문이 있는 도질토기(도 30-6)와 활석제 쌍원원판 2점, 臼玉 88점, 지석, 그리고 이동식부뚜막(도

31) 藤田道子, 2012, 앞의 논문.

38-1)과 함께 출토되고 있다. 또한 소토·탄층·재층에 섞여서 엄청난 수의 제염토기 약 82kg, 개체수는 추정 1641개체에 이르는 자료가 동시에 출토되었다 (도 22). 중층과 하층에서 출토된 쓰에끼는 I형식 4·5단계(TK23~TK47형식)에 해당하는 것이다. 내외 가장자리를 따라 단면 사다리꼴 모양의 돌대를 붙이는 III타입으로, 蔀屋北유적에서는 전체의 88%가 이 유형으로「蔀屋北유형」이라고 호칭하는 적합한 형태라고 할 수 있다. 또한 본 예는 처음으로 U자형 판상토제품의 전체 형상을 알 수 있게 된 자료이다. 오른쪽 견부의 일부는 손상되었다. 폭 84.6㎝, 천정부 폭 12.7㎝, 두께 1.2㎝ 정도이다. 뒷면은 성형시의 토대판의 미세한 나뭇결이 남아있지만 나뭇결이 나데 조정으로 지워진 부분도 있다.

도 25-1·2, 도 26-1·2는 III타입으로, 도 25-2, 도 26-2에는 겉면에 반 건조 상태의 제품을 2분할하는 사이에 나뭇결의 헤라 기호를 시문하고 있다. 도 26-1은 蔀屋北유적에서 최대 크기의 폭이다.

도 27-1은 외연으로 돌대를 붙이는 돌대 IV타입으로 접합부는 단부의 두께를 얇게 하여 단을 만들고 있다. 전체 폭은 추정 64㎝, 천정부 폭 10㎝, 추정 높이 43㎝, 두께는 1.2㎝ 정도이다. 겉면은 헤라 공구에 의한 나데 조정을 시문하고 있다. 또한 뒷면에 노끈 압흔이 관찰되었다. 이것은 토대판에 걸치고 있던 노끈이라고 생각되고 토대에서 분리가 용이하도록 하는 궁리책이다. 색조는 주황색을 띠고, 태토는 非生駒西麓産이다. 토갱 K1-10144(TK23~47형식), 유로 K1-08013(TK10~TK43)에서 출토되었다.

도 27-2은 돌대가 없는 V타입으로, 오른쪽 견부에 해당하는 것으로 생각된다. 폭 약 10㎝, 두께 1.9㎝ 정도로 표면은 나데 조정, 이면에는 공구 흔이 남아 있다. 파편이기 때문에 접합부는 불명확하며, 태토는 非生駒西麓이다. 또한 네야가와시 長保寺유적에서는 生駒西麓産의 것도 있으며, 접합부의 모양은 역L자형을 나타내고 있다(도 28-2).

이상 U자형 판상토제품의 해당 시기는 거의 모든 蔀屋北 3기(TK23·47형식)로, 5세기의 제 3·4분기에 해당한다. 그러나 IIa타입이 H지구 구11의 3층에서 출토되고 있고, 蔀屋北 2기(TK216~TK208형식)로 거슬러 올라갈 가능성도 상정된다. 또한 크기는 4종류로 나눌 수 있다. 폭 80㎝, 84~86.4㎝, 89.4~93㎝, 100~114.8㎝이다.

이동식부뚜막은 출토량, 종류 모두 풍부하고, 도면화된 자료는 약 100점 정도이다. 보고서에는 솥걸이의 모양에서 A~D의 4종류로 나누었지만, 여기에서는 蔀屋北유적을 특성화하는 A, B유형을 대상으로 한다(도 19). 그러나 희귀자료로서 솥걸이를 2개 가지는 것은 솥걸이의 지름이 보통 이동식부뚜막의 지름보다 작다.

이동식부뚜막 A타입은 내외면 모두 동체부에서 굴곡되고, 솥걸이는 평탄면을 이룬다. 태토 는 生駒西麓産 23예, 非生駒西麓産(하지끼질) 3예가 있다. 외면은 평행문 조정을 하고 있다. 도 35-7, 도 38-1은 A타입으로 솥걸이 지름은 약 22㎝ 정도이다.

도 38-1은 토갱 A1135 하층에서 출토되었다(도 22). 평저의 시루를 거꾸로 한 것 같은 형태를 보이며, 수평한 천정부를 가진다. 솥걸이는 직경 21.9×22㎝의 원형을 띤다. 천정부 폭 28.9×29㎝, 바닥폭 43.3㎝, 높이 32㎝ 정도이다. 동체부 상위에 한 쌍의 우각형파수가 아래쪽을 향해서 붙어져 있다. 솥걸이는 천정부에서 굴곡되어 폭 약 3.6㎝의 평탄면을 만들고 단부는 깎기 조정을 실시하고, 날카로운 면을 만든다. 아궁이의 차양 부분은 상부가 약간 위쪽으로 돌출된 「붙인 차양」이다. 아궁이 상부로부터 이어진 차양은 기부로 갈수록 돌출의 정도가 약해진다. 차양 높이는 선단부 일부가 결손되었지만, 솥걸이 높이(천정부)를 초과하지 않는 타입이다. 차양 상단·좌우측면에는 제작~건조 시에 지탱하는 것으로 사용된 식물 줄기의 흔적으로 생각되는 죽관문 모양의 스탬프 자국이 확인된다. 그 평면 및 단면의 형상이 일정하지 않기 때문에 선단이 부드러운(식물질?) 막대 모양의 것을 사용하는 것으로 생각된다. 아궁이는 폭 36.4㎝, 높이 25.2㎝ 정도로 입면형은 견부는 둥근 사다리꼴을 이룬다. 아궁이의 양측에는 단부를 내외에 두껍게 하고 넓은 면을 가진다. 아궁이의 뒷면에는 직경 3.2×3.4㎝의 원형의「연기를 빼내는 구멍」을 뚫었다. 아궁이의 끝단부 양쪽에 支脚 모양의 낮은 작은 돌기를 붙이고, 약간 걸쳐 놓았다. 뒷면은 파손되었기 때문에 작은 돌기의 유무는 불명확하다. 동체부 외면에는 종방향의 평행문, 내면에는 나데 조정을 하고 있다. 태토 속에는 운모·각섬석이 다량 함유되어 짙은 회갈색 을 띠는 이른바「生駒西麓産」이라고 한다.

동체부 상위에는 가장자리에 수평의 얕은 침선을 돌렸고, 해당 위치에 좌우 한 쌍의 우각형파수를 아래로 향해 달고 있다. 파수의 아래쪽 측면에는 차양 상면·좌우 측면에서 관찰된 것과 같은 죽관문 모양의 스탬프 자국이 각 한 개소에서 확인된다. 솥걸이의 내외면에 새겨진 깎기 조정은 도립해서 성형할 때 생긴 것으로 삐져나온 점토를 정돈한 것이다. 부뚜막의 제작 방법은 아마도 파수를 붙이는 방법이나 차양 부분의 지탱하는 흔적(죽관문 모양의 스탬프)에서 평저의 시루와 같은 토기를 도립해서 제작된 것으로 생각된다.

B타입은 외면은 동체부에서 굴곡되고, 내면은 동체부에서 굴곡 없이 위쪽 내면으로 뻗은 솥걸이는 평탄면을 가진다. 태토 는 生駒西麓産 2예, 非生駒西麓産(하지끼질) 1예가 있다. 외면은 나데, 내면은 하케 또는 깎기 조정을 실시하고 있다. 도 38-2, 도 39-1·2는 B타입으로 솥걸이 구경은 22~23㎝ 정도이다.

현재 A타입은 讃良郡條里유적에서 1~2예, 長保寺유적에서 1예가 확인된다. B타입은 오사카부 히가시오사카시 鬼虎川유적(도 39-2)에서 1예가 확인된다.

이상 A타입의 이동식부뚜막은 III타입의 U자형판상토제품이 출토되고 있는 유적에서만 확인되기 때문에 양자에 강한 관련성이 예상된다. 아마도 A타입의 이동식부뚜막은 III타입의 U자형판상토제품을 장착했던 부뚜막의 상태를 토제품으로 모사한 것으로 「차양」은 외연, 「아궁이 양쪽의 돌대 모양으로 두꺼워 단부」는 내연으로 각각 대응하는 것으로 생각된다.

도 40-2는 솥걸이를 2개 가진 것으로, 溝 C4264에서 출토되었다. 솥걸이 지름은 15.8㎝ 정도이다. 겉면은 헤라 미가키 조정, 측면은 하케메 조정을 실시하고, 색조는 황회색을 띤다. 도 40-3은 돔 모양을 띠는 것으로, 토갱 C4083에서 출토되었다. 솥걸이 지름은 16.8㎝ 정도이다. 상면·측면은 하케메, 내면은 강한 깎기의 나데 조정을 실시하고, 색조는 둔한 주황색을 띤다. 보고서는 「이동식부뚜막이라기보다는 만들어 붙인 부뚜막의 부속구, 솥걸이 상부를 덮는 기구 등의 용도를 가진 것으로 보인다」고 했다[32]. 또한 북쪽에 접해 있는 讚良郡條里유적에서는 솥걸이 3개를 가진 것도 출토되고 있다(도 40-1).

조족문토기는 6점(도 30-1~6)이 출토된다. 1은 大溝 E090001 중층에서 출토된 한식계(도질) 토기 옹의 동체부편으로, 2는 大溝 E090001 하층에서 한식계(연질)토기 발, 4는 大溝 E090001 중층에서 출토된 이동식부뚜막 동체부편이다. 3은 大溝 H11의 3층에서 출토된 도질토기 병으로, 구경 8.9㎝ 정도이다. 동체부 외면에 오른쪽으로 열린 조족문토기를 횡방향으로 연속적으로 돌리고 있다. 견부는 요코나데, 내면은 정연한 나데 조정을 하고 있다. TK216~TK23형식의 쓰에끼가 공반된다. 5는 토갱 F1120에서 출토된 도질토기 호로, 구경 16.7㎝, 기고 23.6㎝ 정도이다. 동체부 외면 상위에 오른쪽으로 열린 조족문을 장식적으로 1단으로 돌리고 있다. MT15형식의 쓰에끼가 공반된다. 6은 토갱 A1135에서 출토된 도질토기 광구호이다. 견부~체부에 걸쳐서 일부 파손되고

---

32) 藤田道子, 2010, 앞의 논문.

있는데, 구경 15.6㎝, 기고 27㎝(추정) 정도이다. 저부는 평저로 동체부 외면에 조족문을 시문한 후, 나선형 침선을 돌리고 있다. 내면은 아래에서 위로 향해서 정연한 나데 조정을 하고 있다.

직선문토기는 10점 출토된다. 도 35-1은 토갱 C3485·3486에서 출토된 한식계토기 시루의 저부편으로 태토는 生駒西麓産이다. 외면은 타날 위에 나데 조정을 하고 있다. 출토된 쓰에끼는 쓰에끼 편년 I형식 4단계에 해당한다(표 2). 쓰에끼, 쓰에끼계 토기, 하지끼, 이동식부뚜막 A타입, U자형판상토제품, 그리고 다량의 탄화물과 함께 제염토기가 출토되었다. 대량의 재·숯과 소형 제염토기 파편이 출토된 C3485·3486은 제염의 마지막 공정인 구운 소금을 만든 후 폐기한 토갱이라고 추정되며, 시기 및 출토자료의 구성은 토갱 A1135(도 22)와 공통된다. 도 35-2는 수혈주거 F12에서 출토된 한식계(연질)토기 옹의 동체부편으로 생각되고, TK23형식의 쓰에끼, 하지끼, 한식계토기, 제염토기, 지석, 절구, 臼玉 등과 함께 출토된다. 도 35-3~6은 D조사구 포함층 제9~10층에서 출토되었다. 한식계(도질)토기 호의 동체부편으로 생각된다. 도 35-7은 토갱 K1-10144에서 출토된 이동식부뚜막 A타입이다. 동체부 외면에 직선문을 시문하고 있다. 태토는 生駒西麓産인 것으로 도 35-1과 마찬가지로 확실하게 오사카부 내에서 만들어진 것을 알 수 있는 자료이다. 쓰에끼, 한식계토기, 쓰에끼계 토기, 제염토기, 하지끼, 이동식부뚜막, U자형판상토제품이 공반된다. 도 35-8은 H지역의 大溝 H11의 1층에서 출토된 한식계(도질)토기 옹의 동체부편으로 내면은 요코나데 후, 종방향으로 간격을 두고 위쪽으로 나데를 올리고 있다. 형광 X선 분석 결과, 스에무라 영역에 해당한다는 판정이 이루어지고 있다[33].

도 35-9는 토갱 D607에서 출토된 한식계(도질)토기의 동체부편으로, 내면은 나데 조정을 하고 있다. 한식계(연질)토기 시루, 유공원판이 공반된다. 도 35-10은 谷 F1에서 출토된 한식계(연질)토기 시루로 생각되는 동체부편이다.

천발은 1점이 출토된다. 도 41-1은 한식계(도질)토기 천발로, 복원구경 13.4cm 정도이다. 외면은 깎기 조정을 하고 있다.

개는 2점(도 42-1 · 2) 출토된다. 15는 백제계 한식계(도질)토기 개로, 토갱 C3837에서 출토되었다. 색조는 밝은 청회색을 띤다. 시기는 TK216형식~TK208형식으로 비정된다. 16은 大溝 E090001 하층에서 출토된 한식계(와질)토기로 색조는 회색을 띤다. 시기는 TK216형식 이전 5세기 전반에 비정된다.

2. 讚良郡條里(蔀屋北)유적(大阪府寢屋川市)

재단법인 오사카부문화재센터에 의해 2004년~2007년(讚良郡條里 03-6 · 06-3), 2003년에서 2007년(讚良郡條里유적 03-3 · 06-2), 2009년~2010년(讚良郡條里유적 09-1)에 조사가 실시되었다. 모든 조사구역이 남쪽에 위치하는 蔀屋北유적과 동일한 유적군을 형성한 것으로 생각된다(도 11). 讚良郡條里유적 03-6 · 06-3 조사구, 讚良郡條里유적 03-3 · 06-2 조사구에서는 蔀屋北유적에서 확인되는 大溝(大溝 H11, 大溝 F, 大溝 D900, 大溝 E090001)에 이어진 유구라고 생각된 「함몰」, 「유로 1」이 발견되어 고분시대 중기~후기에 해당한 다량의 쓰에끼,

---

33) 三辻利一, 2010, 「蔀屋北,鬼虎川遺跡出土硬質土器の螢光X線分析」, 『蔀屋北遺跡I』, 大阪府埋藏文化財調査報告第2009-3, 大阪府教育委員會.

하지끼, 한식계토기, 제염토기, 도질토기, U자형판상토제품, 이동식부뚜막, 하니와, 검형토제품, 석제 · 토제방추차(算盤形 포함), 금속제륜, 철제품(낫 · 보습 · 화살촉 · 곡병도자 · 주조철부 · 도자), 철 찌꺼기, 옥류, 지석, 풀무의 풍구, 쓰에끼의 가마벽편, 목제품(괭이, 절구공이 등의 농기구, 도끼자루, 망치) 등의 도구나 용기, 건축 부재, 방직구, 도형과 선형 등의 제사구, 거문고, 활과 도검장구(鞘 · 把) 등의 무기류, 나막신, 윤등, 안장, 골각제품, 동물 뼈와 함께 톱밥 등도 출토되고 있어, 취락 내에서 수공업생산을 하고 있었던 것으로 밝혀졌다[34].

도 30-7 · 8, 도 40-1, 도 41-2는 讚良郡條里유적 03-6 · 06-3 조사구 함몰지에서 출토된 것으로 도 30-7 · 8은 조족문을 시문한 한식계(도질)토기 호 동체편이다. 도 40-1은 3개의 솥걸이가 있는 이동식부뚜막으로 솥걸이 지름은 14.5㎝ 정도이며, 외면은 하케 조정 후, 일부에 나데 조정을 더하고 있다. 비슷한 유형이 토갱 2592, 토갱 2301에서 각 1점씩 출토되고 있다. 도 41-2은 한식계(연질)토기 천발이다. 또한 U자형판상토제품은 모두 蔀屋北 III타입으로, 11점 출토되고 있다.

도 41-3은 讚良郡條里유적 03-3 · 06-2 조사구 유로 1에서 출토된 한식계(연질)토기 천발로, 구경 20.4㎝, 기고 7.2㎝ 정도의 대형품이다. 동체부 외부에 승석문을 시문하고 저부 외면에 불명료하지만 방형의 압흔이 확인된다. 기형 등에서 삼국시대 백제지역, 전라남도 지역의 도질토기 계보가 구해진다. 또한 U자형판상토제품은 모두 蔀屋北 III타입으로 5점이 출토된다.

---

34) 奧村茂輝編, 2008,『讚良郡條里遺跡VII』, (財)大阪府文化財センター調査報告書第182集 ; 森本 徹編, 2009,『讚良郡條里遺跡IX』(財)大阪府文化財センター調査報告書第188集 ; 福佐美智子 · 小林千夏編, 2011,『讚良郡條里遺跡X』(財)大阪府文化財センター調査報告書 第210集.

2012년 8월에는 상업시설 건설공사에 따라 네야가와시 교육위원회 · 四條畷시 교육위원회 · 공익재단법인 오사카부문화재센터에 의해 조사가 실시된 2-1구역에서 고분시대 중기부터 후기의 수혈주거, 굴립주건물, 우물, 구 등의 유구가 발견되고 있다[35](寢屋川市教育委員會 · 四條畷市教育委員會 · 公益財団法人大阪府文化財センター 2012). 자세한 내용은 현재 보고서 작성 중이기 때문에 밝힐 수는 없지만, 희귀 자료로 井자형 우물이 출토되고 있다(도 8). 시기는 5세기 후반부터 6세기 전반에 비정되고, 10단이 확인된다. 大園유적 예 (도 7), 蔀屋北유적 예(도 9)에 이어 세 번째 예이다. 구조는 풍납토성의 목조 우물과 공통되는 점에서 蔀屋北유적, 讚良郡條里유적으로 이주한 사람들의 故地를 엿 볼 수 있는 재미있는 자료라고 할 수 있다.

3. 長保寺유적

1990년에 오사카부교육위원회가 실시한 조사(조사 당시는 讚良郡條里유적 이라고 호칭)로 자연 하천, 포함층에서 4점의 U자형판상토제품이 출토되고 있다. 그 중에서도 3지구의 동쪽 하층에서 발견된 자연 하천에서는 한식계토기 초기 쓰에끼, 하지끼, 목제품과 함께 출토되고 있다. U자형판상토제품 모두 蔀屋北 III타입이다. 조사 당시는 용도가 확실하지 않아 「용도 불명의 生駒西麓産의 토제품」으로 보고되었다. 일본의 U자형판상토제품의 효시이다[36]. 蔀屋北

---

35) 寢屋川市教育委員會 · 四條畷市教育委員會 · 公益財団法人大阪府文化財センター, 2012,「讚良郡條里遺跡現地説明會資料」, 平成24年3月24日.
36) 西口陽一編, 1991, 앞의 보고서.

유적과 마찬가지로 선재를 재사용한 우물 틀이 3기 발견되어 유적의 성격으로 항구의 기능이 추측되며, U자형판상토제품, 천정부에 평탄면을 갖는 이동식 부뚜막과도 공통된다.

도 28-1은 91-1구 남쪽 조사지구 제V층(고분시대 포함층)에서 출토된 U자형판상토제품과 동일한 개체로 생각된다. 천정부의 폭 12.5㎝ 정도이다. 蔀屋北 III타입이다. 비슷한 편이 91-1조사구 남쪽 조사구 토갱 4에서 TK47형식의 쓰에끼 등과 공반되어 출토된다. 도 28-2는 91-1 남쪽 조사구 제4면 토갱 4에서 출토되었다. 돌대가 없는 왼쪽 천정부 파편으로 겉면은 나데, 뒷면은 未조정이다. 蔀屋北 V유형으로, 태토는 生駒西麓産이다. 도 28-3은 92-3지구의 구 5에서 출토된 蔀屋北 III유형의 오른쪽 견부의 파편이다. 시기에 대한 보고에서는 「출토유구에서는 고분시대 중기(TK208형식의 쓰에끼)~후기의 토기가 출토되고 있어, 이 시기 폭 속에서 토제품의 시기가 구해진다」고 한다[37].

또한 천정부에 평탄면을 가진 이동식부뚜막이 91-1지구 북쪽 조사지구 제4유구면 토갱 1에서 5세기 말~6세기 초 쓰에끼, 하지끼, 제염토기, 동물 뼈, 식물 씨앗과 함께 출토되고 있다. 蔀屋北유적의 이동식부뚜막 A(도 38-1)와 같은 타입으로, 외면은 평행문을 시문하고 태토는 生駒西麓産이다[38].

---

37) 濱田延充, 2001a, 「用途不明板狀土製品について」, 『韓式系土器研究』 VII, 韓式系土器 研究會.
38) 濱田延充編, 1993, 『長保寺遺跡』, 寢屋川市敎育委員會.

4. 木の本유적(大阪府八尾市)

2점의 U자형판상토제품이 출토된다[39]. 모두 내연에 돌대를 붙이고 있어 蔀屋北유적의 돌대 분류는 IIb타입에 해당한다. 도 28-4은 고분시대의 포함층에서 출토 된 각부편으로 폭 약 12㎝, 두께 1.4㎝ 정도이다. 겉면은 종방향의 나데, 이면에는 작업대에서 사용된 나뭇결의 압흔이 명료하게 확인된다. 색조는 둔한 주황색, 태토는 生駒西麓産이다. 공반하는 쓰에끼는 TK208~TK23형식이다. 도 28-5는 입회조사 때 출토된 오른쪽 견부에서 각단부의 파편이다. 폭 약 10.8㎝, 두께 1.8㎝ 정도이다. 겉면은 종방향의 나데, 뒷면은 대부분 박리되어 있지만, 성형 시에 점토를 눌러서 넓힐 때에 작업대(판재)의 나뭇결 압흔이 관찰되었다. 색조는 둔한 주황색, 태토는 非生駒西麓産이다.

5. 高宮八丁유적(大阪府寢屋川市)

長保寺유적의 북동쪽으로 약 600m에 위치한다. 제2차 조사에서 고분시대의 자연 하천에서 출토되었다. 도 28-6은 오른쪽 견부편으로 蔀屋北 III타입으로, 태토는 生駒西麓産이다. 해당 시기는 보고에서 「명확한 시기가 구해지지 않지만, 대개 고분시대 중~후기에 해당한 것으로 보인다」고 한다[40].

39) 大阪府教育委員會, 2012, 『蔀屋北遺跡II』, 大阪府埋藏文化財調査報告第2011-1.
40) 濱田延充, 2001a, 앞의 논문.

6. 池島 · 福万寺유적

카와치평야의 남동부, 야오시와 히가시오사카시에 걸쳐 위치한다. U자형판상토제품, 조족문토기의 호 동체부 1편이 출토되었다.

U자형판상토제품은 2007년 재정리 시에 확인된다[41]. 출토유구는 건물 30 및 인근의 유적 · 포함층에서 출토된다. 건물 30은「남북 3.1m, 동서 2.4m의 장방형의 수혈상 유구와 그 서쪽에 늘어선 6개의 기둥 구멍으로 구성된다. 수혈유구의 내부에는 기둥 구멍은 보이지 않기 때문에 현 단계에서는 기둥 구멍이 높은 한쪽 지붕구조를 상정된다」면서 주방으로 취사관련 시설로 생각된다[42]. 내부에 만들어진 부뚜막을 2기가 있고 6세기 전반의 쓰에끼, 하지끼, 이동식 부뚜막, U자형판상토제품, 제염토기가 출토되었다. U자형판상토제품(도 28-7~10)은 모두 生駒西麓産의 태토로 내연에 돌대를 붙였다. 뒷면에는 작업대에서 사용된 나뭇결의 압흔이 관찰되었다. 7 · 8은 건물 30의 부뚜막 1에서 출토되었다. 7은 추정 폭 약 93㎝, 폭 12.1~14.7㎝, 돌대 두께 3.2~3.7㎝ 정도이다. 8은 왼쪽 견부의 파편으로 폭 17.4㎝, 돌대 두께 3.7㎝ 정도이다. 9는 건물 30 서쪽 기둥구멍 부근, 10은 건물 12의 피트 내에서 출토되었다. 9는 오른쪽 각부편으로 폭 10.3㎝, 돌대 두께 3.2㎝ 정도이다. 10은 오른쪽 견부편으로 폭 12.7㎝, 돌대 두께 2.7~ 2.9㎝ 정도이다.

도 30-9는 94-1 · 2조사구 중 10층에서 출토된 조족문토기로 보고에서는「제10층에서는 하지끼나 쓰에끼, 기와기 완 등 작은 편이 출토되고 있으며, 야요

---

41) 畑 暢子, 2008, 앞의 논문.

42) 森本 徹編, 1995,『池島 · 福万寺遺跡發掘調査概要XII－90-1 · 90-4調査區(1990～1992 年度)調査概要－』(財)大阪文化財センター.

이 토기도 소량 출토되고 있다. 또한 조족문을 가진 도질토기 파편이 1점 출토되고 있다. 이 밖에 도자와 철촉, 써레의 이빨, 못, 낫 등의 철제품이 출토된다」고 한다[43]. 한식계(도질)토기 옹 또는 호의 파편으로 생각되고 타날 성형 후에 침선을 돌렸다.

7. 溝咋유적(大阪府茨木市)

U자형 판상토제품이 5편 출토된다(도 29-1~6). 모두 외연에 돌대가 붙는 타입이다. 1은 溝咋유적(그의 1)의 조사에서는 포함층에서 출토된 것으로, 돌대는 차양 형태로 높다. 보고서에서는 「하지끼로 기형·용도는 불명이다. 두께 1.5㎝의 반상으로, 한 쪽은 폭이 좁아 약간 곡선지고, 다른 한쪽은 폭이 넓어지는 형상으로 연이 약간 바깥쪽으로 낮게 휘어진다. 연의 높이는 폭이 좁은 쪽은 2㎝, 높은 쪽은 3.8㎝이고, 폭이 넓어지면서 높아진다」고 한다[44]. 오른쪽 각부에 해당하는 것으로 생각된다.

2~6은 溝咋유적(그의 3)의 조사에서 출토된 것으로 2~5는 3D지구 하천 2중층(고분시대 중기~후기)에서 6은 3D지구 숯이 집중된 부분에서 출토된다[45]. 2는 왼쪽 견부의 파편으로 3은 천장부분으로 보이며, 1과 마찬가지로 돌대는

43) (財)大阪府文化財調査研究センター, 1997, 『池島·福万寺遺跡發掘調査概要XVIII – 94-1·2調査區の概要 – 』.
44) (財)大阪府文化財調査研究センター, 2000a, 『溝咋遺跡(その1·2)』, (財)大阪府文化財調査研究センター調査報告書 第49集.
45) (財)大阪府文化財調査研究センター, 2000b, 『溝咋遺跡(その3·4)』, (財)大阪府文化財調査研究センター調査報告書 第50集.

차양 형태로 높다. 4 · 5는 뒷면에 작업대에 사용된 나뭇결 압흔이 명료하게 확인되기 때문에 5는 왼쪽 각부의 중간, 4는 왼쪽 견부의 파편임을 알 수 있다.

8. 八尾南유적(大阪府八尾市)

오사카부 야오시의 西木의 本1~4丁目, 木本, 若林町1~3丁目에 위치하며, 동서 약 0.5㎞, 남북 약 1.3㎞의 범위에 구석기시대부터 가마쿠라시대에 이르는 복합유적이다. 그 중에서도 고분시대 초부터 전기의 하지끼는 中카와치지역을 대표하는 표지 자료이다. 또한 서쪽에 위치하는 長原유적과 마찬가지로 고분시대 중기(5세기 전반~중반)의 한반도계의 한식계토기(광구호 · 평저발 · 소형발 · 파수부과 · 장동옹 · 개)가 많이 출토되는 것으로도 잘 알려져 있다. 한식계토기나 단야 관련 유구나 유물에서 새로운 기술을 초래한 백제계를 중심으로 한 도래계 기술집단 취락이라고 생각된다[46]. 제8차 조사에서 U자형판상토제품, 제18차 조사에서 조족문토기, 한식계(연질)토기 천발이 출토되고 있다.

U자형판상토제품은 제8차 조사의 西지구 제4층에서 쓰에끼, 하지끼, 다량의 하니와와 함께 출토되고 있다. 도 29-7은 오른쪽 천정부에서 견부에 걸친 파편이다. 이동식부뚜막에 보이는 차양 모양의 돌대를 내연에 접해서 붙였다. 출토지점은 건물에 부속된 취사시설로 생각된 SK-21, 우물 SE-4에 해당하는 장소로 전술한 池島 · 福万寺유적과 동일한 양상을 보이며, U자형판상토제품은 취사 관련 시설에서 사용된 것으로 예상된다. 보고자는 서쪽의 溝에 의해

---

46) 原田昌則編, 2008,『八尾南遺跡第18次發掘調査報告書』, (財)八尾市文化財調査研究會報告117 ; 田中淸美, 2010, 앞의 논문.

구획된 유구의 공백지대가 확인되고 이를 방목지, 또한 인접해서 검출된 굴립주건물, 방형구획·목책열, 토갱 SK-18을 각각 마구간, 일시적인 계류지, 급수장 유구 등의 시설로 상정하고 있다. 또한 우물 SE-4에서 TK216형식의 쓰에끼, 하지끼와 함께 목제안장이 출토되고 있는 것에서 말 사육을 행했던 집단의 취락 가능성을 지적하고 있다[47]. U자형판상토제품의 사용자와 말 사육의 관련성을 생각할 수 있다.

제18차 조사구 YS92-18은 초기 쓰에끼 성립시기에 TG232형식~TK73형식 단계에 성립된 거주 공간에서 하지끼, 한식계토기, 초기 쓰에끼, 단야관련(풀무의 풍구), 옥류(활석제곡옥·臼玉), 지석 등이 출토되고 있다[48]. 조족문토기(도 31-1·2), 천발(도 41-14)은 함몰상 유구 SO101에서 쓰에끼, 하지끼, 한식계토기와 함께 출토되었다. 쓰에끼는 소량, 하지끼, 한식계(연질)토기가 대부분을 차지하고 있다. 천발(도 41-14)은 보고에서는 얕은 동체부를 갖는 소형발로, 「TG232형식에서 보이는 백제계의 초기 쓰에끼를 모방한 것으로 생각된다」고 하며, 한반도 남서부에서 보이는 도질토기 천발을 모방한 한식계토기일 가능성도 생각된다.

도 31-1·2는 한식계토기 시루·과로 동체부 외면에 조족문을 시문하고 있다. 모두 소성은 양호하고, 색상은 담적주황색을 띠고, 같은 공인에 의해 제작되었을 가능성이 지적된다. 그리고 형상과 크기, 조족문의 타날 방법의 유사성에서 북서쪽에 약 400m 떨어진 長原유적 NG95-36차 조사구 7B층에서 출토된 한식계토기(도 33-2~7)와 동일한 제작집단 또는 동일한 공인의 제작 가능성이

47) 原田昌則編, 1995, 「八尾南遺跡第8次調査(YS87-8)」, 『八尾南遺跡』, (財)八尾市文化財調査研究會報告47.
48) 原田昌則編, 2008, 앞의 논문.

높다고 생각된다.

도 42-9은 SK107에서 도 42-10는 SD102에서 출토된 한식계(연질)토기 개로 모두 5세기 전반에 비정된다. 24는 구경 13.4㎝, 기고 3.6㎝ 정도로 색조는 회황색을 띠고, 천정부 중앙에 손잡이를 붙인 흔적이 있다.

또한 SP251에서 하지끼 소형환저호와 함께 구경 16㎝ 정도인 한식계(도질)토기의 광구호(도 43-4)가 출토된다. 보고에서는 5세기 전반의 초기 쓰에끼로 경부 돌대 사이에 2줄의 파상문을 돌리는 타입으로 쓰에끼에서는 그 유례를 찾지 못했다. 다나카 키요미씨는 호서지역의 도질토기일 가능성이 높다고 생각하고 있다[49].

9. 一須賀古墳群内(大阪府河南町)

一須賀고분군은 太子町 및 河南町에 펼쳐진 6세기에서 7세기 전반의 군집분으로 1.5㎞ 사방에 약 260기의 고분이 확인되고 있다[50]. U자형판상토제품 (도 29-8)은 1986년 8월 10일에 一須賀고분군의 河南町 大宝4丁目에서 채집되어 近つ飛鳥博物館에 보관되었다[51]. 접합부를 포함하여 오른쪽 상부의 파편으로 폭 14.4㎝, 두께 1.3㎝ 정도이며, 내연에 접해서 돌대를 붙이고 있다. 색조는 적갈색을 띤다.

---

49) 田中清美, 2010, 앞의 논문.

50) 宮崎泰史, 2006b, 「研究ノート 一須賀古墳群の調査VI - 分布·出土遺物の再整理作業から-」 大阪府立近つ飛鳥博物館館報10.

51) 鹿野 塁, 2007, 「一須賀古墳群出土U字形板狀土製品」 『大阪府立近つ飛鳥博物館館報11』.

10. 上町谷1·2号窯(大阪府大阪市)

가마에 공반하는 제4층에서 쓰에끼 무개고배·호·기대·시루·옹, 한식계(연질)토기, 하지끼와 함께 U자형판상토제품의 가능성이 있는 토제품(도 29-9)이 출토되고 있다. 보고서에는 「용도 불명의 연질 3편이 남아 있는데, 그 중 한 변이 두껍다. U자형토제품의 가능성이 있다」고 한다. 출토유물 및 「직선형」으로 분류되는 가마 본체의 형태에서 ON231형식을 포함한 광의의 TK73형식에 해당한다[52].

11. 中町西유적(奈良縣天理市)

U자형판상토제품이 2점(도 29-10·11) 출토되고 있다[53]. 모두 하지끼질로 10은 C지구 자연 유로 07에서 초기 쓰에끼, 한식계토기와 함께 출토된 것으로 시기는 고분시대 중기 말로 생각된다. 형상은 「상단부의 돌대는 단면 형상이 완만한 凸상으로, 폭 1.2㎝, 높이 0.9㎝ 정도이다. 붙여져 있던 것인지 여부는 알 수 없다. 중앙의 돌대는 단면형상이 사다리꼴로 상저폭 1.0㎝, 높이 1.5㎝로 측정된다. 붙인 흔적이 명료하고, 오른쪽을 향해서, 약간 아래쪽으로 구부러져 있다. 상단의 돌대와 중앙 돌대의 폭은 6.5㎝로 측정된다. 외면의 돌대 사이에는

---

52) 市川 創, 2012, 「上町谷1·2号窯について」 『韓式系土器研究』XII 韓式系土器研究會.
53) 伊藤雅和·本村充保, 2003, 『中町西遺跡』 奈良縣立橿原考古學研究所調査報告第85冊 ; 坂靖, 2010, 「中町西遺跡の造り付け竈焚き口枠」 『靑陵』第131号, 奈良縣立橿原考古學研究所.

지압흔으로 보이는 凹凸이고, 내면은 상단부에 박리 흔이 보인다. 박리 흔은 단상으로 되어 있고, 제작 시에 만들어질 가능성도 있다」고 설명하고 있다[54].

좌단에 분리된(점토를 잘라낸) 흔적이 있는 것에서 우측 상단부분으로, 접합부의 형상은 역L자형으로 생각된다. 상하단 및 중앙에 돌대가 있는 유형의 것으로 생각된다. 11은 B지구 자연 유로 05에서 출토된 것으로 시기는 고분시대 중기 중엽~후반으로 생각된다. 형상은 「상단부에 凸형과 凸형을 조합한 형식의 아궁이틀로 凸형에 해당한다. 폭 15.7㎝, 잔존길이 17.0㎝, 돌대부를 포함한 두께 5.2㎝, 돌출부 폭 5.4㎝, 길이 4.0㎝ 정도이다. 하단부에 폭 1.5㎝, 높이 1.4㎝의 돌대가 붙여져 있다. 그리고 상단에서 약 2.5㎝ 아래로 돌대의 박리 흔이 있다. 이 경우 돌대의 간격은 약 12㎝가 되고 거의 중간에 돌대부가 붙여져 있다. 외면에는 전체적으로 지압 흔이 남아 있고 내면과 하단부 측면에는 작업대에 사용된 것으로 생각되는 발장의 압흔이 남아 있다」고 설명하고 있다[55]. 외연의 돌대가 약간 안쪽으로 비집고 들어가는 형식은 蔀屋北 III타입에 통한다. 그러나 상면이 약간 구부러져 있기 때문에 도면과는 상하가 반대일 가능성도 생각할 수 있다.

12. 五反島유적(大阪府吹田市)

U자형판상토제품(도 29-12)은 1986년도에 실시된 조사에 의해 고분시대 하도에서 출토된 것으로, 이후에 다시 정리하여 그 존재가 밝혀졌다. 「세장한 판

---

54) 坂靖, 2010, 앞의 논문.
55) 坂靖, 2010, 앞의 논문.

상의 파편으로 양면 모두 경사 및 종방향의 평행문을 시문한 흔적이 보인다」
고 설명하고 있다. 그리고 상연, 하연에 돌대가 없는 점과 표리의 성형에 타날
문을 시문하고 있는 점, ON231호 가마 예에 공통되는 것에서 보고자는 5세기
전반으로 생각하고 있다[56]. 하지끼질로 A면이 겉면이라고 생각되고 잔존길이
약 23㎝, 폭 약 14㎝, 두께 약 1.3㎝ 정도이다. A면의 상부 왼쪽은 접합부로 생
각되며, 본 예는 오른쪽 각부의 상부 파편으로 추측된다.

13. 小阪合유적(大阪府八尾市)

카와치평야의 남부에 위치하며 야요이시대 중기부터 중세에 걸친 복합유
적이다. U자형판상토제품으로 생각된 토제품(보고서에서는 쓰에끼질 塼狀 토
제품)이 2점(도 29-13 · 14), 직선문토기가 1점(도 36-1)이 출토된다[57]. 13은 포
함층 제Ⅲ층에서 출토된 것으로 왼쪽 다리편이다. 폭 15㎝, 두께 1.5㎝ 정도로
내연에 돌대를 붙였다. 오른쪽의 이면에는 작업대에 사용된 판재의 나뭇결 압
흔이 관찰되었다. 14는 구 326에서 출토되었다. 오른쪽 천정부의 파편으로, 폭
11.1㎝, 두께 1.8㎝ 정도이다. 외연에 돌대, 내면에 「X」자형에 돌대를 붙였다.
표면은 나데 조정을 실시, 뒷면에는 작업대에 사용된 판재의 압흔이 희미하게
관찰되었다. 모두 해당 시기는 불명확하다.

---

56) 吹田市立博物館, 2005,「五反島遺跡出土の竈形土器」,『吹田市文化財ニュース』
No.26.
57) (財)大阪府文化財調査研究センター, 2000c,『小阪合遺跡』, (財)大阪府文化財調査研
究センター調査報告書第51集.

도 36-1은 직선문에 의해 성형된 대옹으로 구경 29.5㎝, 기고 48.6㎝ 정도이
다. 함몰 416 층에서 TG232~TK23형식의 쓰에끼, 하지끼, 한식계토기와 함께
출토되었다.

14. ON231号窯蹟

오사카부 사카이시에 소재한다. 스에무라 가마터군의 북서부에 위치하
고, 大野池지구(약칭, ON), 同지구에는 濁り池가마터(ON326), 上代가마터
(ON227), ON46호 가마(ON16) 등 5세기 전반의 가마터가 많이 분포하고 있다.
1993년에 灰原의 조사[58], 2007년에 가마 본체부와 灰原의 일부의 조사가 실시
되었다[59]. U자형판상토제품은 灰原에서 초기 쓰에끼와 함께 4점(도 29-15~18)
이 출토되고 있다. 1994년 보고서에서는「판상의 토제품으로, 原形은 ㄷ자 형
을 띠는 것으로 생각되거나 혹은 가마의 아궁이를 구성하는 것일 수도 있다.
표면에는 일면에 격자문을 베풀고 뒷면은 나데 조정, 단부는 헤라로 면을 정
리하고 있다. 하단을 계단상으로 한 것은 다른 부품과 결합하기 위한 처리로
생각된다」고 하였는데 2003년 다나카 키요미씨에 의해 U자형판상토제품으로
인식되었다[60]. 모두 쓰에끼질로 돌대를 가지지 않고, 앞뒤의 성형에 격자문을
시문하고 있다. 표면은 격자문이 명료하지만, 뒷면은 격자문를 한 후에 나데

---

58) 西口陽一編, 1994,『野・井西遺跡・ON231号窯跡』, (財)大阪府埋藏文化財協會調査報
   告書第86輯.
59) 堺市教育委員會, 2008,『野・井西遺跡(NNIN-1)・陶邑窯跡群(ON231)發掘調査槪要報
   告』堺市埋藏文化財調査報告第122冊.
60) 田中淸美, 2003, 앞의 논문.

조정을 하고 있다. 15는 좌측으로 천정부의 폭 12㎝, 두께 1.5㎝ 정도이다. 접합부는 단부의 두께를 얇게 하여 단을 만들고 있다. 16은 좌우 불명의 각단부편, 17은 왼쪽 다리편이다. 현재 공반된 자료에 의해 시기를 알 수 있는 자료로 국내에서 가장 오래된 자료이다. 18은 2007년 조사에서 灰原에서 출토된 좌우 불명의 각단부 파편으로 폭 10㎝, 두께 0.9㎝ 정도이다. 약간 연질이고, 담회색을 띤다.

15. 陶邑 · 大庭寺유적

오사카부 남부에 있는 스에무라 가마터군 栂지구(사카이시)의 북동부 주변에 위치한다. 조사는 1986년~1993년까지 실시되어 죠몽시대부터 중세에 이르는 수많은 유구 · 유물이 발견되었다. 고분시대 중기의 유적은 초기 쓰에끼 가마터 2기(TG231 · 232호 가마), 수혈주거, 구, 토광묘, 토기 저장소(선별장), 舊하천 등이 발견되고, 생산 · 선별 · 유통 · 공인 거주 장소와 관련된 곳에서 발견되고, 그 성과는 초기 쓰에끼 생산 집단 취락구조의 일단을 보여준다.

도 29-19은 U자형판상토제품의 오른쪽 부분으로 접합부와 선단부는 손상되었다. 나라시대의 포함층에서 출토되었지만, 고분시대에 거슬러 올라갈 가능성이 있다[61]. 쓰에끼질로 내외연의 돌대는 점토를 붙여서 넣는 것이 아닌 L자형으로 구부려 만들고 있다. 표면의 조정은 평행문을 한 후에 각부는 나데로 마무리하고 있다. 뒷면은 성형 시에 눌러서 대고 있던 작업대 목재의 나뭇결

---

61) 富加見泰彦 · 山上雅弘編, 1990, 『陶邑 · 大庭寺遺跡Ⅱ』, (財)大阪府埋藏文化財協會調査報告書第50輯.

압흔이 관찰된다. 도 36-2는 구1100-OS에서 출토된 연질의 직선문토기로, 호 또는 옹의 동체부편으로 생각되며, 타날 후에 침선을 돌렸다. TK73형식의 쓰에끼, 한식계(연질)토기가 출토되고 있다. 도 42-3은 TK73형식의 1-OL 토기 저장소 상층에서 출토된 양이부개이다[62].

16. 大園유적(大阪府和泉市)

동서 약 1.5㎞, 남북 약 1㎞의 범위를 갖는 후기구석기시대부터 중세에 이르는 복합유적이고, 서일본 유수의 고분시대의 취락유적으로 자리 매김하고 있다. 1967년 第二阪和國道建設 예정지 내 유적 분포조사 시에 토기편이 채집되어 1973년도에 시굴조사, 1974년부터 본격적인 연구가 시작되었다.

1975년도(제7차)에 조사가 실시된 제Ⅱ지구, 溝에 의해 정연하게 둘러싸인 부지 내에서 굴립주건물, 수혈주거, 대벽주거, 井자형 우물이 검출된다(도 6·7). 유물은 4세기 말 다량의 하니와, 5세기 전반~후반의 쓰에끼, 하지끼, 말 이빨, 석제모조품(有孔円板, 臼玉, 管玉, 刀子) 등이 출토되고 있다. 대벽주거는 조사 당시에 방형주구 유구로 호칭되며, 한 변 약 8m 정도로 부지 내에서 중심적인 시설로 생각되었다. 井자형 우물 9는 직경 0.8m, 깊이 0.85m 정도로 5세기 중반~후반의 쓰에끼, 하지끼, 한식계토기 옹, 하니와가 출토되고 있다[63].

1980년도(제18차) 조사에서 우물 SE202에서 쓰에끼, 하지끼와 함께 U자형

---

62) 藤田憲司·奧和之·岡戸哲紀編, 1995,『陶邑·大庭寺Ⅳ』, (財)大阪府埋藏文化財協會 調査報告書第90輯.

63) 大阪府教育委員會, 1976,『大園遺跡發掘調査概要·Ⅲ』, 大阪府文化財調査概要1975.

판상토제품이 출토되고 있다[64]. 하층은 5~6세기, 최상층은 6세기대이다. U자형판상토제품(도 29-20)은 쓰에끼질로 생각되며, 폭 16.8㎝, 두께 1.5㎝ 정도이다. 오른쪽 다리에서 내연에 돌대를 붙이고, 외면 성형은 평행문을 시문하고있다. 또한 인접한 지점에서 布留形 옹과 한식계토기 옹를 조합한 「합구식 甕棺墓SK24」등도 발견되고 있다. 그 밖에 한국 반교리, 효고현 타츠노시 오자키(尾崎)유적(도 41-9)과 마찬가지로 동체부 외면에 사격자문을 한 한식계(도질)토기 천발, 원통형토제품 등이 출토되고 있다.

17. 中田유적(大阪府八尾市)

제8차 NT91-8 조사구, 구SD207에서 출토된 U자형토제품이다. 공반된 자료는 12세기 후반부터 14세기 말에 비정되고 있다. 보고서에서는 「높이 37.8 ㎝가 측정되고, 이면에는 짚의 흔적이 명확하게 남아있고 토벽에 붙여 있었던 상황이다. 또한 부분적으로 숯이 부착되어 있다. 형상과 이러한 특징을 감안하면 부뚜막의 아궁이 부분일 가능성이 있다」고 한다[65]. 외연에 돌대를 붙이고, 폭은 14㎝이며, 두께는 돌대를 포함하여 8㎝ 정도이다. 접합부는 역L자형이다. 시기가 늦은 것으로 이번에는 유례 소개만 하고 도면을 게재하지 않았다.

---

64) 大阪府教育委員會, 1981, 『大園遺跡發掘調查槪要·Ⅵ』.
65) (財)八尾市文化財調查研究會, 1995, 「中田遺跡第8次調查」, 『中田遺跡』, (財)八尾市文化財調查研究會報告49.

18. メノコ유적(大阪府大東市)

고분시대에서 나라시대에 걸친 취락유적이다. 1991년 대동시교육위원회에 의해 조사가 실시되어 구SD201, 落込狀유구 SX01, 포함층(채집)에서 조족문토기 4편, 직선문토기 1편이 출토되었다(도 31-5~8). 5는 포함층에서 출토된 조족문을 시문한 한식계(도질)토기의 동체부편으로 6·7은 함몰유구 SX01에서 출토된 조족문을 시문한 한식계(도질)토기의 동체부편으로, 8은 溝 SD201에서 출토된 한식계(도질)토기 호의 동체부편으로 보이며, 왼쪽으로 열린 조족문을 시문한 후 침선을 돌렸으며, 하반부에 격자문을 시문하고 있다. 도 36-3은 직선문토기로, 田中[66]의 분류는 E류로 유사조족문이다.

19. 城유적(大阪府四條畷市)

도 31-9는 99-1조사구 溝 11에서 출토된 한식계(도질)토기의 동체부편으로 외면에 조족문를 시문하고 있다. 도 31-10은 03-1조사구 舊하천의 중층에서 출토된 한식계(도질)토기의 동체부편으로, 외면에 조족문을 시문하고 있다. 모두 색상은 회색을 나타내고, 태토는 치밀하고 소성은 양호하다.

도 37-6은 97-1조사구 고분 1에서 출토된 한식계(도질)토기 광구호로 생각된다. 보고에서는 「한식계 쓰에끼질 옹이다. 동체부 외면은 정격자문에 짧은 1조선이 평행으로 타날 조정한 후, 나선형으로 돌린 폭 약 3㎜의 침선이 시문

---

66) 田中清美, 1994, 앞의 논문.

된다. 내면에는 나데 조정, 하반부에는 無文의 박자 흔적이 보인다. 잔존 높이 8.2㎝, 두께 0.6~0.8㎝. 색조를 보면 내면은 청회색, 외부는 암청회색, 단면은 적갈색이다. 태토는 치밀하고 소성은 양호(경질)하다」라고 한다[67]. 본 예는 직선문의 일종으로 생각되며, 평행문 대신에 정격자문을 사용하여 직각이 아닌 대각선 방향으로 한 개의 직선을 시문한 타날판에 새겨 넣은 것으로, 일본에서는 그 유례를 찾아 볼 수 없는 타날문이다.

20. 南鄕丸山유적(奈良縣御所市)

나라현 고세시에 소재하고 난고유적군의 하나이다. 도 31-12는 조족문을 한 한식계(도질)토기이고, 도 37-2는 직선문을 한 한식계(연질)토기로 모두 기형 불명이다[68].

21. 鎌田유적(大阪府四條畷市)

2000년 조사에서 고분시대 중기의 大溝에서 한식계(도질)토기 천발(도 41-4), 조족문토기(도질·연질)가 출토되었다[69]. 大溝는 폭 약 4m, 깊이 약 1.1m 정

---

67) 村上 始, 2006,『一般國道163号擴幅工事に伴う發掘調査』, 四條畷市敎育委員會.
68) 坂 靖, 2010,「葛城の渡來人-豪族の本據地を支えた人々-」『硏究紀要』第15集, 財団法人由良大和古代文化硏究協會.
69) 村上 始, 2001,「大阪府鎌田遺跡の調査速報」『祭祀考古』第21号, 祭祀考古學會.

도로 층 안에서 I형식 2~3단계 쓰에끼, 하지끼, 제염토기, 한식계토기, 활석제
臼玉 384, 차트제臼玉, 활석제관옥 3 · 유공원판 7, 유리옥 3, 토옥 6, 금제장식
품, 목제 제사구(鋸齒狀木製品 · 凹形板狀木製品2 · 台狀木製品 · 槽 · 木鍬 3 ·
鳥形木製品 · 木鎚11 · 鋤鍬3 · 竪杵1), 녹용제도자병, 지석, 복숭아씨 등 다양
한 유물이 출토되며, 蔀屋北유적의 大溝 출토 자료 양상에 근접하고 있다. 조
족문토기는 연질 1편(도 31-11), 도면화는 하지 않았으며, 도질은 4편이 확인
된다.

22. 大坂城跡(大阪府大阪市)

(재)오사카부문화재센터가 조사를 실시한 2B조사구 谷 1에서 2점의 조족문
을 시문한 한식계토기(도 32-1 · 2)가 출토되고 있다[70]. 谷 1시기는 6~7세기이
다. 보고서에 따르면 「1은 연질토기로 외면에 조족문토기를 시문했다. 색조는
유백색을 띤다. 2는 쓰에끼 호의 동부로 생각된다. 내면에 정연한 나데 조정이
베풀어져 있고, 외면에 평행선과 장식문의 타날이 남아 있다. 태토는 점성이
강한 매우 정제된 것으로 소성도 양호하다. 색상은 회색을 띤다. 12세기 대를
중심으로 전개하는 세토우치 동부계 제품의 일부이다」로 기록하였는데, 그림
32-2는 한식계(도질)토기라고 생각된다.

도 41-5는 OS99-16차 조사구 제5b층에서 출토된 한식계(도질)토기 천발이
다[71]. 구경 12.2㎝, 기고 4.4㎝ 정도로 약간 작다. 동체부 외면에 정격자문을 시

---

70) (財)大阪府文化財センター, 2002, 『大坂城跡發掘調査報告 I』(367頁, 図版348).
71) 寺井 誠, 2002, 「韓國全羅南道に系譜が求められる土器について」 『大坂城跡V』, (財)大

문하고 있다. 보고서에 따르면 형태적인 특징과 함께 「저부에 모서리가 둥근 사각형의 압흔이 보인다. 원판형의 저부에 덧붙여서 성형하고 있다. 외면에 격자문을 시문했다」며 한반도의 유례와 비교 검토하여 5세기대 전남지역에 계보가 구해지며, 도질토기의 가능성이 높다고 한다.

23. 久宝寺유적(大阪府八尾市)

久宝寺유적은 야오시 南久宝寺 一丁目를 중심으로 동서 1.6㎞, 남북 1.8㎞의 범위에 걸쳐 죠몽시대 만기에서 근세에 걸친 지역을 대표하는 대규모 복합유적이다. 특히 고분시대의 유적이 광범위하게 발견되었다. 조족문토기 2점, 도질토기 개가 출토되고 있다.

도 32-3은 1995년 조사에서 근세 포함층에서 출토된 한식계(연질)토기의 동체부편이다. 외면에 조족문을 타날하고 색조는 흑갈색을 띠고 있다[72].

그림 32-4는 (재)야오시문화재조사연구회가 실시한 제24차 조사구 SK21046에서 출토된 한식계(도질)토기의 동체부편으로 외면에 조족문을 시문한 후 침선을 돌렸다. 6세기 후반의 하지끼 옹과 함께 출토되고 있지만, 보고자는 경질의 한식계토기로 5세기 전반으로 거슬러 올라갈 가능성을 지적하고 있다[73].

도 42-4은 NR31002에서 출토 된 한식계(도질)토기 개로 복원구경 16.0㎝, 기고

阪市文化財協會.

72) 後藤信義·本田奈津子編, 1996, 『久宝寺遺跡·龍華地區(その1)發掘調査報告書』, (財)大阪府文化財調査研究センター調査報告書第6集.

73) (財)八尾市文化財調査研究會, 2001, 『久宝寺遺跡第24次發掘調査報告書』, (財)八尾市文化財調査研究會報告69.

420 전남지역 마한 제국의 사회 성격과 백제

2.5㎝ 정도이다. 「거의 편평한 천정부로 구연단부는 평탄하고 내경한다. 한쪽
만 남아있는 耳는 상면에서 대각선 방향으로 구멍이 뚫어져 있다. 색조는 적
갈색이지만, 상면은 회색이면서 흰색을 많이 띤다. 소성은 양호·견고하다. 또
한 본 예는 다케스에 준이치씨로부터 백제계토기라는 교시를 받았다」며, 시기
에 대해서는 하천으로서 기능이 정지한 布留式新相(4세기 말~ 5세기 초)으로
생각된다. 또한 NR5001에서도 개(도 42-5)가 출토되고 있다[74].

24. 瓜破유적(大阪府大阪市)

瓜破유적은 구석기시대부터 무로마치시대에 걸쳐 있는 복합유적으로, 동서
1.7㎞, 남북 1.6㎞ 정도의 범위이다. 동쪽으로는 長原유적이 인접해 있다. 도
31-3은 UR1차 조사구 하층에서 출토되었다. 한식계(도질)토기 호의 동체부편
으로 생각되며, 외면에 오른쪽으로 열린 조족문을 타날하고, 상반부에 나데 조
정을 하고 있다. TK216~TK23형식의 쓰에끼, 하지끼, 제염토기 등과 함께 출토
되고 있다[75].

UR00-8차 조사구 중 8c층에서 한식계(도질)토기 옹의 동체부편(도 31-4)가
출토되고 있다[76]. 또한 동쪽에 위치한 長原유적에서 조족문토기는 모두 연질
이며, 어떤 의미에서 대조적이다.

---

74) (財)大阪文化財センター, 1987, 『久宝寺北(その1~3)』.
75) 鎌田博子, 1987, 「瓜破」『韓式系土器研究』I, 韓式系土器研究會.
76) (財)大阪市文化財協會, 2002, 『瓜破遺跡發掘調査報告II』.

25. 楠유적(大阪府寢屋川市)

조족문토기(도 30-10)는 제2차 조사I구 제V층 최하부에서 고분시대 중기~
후기(주로 TK216 형식)의 쓰에끼 개배 · 유공광구소호 · 고배형기대 · 무개고배
· 대옹, 하지끼 옹, 쓰에끼계 토기의 대형고배, 활석제(곡옥 · 臼玉), 복숭아씨,
말의 어금니와 함께 출토되었다. 보고서에서는 「한식계(연질)토기 옹에서 동
체부에 조족문을 시문한 후 암문상의 얕은 침선을 돌리고 있다. 태토는 사립
을 거의 포함하지 않는 정제된 것으로, 색조는 담회색~橙白色을 띠고 있다」고
하는데, 약간 소성이 약한 도질토기의 광구호로 생각된다. 도 42-7은 I지구 溝
6에서 출토된 양이부개로 ON231~TK73형식의 쓰에끼, 한식계토기, 말의 아래
턱 어금니편이 함께 출토되었다[77]. 또한 말 자료는 제1차 조사구 토갱 2[78]와
마찬가지로 고분시대 중기에서 가장 오래된 예이다.

26. 大和川今池유적(大阪府松原市)

오사카부교육위원회가 조사를 실시한 2 · 3구 포함층에서 조족문을 시문한
한식계(도질)토기 파편이 5점 이상이 출토되었다[79].

---

77) 濱田延充編, 2001b,『楠遺跡II』, 寢屋川市文化財資料25, 寢屋川市敎育委員會.
78) 寢屋川市史編纂委員會, 2000,『寢屋川市史』第1卷, 寢屋川市.
79) 大阪府敎育委員會, 1996,『大和川今池遺跡發掘調査槪要 · XIII』.

27. 赤尾崩谷1号墳

조족문을 시문한 한식계(도질)토기 옹이 1호분 북쪽 경사면에서 출토되었다. 보고서에서는 쓰에끼 옹으로 보고 있다[80].

28. 中臣유적(京都府京都市)

제79차 조사에서 6세기 전반 토갱묘에서 TK10형식의 쓰에끼와 함께 조족문을 한 한식계(도질)토기 광구호(도 31-13)가 출토되었다[81].

29. 星塚1号墳(奈良縣天理市)

星塚 1호분은 전체 길이 약 37m의 전방후원분이다. 도 32-7은 주구 서쪽에서 출토된 한식계(도질)토기 호로 구경 15.2㎝, 기고 약 38㎝ 정도이고, 외면에 조족문을 한 후 침선을 돌렸다. 쓰에끼, 목제품과 함께 출토되었다. 또한 형광 X선 분석에서는 국산품(쓰에끼)으로 판명되었다[82].

---

80) 橋本輝彦·木場佳子, 2004, 「赤尾崩谷古墳群の調査」『今來の才伎 古墳·飛鳥の渡來人』大阪府立近つ飛鳥博物館図録36.
81) 丸山義廣, 2005, 「山城の渡來人-秦氏の場合を中心に-」『ヤマト王權と渡來人』サンライズ出版.
82) 竹谷俊夫, 1995, 앞의 논문.

30. 長原유적

城山유적, 八尾南유적과 일련의 유적군으로 생각되며, 전국적으로도 한식계토기가 다량으로 출토하는 유적으로 주목받고 있다. 조사를 통해 파편을 포함한 33점의 조족문토기가 출토되고 있어 기종도 광구호, 시루, 발, 이동식 부뚜막 등이 많고, 모두 연질이다. 일본 내에서 가장 많은 점수가 확인되고 있다. 다나카 키요미는 최근 한일의 조족문토기의 연구 성과에서 長原 유적의 조족문토기에 대해 長原 I기 전반의 5세기 전반 무렵에 충청도지역에서 도래인이 전했을 가능성이 높다고 생각하고, 長原 II을 통해서 그들은 북쪽으로 펼쳐지는 카와치 저지대 개발을 왜 왕권의 감독 하에 담당하고 있었다고 생각한다. 長原 III기(TK23·47형식)의 조족문토기는 금강 이북지역에서 열도로 건너온 도래인과 관계하는 것으로 생각하고, 5세기 후반에는 長原유적 주변에서 목장을 경영하는 것으로 전환했을 가능성에 대해 생각하고 있다[83]. 또한 카와치 저지대에는 5세기 후반의 유적에서 출토하는 말 뼈의 자료가 급증하는 것과도 관련될 가능성이 있다.

도 32-9는 지하철 31공구지구 구SD03에서 출토된 한식계(연질)토기 광구호로 구경 20㎝, 기고 약 27㎝ 정도로 동체부 외면에 오른쪽으로 열린 조족문토기를 시문하고 있다[84]. 야요이시대 후기 말로 평가되지만[85] 고분시대 중기의 한반도계 토기로 보는 의견도 있다[86].

---

83) 田中淸美, 2010, 앞의 논문.
84) (財)大阪文化財センター, 1986, 『城山(その2)』.
85) 田中淸美, 1994, 앞의 논문.
86) 寺井 誠, 2006, 앞의 논문.

도 33-1은 NG16차 조사구에서 출토된 한식계(연질)토기 시루 또는 호의 동
체부편으로, 외면에 오른쪽으로 열린 조족문을 시문하고 있다. TK73형식의 쓰
에끼, 한식계토기와 함께 출토되고 있다.

NG95-36차 조사구에서는 長原 7B층에서 조족문을 베푼 6개체 이상의 한식
계(연질)토기(과 · 시루 · 옹 · 평저발)는 함께 출토된 도 33-2~7에 해당한다. 모
두 색조(회백색~주황색) · 태토는 공통하고, 동일한 타날원판을 이용해서 만들
어진 것으로 생각된다. 「長原유적 주변에서 제작된 것으로 보인다. 이번에 출
토된 조족문토기는 백제로부터 도래인이 이 땅으로 옮겨 살며, 스스로 사용한
토기 중 일정 정도 수량은 자급하는 생활을 하고 있었던 것을 보여주고 있다」
고 평가하고 있다[87]. 그리고 같은 층에서 도질토기나 활석제의 臼玉 · 劍形關
製品 · 双孔円板, 경옥제곡옥 등과 함께 출토되고 있기 때문에 조족문토기와
함께 제사 장소에서 사용하기 위해 세트로 제작된 토기군으로 생각하고 있다.

NG95-14차 조사구에서는 SD701에서 ON46~TK23형식의 쓰에끼, 제염토기,
이동식부뚜막과 함께 조족문토기를 시문한 한식계(연질)토기가 출토되고 있
다. 도 34-1은 호의 파편이라고 생각되며, 내면은 나데 조정을 하고 있다[88].

NG95-49차 조사구에서는 제7a~제7b층(도 34-2~4) 및 제7a층(도 34-5)에서
조족문토기를 시문한 동체부 파편 4점이 출토되고 있다. 2는 이동식부뚜막이
라고 생각된다[89].

NG96-71차 조사구에서는 제7b층 및 SD701에서 조족문을 시문한 호 또는

---

87) 櫻井久之, 1998, 앞의 논문.
88) (財)大阪市文化財協會, 2000, 『長原 · 瓜破遺跡發掘調査報告XV』.
89) (財)大阪市文化財協會, 2000, 앞의 보고서.

옹, 이동식부뚜막이 출토되고 있다[90]. 도 34-6 · 9 · 13 · 14 · 17 · 18은 제7b층, 도 34-7 · 8 · 10~12 · 15 · 16 · 1은 SD701에서 출토된 것, 8~11, 12~19는 태토 · 소성 · 색조, 타날의 상황에서 동일 개체의 호나 옹으로 생각되며, 12~19는 타날원체, 내면의 깎기 존재, 태토 · 소성에서 동일한 개체의 이동식부뚜막으로 생각된다. 시기는 TK23~TK47형식에서 모두 연질이다. 또한 인근 95-49차 조사에서도 조족문을 시문한 이동식부뚜막이 보고되었다.

NG99-15차 조사구 SD717에서 TK73~TK216형식의 쓰에끼, 하지끼, 한식계(연질)토기 평저발과 함께 한식계(도질)토기 개 · 천발이 출토되고 있다. 개(도 42-12)는 평탄한 천정부를 가지며, 구연단부는 약간 내경한다. 구연부의 내외면은 요코나데, 천정부 외면에는 카키메 조정을 실시하고 있다. 천발(도 41-6)은 배신의 형상을 나타내며, 구경 14.6cm, 기고 4.7cm 정도이다. 동체부 외면 하반은 정지 깎기, 상반은 요코나데 조정을 하고 있다. 보고서에서는 쓰에끼로 보고 있다. 도 41-8은 同조사구 SX706에서 출토된 한식계(도질)토기 천발로, 구경 11cm, 기고 4.6cm 정도이다. 구연부에서 동체부에 걸쳐 평행문을 시문하고, 저부 외면에 물레 상면 흔이라고 생각된 압흔이 관찰된다. 소성은 양호하고, 색상은 회백색을 띠고 있다. 5세기 전반, TK73형식으로 생각하고 있다. 또한 도 41-6 · 8「기형이나 구연부의 형태는 삼국시대 백제의 도질토기와 유사하다」고 한다[91].

NG02-8차 조사구에서는 제11층에서 조족문를 시문한 한식계(연질)토기의 동체부 파편이 6점(도 34-20~25)이 출토되었다. 근접해서 출토된 것에서 동일

90) (財)大阪市文化財協會, 2001, 『長原 · 瓜破遺跡發掘調查報告XVI』.
91) (財)大阪市文化財協會, 2002, 『長原遺跡發掘調查報告』VIII.

개체로 생각된다[92].

도 41-7은 NG03-6차 조사구 SK068에서 출토된 한식계(연질)토기 천발로 구경 21㎝, 기고 9.7㎝ 정도의 대형품이다. 외면에 승석문을 시문하고 있다. 저부 외면은 불을 씌었다. 데라이[93]에 따르면 전남지역을 중심으로 영남지역의 남서부에 분포하고 있는 것으로 보인다. 또한 같은 층에서 하지끼, 한식계토기, 臼玉, 골편이 출토되었다. 시기는 長原 I기 후반(TK73~TK216형식)에 비정된다[94].

31. 城山(大阪府大阪市)

(재)오사카문화재센터에 의해 1983년~1985년에 걸쳐 실시된 조사에서 조족문토기가 2점(도 32-5 · 6)이 출토되었다[95]. 5는 SX0743에서 출토된 한식계(연질)토기 시루의 구연부편으로 하지끼, 초기 쓰에끼, 한식계토기, 제염토기, 탄화된 나무토막, 관옥 1점이 함께 출토되었다. 시기는 5세기 전반~중반에서 제사 관련 유구로 생각된다. 6은 구SD0804에서 출토된 한식계(연질)토기 장동옹으로 하지끼, 한식계토기와 함께 출토되었다. 구경 15.6㎝, 기고 25㎝ 정도로, 동체부 외면에 오른쪽으로 열린 조족문, 저부에 평행문이 시문되어 있다. 시기는 5세기 전반~중반으로 생각된다.

---

92) (財)大阪市文化財協會, 2005, 『長原遺跡發掘調査報告』 XII.

93) 寺井 誠, 2002, 앞의 논문.

94) (財)大阪市文化財協會, 2005, 앞의 보고서.

95) (財)大阪文化財センター, 1986, 『城山(その2)』

또한 城山 4 · 5호분에서 광구호, 城山 6호분에서는 주구 바닥 주체부에서 도질토기 평저발이 출토되고 있어 피장자는 영산강유역을 故地로 한 도래인으로 생각된다[96].

32. 布留유적(奈良縣天理市)

도 32-8은 5세기 전반의 토갱에서 출토된 한식계(연질)토기로, 구경 25.8~26.2㎝, 기고 21.3㎝ 정도이다. 주둥이가 있는 「く」자형 구연에 한 쌍의 우각형파수가 붙어 있다. 동체부 외면에 왼쪽으로 열린 조족문을 시문하고 있다. TK73형식의 쓰에끼, 하지끼, 한식계토기(호 · 평저발 · 파수부과)가 공반해서 출토되었다[97].

33. 太田유적(大阪府茨木市)

C2구역의 제4층에서 출토되었다. 같은 층에서 하지끼, 한식계토기가 출토되었다. 도 31-14는 한식계(연질)토기 옹 아니면 호의 동체부로 저부에 격가문, 동체부는 오른쪽으로 열린 조족문을 시문하고 있다. 색조는 황색~적회색

96) (財)大阪文化財センター, 1986, 앞의 보고서.
97) 竹谷俊夫 · 日野宏, 1993, 「布留遺跡杣之内地區出土の初期須惠器と韓式系土器」『韓式系土器研究』IV, 韓式系土器研究會.

을 나타내고 있다[98].

34. 日下유적(大阪府東大阪市)

다나카 키요미씨의 논문에서 「조족문 C류 아니면 E류가 시문된 시루」로 소개되었다[99].

35. 南鄕大東유적(奈良縣御所市)

나라현 고세시에 소재하는 난고유적의 하나이다. 조사에 의해 5세기 전반~후반의 쓰에끼, 하지끼, 한식계토기(도질·연질), 말 이빨, 목제품, 철 찌꺼기 451.47g, 풍구 8점, 숫돌 3점, 석제품, 옥류, 토제품, 동제품 등이 출토되고 있다. 직선문토기는 연질 1점, 도질 2점이 있다.

도 36-4는 SX01 상층에서 출토된 한식계(도질)토기 광구호로 구경 17.6㎝, 기고 17.6㎝ 정도이다. 동체부 외면에 직선문, 저부 내면에 無文 박자의 흔적이 확인된다. 같은 층 안에서 TK208~TK47형식의 쓰에끼, 하지끼, 한식계토기, 제염토기, 소형토기가 출토되고 있다.

도 36-5·도 37-1은 5트렌치의 층 불명에서 출토된 직선문토기로 도 37-1은 연질 평저발로 구경 17.6㎝, 기고 17.6㎝ 정도이다. 내면은 나데 조정을 실시하

---

98) 鎌田博子編, 1998, 『太田遺跡發掘調査報告書』, 名神高速道路內遺跡調査會.
99) 田中淸美, 1994, 앞의 논문.

고 있다. 도 36-5는 도질의 호 동체부편으로 생각되며, 내면은 나데 조정을 하고 있다. 또한 보고서에서 직선문이 베풀어진 평저발, 광구호는 「외부에 평행문의 나뭇결에 직교한 1조의 횡주가 그어진 문양의 타날」에 대해 「타날문의 분포지역으로 생각하면 백제·전남지역계이다」라고 설명하고 있다[100].

36. TK73号窯(大阪府堺市)

스에무라 가마터군의 高藏寺(약칭, TK)지역의 북서부에 위치한 5세기 전반의 가마터에서 쓰에끼 편년의 형식명(TK73 형식)으로 되어 있다. 도 37-3·4는 灰原에서 출토된 대옹으로 외부에 직선문을 시문하고 있다[101].

37. TK85号窯

TK73호 가마 부근에서 구축된 TK73형식의 가마터이다. 도 37-5는 灰原에서 출토된 대옹으로 외부에 직선문을 시문하고 있다[102].

---

100) 小栗明彦, 2003, 「南鄕遺跡群出土韓式系土器の系譜」, 『南鄕遺跡群Ⅲ』, 奈良縣立橿原考古學研究所調査報告第75冊.
101) 中村 浩編, 1978, 『陶邑Ⅲ』, 大阪府文化財調査報告書第30輯, 大阪府敎育委員會(第67図, 第75図, 図版32-4).
102) 中村 浩編, 1978, 앞의 보고서.

38. 岸之本南유적(大阪府富田林市)

5세기 전반의 우물 상층에서 쓰에끼 고배, 하지끼 호, 하층에서 한식계토기 시루, 하지끼 고배·발, 쓰에끼 고배·옹이 출토된다. 도 37-8은 쓰에끼 옹으로 구경 13.9㎝, 잔존기고 23㎝ 정도이다. 동체부 전체에 자연유가 흐르고, 색상은 자회색을 띤다. 동체부 외부에 베푼 직선문은 다소 불분명하다. 구연단부는 가벼운 나데에 의해 약간 들어간 면을 가진다. 또한 근접해서 검출된 토갱 2에서 하지끼질의 박자가 출토되고 있다[103].

39. 寺田유적(大阪府和泉市)

제1차 조사의 하천 1500에서 직선문을 한 옹 또는 호(도 37-7)로 생각되는 동체부 파편이 출토되고 있다[104].

40. 和泉寺跡(大阪府和泉市)

직선문이 시문된 한식계(도질)토기의 발로 생각되는 구연부편이 출토되었다. 현재 보고서 작성 중이다.

---

103) 橋本高明, 1999,『岸之本南遺跡發掘調査槪要』, 大阪府教育委員會.
104) 三好 玄編, 2013,『寺田遺跡Ⅲ』, 大阪府埋藏文化財調査報告2012-2, 大阪府教育委員會.

41. 唐古 · 鍵유적(奈良縣田原本町)

84차 조사지구 방분 ST101의 주구에서 5세기 후반~6세기 전반의 쓰에끼 개배와 함께 직선문이 시문된 한식계(도질)토기 광구호(도 37-9)가 출토되었다[105].

42. 四ツ池유적(大阪府堺市)

도 41-12는 한식계(도질)토기 천발로 주거지에서 5세기 전반의 쓰에끼, 하지끼와 함께 출토되었다[106].

43. 陶邑 · 伏尾유적(大阪府堺市)

한식계(도질)토기 개(도 42-6) · 천발(도 41-11)이 출토되었다[107].

---

105) 田原本町敎育委員會, 2002,「唐古 · 鍵遺跡第84次調査」,『田原本町埋藏文化財年報 2001年度』.
106) 樋口吉文, 1978,「四ツ池遺跡出土の須惠器」,『陶邑III』大阪府文化財調査報告書 第30輯.
107) (財)大阪府埋藏文化財協會, 1990,『陶邑 · 伏尾遺跡 A地區』, (財)大阪府埋藏文化財 協會調査報告書第60輯.

44. 尾崎유적(兵庫縣龍野市)

고분시대 중기의 유로에서 한식계토기 평저발과 함께 한식계(도질)토기 천발(도 41-9)이 출토되고 있다[108]. 구경 14.8㎝, 기고 5.1㎝ 정도이다. 체부 외부에 사격자문이 시문되어 있다.

45. 瓜破北유적(大阪府大阪市)

도 41-13은 차갈색 미사층에서 출토된 한식계토기 천발은 구경 14.9㎝, 기고 4.2㎝ 정도이다. 동체부 외면 하반부는 깎기 조정을 실시하고 있다[109].

46. 出合유적(出合窯)

出合유적은 효고현 코베시 니시구 玉津町 出合으로 中野 1·2丁目에 있는 야요이시대부터 중세에 이르는 복합유적이다. 고분시대 중기부터 후기의 수혈 주거에서 도질(계)토기, 연질계토기, 초기 쓰에끼, 제염토기가 출토되고 있다. 가마 내에서 쓰에끼 호·시루, 그리고 소성부에서 쓰에끼질 시루·호·옹, 기와질의 시루·옹·평저천발, 연질계토기호·평저천발·하지끼편, 쓰에끼 소성의 평저천발(도 41-10)이 출토되고 있다. 가마의 구조, 유물의 특징에서 현

---

108) 岸本道昭, 1995,『尾崎遺跡Ⅱ』, 龍野市教育委員會.
109) (財)大阪市文化財協會, 1980,『瓜破北遺跡』.

재 알려진 일본 최고의 쓰에끼 가마이고, 4세기 후반 백제지역(충청도에서 전남지역, 금강유역 이남)으로부터 도래인들이 건너와 살기 시작하여, 자신들과 관련된 사람들에게 제공하기 위해 가마를 만들어 쓰에끼, 와질토기, 연질계토기 등을 생산·조업한 것으로 생각된다[110]. 또한 가마터를 가로지르는 구에서 도제무문의 박자 도구가 출토되었다.

47. 小阪유적(大阪府堺市)

도 42-11는 C지구 하천 1에서 출토된 양이부개이다[111].

48. 鬼虎川유적(大阪府東大阪市)

제22차 조사에서 검출된 大溝에서 5세기 후반(TK47)의 쓰에끼, 하지끼, 한식계토기, 쓰에끼계토기, 제염토기, 이동식부뚜막, 배부병, 풀무의 풍구, 활석제 쌍공원판, 지석, 사누카이토, 말 이빨, 말뼈, 복숭아씨 등 다양한 자료가 출토되었다[112]. 배부병은 기형 및 태토에서 도질토기로 2점이 출토되었다. 도 43-1은「체부의 일부에만 파손이 있을 뿐 거의 완벽하게 존재한다. 기고 22㎝,

---

110) 龜田修一, 2010,「播磨出合窯の調査概要」『地域發表及び初期須惠器窯の諸樣相-子稿集-』, 第22回東アジア古代史·考古學研究會交流會, 大阪朝鮮考古研究會.

111) (財)大阪文化財センター, 1992,『小阪遺跡』, (財)大阪文化財センター.

112) 宮崎泰史編, 2002a,『鬼虎川遺跡第22次調査概要報告』, (財)東大阪市文化財協會·大阪府敎育委員會.

동체부경 10.6㎝, 坏部의 구경은 8.5×10.4㎝ 정도이다. 구연단부에는 얕은 凹선 1조가 돌려져 있다. 성형은 坏部와 체부를 별도로 만들어, 약간 건조한 단계에서 坏部에 지름 약 1.5㎝의 구멍을 뚫어 경부에 점토 끈을 보완해 체부와 접합하고 있다. 동체부 외면의 조정은 평행문 타날 후 상반부에 회전 나데, 하반부에 가벼운 나데를 실시한다. 坏部는 바닥에 회전 깎기, 구연부는 회전 나데 조정을 하고 있다. 색상은 회색을 나타내고, 소성은 양호, 약간 연질이다. 도 43-2는 坏部의 파편 1과 같은 연질로 약간 와질을 띤다. 이동식 부뚜막(도 39-2)은 蒜屋北유적 도 39-1과 같이 천정부 평탄면을 갖는 B타입으로, 평저 시루를 거꾸로 한 것 같은 형태를 나타내고, 수평한 천정부를 가진다. 솥걸이 지름 22.1㎝의 원형을 나타낸다. 천정부 폭 약 25.9㎝, 기부폭 45.5㎝, 높이 37㎝ 정도이다. 동체부 상위에 한 쌍의 우각형파수가 아래쪽을 향해서 부착되어 있다. 솥걸이는 천정부에서 굴곡하여 폭 약 2.0㎝의 평탄면을 만들고, 단부는 깎기 조정을 실시했고, 날카로운 면을 만든다. 아궁이의 차양 부분은 상부가 약간 위쪽으로 돌출되어 붙인 차양이다. 아궁이 상단부터 계속 이어진 차양은 바닥으로 갈수록 돌출의 정도가 약해진다. 차양 높이가 솥걸이 높이(천정부)를 약간 밑돈다. 아궁이는 폭 36㎝, 높이 27㎝ 정도로, 입면 형태는 사다리꼴을 이룬다. 아궁이의 양측은 단부에 면을 가진다. 아궁이의 뒷면에는 지름 3.0㎝ 원형의 연기를 빼내는 구멍을 뚫었다. 아궁이의 끝단부 양쪽에 지각 모양의 작은 돌기를 붙여 놓았다. 뒷면은 파손 때문에 작은 돌기의 유무는 불명확하다. 동체부 외면에 종방향의 하케메, 내면은 하케메 후에 상반부를 깎기로 조정하고 있다. 태토 속에는 운모·각섬석이 다량 함유되어 짙은 회갈색을 띤 이른바 「生駒西麓産」이라는 것이다.

49. 大同寺(和歌山縣和歌山市)

양이부호 · 개가 출토되고 있다. 도 42-8는 출토 상황에서 고분의 부장품이 었을 가능성이 있다[113].

50. 外山(奈良縣櫻井市)

도 43-3은 1930년에 발견된 배부병으로 구경 8.4cm, 기고 18.2cm이다. 동체부 는 요코나데 조정을 하였고, 소성은 양호하다. 공반된 유물에서 TK10~TK43형 식, 6세기 후반을 중심으로 한 연대로 생각된다[114].

---

113) 河上邦彦 · 奧田豊, 1972,「和歌山市における陶質土器」,『關西大學文學部考古學研 究室紀要第4冊 和歌山市における古墳文化』, 關西大學.

114) 東京國立博物館, 1994,『東京國立博物館藏須惠器集成Ⅰ(近畿篇)』; 木下 亘, 2002, 「鬼虎川遺跡出土の坏付き瓶について」,『鬼虎川遺跡第22次調査概要報告』, 大阪府 敎育委員會 · (財)東大阪市文化財協會.

『日本書紀』からみた5世紀後半〜6世紀初の百済

—文周王から東城王までの王統系譜の再検討を中心に—

『일본서기』로 본 5세기 후반〜6세기 초 백제

—문주왕에서 동성왕까지 왕통 계보의 재검토를 중심으로—

井上直樹 日本京都府立大学

Ⅰ.はじめに

475年, 南下した高句麗軍の攻撃によって, 百済王都漢城は陥落し, 時の百済王・蓋鹵王が高句麗軍に殺害され, 百済は滅亡の危機を迎える. この百済史上の大事件は, 『三國史記』濟紀・蓋鹵王21(475)に詳記されているが(以下, 『三國史記』は省略し, 濟紀とする), 『日本書紀』雄略紀(以下, 『日本書紀』は省略し, 雄略紀とする)にも以下のように記されている.

【史料1】雄略紀20(476)年是歳條

　　冬, 高麗王大發軍兵, 伐盡百濟. 爰有小許遺衆, 聚居倉下. 兵粮既盡, 憂泣茲深. 於是, 高麗諸將, 言於王曰, 百濟心許非常, 臣毎見之, 不覺自失, 恐更蔓生, 請逐除之. 王曰, 不可矣, 寡人聞, 百濟國者爲日本國之官家, 所由來遠久矣. 又其王入仕天皇, 四隣之所共識也, 遂止之.

　　【『百濟記』云, 蓋鹵王乙卯(475)年冬, 狛大軍來, 攻大城七日七夜, 王城降陷, 遂失尉礼, 國王及大后, 王子等, 皆没敵手】.

　　※【 】は分註, 史料中の西暦は著者, 以下, 同樣. ()は著者, 以下, 同樣.

　この時の王都の陥落・百済王の殺害によって, 百済は新たな道を歩まざるを得なくなった. 当該期の百済の動向については, 濟紀に詳細に記されているが, 『日本書紀』もまたその一端を伝えている. しかも, それら史料のなかには濟紀には認められない獨自の情報もあり, 当該期の百済情勢を理解する上で看過できない記事も少なくない. むしろ, 当該期の百済, さらには百済と倭との關係を理解する上で, それら史料は決して輕視されてはな

らず, 向後も徹底した史料批判を行いながら, 積極的に活用していくことが求められる.

こうした観点からこれまでにもそうした作業は精力的に行われ, それによって得られた知見によって, 当該期の百済史および百済・倭關係研究は飛躍的に進展したといってよかろう. これら既往の研究成果は無視できないが, 5世紀後半～6世紀前半の百済の動向, さらには百済・倭關係については, 倭と朝鮮半島諸國との複雑な國際關係を反映してか, いまだ研究者の見解が相違し, 定説といえるものに到達していない諸問題も少なくなく, 緻密な史料考証にもとづく当該期の百済, 百済・倭關係については今後も引き續き論究していく必要がある.

そのなかでも研究者間で問題となっているのが, 蓋鹵王から東城王までの百済の王統系譜である. 当該期は, 周知のように, 【史料1】に伝えるような, 475年の高句麗の攻撃による漢城の陷落, 熊津への遷都, さらにはそれを契機として百済が全羅道方面へと勢力を擴大していくなど, 百済史を理解する上できわめて重要である. それゆえ当該期の百済王統系譜の解明, さらにはそれと直接的・間接的に關わった倭王權との關係究明は, いわば百済史研究上の基礎的作業に屬するといえる. そのため, これらの問題についてはこれまで多くの研究者によって論究されてきた[1]. それら専行研究の

---

1) 津田左右吉, 1963, 「百済の王室の系譜及び王位の継承に關する日本書記の記載」『津田左右吉全集』2 ; [初出]1921, 「百済に關する日本書記の記載」『滿鮮地理歴史研究報告』8 ; 千寛于, 1978, 「三韓의 國家形成(下)」『韓國學報』5 ; 笠井倭人, 2000, 「中國史書における百済王統系譜」『古代の日朝關係と日本書記』, 吉川弘文館 ; [初出]1975, 『日本書記研究』8 ; 古川政司, 1977, 「百済王統譜の一考察―5世紀後半の王統譜の復元―」『日本史論叢』7 ; 古川政司, 1981, 「5世紀後半の百済政權と倭―東城王卽位事情を中心として―」『立命館文學』7・

成果は重要で看過されてはならないが, 研究者によって見解が異なる点も多く, 依然として定論と呼べるべきものに達していない部分も少なくない.

　そこで, 本報告では, それら既存の研究を参照しつつ, それらを批判的に検証しながら, 改めて『日本書紀』の文周王から東城王へと至る百済王統系譜關係記事を中國史料・濟紀などとも比較檢討しつつ考究し, 当該期の百済王統系譜, さらには百済と倭王權との關係について考察し, 5世紀末から6世紀初の百済の史的展開過程を考究する上での端緒としたいとおもう.

Ⅱ. 文周王王統系譜史料の再檢討

　【史料1】のように蓋鹵王は高句麗軍によって殺害されるが, その後, 百済王となったのが文周王であった. この文周王を濟紀・文周王卽位條は

【史料2】濟紀・文周王卽位年條

　　　文周王【或蝦洲】蓋鹵王之子也. 初毗有王薨. 蓋鹵嗣位. 文周輔之. 位至上佐平, 蓋鹵在位二十一(475)年, 高句麗來侵圍漢城, 蓋鹵嬰城, 自固使文周求救於新羅, 得兵一萬迴, 麗兵雖退城破王死, 遂卽位.

8 ; 李基東, 1996, 「百濟王室　交代論에 대하여」, 『百濟史研究』一潮閣 ; [初出] 1981, 『百濟研究』 12 ; 田中俊明, 2006, 「百濟文周王系の登場と武寧王」, 『有光敎一先生白壽記念論叢高麗美術館研究紀要』 5 ; 李道學, 2010, 「한성말・웅진성 도읍기 백제 왕계의 검토」, 『백제 한성・웅진성 시대 연구』, 일지사.

とし, 蓋鹵王の子とする. しかし, 『日本書紀』雄略紀21(477)年是歳條には

【史料3】雄略紀21(477)年3月條
　　　春三月, 天皇聞百濟爲高麗所破, 以久麻那利賜汶洲王, 救興其國. 時
　　　人皆云, 百濟國, 雖屬旣亡, 聚憂倉下, 實賴於天皇, 更造其國【汶洲王
　　　蓋鹵王母弟也.『日本旧記』云, 以久麻那利, 賜末多王. 蓋是誤也. 久麻
　　　那利者, 任那國下哆呼唎縣之別邑也】.

　とあり, 「天皇」が汶洲王に「久麻那利」の地を与え, 百濟を復建させたと伝
える. 當然のことながら, これは「天皇」が朝鮮半島を支配するという理念の
もとに記されているから, 「天皇」が「久麻那利」を与え, 百濟王權を復建させ
たわけでもない. 實際は百濟が獨自で危機的狀況から王權の立て直しを図
ったと理解せねばならない.
　さて, 【史料3】によれば, 百濟の復建は477年のこととなっており, 【史料2】
が475年に文周王が卽位したことと相違する. 田中俊明氏は【史料3】の繋年
を重視し, 蓋鹵王の殺害と後繼者の不在という狀況下で, 王族の長老であ
った文周王が卽位するのにはある程度の時間が必要だったと推定してい
る[2]. この問題は文周王が當時, 百濟王族内でどのように立場にあったのか,
という問題とも關わる課題であり, それについては後に詳述することとし,
ひとまず田中氏のように, 百濟の一時的な滅亡という狀況下にあって, 次
王の卽位にある程度の時間を要したと解釋しておきたい.

---

2) 田中俊明, 2006, 前掲.

そのように理解した上で改めて, 文周王の王統系譜を考究する上で注目されるのが,【史料3】の分註に認められる「汶洲王, 蓋鹵王母弟也」という記述である. この場合の「母弟」を「母の弟」とみなす見解と「同母弟」とみなす見解が提起されており, それについては後述するが, いずれにしても文周王を蓋鹵王の子とする【史料2】とは王統系譜が相違する.

さらに【史料4】濟紀・三斤王卽位條には

【史料4】濟紀・三斤王卽位條

　　　三斤王【或云壬乞】文周王之長子. 王薨継位, 年十三歳.

とあって, 文周王に次いで, 文周王の長子で, わずか13歳の三斤王が卽位したとする. それに對して,【史料5】雄略紀には

【史料5】雄略紀23(479)年條

　　　当三(479)年夏四月, 百濟文斤王薨.

とあって, 479年に文斤王が薨去したことのみを伝え, 卽位についての記述はない. さらに, この三斤王に續く東城王について, 濟紀は

【史料6】濟紀・東城王卽位條

　　　東城王, 諱牟大【或作摩牟】文周王弟昆支之子. 膽力過人, 善射百發百

　　　中. 三斤王薨卽位.

と記し, 文周王の弟, 昆支の子とする. それに對して雄略紀23(479)年條は

【史料7】雄略紀23(479)年4月條

　　　夏四月, 百濟文斤王薨. 天王, 以昆支王五子中, 第二末多王, 幼年聰
　　　明, 勅喚內裏. 親撫頭面, 誠勅慇懃, 使王其國. 仍賜兵器, 并遣筑紫國
　　　軍士五百人, 衛送於國, 是爲東城王.

と傳え, 末多王(東城王)が昆支の次男であり, 幼年にして聰明であったた
め, 「天王」によって百濟王に册立され, 「筑紫國軍五百人」に護衛され歸國し,
百濟王となったとする. この昆支は, 雄略紀5(461)年7月條に

【史料8】雄略紀5(461)年7月條

　　　『百濟新撰』云, 辛丑(461)年, 蓋鹵王遣弟昆支君, 向大倭, 侍天王. 以脩
　　　兄王之好也.

とあるように, 461年, 倭國に「質」として派遣された蓋鹵王の弟であった.
雄略紀は東城王がそれまで倭國に滯在しており, 文斤王の薨去をうけて,
倭の意向にもとづき百濟王とされ, 本國に護送された, とするのである.
　さらに東城王を襲った武寧王について, 濟紀は

【史料9】濟紀·武寧王卽位條

　　　武寧王, 諱斯摩【或云隆】, 牟大王之第二子也, ……牟大在位二十三年
　　　薨, 卽位.

と傳え, 501年, 東城王の死をうけて卽位したが, 彼は牟大王(東城王)の第
二子であったとする. それに對して, 武烈紀は

【史料10】武烈紀4(502)年是歲條

　　　是歲, 百済末多王無道, 暴虐百姓, 而立嶋王, 是爲武寧王【『百済新撰』
　　　云, 末多王無道, 暴虐百姓, 國人共除, 武寧王立, 是琨支王之子, 則末
　　　多王異母兄也. 琨支向倭, 時至筑紫嶋, 生斯麻王, 自嶋還送, 不至於
　　　京, 産於嶋, 故因名焉. 今各羅海中有主嶋, 王所産嶋, 故百済人号爲
　　　主嶋. 今案, 嶋王是蓋鹵王之子也, 末多王, 是琨支王之子, 此曰異母
　　　兄, 未詳也】.

　　と記し, 分註の『百済新撰』は武寧王を昆支の子で末多王(東城王)の異母
兄とし, それに對して武烈紀編者は蓋鹵王の子として異母兄であることに
疑問を呈している. いずれにしても東城王の子とする済紀とは相違する.
　　このように蓋鹵王から武寧王までの王統系譜は『日本書紀』・『百済新撰』,
済紀でそれぞれ異なっているのである. そこで, これをどのように整合的
に理解するかが問題となるが, その際, 注目されるのが, 当該期の百済王統
系譜を伝える第三の史料, すなわち中國史料である.

【史料11】『南齊書』百済伝

　　　使兼謁者僕射孫副策命大, 襲亡祖父牟都爲百済王. 曰, 於戲……制
　　　詔行都督百済諸軍事, 鎮東大將軍・百済王牟大今以大襲祖父牟都
　　　爲百済王…….

【史料12】『梁書』百済伝

　　　……余映死, 立子慶. 慶死, 子牟都立. 都死, 立子牟太. 齊永明中, 除
　　　太都督百済諸軍事・鎮東大將軍・百済王. 天監元(502)年, 進太号征

東將軍. ……普通二(521)年, 王余隆始復遣使奉表, ……五(524)年, 隆死, 詔復以其子明爲持節 · 督百濟諸軍事 · 綏東將軍 · 百濟王.

【史料13】『南史』濟本紀 · 建元2(480)年條

〔建元〕二(480)年……三月, 百濟國遣使朝貢, 以其王牟都爲鎭東大將軍.

【史料14】『南史』濟本紀 · 永明8(490)年條

〔永明〕八(490)年春正月……丁巳, 以行百濟王泰爲鎭東大將軍 · 百濟王.

【史料15】『南史』百濟伝

慶死, 立子牟都. 都死, 立子牟大. 濟永明中, 除大都督百濟諸軍事 · 鎭東大將軍, 百濟王. ……普通二(521)年, 王余隆始遣使奉表, 称累破高麗, 今始与通交, 百濟更爲強國. ……五(524)年, 隆死, 詔復以其子明爲持節 · 督百濟諸軍事 · 綏東將軍 · 百濟王.

【史料 16】『冊府元龜』卷963三 · 外臣部 · 封冊1 · 建元2(480)年條

〔建元〕2(480)年三月, 百濟王牟都遣使貢獻. 詔曰, 宝命惟新, 澤波〔被〕被絶域, 牟都, 世藩東表, 守職遐外, 可授使持節 · 都督百濟諸軍事 · 鎭東大將軍.

*〔 〕は著者. 以下, 同樣

【史料17】『冊府元龜』卷968三 · 外臣部 · 朝貢1 · 建元2(480)年條

〔建元〕2(480)年三月, 百濟王牟都遣使貢獻.

【史料18】『冊府元龜』卷963・外臣部・封冊1・永明8(490)年條

　　〔永明〕8(490)年正月, 百濟王牟太, 遣使上表, 遣謁者僕射孫副策命太

　　〔大〕, 龍〔襲〕亡祖父牟都爲百濟王, 曰, 於戲……詔行都督百濟諸軍事

　　・鎭東大將軍・百濟王, 今以世襲祖父牟都爲百濟王….

　百濟王統系譜について體系的に記した【史料12】『梁書』百濟伝・【史料15】
『南史』百濟伝はいずれも慶―牟都―牟大(牟太), さらに余隆―明を父子關
係で示しており, 王位繼承が父子間で行われたように伝える. そのような
なかで, あえて余隆を牟大と父子關係としないのは, 百濟からもたらされ
た何らかの情報にもとづいて, 牟大と余隆が父子關係ではない, と理解さ
れたからであろう. これは武寧王の王統系譜を理解する上で重要であるが,
それは後述するとして, まずは慶以後の王である牟都・牟大の關係につい
てみてみたい.

　慶が蓋鹵王に該當することに異論はないから, 問題はその後の牟都と牟
大である. 前述のように【史料12】【史料15】は父子關係とするが, 重要なのは
先學が指摘するように, 【史料11】と【史料18】である.【史料11】は『南齊書』百濟
伝の欠落によって年代が不明であるが,【史料18】より永明8(490)年のことと
判明する. これによれば, 百濟王牟大は, 亡き祖父である牟都の官爵号を除
授されており, 牟都と牟大が祖父―孫關係であったとことになる. これは
既に指摘されているように[3], おそらく百濟からの報告に基づくものであ
ったであろう. それゆえ, 當該期の百濟の王統系譜を示す確實なものとし

---

3) 坂元義種, 1978,『百濟史の研究』, 塙書房, 166頁 ; 田中俊明, 2006, 前掲など.

て理解すべであり, それを考究する上で基準とすべきものである[4].

このように理解した上で次の課題となるのは, 牟都, 牟大が濟紀や『日本書紀』にみえるどの百濟王に比定しうるか, ということである.【史料6】は東城王の諱を牟大としており, 東城王を牟大とする.【史料18】にみえる490年は東城王在位中のことであるから, 牟大を東城王と考えてよいであろう[5].

問題なのは牟都である. 現行の濟紀の王統系譜によれば, 東城王の祖父は蓋鹵王となるが, 蓋鹵王が慶に比定される以上, 牟都と理解することはできない. そうしたこともあって, 濟紀・東城王の薨去後の分註末尾には,

【史料19】濟紀・東城王23(501)年條

　　而『三韓古記』無牟都爲王之事. 又按牟大蓋鹵王之孫, 蓋鹵第二子昆

　　支之子, 不言其祖牟都. 則『齊書』所載不可不疑.

と記され,『三韓古記』に牟都に關する記述がないこと, 牟大は蓋鹵王の孫であること, その祖父が牟都でないことから,『南齊書』の記載に對して疑念を抱かざるを得ない, と指摘している. 濟紀編者たちは牟大を東城王に比定しながらも, その祖父である牟都については特定の百濟王に比定せず,

---

4) 古川政司, 1977, 前掲 ; 1981, 前掲. 田中俊明, 2006, 前掲. なお, 李基東, 1996, 前掲, 158・159頁 ; 李道學, 2010, 前掲は当該期の百濟王統譜について檢討を加えるが,『南齊書』と百濟伝の牟都・牟大の祖父―孫關係について考慮されておらず, それゆえ, その見解には從えない.

5) 李基東, 1996, 前掲 ; 坂元義種, 1978, 前掲書, 166頁 ; 田中俊明, 2006, 前掲 など. なお, 笠井倭人, 前掲書, 101頁は牟都の音が汶洲に近いことから牟都＝文周王と理解する. 津田左右吉, 1963, 前掲は牟都を汶洲王(文周王), 牟大を末多王(東城王)と解釋するが【史料17】の牟都は牟大の誤りとする.

中國史料よりも『三韓古記』などの國內史料を重視したのである.

　だが,【史料11】【史料18】のように,百濟王であった牟大(東城王)は,自ら牟都の孫に該當すると南齊に報告しているから,それを否定することはできない.おそらく,東城王沒後のある時期に,そうした王統系譜が忘却され,それとともに牟都の存在も失われ,東城王は蓋鹵王の孫として理解されたのであろう.『三韓古記』の伝承を重視する現行の濟紀の百濟王統系譜には牟都に該當する王が存在しないことになるが[6],あえて現行の濟紀のなかで考えるならば,それは文周王か三斤王しかない.しかし,三斤王がわずか13歲で卽位したことなどを考慮すれば,すでに指摘のあるように[7],それは文周王でしかあり得ない.その場合,牟都(文周王)と東城王は祖父─孫關係となるが,それは,文周王を蓋鹵王の息子とし,かつ牟大たる東城王の叔父とする現行の百濟本紀はもちろん,蓋鹵王の「母弟」とする【史料3】の雄略紀21(477)年條とも矛盾する.そこで,この問題をクリアするために提案されたのが,昆支を文周王の娘婿とする考え方である.こうすれば文周王は東城王の外祖父となり,『梁書』の示す王統系譜とも昆支の子を東城王とする『日本書紀』や濟紀の理解とひとまず合致する.

　このような王統系譜を最初に想定したが古川政司氏で,さらにそれに改訂を施したのが,田中俊明氏である[8].こうして復元されたのが,論文末の【図1】の〈1〉古川政司復元案,〈2〉田中俊明復元案である.この二つの復元案は文周王─昆支─東城王の系譜に關しては基本的に同じで,現段階ではこ

---

6) 坂元義種, 1978, 前掲書, 169頁.
7) 田中俊明, 2006, 前掲 など.
8) 古川政司, 1977, 前掲 ; 1981, 前掲 ; 田中俊明, 2006, 前掲.

のように理解するのがもっとも妥当であるとおもわれる.

　しかし, この二つの復元案は文周王の理解をめぐって大きな差がある. それは〈1〉古川政司復元案では, 文周王を毗有王の弟とするのに對して, 〈2〉田中俊明復元案では, 文周王を蓋鹵王の母親の弟とすることである. そこで次に改めてその点について考究してみることにしよう.

Ⅲ. 文周王王統系譜再考

　古川氏が文周王を毗有王の弟とするのは,【史料3】の分註「汶洲王, 蓋鹵王母弟也」の「蓋鹵王」が本來入っておらず, 後に挿入された可能性が高いと考えられることを前提にしている. すなわち, 古川氏は, 上述記事は【史料8】同様, 分註部分も『百濟新撰』であった可能性が高いと推定する. その上で, 雄略紀2(458)年7月條には

【史料20】雄略紀2(458)年7月條
　　　『百濟新撰』云, 己巳年蓋鹵王立. 天皇遣阿礼奴跪, 來索女郎. 百濟莊
　　　飾慕尼夫人女, 曰適稽女郎, 貢進於天皇.

とある記事に注目する. ここにみえる己巳年は429年と考えられるものの, 蓋鹵王の在位年ではなく, 毗有王2年に該当するため, 雄略紀では『書紀』編者によって意図的に「毗有王立」が「蓋鹵王立」に改編されたとみなす. こうした事例から, 古川氏は雄略紀編者たちが毗有王の存在を認めず, 意図

的に「毗有王」を「蓋鹵王」に改めたと想定し, それならば【史料3】の分註部分も本來, 「汶洲王, 毗有王母弟也」であったが, 雄略紀編者たちによって「汶洲王, 蓋鹵王母弟也」と改められたと理解する. その結果, 文周王は蓋鹵王の弟ではなく, 毗有王の弟であったと解釋するのである[9].

これに對して, 田中俊明氏は, 蓋鹵王が文周王より年少であった可能性があることから, 「蓋鹵王母弟也」の「母弟」を, 「同母弟」と解し, 「汶洲王は蓋鹵王の弟」とする從來の解釋と異なり, 『日本書紀』雄略紀21年3月條頭注のように[10], 「汶洲王は蓋鹵王の母の弟」と理解する. 汶洲王(文周王)は蓋鹵王の叔父にあたるという考え方である.

では, この二つのうち, どちらが合理的に解釋できるであろうか. どちらも説得力の富む見解で, 容易には決しがたいところではある. ただし, 古川復元案はいくつかの問題がある. 第一は, 古川氏自身も指摘するように, 理解の前提となる【史料3】の分註は想定する毗有王ではなく, 蓋鹵王であることである. すなわち, 古川案は【史料3】の分註をあくまでも毗有王と理解した上で成立するのであるが, 實際の史料は蓋鹵王であり, 当該部分を確實に改作したことを示す史料は實存しないのである. それゆえ, 古川氏自身も文周王が蓋鹵王の弟であった可能性もあることを同時に指摘しているのである[11]. このように史料の改作を想定しなければならないことに加えて, その改竄を具体的に示す史料が存在しないことが, 古川復元案の問題

---

9) 古川政司, 1977, 前掲 ; 1981, 前掲.

10) 日本古典文學大系, 1967, 『日本書紀』上, 岩波書店, 497頁頭注18.

11) 古川政司, 1977, 前掲. もっともその後, 發表された(1981, 前掲)では, 文周王を蓋鹵王の弟とする可能性については全く言及されておらず, 雄略紀21年3月條の分註には本來「汶洲王, 毗有王母弟也」であったと斷じている.

であろう.

　第二の問題点は, 毗有王と文周王が兄弟でありながら, 名前の表記がそれぞれ異なることである. すなわち, 毗有王が名前の一部に「余」を付す, いわば百濟王の伝統的な表記であるのに對して, 牟都王のそれは「余」を称せず, そうした姿勢は對中外交にも認められるところでもあった. こうした表記の差異は輕視できないようにおもう[12]. 古川氏は牟都(汶洲王)を理解する上で, 『南齊書』の百濟王族の余姓から牟姓への変化に注目する. すなわち, 毗流王は「余毗」, 蓋鹵王は「余慶」というように余姓であるのに對して, 文周王以後は牟都, 牟大となり, 「牟都王は, 475年以前の王族「余」氏と, 自らの血脈を意識的に区別すべき理由を持っていた」と主張するのである. つまり, 牟都王たる文周王は, 毗有王―蓋鹵王へと連なる王統系譜とは異なっていると指摘しているのである.

---

12) 李基東, 1996, 前掲は『梁職貢図』に牟大を「余太」とすること, 502年の東城王の官爵昇進時に東城王が「余太」となっていること, 『三國遺事』には東城王の別名を「余大」とすること, 『宋書』百濟伝の「余都」が文周王に該当すると考えられることから, 「牟大」「牟都」は本來, 「余大」であったとし, 蓋鹵王と文周王以後での王統の変化を否定する. 『宋書』百濟伝の「余都」が文周王に該当するかは後述するように議論が分かれており, 今後の檢討が必要であるが, 『梁職貢図』や『梁書』の記述から牟都や牟大が「余都」や「余大」であったとするのは問題である. なぜなら, それらはいずれも南齊以後の梁代の情報にもとづき, 「牟都」「牟大」を百濟王姓である「余」を付して「余都」「余大」に改めた可能性があるからである. 『南齊書』百濟伝などによれば, 南齊当時, 彼らはあくまでも「牟都」「牟大」と称したのであって, それを「余都」「余大」であったと理解するためには同じ南齊代の史料によって檢討されねばならない. だが, そのように史料は南齊代にはみえず, 梁以後である. したがって, 前述のように, 改められた可能性があり, そうした觀点からみて, 李基東氏の理解をただちに首肯するわけにはいかない.

しかし, 古川復元案では, 文周王を毗流王の「同母弟」と理解している. それならば, 当然, 兄である毗流王と同じ余を冠し, 「余都」となるべきであろう. しかし, 文周王をそれとは異なる牟都と解釋しているのであり, ここに問題がある. そもそも【史料3】では汶洲王を蓋鹵王の「母弟」とし, 【史料8】では昆支を蓋鹵王の「弟」とし, 表記が異なっている. 古川氏は「このことはさして重要ではあるまい」とするが, 同じ「弟」であればなぜこのように表記が相違するのであろうか. わざわざ「母弟」と表記されたのは, 單なる王「弟」とは異なっているからではないだろうか. このことは「母弟」を王の弟と解し, 毗有王の弟と理解することの困難さを示しているのではないだろうか.

　それに對してこれを「蓋鹵王の母の弟」と理解すれば, 少なくとも上記のような問題は生じない. むしろ「蓋鹵王の母の弟」であるが故に, 「余」姓ではなく「牟都」とされたと理解できるのではないだろうか. 古川氏の指摘するような王姓の一時的な変更が認められるとすれば, それまでの百済王が伝統的に認められていた「余」をあえて称さず, それとは異なる「牟都」と称した汶洲王(文周王)の卽位こそ, そうした事態を理解するのにふさわしいのではないかとおもう[13].

---

13) なお, 西本昌弘, 2013, 「倭王彌(珍)と仁德天皇」『史泉』118は, 文周王を蓋鹵王・昆支の弟と指摘し, 文周王の女が叔父である昆支に嫁して東城王が生まれたと解釈する(【図1】〈3〉西本昌弘復元案). 西本復元案は詳細に論じられていないが, 第三の復元案と理解できよう. だが, 兄弟であるはずの蓋鹵王は余を冠して余慶とするものの, 弟の文周王は牟を冠して牟都と表記されることなどから, 本文で論じたように, 蓋鹵王と文周王を兄弟と理解するにはひとまず躊躇せざるを得ない. また, 西本案では昆支は弟である文周王の女と婚姻することになってしまう. 朝鮮古代にあってこうした近親婚がなかったわけではないが, 昆支が文周王の女と結婚するのも不自然であるようにおもう. こうしたことから, ひとまず, 西本復元案のような可能性もあり得なくはないが,

また, このように解釈したほうが, 蓋鹵王治世下における王の弟昆支の地位の高さと, それに比して牟都王の地位の低さが一層明確に理解できるのではないかとおもわれる. これはすでに田中俊明氏が指摘していることであるが[14], 『宋書』百済伝には,

【史料21】『宋書』百済伝

　〔大明〕二(458)年, 慶遣使上表曰:「臣國累葉, 偏受殊恩, 文武良輔, 世蒙朝爵. 行冠軍將軍右賢王余紀等十一人, 忠勤宜在顯進, 伏願垂愍, 並聽賜除」. 仍以行冠軍將軍右賢王余紀爲冠軍將軍, 以行征虜將軍左賢王余昆, 行征虜將軍余暈並爲征虜將軍, 以行輔國將軍余都, 余乂並爲輔國將軍, 以行龍驤將軍沐衿, 余爵並爲龍驤將軍, 以行寧朔將軍余流, 麋貴並爲寧朔將軍, 以行建武將軍于西, 余婁並爲建武將軍.

とあって, 左賢王余昆がみえ, これが昆支に該当すると考えられている[15]. そうであれば昆支は王に次ぐ左賢王として非常に高い地位であったことになる. 牟都についてはここに存在しないとする見解[16]と余都に比定すると考える説があるが[17], かりに余都に該当するとしてもその地位は余

　　現實的にはそうした設定が困難であったと考えておきたい.
14) 田中俊明, 2006, 前掲 など.
15) 坂元義種, 1978, 前掲書, 154-155頁 ; 古川政司, 1977, 前掲 ; 李基東, 1996, 前掲, 141頁 ; 田中俊明, 2006, 前掲.
16) 古川政司, 1977, 前掲.
17) 李基東, 1996, 前掲 ; 田中俊明, 2006, 前掲.

昆に及ばない. さらにここに登場しないとすれば, 余昆に對する牟都の地位の低さがなお一層明らかになろう[18]. このようにいずれの見解に立ってみても, 王弟である昆支は牟都よりも高い地位にあったことになろう. それは王弟である昆支と王母の弟である牟都という百濟王權内の兩者の位相を反映したものと理解できるであろう. このようなことからもひとまず汶洲王(文周王)を蓋鹵王の母の弟, と理解しておきたい.

だが, このように解釋してもなお, 文周王と昆支が兄弟であるという記述とは矛盾し, 問題は解消されない. このうち, 「汶洲王は蓋鹵王の母の弟なり」と解釋すれば, 蓋鹵王と文周王が兄弟ではなくなるから, 蓋鹵王の弟である昆支と汶洲王もまた兄弟ではなくなる. だが, 問題なのは濟紀である. 濟紀では【史料6】のように, 東城王を「文周王の弟の昆支の子」としており, 文周王と昆支が兄弟であったとする. だが, 『南齊書』や『冊府元龜』の記事などから明らかなように牟都(文周王)と牟大(東城王)は祖父—孫の關係であるから, 當該期の王統系譜と濟紀のそれとはそもそも合致しようがない. 『南齊書』の伝える王統系譜が正しいとするならば, 濟紀のそれは誤って伝えられたことになる. ではなぜ, 濟紀のような王統系譜が成立してしまったのであろうか.

そもそも國内系統史料には『南齊書』百濟伝などの伝える牟都—□—牟大のような, 祖父から孫へと王位が伝えられたとする王統系譜に關する史

---

18) 李基東, 1996, 前掲, 158頁は【史料21】と『宋書』職官志にみえる將軍号の序列は相違点があり, それゆえ, 【史料21】の序列も錯誤があるとする. 仮にそうであったとしても余昆が左賢王であるのに對して, 李基東氏が文周王に該当するとする余都は左賢王でも右賢王でもなく, やはり余昆のほうが上位にあったとみなければならないであろう.

料・伝承は, 百濟滅亡などによって失われ, その記憶も忘却され, 蓋鹵王か
ら東城王までの王統系譜は不確かなものとなっていたのであろう.『南齊
書』とその他の史料との王統系譜の不一致はそうしたことに基因するので
あろう.

　だが, ここで看過できないのは, 坂元義種氏が当該期の百濟王統系譜を
理解する上で,「十分注目してもよいのではないか」と論じた[19], 濟紀と『百
濟新撰』に認められる王統系譜上の共通点である. 坂元氏はこれについてそ
れ以上, 詳論していないが, この指摘は当該期の百濟王統系譜を理解する
上で輕視できないとおもう.

　そこで, 改めてこれを手がかりとして, 百濟の王統系譜を考えてみよう.
【史料6】の濟紀や【史料7】【史料8】の雄略紀にみえるように, ①昆支は王の弟
である, ②昆支の子は百濟王である(東城王, 末多王)という王統系譜は兩者
に共通して認められる.【史料7】は『百濟新撰』を原史料としたと考えられて
おり[20], それならばそれは古くから伝えられていたものであった. もっと
も,『百濟新撰』は昆支が蓋鹵王の弟であった, とするのに對して, 濟紀は昆
支を文周王の弟とし, 嚴密に言えば, 兩者は相異なる. 濟紀と雄略紀の伝え
る王統系譜は, 共通点も存在するが, 相違点も存在する. それならば, 雄略
紀と濟紀のこのような共通点と相違点はどのように理解することができ
るのであろうか. そこでまず, 昆支が蓋鹵王の弟であるという王統系譜か
ら考えてみよう.

　上述したような昆支が蓋鹵王の弟であり, その子が百濟王となるという

---

19) 坂元義種, 1978, 前掲書, 154頁.
20) 古川政司, 1977, 前掲.

王統系譜は, かなり古くから存在していたようである. すなわち,【史料3】の分註には,「汶洲王蓋鹵王母弟也.『日本旧記』云, 以久麻那利, 賜末多王. 蓋是誤也」とあり, これによれば『日本旧記』には, 蓋鹵王の次いで末多王が百済王となったと記されていたようなのである. この場合, 末多王は蓋鹵王の子であったとも想定できるが, 雄略紀にしばしば認められるように, 末多王が昆支の子であったことも伝えられていた可能性がある. すなわち,『日本旧記』は蓋鹵王に次ぐ百済王を昆支の子である末多王としていた可能性が高いのである. 昆支の子である末多王が蓋鹵王に次いで百済王になったというような王統系譜を想定した場合, それは蓋鹵王と昆支を兄弟とし, 昆支の子である末多王が百済王となったと理解するのが, もっとも合理的であろう. すなわち,『日本旧記』がいつ編纂されたものか不明であるが,【史料3】の『日本旧記』は, 昆支が王弟であり, その子が王位についたという王統系譜が古くから存在していたことを示し, 同時に, 昆支の兄が蓋鹵王であったということが早くから存在していたことを伝えていることになろう[21].

　ところが,【史料3】の分註に「蓋是誤也」とあるように, 百済からもたらされた情報などによって, その後, そうした理解が誤りであることがわかった. それをうけて雄略紀の編者たちは,『日本旧記』の伝える蓋鹵王から末多王へ

---

21) もっとも『日本旧記』には蓋鹵王─末多王という系譜のみが伝えられ, 昆支に對する記述がなかった可能性もあろう(古川政司「百済王統系譜の一考察─5世紀後半の王統譜の復元─」前掲). それならば突如として登場する末多王についての説明があってもよいであろうが, それは見当たらない. 分註にそこまで記す必要もなかったのかもしれないが, そうしたことが伝えられなかったのは, 末多王が昆支の子であり, 昆支がすでに蓋鹵王の弟であるという雄略紀5年條をうけてのものであったからとも考えられよう. 史料が斷片的で推測によらざるを得ないが, 現段階ではこのように理解しておきたい.

と連なる王統系譜を,【史料3】の分註のように蓋鹵王—汶洲王へと連なる系譜に修正したのであろう[22).【史料3】の「汶洲王, 蓋鹵王母弟也」が既述のように『百濟新撰』であるとすれば, それは『百濟新撰』にもとづく修正であった. そのため, 蓋鹵王に次いで百濟王となった汶洲王を説明するために, 分註で汶洲王が「蓋鹵王母弟」と記すことになったのであろう. こうして蓋鹵王の後に汶洲王が卽位するということが雄略紀に採用されたのである.

　だが, どうやら参照したこの汶洲王の王統系譜にはその後, 汶洲王に次いで文斤王が卽位するということも同時に伝えられていたらしいのである. なぜなら【史料7】には末多王の卽位に先立って, 汶洲王の後に百濟王となった文斤王の薨去を伝えているからである. 末多王卽位に先だって汶洲王を挿入した雄略紀の編者たちが, 汶洲王に次いでただちに末多王の卽位を伝えなかったのは, 参照した史料に汶洲王—文斤王へと連なる王統系譜が存在しており, それを無視できなかったからであろう. すなわち, 〔1)蓋鹵王の王弟である昆支—末多王という王統系譜と, 〔2)蓋鹵王の「母弟」である汶洲王—文斤王という二つの王統系譜が存在していたのであった. 既述のように『日本旧記』では〔1)の系譜が蓋鹵王に連結されたが, 『百濟新撰』によって〔2)が伝えられ, その結果, まず〔2)が蓋鹵王に次ぐ王統系譜とされ, その後, 〔1)の王統系譜へと受け継がれたとする百濟王系が成立したのであろう. この場合, 〔2)の王統系譜の最後の文斤王の弟として昆支を連結することも操作上, 可能ではあった. しかし, それがなされなかったのは, 『日本旧記』より伝えられてきた〔1)の王統系譜, すなわち, 昆支は蓋鹵王の弟である, とい

---

22) 古川政司, 1977, 前掲は雄略紀編纂段階の最終段階で『百濟新撰』が参照され, 21年條の書き換えがあったと推定する.

う系譜が無視できないほど，信憑性のあるものとして考えられていたからであろう．

　こうして『日本書紀』が伝える蓋鹵王から汶洲王―文斤王へ，さらに蓋鹵王の弟の昆支―末多王へと續く王統系譜が成立したものと理解される．

　一方，濟紀であるが，こちらは既述のように文周王を蓋鹵王の長子とし，昆支を文周王の弟とする．濟紀が參照した國內系史料にも既述のような共通点，すなわち，①昆支は王弟である，②昆支の子は百濟王，という王統系譜が存在していたのであろう．そして，これと關連して重要なのが，文周王-三斤王へと連なる王統系譜である．濟紀は，蓋鹵王に継いで文周王が卽位し，さらにその後，その長子である三斤王がわずか13歳で卽位したと伝える．そして，その後，昆支の子である東城王が卽位した，とするのである．文周王の弟とされた昆支の子が文周王の後にただちに百濟王とならなかったのは，三斤王の存在を無視できなかったからであろう．この濟紀の伝える文周王-三斤王という王統系譜は，『百濟新撰』の伝える汶洲王―文斤王に對応するそれである．この文周王―三斤王という王統系譜は日本國內だけでなく，朝鮮國內系史料にも存在していたのであろう．当該期の百濟の王統系譜を理解する上においては，上述した①昆支は王弟である，②昆支の子は百濟王という王統系譜とともに，彼我の史料が共通して伝える汶洲王(文周王)―文斤王(三斤王)という王統系譜もまたきわめて重要なのである．

　おそらく，この王統系譜は本來，『南齊書』百濟伝で伝えられる牟都と牟大を祖父と孫とする当該期の百濟王統系譜が喪失，忘却されてしまった後にも斷片的に存在し，すでにみてきたような『百濟新撰』のみならず濟紀やそれが依據した『三韓古記』の王統系譜にも大きな影響を与えていたのであった．すなわち，『三韓古記』や濟紀など朝鮮國內系史料には，『百濟新撰』にも

認められるような蓋鹵王の後に[1]文周王—三斤王, [2]昆支—東城王という二系統の王統系譜が存在していたのであろう. そして, おそらく [1]の王統系譜が蓋鹵王に連なると考えられたのであろう.

　というのも, [2]昆支—東城王という系譜が[1]文周王—三斤王に先だって存在してしまえば, [2]昆支—東城王から武寧王系へと續き, [1]文周王—三斤王という王統系譜を挿入する余地がなくなってしまうからである. かりに[2]の後に[1]の王統系譜が續くとなると, わずか13歳で即位し, 在位3年で薨去した三斤王に次いで武寧王系の百濟王を接續せねばならなくなるが, 現實的に13歳で即位し, 在位わずか3年で死去した三斤王に武寧王系を繋げるのは困難である. それゆえ, [2]昆支—東城王に先んじて, [1]文周王—三斤王の王統系譜が蓋鹵王に継ぐものと考えられたのであろう.

　そして, 『梁書』百濟伝に「慶(蓋鹵王)死して, 子の牟都(文周王)立つ」とあることなどを参照にして, 文周王を蓋鹵王の子とし, 蓋鹵王と [1]文周王—三斤王の王統系譜を結びつけたのであろう. その結果, 蓋鹵王—文周王—三斤王という王統系譜が成立したのであろう.

　ところが, 既述のように朝鮮國内史料には, [2]昆支—東城王という王統系譜も存在していたのである. 昆支は縷述のように王弟であった. ところが, 三斤王はわずか13歳で即位し, しかも3年で薨去しているから16歳で死亡したことになり, その弟の昆支の子である東城王が継いで百濟王となった, とするのは不自然である. そこで, 昆支は三斤王の父でもあった文周王の弟とされたのであろう. その結果, 昆支を蓋鹵王の弟とする『百濟新撰』とは別の現行の濟紀のような王統系譜が成立したのであろう. この王統系譜は朝鮮國内で当該期の百濟のそれを示すものとして強く認識されたようで, その結果, 濟紀・東城王の末尾の分註に認められるような, それと合

致しない中國史料の百濟王統系譜の批判が展開されることになったのであろう.

　このように『百濟新撰』, 濟紀・『三韓古記』の原史料となる朝鮮國内史料には, それぞれ, [1]汶洲王(文周王)―文斤王(三斤王), [2]昆支―末多王(東城王)という二つの王統系譜が伝えられながら, それぞれ相違する王統系譜を成立させたのであろう. 推斷を重ねたが, 今はこのように理解しておきたい.

Ⅳ. 文周王・文斤王と倭王權

　さて, このように文周王統系譜と昆支王統系譜を理解した上で, 改めて問題となるのが, 三斤王の王位継承である. 雄略紀23(479)年是歳條には

【史料5】雄略紀23(479)年是歳條
　　　当三(479)年夏四月, 百濟文斤王薨.

とあって, 479年の文斤王(三斤王)薨去を伝える. また, 濟紀も【史料22】【史料23】のように,

【史料22】濟紀・三斤王卽位年
　　　三斤王【或云壬乞】, 文周王之長子也, 王薨, 継位, 年十三歳, 軍國政事一切, 委於佐平解仇.

【史料23】濟紀・三斤王3(479)年11月條

　　　冬十一月, 王薨.

と記し, 477年に三斤王が卽位し, 479年に薨去したとし[23], いずれも三斤王の百濟王就任を伝えている. それに對して, 『冊府元龜』外臣部・朝貢1・建元2(480)年3月條には

【史料17】『冊府元龜』外臣部・朝貢1・建元2(480)年3月條

　　　〔建元〕二(480)年三月, 百濟王牟都遣使貢獻.

とあって, 480年の段階で, 牟都(文周王)が百濟王として存命であったことを伝え, 雄略紀・濟紀と相違する. 【史料17】のような文周王(牟都王)の遣使記事は, 『南史』にも確認され,

【史料13】『南史』濟本紀・建元2(480)年條

　　　〔建元〕二(480)年……三月, 百濟國遣使朝貢, 以其王牟都爲鎭東大將軍.

とあり, ここからも480年に牟都(文周王)が南齊に朝貢し, 鎭東大將軍を除授されたことがわかる. これら【史料13】【史料17】はいずれも『南齊書』百

---

23) 『三國史記』年表では文周王の薨去年を「丁巳(477)年」とし, 『三國遺事』年表は, 文周王が「乙卯(475)年」に卽位し, 三斤王は「丁巳(477)年」に百濟王となったとする. このように『三國史記』年表と『三國遺事』年表は文周王が477年に薨去し, 三斤王が卽位したとしているから, 濟紀・文周王4年條は誤りであろう.

済伝に依據して作成されたと考えられているが[24]，これを認めれば，480年の段階では文周王が百済王であり，雄略紀・済紀の伝える三斤王の百済王卽位と矛盾することになる[25]．そのため，これをどのように理解すべきかが改めて問題となる．

　この問題について論究した古川政司氏は，【史料13】【史料17】を重視し，480年の時点で，牟都(文周王)の在位が確認されることから，三斤王は立太子されたものの卽位していなかった，と理解した[26]．それに對して田中俊明氏は，文周王が「自分のあとを，自分の子に継がせたいと思った」とし，三斤王の王位就任には文周王が關与しており，三斤王を卽位させたものの幼年であったため，文周王が後見人となり，さらに解仇に軍國政事を委ねた，と推定した[27]．

　中國史料を重視するか，済紀・雄略紀を重視するかが，この問題を理解する上で重要であるが，済紀・雄略紀に三斤王の卽位を伝えている以上，それを否定するのは困難であろう．とりわけ，古川政司氏が指摘するように，【史料5】が『百済新撰』に依據したと理解される以上[28]，安易な否定は愼まねばならないであろう．むしろ，幼年であったが故に，【史料13】【史料17】のように，對中國外交は後見人であった文周王の名で行われたのではないだろうか．こうした處置がとられたのは，おそらく三斤王があまりにも幼年であ

---

24) 坂元義種, 1978, 前掲書, 163頁.

25) 李基東, 1996, 前掲書, 156頁は中國側が480年の段階で文周王が生存していたと誤認され，三斤王は黙殺されたと理解している.

26) 古川政司, 1977, 前掲.

27) 田中俊明, 2006, 前掲.

28) 古川政司, 1977, 前掲.

ったために, 南齊の百濟に對する評価が低下するのを避けるためであろう. 当時の百濟王權は一時的な滅亡に直面していたのであり, 南齊との通交は, 南齊の權威を背景として弱体化した王權の權力強化を図ることに目的があったと推定され, そのためには南齊から高く評価してもらう必要があったはずである. それゆえ, 幼年である三斤王にかわってその後見人である文周王の名で對南齊外交が展開されたのであろう.

こうした状況であったが故に, 幼年でありながらも三斤王が即位できたのは, 田中氏が指摘するように, 当然, 文周王の意向が反映されたであろう. 關係史料が零細であるため, 推測によらざるを得ない部分もあり, 向後も檢討すべき課題であるが, 現在のところ, 当該期の百濟國内では, 文周王を後見人として三斤王が王位に即いたものの, 對南齊外交は幼年の三斤王ではなく, 依然として従前の如く文周王が主導的に行っていたと考えておきたい.

このように理解した上で改めて問題となるのは, 文周王と倭王權の關係である. 既述の【史料3】雄略紀21(477)年是歳條には, 「天皇」が久麻那利を汶洲王に与えて百濟を復興させたとし, あたかも百濟の復興に倭王權が關与したかのように伝えている. だが, 倭王權が久麻那利(公州)を支配していたわけではないから, 倭王が同地を百濟王に与えたというような状況になかったことは明らかであろう. では, 文周王と倭の關係はどうだったのであろうか.

結論を先んじて言えば, 当該期, 文周王と倭王權の關係は低調であったと考えるべきであろう. というのも, 文周王と倭王權に關する記事は, わずかに【史料3】にしか認められないからである. しかも, 既述のように【史料3】は後世の潤飾である可能性が高いのである. 加えて重視されるのは,【史料

3]の分註に引用された『日本旧記』である. これによれば, 久麻那利を末多王(東城王)に與えた, と傳えており, そこには文周王は認められない. 既述のごとく, 『日本旧記』にはおそらく文周王・三斤王に關する記事が存在していなかったのであろう. それは倭王權と文周王との積極的な通交關係が認められなかったことを傍證する. なぜなら, 文周王と倭王權が當該期, 積極的に通交していたとすれば, 『日本旧記』に文周王・三斤王に關する記事が脱落するとは考え難いからである. すなわち, 倭王權と文周王との間に積極的な通交がなかったからこそ, 『日本旧記』は文周王・三斤王との關係記事が脱落していたのであろう. 雄略紀の編者たちはその後, 『百濟新撰』によって『日本旧記』の一部を訂正し, 文周王・文斤王の系譜を挿入したのであろう. 古川氏が既に指摘するように, 三斤王の即位記事が認められないのは, そうした状況を反映しているのであろう[29]. とはいえ, 倭王權が百濟王權と通交が皆無であったわけではない. 濟紀・文周王3(477)年4月條には

【史料24】濟紀・文周王3(477)年4月條
　　四月, 拝王弟昆支爲內臣佐平. …七月, 內臣佐平昆支卒.

とあって, 倭國に派遣されていた昆支が百濟に歸國し, 內臣佐平となっている. 昆支の歸國にはおそらく倭王權が關与していたのであろう. 倭もまた昆支の歸國によって百濟における親倭政策を期待したであろう. ところが, 【史料24】によれば, 昆支はその三ヶ月後の7月, 突然, 死去している. こ

---

29) 古川政司, 1981, 前掲.

こに百濟内部における親倭派とそれに反對する勢力との對立を想定する
ことも可能であるが, 史料はそのあたりの事情について語っておらず, 詳
細は不明である[30]. いずれにしても, この昆支の死去によって倭との通交
關係はさらに希薄なものとなっていったのであろう. 『日本旧記』に文周王・
文斤王との關係記事がみられないのは, こうした事態を反映しているので
あろう.

こうしたなか, 文周王が倭との關係よりも重要視したと考えられるのが,
對南齊外交である. 既述の【史料13】【史料17】のように文周王は南齊に使者
を派遣しているが, 濟紀・文周王2(476)年條には

【史料25】濟紀・文周王2(476)年條
　　　三月, 遣使朝宋, 高句麗塞路不達而還.

とあって, 卽位の翌年には宋に使者を派遣したらしいのである.【史料3】
雄略紀21(477)年3月條によれば, 文周王の卽位は477年であるから,【史料
25】の百濟の使者派遣は文周王卽位前であったことになるが, そうであっ
たとしても, その翌年に王となる文周王はすでに百濟王權内で主導的な立
場にあったと想定され, この對宋遣使にも積極的に關與したと考えられる.
こうした理解に大過なしとすれば, 文周王を主導とする百濟王權内部では,
百濟復興時期にすかさず對宋外交を展開し, 百濟王權の王權強化を図った
ものと理解してよかろう. だが,【史料25】によれば, この使者は高句麗の妨

---

30) 古川政司, 1981, 前掲は, 昆支の死後, 實權を掌握したと伝えられる解仇を親
　　倭國派とし, 彼の政權奪取を親倭國派のクーデターと理解する.

害によって, 宋に到達できなかったようである.

その後, 文周王は王に即位した後に, 改めて【史料13】【史料17】のように南齊に使者を派遣し, その結果,【史料16】に

【史料16】『冊府元龜』外臣部・封冊一・建元2(480)年條
　　〔建元〕二(480)年三月, 百済王牟都遣使貢獻. 詔曰, 宝命惟新, 澤波
　　〔被〕絶域, 牟都, 世藩東表, 守職遐外, 可授使持節・都督百済諸軍事・
　　鎮東大將軍.

とあるように, 南齊から使持節・都督百済諸軍事・鎮東大將軍を授与されたのである. 中國王朝から授与された官爵を背景にして王權の強化を図るような手法は, 蓋鹵王代より認められ, 文周王もまたそうした蓋鹵王以來の中國王朝からの官爵の授与を通して, 弱体化した王權を復興・強化させようとしたのであろう. このように文周王は, 相對的に對中國外交を重視し, それとは對称的に對倭外交は低調であったと理解できよう. こうした外交政策の背後には, 親倭派の昆支の死去による外交路線の変化が想定されてもよいのかもしれないが[31], 百済王權の強化という側面においては, 蓋鹵王以來の中國皇帝から官爵号を除授され百済王として認定されるこ

---

31) 古川政司, 1981, 前掲は, 昆支の死去によって, 倭國との軍事的連合という外交政策が挫折したと理解する. さらにその後, 政權を掌握した解仇は親倭國派で, その實權掌握期間は477年8月から翌年春までであったという. かりにこれが妥当であったとすれば, 文周王の對南齊外交が480年になって再開したのは, 親倭國派であった解仇を排除した後のことであったと理解してもよいのかもしれない.

とが弱体化した王權を強化する上で重要視されたためであろう. このように文周王は對中國外交を展開するが, その後, 三斤王に継いで, 東城王が卽位する. 東城王の卽位には倭王權の關与が【史料7】の雄略紀に認められる. そこで, 以下, 東城王の卽位をめぐる事情と倭王權の關係についてみてみることにしよう.

V. 東城王の対外政策と倭王権

東城王の卽位について, 濟紀は特段の事情を伝えていないが, 既述の【史料7】雄略紀23(479)年4月條には東城王の卽位の経緯を以下のように伝えている. 改めて示しておこう.

【史料7】雄略紀23(479)年4月條
夏四月, 百濟文斤王薨. 天王, 以昆支王五子中, 第二末多王, 幼年聰明, 勅喚內裏. 親撫頭面, 誡勅慇懃, 使王其國. 仍賜兵器, 并遣筑紫國軍士五百人, 衛送於國, 是爲東城王.

【史料7】によれば, 東城王は昆支の第二子にあたり, 幼年でありながら聰明であったため, 「天王」が百濟國王に冊立し, 「筑紫國軍士五百人」とともに百濟本國に護送したという. これによれば東城王卽位に倭王權が積極的に關与したことになる. 当該期の百濟と倭の關係を考究した古川政司氏は, これを史實とみなし, 東城王が倭國内で百濟王に冊立されたものの, 文周

王が481年まで存命であったから, この時期の百濟では文周王と東城王の二王が併存していたと解釋した. さらに, 東城王は筑紫國の軍士500人に護送されて百濟に歸國したが, 倭王は彼らとともに倭國官人集団も東城王の側近として派遣し, 百濟王を倭の從屬下に置こうとしたと說いた[32].

これに對して, 近年, 文周王統系譜について考究した田中俊明氏は, 三斤王の死後, 百濟では兄の武寧王と弟の東城王が存在していたが, 弟の東城王が兄の武寧王に先んじて卽位したのは, 文周王の意志が反映されたため, と解した. その上で, 父の昆支の歸國に際してなぜ, 末多王が歸國していなかったのかという疑問などもあり, 【史料7】にみえるような倭王權の影響は想定できず, あくまでも東城王の卽位には文周王が大きく關与していたと說いたのである[33].

このように東城王の卽位に倭王權が介在したか否かについて, それぞれ相違する見解が提起されている. そこで, 改めて東城王卽位について檢討する必要がある.

そこでまず古川說から檢証してみたいが, 古川說にはいくつかの問題があるようにおもわれる. 問題の第一は, 三斤王の夭折を受けて, 倭が東城王を冊立したと想定することである. 古川氏は文周王が481年頃まで百濟王であったことから, 三斤王はあくまでも立太子されただけで百濟王とならなかったと理解していた. それならば三斤王の死去をふまえて, 倭王權が

---

32) 古川政司, 1981, 前掲. なお, 朴天秀, 2007, 『加耶と倭 韓半島と日本列島の考古學』, 講談社, 107頁は榮山江流域の前方後円墳の石室構造が北部九州系であること, 複數の大刀や甲冑が副葬されており, 被葬者が戦士集団である可能性が高いことから, 【史料7】に注目する.
33) 田中俊明, 2006, 前掲.

次期太子の擁立に向けて畫策したと考えるのが自然であろう. しかし, 古川氏は立太子問題を飛び越えて, 次期百濟王を倭王權が冊立したと理解するのである. なぜ, 太子の死去をうけて, 太子ではなく, 百濟王の冊立に倭王權が動かねばならなかったのであろうか. 太子逝去から百濟王の冊立という考え方は飛躍があり過ぎるのではないだろうか. そもそも, 古川氏は, この当時, 文周王が存命であると理解しているのである. それでもなお, 文周王とは別に百濟太子の薨去から百濟王冊立を想定するのである. まるで三斤王が百濟王であったかのような理解である. しかし, 古川氏自身, あくまでも文周王が481年頃まで百濟王であったため, 三斤王は太子のままであったと考えているのであり, もし, 三斤王の死去を百濟王の薨去のように理解し, 百濟王冊立を想定するならば, それは自己矛盾に陥ってしまうことになる. 論理に一貫性を欠くだけ, その說得力は減ぜざるをえないであろう. 古川氏の想定を首肯するためには, なぜ百濟太子であった三斤王の死去から百濟王冊立へと倭王權が動かねばならなかったのか, ということを十分に說明する必要がある. だが, 殘念ながら, 古川氏はこの点について全く說明していない. それゆえ, 古川說には論理の飛躍があるといわざるを得ず, にわかには認めがたい.

　問題の第二は, 第一の問題とも關連するが, 果たして倭王權が百濟王權の了承なく, 獨自に百濟王を冊立することがあり得るのか, ということである. 倭に滯在した百濟王子が本國の百濟王の薨去をふまえて, 倭の兵士たちに護送され, 百濟王に就任したという事例は, 史料上確認できないわけではない. 腆支王の場合がそれにあたる. 応神紀はこのことを以下のように伝えている.

【史料26】応神紀16(285→405)年是歳條

是歳, 百濟阿花王薨. 天皇召直支王謂之曰, 汝返於國以嗣位, 仍且賜
東韓之地而遣之【東韓者, 甘羅城・高難城・爾林城是也】.

【史料26】によれば, 阿花王の薨去の後,「天皇」が倭國に滯在していた百濟
王子直支王を百濟王にさせたように傳えるが, 濟紀に

【史料27】濟紀・腆支王卽位條

腆支王【或云直支】『梁書』名映, 阿莘之元子. 阿莘在位第三(394)年, 立
爲太子. 六(397)年出質於倭國, 十四(405)年王薨, 王仲弟訓解攝政以
待太子還國, 季弟碟禮殺訓解自立爲王. 腆支在倭聞訃哭泣請歸. 倭
王以兵士百人衛送既至國界, 漢城人解忠來告曰, 大王弃世, 王弟碟
禮殺兄自王, 願太子無輕入. 腆支留倭人自衛依海島以待之. 國人殺
碟禮迎腆支卽位.

とあるように, 實際は百濟內部において腆支の歸國・王位就任を希求す
る一派がおり, これと呼應して腆支は倭王權の護送を受け, 歸國し百濟王
となったのであって, 必ずしも倭王權が一方的に百濟王に任命したわけで
はない. 倭王權の腆支擁立援助はあくまでも百濟側の意向を受けてのもの
であったのである. これをふまえるならば, 倭王權が百濟王權內部の動向
を無視して, 獨自に百濟王を擁立したとはにわかには考えがたい. まして
や古川氏も強調しているように, 百濟王として文周王が存在していたので
ある. こうしたもとで倭王權がそれとは對立するかのように, 獨自に百濟
王を擁立したかは甚だ疑問である. さらに, 第一の問題とも關連するが, 古

川氏が指摘するように三斤王が太子のままで夭折し, 百濟には文周王が存在したのであれば, 倭王權が文周王を否定するような第二の百濟王を倭國内で擁立するだろうか. このように考えると, 古川說は問題が多いといわざるを得ないのである.

　そもそもこうした古川氏の推定は, 三斤王が太子であったものの百濟王とならなかったという古川氏獨自の見解を基礎として立論するものである. しかし, 前述のように, 文周王の後見のもと三斤王が卽位したと理解すれば, 二王倂存という奇妙な狀況は解消されるのである. そのように理解すれば, 必ずしも古川氏のように解釋せねばならぬ, ということにはならないであろう. それゆえ, 古川說をただちに首肯することはできない.

　このように少なくとも倭王權において百濟王子を擁護·擁立するような事態は, 倭王權の意向のみによってなされたのではなく, 百濟王權內部の動向をふまえてのことであったと理解したほうが自然であろう. その意味において, 東城王の卽位に文周王の意向が反映されていると解釋する田中俊明氏の指摘[34]は首肯されてよかろう.

　ところが, 田中氏は【史料7】のように倭王權の援助によって東城王が百濟王となったことに對して懷疑的であり, 「そもそも, 父昆支が歸國した時点で, なぜ歸國していないのかも疑問である」として, 【史料7】を否定的に理解する. 明言していないが, おそらく, 昆支とともに末多王(東城王)も一緒に歸國したと理解しているようなのである[35]. その場合, 末多王を護送した筑紫の軍士500人はどのように理解するのか, ということなども問題にな

---

34) 田中俊明, 2006, 前揭.
35) 田中俊明, 2006, 前揭.

るが, それについては言及されていない. いずれにしても, 末多王(東城王)の歸國に關する【史料7】を否定的に解釋するのである. そこで改めて, 末多王(東城王)歸國に關する事情を追究してみたい.

　末多王(東城王)歸國に際して, 重要なのは【史料7】であるが, この問題を論究する上で輕視できないのが, 【史料3】雄略紀21(477)年3月條所引の『日本舊記』である. 雄略紀本文では, 倭王權が汶洲王を援助したとするが, それに對して分註の『日本舊記』は, 末多王に久麻那利を与えたと伝え, 雄略紀編者たちはそれを誤り, と指摘する.『日本舊記』が公州での百濟復興に關する王を末多王(東城王)とするのは, 分註に說くごとく誤りであるが,『日本舊記』が末多王(東城王)に對して援助を行ったと記述していたのは, 文周王とは別に, かつて倭王權が末多王(東城王)に何らかの支援を行っていたことをふまえてのことではあるまいか. それが『日本舊記』に反映され, 伝えられたのではないだろうか. 少なくとも『日本舊記』編纂段階において, 倭王權が末多王(東城王)に對して何らかの援助を行っていたと認識されていたのであろう. ところが『日本舊記』編者は倭王權の末多王(東城王)への援助自体は理解していたものの, 具体的な繋年などは必ずしも十分に把握していなかったのであろう. それゆえ,『日本舊記』編纂段階ではそれが誤って475年の百濟の一時的な滅亡・百濟の復興と關わるものとして挿入されたのであろう.

　この『日本舊記』に記された倭王權の末多王(東城王)への援助の具体的内容を伝えるのが, 【史料7】ではないだろうか. ただし,『日本舊記』編纂段階では, 筑紫の軍士500人による護送など, 倭王權の援助ということが伝えられていたが, 【史料7】にみえるような内裏に末多王を召し, 百濟王としたなどの具体的な史實は伝えられていなかった可能性が高い. なぜなら, 【史料7】は文斤王の薨去の後に, 東城王の卽位に關する倭王權の關与を示している

が, 三斤王の死去の後, 東城王が百濟王に就任したとするならば, それを文周王代のこととして挿入するとは考えがたいからである. 『日本旧記』の末多王への倭王權の援助に關する記述には, 文斤王の薨去は記されていなかったのであろう. その後, 後に得られたデータをもとに末多王の記事が文斤王薨去と繋げられたのであろう. その際, 雄略が末多王を内裏に召し, 百濟國の王とした, というような倭王が百濟王を冊立したかのような潤飾が加えられたのではないかと推測されるのである.

だが, 既述のように倭王が百濟王權の意向とは關係なく, 獨自に百濟王を冊立したとは考え難いのであって, そのようなことから, 【史料7】の内容を史實としてそのまま認めるわけにはいかない. とはいうものの, 倭王權が末多王(東城王)歸國に際して援助を行ったのは, 『日本旧記』以來, 倭國内においても傳えられていたことなのであって, 【史料7】は後世の潤飾があるものの, そうした史實を傳えていると理解されるのである.

もっとも, 末多王(東城王)の歸國には, 田中氏が指摘するように父, 昆支と一緒であった可能性も想定し得る. その場合, 【史料7】はその時のことを傳えていた, と考えることもできよう. かりにそうであったとすれば, 倭王はなぜ, 末多王(東城王)ではなく, その父で蓋鹵王の弟で, 百濟王權内においても高位にあった昆支の百濟王擁立に動かなかったのであろうか. 昆支は蓋鹵王代には政權の中樞におり, 經驗の淺い末多王よりも百濟王たるにふさわしいはずであった. それゆえ, 倭王權はかりに昆支・末多王がともに歸國したとすれば, 昆支を百濟王とするよう支援したはずであろう.

だが, 實際に『日本旧記』以後の史料に確認できるのは, 倭王權による末多王(東城王)への援助であった. それゆえ, 昆支の歸國に際しては, 倭王權の援助もあったとおもうが, 【史料7】のような, 500人余りの筑紫國軍士が護

送するというようなこともなく, 昆支を百済王に擁立するということもな
かったのではないかと考えられる.

　さらに当該期の百済王権をめぐる状況もこの問題を考究する上で配慮
されてもよい. 昆支の歸國がいつなのか判然としないものの, 昆支は少な
くとも477年頃には百済で活動していたから, その頃, 歸國したはずである.
ところが, この時期, 百済は一時的に滅亡の危機に瀕し, 百済王権内部での
權力爭いなど, 不安定な状況でさまざまな困難が昆支らを待ち受けていた
と想像される[36]. それゆえ, 昆支の子どもたちは倭國に留め置かれた可能
性もあろう. また, 倭王権が末多王(東城王)ら昆支の子どもたちを「質」的存
在として倭國に殘留させた可能性もあり得よう. そのように考えれば必ず
しも昆支とともに末多王が歸國したと理解する必要はないのではないだ
ろか. そうであったが故に, 倭王権は殘留していた末多王(東城王)の歸國に
際して援助を行い, 筑紫の兵士500人を末多王(東城王)の護衛として派遣し
たと理解されるのである.

　この場合, 縷述の如く末多王(東城王)の百済への歸國は, 文周王の意向を
うけ, 百済側から要請されたものと考えられる. 文周王は本國に存在した
東城王の兄である武寧王よりも, 倭に滞在していた東城王の歸國を希求し
たのであろう. そうした背後には, 田中氏が指摘するように, 東城王が文周
王の孫にあたり, 文周王の王統系譜に屬し, 武寧王よりも文周王に近い人
物であったからであろう[37]. そして, 東城王もまたそれを十分に認識した

---

36) 濟紀にみえる昆支の殺害, 解仇の叛亂などはあるいは王権内部の權力爭いが
　　激化していたことを示していると理解される.
37) 田中俊明, 2006, 前掲.

上で, 文周王を「亡祖父」として南齊に伝え, その官爵の踏襲を南齊に要求したのであろう.

　一方, 倭による末多王(東城王)護送にもそれなりの政治的な意図が存在していたであろう. 既述のように百濟の復興に努力していた文周王は, 對倭外交よりも對南齊外交を相對的に重視し, 百濟王權強化を希求しており, 對倭外交は相對的に低かった. こうした状況は百濟との連合を通じて, 高句麗に對抗する倭王權にとっては望ましくない事態であったはずである. 倭王權は末多王(東城王)の護送を通じて百濟と倭王權との同盟を強化し, 對高句麗戰を展開しようとしていたのであろう. そこに倭王權の熊津期の百濟王權, とりわけ, 末多王(東城王)に對する期待があったものと理解される.

　だが, 倭王權の期待とは裏腹に東城王と倭王權との關係については, 濟紀はおろか『日本書紀』にも認められない. こうした事態は以下の【史料28】武烈紀6(504)年10月條からもうかがえる.

【史料28】武烈紀6(504)年10月條
　　　　冬十月, 百濟國遺麻那君進調. 天皇以爲, 百濟歷年不脩貢職, 留而不放.

　これによれば, 百濟は東城王の後, 百濟王となった武寧王代になって倭に調賦を貢上しているが, それ以前には「歷年, 貢職を脩」めなかったという. このことは東城王代の百濟の對倭外交の低調さを端的に示しているといえる. 濟紀・東城王條をみれば, 東城王は對倭外交よりもむしろ, 亡祖父・文周王のとった對南齊積極的外交政策を引き續き継承していったようである. 東城王と南齊との關係を示す史料は必ずしも多くはないが, 濟紀には

【史料29】濟紀・東城王6(484)年2月條

　　春二月, 王聞南齊祖道成冊高句麗巨璉爲驃騎大將軍, 遣使上表請內
　　屬許之.

【史料30】濟紀・東城王6(484)年7月條

　　秋七月, 遣內法佐平沙若思如南齊朝貢, 若思至西海中遇高句麗兵,
　　不進.

とあって, 高句麗王璉が驃騎大將軍となったことを受けて, 百濟から南齊への內屬を要求し, 同年7月には高句麗によって沮まれたため, 南齊には到達しなかったが, 南齊への朝貢使を派遣したことを伝えている. また,【史料31】には

【史料31】8(486)年3月條

　　三月, 遣使南齊朝貢.

とあり, 南齊に再度使者を派遣したとする. これらに對応する中國史料は認められないため, これら記事の信憑性には疑問が殘らざるを得ないが, あるいは【史料30】のように高句麗によって阻止されたか, 何らかのアクシデントに見舞われた可能性があろう. 濟紀は伝えないが, 『南齊書』百濟伝によれば, 東城王は490年, 495年と南齊に使者を派遣し, 長史高達らの除正を要求するなど, 百濟王ならびにその臣下への南齊の官爵除授を願い出ている. これは南齊からの官爵の授与を通して王權の位相を高めるとともに, 中國官爵号にもとづき臣下たちの序列化し, 王を頂点とした支配体制の强

化を意図したものであり, 弱体化した王權を強化する上で必要不可欠であったのであろう. 東城王が對倭外交よりも對南齊外交を重視したのは, 当該期の弱体化していた百濟王權の情勢をふまえれば, むしろ当然のことであった. そして, そうした對南齊外交に, 東城王は亡父牟都(文周王)との系譜を強調し, 自らの正統性を南齊に認めさせたのであった. これは南齊だけでなく百濟王權内部において, 自らの正統性を示す上でも重要なことであったのである. こうした對南齊外交を基軸とした外交政策を展開しながら, 百濟は新たな道を歩み始めたのである.

VI. 小結—武寧王系の新たな外交の始まり

　文周王の孫として百濟王位に卽いた東城王であったが, 濟紀は, 東城王が治世の後半に臣下の諫言を聞き入れず(濟紀・東城王22(500)年條), 奢侈にふけり, 政務を怠り, 最後は臣下の苩加の刺客によって殺害されてしまったと記す(濟紀・東城王23(501)年條). こうした東城王の振る舞いは, 既述の【史料10】武烈紀4(502)年是歳條にも認められる.

【史料10】武烈紀4(502)年是歳條
　　　是歳, 百濟・末多王無道, 暴虐百姓. 國人遂除, 而立嶋王, 是爲武寧王
　　　【『百濟新撰』云, 末多王無道, 暴虐百姓, 國人共除, 武寧王立, 諱斯麻
　　　王, 是琨支王子之子, 則末多王異母兄也. 琨支向倭, 時至筑紫島, 生
　　　斯麻王, 自島還送, 不至於京, 産於嶋, 故因名焉. 今各羅海中有主島,

王所産島, 故百濟人号爲主島. 今案, 嶋王是蓋鹵王之子也. 末多王,

是琨支王之子也, 此曰異母兄, 未詳也】.

これによれば東城王は「無道」で「百姓を暴虐」したため, 國人たちは東城王を廢して嶋王(武寧王)を擁立したという.【史料10】も濟紀同樣, 東城王の非道ぶりを傳えている. 田中俊明氏は, こうした記述には武寧王擁立派によって武寧王の卽位の正當性を示すために意圖的に傳えられたもので,「一抹の疑問」が殘ると指摘している[38]. こうした可能性は十分に想定されてもよかろう. 東城王の後に國人たちによって擁立された武寧王は,【史料10】のように昆支の子とされるものの, 一說には蓋鹵王の子と理解されており(雄略紀5(461)年4月條・武烈紀4(502)年是歳條), 文周王統系譜に連なる東城王とは出自を異にしていた.

それは, 對中國外交において文周王・東城王が從前の百濟王と異なり, 牟都(文周王)・牟大(東城王)と二字で表記し, 從來の百濟外交と異なっていたのに對して[39], 武寧王はそれ以前の百濟王が「毗」「慶」のように一字で表記した方法に從い,「(余)隆」としたこととも無關係ではあるまい. 對中國外交における表記の違いは, 武寧王系がそれ以前の文周王・三斤王・東城王とは異なっていたことを反映したものであろう.【史料12】『梁書』百濟傳には余隆(武寧王)が始めて梁と通交したことを傳えるが, その際, 前王である牟大との系譜關係は示されていない. ちなみに, 余隆の後の百濟王「明」は余隆の子として傳えられているから, 武寧王は對梁外交において前王である東城

---

38) 田中俊明, 2006, 前掲.
39) 坂元義種, 1978, 前掲書, 172頁.

王との系譜關係を具体的に伝えていなかった可能性があろう. それは武寧王と文周王・三斤王・東城王との王統系譜の相違を反映したものであった. こうしたことも東城王の廢位に關する上述の【史料10】など, 東城王の惡逆ぶりを伝える記事の成立とも關わっている可能性もあろう.

こうして東城王に次いで百濟王となった武寧王は, それまでの文周王・三斤王・東城王代とは異なる外交を展開した. 文周王・東城王とは王統系譜の異なる武寧王には, それまでとは違って新たな外交政策が期待されていたのであろう. その第一は, 東城王代に行われていた南齊に對する臣下たちの官爵号の除授要求が, 武寧王代には認められぬことである. もっとも武寧王自身の墓誌には梁から除授された寧東大將軍が記載されているから, 百濟國內における中國の官爵の權威はある程度重要性を持っていたはずである. だが, それ以前において行われていた臣下たちへの將軍号の除正要求が, 武寧王代より認められなくなったことは注目してよかろう. これは臣下たちの序列を中國王朝に依據する必要がなくなったという, 百濟王權の復興, 權威の擴大とも關連するのかもしれないが, それまでの東城王が依據した中國王朝の將軍号などとは別に, 百濟王權內部で百濟王權の論理によって臣下たちを序列化しようとした, 武寧王の新たな施策として注目したいとおもう.

その第二は, 對倭外交である. 上述の【史料28】武烈紀6(504)年10月條には武寧王代になって久しぶりに百濟が對倭外交を展開したことを伝えている. ちなみに【史料32】には

【史料32】武烈紀7(505)年夏4月條
　　　七年夏四月, 百濟王遣斯我君進調. 別表曰, 前進調使麻那者, 非百濟

國主之骨族也. 故謹遣斯我, 奉事於朝. 遂有子, 曰法師君. 是倭君之
先也.

　とあって, その翌年に, 前年に派遣した「麻那君」が王族ではなかったこと
から, 改めて王族と考えられる「斯我君」が倭に派遣されたとする. 非王族に
かえて, 王族を改めて派遣するといった處置がわざわざ採られたのは, 武
寧王が對倭外交を重視していたからであろう. ここに文周王・東城王の消
極的對倭外交とは異なる, 武寧王の對倭外交重視の姿勢が認められよう.
これは王族である昆支を派遣した蓋鹵王以來のことであり, 武寧王は文周
王以前の王統である蓋鹵王の對倭政策を意識し, 継承したのであろう. こ
こに文周王・東城王との相違, さらに蓋鹵王を意識した武寧王の對倭外交
が認められるのである.

　このように武寧王はそれ以前の文周王・東城王代とは異なる外交政策を
展開したのであり, これを武寧王代の新たな外交と評価してよかろう. こ
うして百濟は武寧王代に, それまでとは異なる新たに道を歩みはじめたの
である.

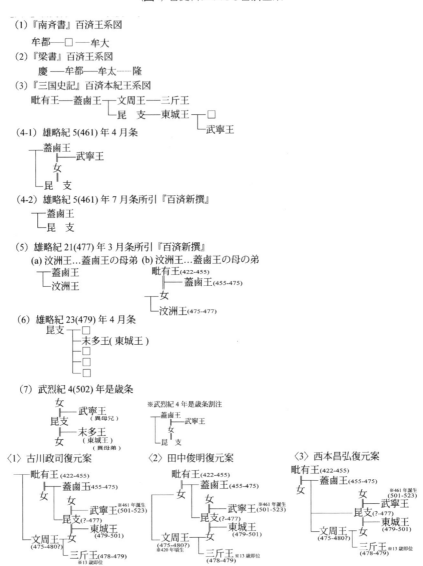

〈図1〉各史料にみえる百済王系

(1) 『南斉書』百済王系図

牟都—□—牟大

(2) 『梁書』百済王系図

慶—牟都—牟太……隆

(3) 『三国史記』百済本紀王系図

毗有王—蓋鹵王—文周王—三斤王
　　　　　　　昆　支—東城王—□
　　　　　　　　　　　　　武寧王

(4-1) 雄略紀5(461)年4月条

蓋鹵王—武寧王
　　女
昆　支

(4-2) 雄略紀5(461)年7月条所引『百済新撰』

蓋鹵王
昆　支

(5) 雄略紀21(477)年3月条所引『百済新撰』

(a) 汶洲王…蓋鹵王の母弟　(b) 汶洲王…蓋鹵王の母の弟

蓋鹵王　　　　　毗有王(422-455)—蓋鹵王(455-475)
汶洲王　　　　　　　　女
　　　　　　　　　　　汶洲王(475-477)

(6) 雄略紀23(479)年4月条

昆支—□
　　—末多王(東城王)
　　—□
　　—□
　　—□

(7) 武烈紀4(502)年是歳条

女—武寧王(異母兄)
昆支
女—末多王(東城王)(異母弟)

※武烈紀4年是歳条割注

蓋鹵王—武寧王
　　女
　　昆　支

〈1〉古川政司復元案

毗有王(422-455)
　　女—蓋鹵王(455-475)
　　　　女
　　　　　武寧王(501-523)　※461年誕生
昆支(?-477)
　　　　東城王(479-501)
文周王(475-480?)
　　　　三斤王(478-479)　※13歳即位

〈2〉田中俊明復元案

毗有王(422-455)
　　女—蓋鹵王(455-475)
　　　　女
　　　　　武寧王(501-523)　※461年誕生
昆支(?-477)
　　　　東城王(479-501)
文周王(475-480?)　※420年頃生
　　　　三斤王(478-479)　※13歳即位

〈3〉西本昌弘復元案

毗有王(422-455)
　　女—蓋鹵王(455-475)
　　　　　　　武寧王(501-523)　※461年誕生
昆支(?-477)
　　　女—東城王(479-501)
文周王(475-480?)
　　　　三斤王(478-479)　※13歳即位

『일본서기』로 본 5세기 후반~6세기 초 백제

―문주왕에서 동성왕까지 왕통 계보의 재검토를 중심으로―

이노우에 나오키 (교토부립대학)

번역 최영주 (전남문화재연구소)

Ⅰ. 시작하며

475년에 고구려군의 공격으로 백제 왕도인 한성은 함락되어 백제 개로왕은 고구려군에게 살해되고 백제는 멸망의 위기를 맞이한다. 이는 백제 역사상의 큰 사건으로『삼국사기』濟紀·개로왕 21년(475)에 상세히 기록되어 있고(이하 『삼국사기』는 생략하고 제기로 함),『일본서기』雄略紀(이하『일본서기』는 생략하고 웅략기로 함)에는 다음과 같이 기록되어 있다.

【史料1】雄略紀20(476)年是歲條

冬, 高麗王大發軍兵, 伐盡百濟. 爰有小許遺衆, 聚居倉下. 兵粮旣盡, 憂泣茲深. 於是, 高麗諸將, 言於王曰, 百濟心許非常, 臣每見之, 不覺自失, 恐更蔓生, 請逐除之. 王曰, 不可矣, 寡人聞, 百濟國者爲日本國之官家, 所由來遠久矣. 又其王入仕天皇, 四隣之所共識也, 遂止之.『百濟記』云, 蓋鹵王乙卯(475)年冬, 狛大軍來, 攻大城七日七夜, 王城降陷, 遂失尉礼, 國王及大

后, 王子等, 皆殁敵手】.

※【 】는 분주, 사료 중의 서력은 저자, 이하 같음. 0는 저자, 이하 같음.

이때 왕도의 함락과 백제왕의 죽음으로 인해 백제는 새로운 길을 걷게 된다. 해당 시기 백제의 동향은 제기에 상세하게 적혀 있지만, 『일본서기』에도 그 일단을 전하고 있다. 게다가 이 사료 속에는 제기에서는 인정되지 않는 독자적인 정보도 있으며, 해당 시기 백제 정세를 이해하는데 간과 할 수 없는 기사도 적지 않다. 오히려 해당 시기의 백제, 심지어는 백제와 왜와의 관계를 이해하는데 이 사료는 결코 경시되어서는 안되며, 향후에도 철저한 사료 비판을 하면서 적극적으로 활용해 나가야 한다.

이러한 관점의 작업이 지금까지 활발하게 이루어지고, 이를 통해 얻어진 결과에 의해 해당 시기 백제사와 백제·왜의 관계 연구는 비약적으로 발전했다. 이러한 연구 성과를 무시 할 수는 없지만, 5세기 후반~6세기 전반의 백제의 동향, 심지어는 백제·왜의 관계는 왜와 한반도 제국과의 복잡한 국제관계를 반영해서인지 아직도 연구자의 견해가 달라 정설이라고 할 수 있는 것이 많지 않아서 치밀한 사료 고증에 의거해서 해당 시기 백제, 백제·왜 관계는 앞으로도 계속해서 연구해 나갈 필요가 있다.

그 중에서도 연구자 사이에서 문제가 되고 있는 것이 개로왕에서 동성왕까지 백제의 왕통 계보이다. 해당 시기는 주지하는 바와 같이 【史料1】에 전해진 것처럼 475년 고구려의 공격에 의한 한성의 함락, 웅진으로의 천도, 그것을 계기로 백제가 전라도 방면으로 세력을 확대해 나가는 등 백제사를 이해하는데 매우 중요하다. 따라서 해당 시기의 백제 왕통 족보의 해명, 심지어 그것과 직간접적으로 관련된 왜 왕권과의 관계 규명은 소위 백제사 연구의 기초적인 작업에 속한다고 할 수 있다. 따라서 이러한 문제에 대해서는 지금까지 많은 연구자에 의해 연구되어 왔다[1]. 그러한 선행 연구 성과는 중요하여 간과할 수 없지만, 연구자의 견해들이 서로 다른 점이 많기에 여전히 정론이라고 부를 수 있는 것이 많지 않다.

이에 본고에서는 이러한 기존의 연구를 참조하고, 그들을 비판적으로 검증하면서『일본서기』문주왕에서 동성왕에 이르는 백제 왕통 계보 관계 기사를 중국 사료 · 제기 등과도 비교 검토하면서 논증하고, 해당 시기 백제 왕통 계보, 그리고 백제와 왜 왕권과의 관계에 대해서 고찰하여 5세기 말에서 6세기 초 백제의 역사적 전개과정을 연구하고자 한다.

Ⅱ. 문주왕 왕통 계보 사료의 재검토

【史料1】과 같이 개로왕은 고구려군에 의해 살해되어 이 후 문주왕이 백제왕이 되었다. 이 문주왕을 제기 · 문주왕 즉위 조를 보면

---

1) 津田左右吉, 1963,「百濟の王室の系譜及び王位の継承に關する日本書記の記載」,『津田左右吉全集』2 ; [初出]1921,「百濟に關する日本書記の記載」,『滿鮮地理歷史研究報告』8 ; 千寬于, 1978,「三韓의 國家形成(下)」,『韓國學報』5 ; 笠井倭人, 2000,「中國史書における百濟王統系譜」,『古代の日朝關係と日本書記』, 吉川弘文館 ; [初出]1975,『日本書記研究』8 ; 古川政司, 1977,「百濟王統譜の一考察—5世紀後半の王統譜の復元—」,『日本史論叢』7 ; 古川政司, 1981,「5世紀後半の百濟政權と倭—東城王卽位事情を中心として—」,『立命館文學』7 · 8 ; 李基東, 1996,「百濟王室 交代論에 대하여」,『百濟史研究』一潮閣 ; [初出]1981,『百濟研究』12 ; 田中俊明, 2006,「百濟文周王系の登場と武寧王」,『有光敎一先生白壽記念論叢高麗美術館研究紀要』5 ; 李道學, 2010,「한성말 · 웅진성 도읍기 백제 왕계의 검토」,『백제 한성 · 웅진성 시대 연구』, 일지사.

【史料2】濟紀·文周王卽位年條

    文周王【或蝦洲】蓋鹵王之子也. 初毗有王薨. 蓋鹵嗣位. 文周輔之. 位至上佐

    平, 蓋鹵在位二十一(475)年, 高句麗來侵圍漢城, 蓋鹵嬰城, 自固使文周求

    救於新羅, 得兵一萬迴, 麗兵雖退城破王死, 遂卽位.

개로왕의 아들이라고 한다. 그러나『일본서기』웅략기 21(477)년 시세조에는

【史料3】雄略紀21(477)年3月條

    春三月, 天皇聞百濟爲高麗所破, 以久麻那利賜汶洲王, 救興其國. 時人皆

    云, 百濟國, 雖屬旣亡, 聚憂倉下, 實賴於天皇, 更造其國【汶洲王蓋鹵王母

    弟也.『日本旧記』云, 以久麻那利, 賜末多王. 蓋是誤也. 久麻那利者, 任那

    國下哆呼唎縣之別邑也】.

「천황」이 문주왕에게 「久麻那利」의 땅을 주고 백제를 복건시켰다고 전한다.
물론 이것은 「천황」이 한반도를 지배한다는 이념으로 기록되어 있기 때문에,
「천황」이 「久麻那利」를 주고 백제 왕권을 복건시킨 것이 아니다. 실제로 백제
가 그 자체로 위기 상황에서 왕권의 재건을 도모한 것으로 이해해야 한다.

    그런데【史料3】에 의하면, 백제의 복건은 477년의 것으로 되어 있어【史料2】
에 기록된 475년에 문주왕이 즉위 한 것과 다르다. 타나카 토시아키씨는【史料
3】중 가로 안의 년을 중시하고 개로왕의 살해와 후계자의 부재라는 상황에서
왕족의 장로였던 문주왕이 즉위하는데 어느 정도의 시간이 필요했다고 추정
한다[2]. 이 문제는 문주왕이 당시 백제 왕족 중에서 어떠한 입장에 있었는지 하

---

2) 田中俊明, 2006, 앞의 논문.

는 문제와도 관련되는 것으로, 이는 나중에 자세히 설명하기로 하고, 일단 다나카씨처럼 백제의 일시적인 멸망이라는 상황에서 다음 왕의 즉위에 어느 정도의 시간이 필요로 했다고 해석하고 싶다.

이렇게 이해하고 다시 문주왕의 왕통 계보를 연구하는데 주목되는 것은【史料3】의 분주에서 인정되는「汶洲王 蓋鹵王母弟也」라는 기술이다. 이 경우「母弟」을「어머니의 동생」으로 보는 견해와「同母의 동생」으로 보는 견해가 제기되고 있으며, 다음에서 설명하겠지만, 어쨌든 문주왕을 개로왕의 아들로 보는【史料2】와는 왕통 계보가 다르다.

그리고【史料4】제기·삼근왕 즉위 조에는

【史料4】濟紀·三斤王卽位條

　　三斤王【或云壬乞】文周王之長子. 王薨継位, 年十三歳.

문주왕에 이어 문주왕의 장자로 불과 13세의 삼근왕이 즉위했다고 한다. 반면【史料5】웅략기에는

【史料5】雄略紀23(479)年條

　　廿三(479)年夏四月, 百濟文斤王薨.

479년에 문근왕이 훙거한 것만을 전하고 즉위에 대한 기술은 없다. 또한 이 삼근왕에 이어서 동성왕에 대한 제기는

【史料6】濟紀·東城王卽位條

　　東城王, 諱牟大【或作摩牟】文周王弟昆支之子. 膽力過人, 善射百發百中. 三

斤王薨卽位.

문주왕의 동생인 곤지의 아들로 되어 있다. 반면 웅략기 23(479)년 조는

【史料7】雄略紀23(479)年4月條
　　夏四月, 百濟文斤王薨. 天王, 以昆支王五子中, 第二末多王, 幼年聰明, 勅
　　喚內裏. 親撫頭面, 誡勅慇懃, 使王其國. 仍賜兵器, 幷遣筑紫國軍士五百
　　人, 衛送於國, 是爲東城王.

말다왕(동성왕)이 곤지의 둘째 아들이며, 어려서 총명했기 때문에 「천황」에
의해 백제왕에 책봉되어 「筑紫國軍五百人」의 호위를 받으며 귀국해서 백제왕
이 되었다고 한다. 이 곤지는 웅략기 5(461)년 7월조에

【史料8】雄略紀5(461)年7月條
　　『百濟新撰』云, 辛丑(461)年, 蓋鹵王遣弟昆支君, 向大倭, 侍天王. 以脩兄
　　王之好也.

461년 왜에 「質」로서 파견된 개로왕의 동생이었다. 웅략기에는 동성왕이 지
금까지 왜에 체재하면서 문근왕의 훙거를 듣고, 왜의 뜻에 따라 백제왕이 되
고 본국으로 호송된다는 것이다.
　또한 동성왕을 덮친 무령왕에 대해서 제기는

【史料9】濟紀 · 武寧王卽位條
　　武寧王, 諱斯摩【或云隆】, 牟大王之第二子也, ……牟大在位二十三年薨,

即位.

501년 동성왕의 죽음을 통해 즉위했지만, 그는 모대왕(동성왕)의 둘째 아들이었다고 한다. 반면 무열기에는

【史料10】武烈紀4(502)年是歲條

是歲, 百濟末多王無道, 暴虐百姓, 而立嶋王, 是爲武寧王【『百濟新撰』云, 末多王無道, 暴虐百姓, 國人共除, 武寧王立, 是琨支王之子, 則末多王異母兄也. 琨支向倭, 時至筑紫嶋, 生斯麻王, 自嶋還送, 不至於京, 産於嶋, 故因名焉. 今各羅海中有主嶋, 王所産嶋, 故百濟人号爲主嶋. 今案, 嶋王是蓋鹵王之子也, 末多王, 是琨支王之子, 此曰異母兄, 未詳也】.

분주의 『백제신찬』에는 무령왕을 곤지의 아들인 말다왕(동성왕)의 이복형으로, 반면 무열기 편자는 개로왕의 아들로서 이복형인 것에 의문을 제기하고 있다. 어느 쪽으로도 동성왕의 아들로 보는 제기와 다르다.

따라서 개로왕에서 무령왕까지의 왕통 계보는 『일본서기』·『백제신찬』, 제기에서 각각 다르기 때문이다. 그래서 이것을 어떻게 정합적으로 이해할지가 문제가 되지만, 이 때 주목되는 것이 해당 시기 백제 왕통 계보를 전하는 세 번째 사료, 즉 중국 사료이다.

【史料11】『南齊書』百濟伝

使兼謁者僕射孫副策命大, 襲亡祖父牟都爲百濟王. 曰, 於戱……制詔行都督百濟諸軍事, 鎭東大將軍 · 百濟王牟大今以大襲祖父牟都爲百濟王…….

【史料12】『梁書』百濟伝

　　　……余映死, 立子慶. 慶死, 子牟都立. 都死, 立子牟太. 齊永明中, 除太都
　　　督百濟諸軍事 · 鎭東大將軍 · 百濟王. 天監元(502)年, 進太号征東將軍.
　　　……普通二(521)年, 王余隆始復遣使奉表, ……五(524)年, 隆死, 詔復以
　　　其子明爲持節 · 督百濟諸軍事 · 綏東將軍 · 百濟王.

【史料13】『南史』濟本紀 · 建元2(480)年條

　　　〔建元〕二(480)年……三月, 百濟國遣使朝貢, 以其王牟都爲鎭東大將軍.

【史料14】『南史』濟本紀 · 永明8(490)年條

　　　〔永明〕八(490)年春正月……丁巳, 以行百濟王泰爲鎭東大將軍 · 百濟王.

【史料15】『南史』百濟伝

　　　慶死, 立子牟都. 都死, 立子牟大. 濟永明中, 除大都督百濟諸軍事 · 鎭東
　　　大將軍, 百濟王. ……普通二(521)年, 王余隆始遣使奉表, 称累破高麗, 今
　　　始与通交, 百濟更爲强國. ……五(524)年, 隆死, 詔復以其子明爲持節 ·
　　　督百濟諸軍事 · 綏東將軍 · 百濟王.

【史料16】『册府元龜』卷963三 · 外臣部 · 封册1 · 建元2(480)年條

　　　〔建元〕2(480)年三月, 百濟王牟都遣使貢獻. 詔曰, 宝命惟新, 澤波〔被〕被
　　　絶域, 牟都, 世藩東表, 守職遐外, 可授使持節 · 都督百濟諸軍事 · 鎭東大
　　　將軍. *〔〕は著者. 以下, 同樣

【史料17】『册府元龜』卷968三 · 外臣部 · 朝貢1 · 建元2(480)年條

〔建元〕2(480)年三月, 百濟王牟都遺使貢獻.

【史料18】『册府元龜』卷963·外臣部·封册1·永明8(490)年條

〔永明〕8(490)年正月, 百濟王牟太, 遣使上表, 遣謁者僕射孫副策命太〔大〕,
龍〔襲〕亡祖父牟都爲百濟王, 曰, 於戲……詔行都督百濟諸軍事·鎭東大
將軍·百濟王, 今以世襲祖父牟都爲百濟王….

백제 왕통 계보에 대해 체계적으로 기록한 【史料12】『양서』 백제전과 【史料
15】『남사』 백제전은 모두 慶-牟都-牟大(牟太), 그리고 余隆-明을 부자 관계로
나타내고 있어 왕위 계승이 부자지간에서 일어난 것처럼 전한다. 이런 가운데,
굳이 余隆을 牟大와 부자관계로 하지 않는 것은 백제에서 소개된 어떠한 정보
에 기초하여 牟大와 余隆이 부자관계가 아니라고 이해했기 때문일 것이다. 이
는 무령왕의 왕통 계보를 이해하는데 중요하지만, 이것은 후술하고 우선 慶
이후의 왕인 牟都·牟大의 관계를 보고자 한다.

慶이 개로왕에 해당하는 것에 이론은 없기 때문에 문제는 이후 牟都와 牟大
이다. 앞서 언급했듯이 【史料12】, 【史料15】에서는 부자관계이지만, 중요한 것
은 선학이 지적한대로, 【史料11】과 【史料18】이다. 【史料11】은 『남제서』 백제전
의 부재로 연대가 불명이지만, 【史料18】보다 永明 8(490)년의 것으로 판명된
다. 이에 따르면, 백제왕 牟大는 돌아가신 할아버지인 牟都의 관작호를 제수를
받는데, 牟都와 牟大가 할아버지-손자 관계였다고 보인다. 이것은 이미 지적
된 바와 같이3), 아마도 백제의 보고에 근거한 것이다. 따라서 해당 시기 백제

---

3) 坂元義種, 1978,『百濟史の研究』, 塙書房, 166쪽 ; 田中俊明, 2006, 앞의 논문.

의 왕통 계보를 보여주는 확실한 것으로 이해되며, 이것을 연구하는데 기준으로 삼아야 것이다[4].

이렇게 이해한 후 다음 과제가 될 것은 牟都, 牟大가 제기 및 『일본서기』에서 보이는 어떤 백제왕에 비정 할 수 있는가 라는 것이다.【史料6】은 동성왕의 시호를 牟大로, 동성왕을 牟大로 한다.【史料18】에 보이는 490년 동성왕의 재위 중으로 牟大를 동성왕으로 생각하는 것이 좋을 것이다[5].

문제는 牟都이다. 현재 제기의 왕통 계보에 따르면, 동성왕의 할아버지는 개로왕이 되지만, 개로왕이 慶에 비정되는 이상 牟都로 이해 할 수는 없다. 그런 것도 있고 제기·동성왕의 훙거 후 분주 말미에는

【史料19】濟紀·東城王23(501)年條

  而『三韓古記』無牟都爲王之事. 又按牟大蓋鹵王之孫, 蓋鹵第二子昆支之

  子, 不言其祖牟都. 則『齊書』所載不可不疑.

라고 기록되어 『삼한고기』에 牟都에 관한 기술이 없는 것, 牟大는 개로왕의 손자인 것, 그의 할아버지가 牟都가 아닌 것으로부터, 『남제서』의 기재에 대해 의심을 할 수밖에 없다고 지적하고 있다. 제기 편자들은 牟大를 동성왕에 비정

---

4) 古川政司, 1977, 앞의 논문 ; 1987, 앞의논문 ; 田中俊明, 2006, 앞의 논문 ; 李基東, 1996, 앞의 논문, 158~159쪽 ; 李道學, 2010, 앞의 논문은 당해 시기의 백제 왕통 계보에 대해서 검토를 추가했지만, 『남제서』과 백제전의 모도·모대의 조부·손 관계에 대해서 고려되지 않고 있는데, 따라서 그 견해에 따르지 않는다.

5) 李基東, 1996, 앞의 논문 ; 坂元義種, 1978, 앞의 논문, 166쪽 ; 田中俊明, 2006, 앞의 논문 ; 笠井倭人, 2000, 앞의 논문, 101쪽은 牟都의 음이 汶洲에 가깝기 때문에 牟都=文周王으로 이해했다. 津田左右吉, 1963, 앞의 논문은 牟都를 汶洲王(文周王), 牟大를 末多王(東城王)으로 해석하지만,【史料17】의 牟都는 牟大의 오인한 것이다.

하면서도, 그 할아버지인 牟都에 대해서는 특정 백제왕에 비정하지 않고, 중국 史料보다『삼한고기』등 국내 사료를 중시 한 것이다.

하지만【史料11】,【史料18】을 보면 백제왕인 牟大(동성왕)는 스스로 牟都의 손자로 보고, 남제에 보고하고 있기 때문에 그것을 부정 할 수 없다. 아마도 동성왕 사후 어느 시기에 그러한 왕통 계보가 망각되고 그러면서 牟都의 존재도 손실되고 동성왕은 개로왕의 손자로 이해 된 것이다.『삼한고기』의 전승을 중시하는 현행 제기의 백제 왕통 계보에는 牟都에 해당하는 왕이 존재하지 않게 되는데[6], 군이 현행 제기 속에서 생각한다면, 그것은 문주왕, 또는 삼근왕 밖에 없다. 그러나 삼근왕이 불과 13세에 즉위한 점 등을 감안하면 이미 지적한 것처럼[7], 그것은 문주왕 밖에 없다. 이 경우 牟都(문주왕)와 동성왕은 할아버지-손자 관계가 되지만, 그것은 문주왕을 개로왕의 아들로, 한편 牟大인 동성왕의 숙부로 본 현행의 백제본기는 물론, 개로왕의「母弟」로 하는【史料3】의 웅략기 21(477)년 조에도 모순된다. 그래서 이 문제를 해결하기 위해 제안된 것이 곤지를 문주왕의 사위로 생각하는 것이다. 이렇게 하면 문주왕은 동성왕의 외조부가 되고,『양서』의 왕통 계보와 곤지의 아들을 동성왕으로 보는『일본서기』와 제기의 이해와도 일단 합치된다.

이러한 왕통 계보를 먼저 상정한 것은 후루카와 세이지씨이고, 한층 더 그것을 개정 발전시킨 것이 타나카 토시아키씨이다[8]. 이렇게 복원된 논문 말미의【図1】의 <1> 후루카와 세이지 복원안, <2> 타나카 토시아키 복원안이다. 이 두 복원안은 문주왕-곤지-동성왕의 계보에 관해서는 기본적으로 같고, 현 단

---

6) 坂元義種, 1978, 앞의 논문, 169쪽.
7) 田中俊明, 2006, 앞의 논문.
8) 古川政司, 1977, 앞의 논문 ; 1981, 앞의 논문 ; 田中俊明, 2006, 앞의 논문.

계에서는 이렇게 이해하는 것이 가장 타당하다고 생각된다.

　그러나 이 두 복원안은 문주왕의 이해에 대해 큰 차이가 있다. 그것은 <1> 후루카와 세이지 복원안에서는 문주왕을 비유왕의 동생으로 보는 반면, <2> 타나카 토시아키 복원안에서는 문주왕을 개로왕 어머니의 동생으로 보는 것이다. 그래서 다음으로 다시 그 점에 대해서 고찰하고자 한다.

Ⅲ. 문주왕 왕통 계보 재고

　후루카와씨가 문주왕을 毗有王의 동생으로 보는 것은【史料3】의 분주「汝洲王 蓋鹵王母弟也」의「개로왕」이 본래 들어가지 않고 나중에 삽입될 가능성이 높다고 생각되는 것을 전제로 하고 있다. 즉 후루카와씨는 상기 기사는【史料8】뿐만 아니라 분주 부분도『백제신찬』이였을 가능성이 높다고 추정한다. 그 위에 웅략기 2(458)년 7월조에는

【史料20】雄略紀2(458)年7月條

　　『百濟新撰』云, 己巳年蓋鹵王立. 天皇遣阿礼奴跪, 來索女郎. 百濟莊飾慕

　　尼夫人女, 曰適稽女郎, 貢進於天皇.

　위의 기사에 주목한다. 여기에 보이는 己巳년은 429년으로 생각할 수 있는데, 개로왕의 재위년이 아니라 비유왕 2년에 해당하기 때문에 웅략기에서는『서기』편자에 의해 의도적으로「毗有王立」이「蓋鹵王立」으로 개편 된 것으로 보인다. 이러한 사례에서 후루카와씨는 웅략기 편자들이 비유왕의 존재를 인

정하지 않고 의도적으로 「毗有王」을 「蓋鹵王」으로 수정했다고 가정하고, 그렇다면 【史料3】의 분주 부분도 원래 「汶洲王 毗有王母弟也」였지만, 웅략기 편자들에 의해 「汶洲王 蓋鹵王母弟也」이라고 수정된 것으로 이해했다. 그 결과 문주왕은 개로왕의 동생이 아니라 비유왕의 동생이었다고 해석 하는 것이다9).

이에 대해 타나카 토시아키씨는 개로왕이 문주왕보다 젊었을 가능성이 있는 것으로 「蓋鹵王母弟也」의 「母弟」를 「同母弟」로 이해하고 「汶洲王은 蓋鹵王의 弟」라고 하는 종래의 해석과 달리 『일본서기』 웅략기 21년 3월조 두주처럼10) 「汶洲王은 蓋鹵王의 母의 弟」라고 이해한다. 汶洲王(文周王)은 개로왕의 삼촌에 해당한다는 생각이다.

이제 두 가지 중 어느 쪽이 합리적으로 해석 할 수 있는 것일까. 모두 설득력이 풍부한 견해로 쉽게 결론이 나기는 어렵다. 단, 후루카와 복원안은 몇 가지 문제가 있다. 첫째는 후루카와씨 자신도 지적 하듯이, 이해의 전제가 되는 【史料3】의 분주는 가정한 비유왕 이 아니라 개로왕이라는 것이다. 즉 후루카와안은 【史料3】의 분주를 어디까지나 비유왕으로 이해한 후에 성립하기 때문이다. 하지만 실제 사료는 개로왕이며, 해당 부분을 확실하게 개작한 것을 나타내는 史料는 실존하지 않는 것이다. 그러므로 후루카와씨 자신도 문주왕이 개로왕의 동생이었을 가능성도 있다는 것을 동시에 지적하고 있는 것이다11). 이처럼 사료의 개작을 상정해야 하는 것 이외에 그 변조를 구체적으로 보여주는 사료가 존재하지 않는 것이 후루카와 복원안의 문제이다.

---

9) 古川政司, 1977, 앞의 논문 ; 1981, 앞의 논문.

10) 日本古典文學大系, 1967, 『日本書紀』 上, 岩波書店, 497쪽, 두주 18.

11) 古川政司, 1977, 앞의 논문. 그 후에 발표했던 古川政司, 1981, 앞의 논문에서는 문주왕을 개로왕의 동생으로 볼 가능성에 대해서는 전혀 언급하지 않고, 웅략기 21년 3월조의 분주에는 본래 「汶洲王 毗有王母弟也」이었다고 단언하고 있다.

두 번째 문제는 비유왕과 문주왕이 형제이면서, 이름의 표기가 각각 다르다. 즉 毗有王이 이름의 일부에 「여」를 붙이는 이른바 백제왕의 전통적인 표기인 반면, 牟都王의 그것은 「여」를 칭하지 않는 것은 대중 외교에도 인정되는 것이다. 이러한 표기의 차이는 경시 할 수 없다고 생각된다[12]. 후루카와씨는 牟都(汶洲王)을 이해하는데 있어서 『남제서』의 백제왕족의 余씨 성에서 牟씨 성으로의 변화에 주목한다. 즉 비류왕은 「余毗」, 개로왕은 「余慶」과 같이 余씨 성인데 반해, 문주왕 이후에는 牟都, 牟大로 「牟都王은 475年 이전의 왕족 「余」씨와, 자신의 혈맥을 의식적으로 구별해야하는 이유를 가지고 있다」고 주장하고 있다. 즉, 牟都王인 문주왕은 비유왕-개로왕으로 이어지는 왕통 계보와는 다르다고 지적하고 있는 것이다.

그러나 후루카와 복원안에서 문주왕을 비류왕 「同母弟」으로 이해하고 있다. 그렇다면 당연히 형인 비류왕과 같은 「余都」가 되어야 하는 것이다. 그러나 문주왕을 그것과는 다른 牟都로 해석하는 것이며, 여기에 문제가 있다. 원래 【史料3】에서는 汶洲王을 개로왕의 「母弟」으로, 【史料8】에서는 곤지를 개로왕의

---

12) 李基東, 1996, 앞의 논문은 『梁職貢図』에 牟大를 「余太」로 하는 것, 502년 동성왕의 관작 추진 중에 동성왕이 「余太」로 되어 있는 것, 『三國遺事』에는 동성왕의 다른 이름을 「余大」로 하는 것, 『宋書』 백제전의 「余都」가 문주왕에 해당한다고 생각되는 것에서 「牟大」, 「牟都」는 본래, 「余大」이었다고 하고, 개로왕과 문주왕 이후 왕통의 변화를 부정한다. 『宋書』 백제전의 「余都」는 문주왕에 해당하는지는 후술하는 것처럼 이론이 있어 향후 검토가 필요하지만, 『梁職貢図』나 『梁書』의 기술에서 牟都나 牟大가 「余都」나 「余大」이었다고 하는 것은 문제이다. 왜냐하면 그들은 모두 남제 이후의 양대의 정보에 근거해서 「牟都」, 「牟大」를 백제 왕성인 「余」를 붙여 「余都」, 「余大」로 고쳤을 가능성이 있기 때문이다. 『南齊書』 백제전 등에 의하면, 남제 당시, 그들은 어디까지나 「牟都」, 「牟大」로 칭했으며, 그것을 「余都」, 「余大」이었다고 이해하기 위해서는 동일한 남제대의 연보에 의해 검토되어야 한다. 하지만 그러한 사료는 남제대에는 보이지 않고, 양대 이후이다. 따라서 전술한 것처럼 수정될 가능성이 있고, 이러한 관점에서 보면 李基東씨의 이해를 바로 수긍 할 수는 없다.

「弟」로 표기가 다르다. 후루카와씨는 「이것은 별로 중요하지 않다」고 하지만, 같은 「弟」라면 왜 이렇게 표기가 다른 것일까. 일부러 「母弟」로 표기 한 것은 단순한 왕 「弟」와는 다르기 때문이 아닐까. 이것은 「母弟」를 왕의 동생으로 이해하고, 비유왕의 동생으로 이해하는 것의 어려움을 나타내고 있는 것은 아닐까.

반면 이를 「개로왕의 어머니의 동생」이라고 이해하면, 적어도 위와 같은 문제는 발생하지 않는다. 오히려 「개로왕의 어머니의 동생」이기 때문에 「余」씨 성이 아니라 「牟都」로 이해할 수 있는 것이 아닐까. 후루카와씨의 지적처럼 왕성의 일시적인 변경이 인정된다고 하면, 지금까지의 백제왕이 전통적으로 인정되어져 온 「余」를 굳이 칭하지 않고, 그것과는 다른 「牟都」로 칭한 汶洲王(文周王)의 즉위야 말로 그러한 사태를 이해하기에 적합한 것이 아닌가 싶다[13].

또한 이와 같이 해석하는 것은 개로왕 통치 하에 있어서 왕의 동생 곤지의 지위 높이와 그에 비해 牟都王 지위의 낮음에 대해 더욱 명확하게 이해할 수 있는 것은 아닐까 한다. 이것은 이미 타나카 토시아키씨가 지적하고 있는 것이지만[14], 『송서』 백제전에서는

---

13) 西本昌弘, 2013, 「倭王彌(珍)と仁德天皇」, 『史泉』 118에서는 문주왕을 개로왕 · 곤지의 동생으로 지적하고, 문주왕의 여자가 숙부인 곤지에게 시집가서 동성왕이 태어났다고 해석한다([図1]〈3〉西本昌弘復元案). 니시모토 복원안은 상세하게 논의되고 있지 않지만, 세 번째 복원안으로 이해 할수 있을 것이다. 하지만 형제이어야 할 개로왕은 余를 넣어 余慶이라 한 것, 동생인 문주왕은 牟를 넣어 牟都로 표기되는 것 등에서 본문에서 논한 바와 같이 개로왕과 문주왕을 형제로 이해하는 것에 일단 주저하지 않을 수 없다. 또한 니시모토안에서는 곤지는 동생인 문주왕의 여자와 혼인하게 되어 버린다. 조선 고대에 있어 이러한 근친혼이 없었던 것은 아니지만, 곤지가 문주왕의 여자와 결혼하는 것도 부자연스럽다고 생각된다. 이에 따라 일단 니시모토 복원안과 같은 가능성도 없지 않겠지만, 현실적으로는 그러한 설정이 곤란하다고 생각하고 싶다.
14) 田中俊明, 2006, 앞의 논문.

【史料21】『宋書』百濟伝

〔大明〕二(458)年, 慶遣使上表曰：「臣國累葉, 偏受殊恩, 文武良輔, 世蒙
朝爵. 行冠軍將軍右賢王余紀等十一人, 忠勤宜在顯進, 伏願垂愍, 並聽賜
除」. 仍以行冠軍將軍右賢王余紀爲冠軍將軍, 以行征虜將軍左賢王余昆,
行征虜將軍余暈並爲征虜將軍, 以行輔國將軍余都, 余乂並爲輔國將軍,
以行龍驤將軍沐衿, 余爵並爲龍驤將軍, 以行寧朔將軍余流, 麋貴並爲寧
朔將軍, 以行建武將軍于西, 余婁並爲建武將軍.

左賢王余昆가 보이는데 이것이 곤지에 해당한다고 생각된다[15]. 그렇다면
곤지는 왕에 이어 左賢王으로 매우 높은 지위였다. 牟都는 여기에 존재하지
않는다고 하는 견해[16]와 余都에 해당한다고 생각하는 설이 있지만[17], 가령 余
都에 비정한다 해도 그 지위는 余昆에 미치지 못한다. 또한 여기에 등장하지
않는다고 하면, 余昆에 대한 牟都 지위의 낮음이 좀 더 분명하게 될 것이다[18].
따라서 어느 견해에서 봐도 왕제인 곤지는 牟都보다 높은 지위에 있었다는 것
을 알 수 있다. 그것은 왕제인 곤지와 왕모의 동생인 牟都는 백제 왕권내 양자
의 위상 을 반영한 것으로 이해할 수 있을 것이다. 이러한 것으로 부터도 일단
汶洲王(文周王)을 개로왕 어머니의 동생으로 이해하고 싶다.

---

15) 坂元義種, 1978, 앞의 책, 154~155쪽 ; 古川政司, 1977, 앞의 논문 ; 李基東, 1996, 앞의
  논문, 141쪽 ; 田中俊明, 2006, 앞의 논문.
16) 古川政司, 1977, 앞의 논문.
17) 李基東, 1996, 앞의 논문, 156쪽 ; 田中俊明, 2006, 앞의 논문.
18) 李基東, 1996, 앞의 논문, 158쪽은【史料21】과『宋書』職官志에 보이는 장군호의 서열릉
  차이점이 있다. 그러므로【史料21】의 서열도 착오가 있다. 만일 그렇다 할지라도 余昆
  이 左賢王인 반면, 李基東씨가 문주왕에 해당한다는 余都는 左賢王도 右賢王도 아니
  고, 역시 余昆 쪽이 상위에 있었다고 보아야 한다.

하지만 이렇게 해석해도 또한 문주왕과 곤지가 형제라는 기술과는 모순되고, 또한 문제는 해소 되지 않는다. 이 중「汶洲王은 개로왕 어머니의 동생이 된다」라고 해석하면, 개로왕과 문주왕은 형제가 되지 않기 때문에 개로왕의 동생인 곤지와 汶洲王도 형제가 아니다. 하지만 문제는 제기이다. 제기에서는【史料6】과 같이 동성왕을「문주왕의 동생 곤지의 아들」로 하고, 문주왕과 곤지가 형제였다고 한다. 하지만『남제서』또는『册府元龜』의 기사 등에서 알 수 있듯이 牟都(문주왕)와 牟大(동성왕)는 할아버지-손자 관계이기 때문에 해당 시기의 왕통 계보와 제기의 그것과는 원래 합치 될 수 없다.『남제서』의 왕통 계보가 옳다고 한다면 제기의 그것은 잘못 전해진 것이다. 그럼 왜 제기와 같은 왕통 계보가 성립되어 버린 것일까.

원래 국내 계통 사료에는『남제서』백제전 등에 전해진 牟都-□-牟大와 같은 할아버지에서 손자로 왕위가 알려 졌다고 하는 왕통 계보에 관한 사료 · 전승은 백제 멸망 등에 의해 손실되어 그 기억도 망각되고 개로왕에서 동성왕까지의 왕통 계보는 불확실한 것이 되는 것이다.『남제서』와 다른 사료와의 왕통 계보의 불일치는 그러한 것에 기인하는 것이다.

하지만 여기서 간과 할 수 없는 것은 사카모토씨가 해당 시기 백제 왕통 계보를 이해하는데 있어서「충분히 주목해서 좋은 것이 아닌가」라고 논했던[19] 제기와『백제신찬』에 인정되는 왕통 계보와의 공통점이다. 사카모토씨는 이에 대해 그 이상 詳論하고 있지 않지만, 이 지적은 해당 시기의 백제 왕통 계보를 이해하는데 있어서 경시 할 수 없다고 생각한다.

그래서 다시 이것을 단서로서 백제의 왕통 계보를 생각해 보자.【史料6】의

---

19) 坂元義種, 1978, 앞의 책.

제기 및 【史料7】, 【史料8】의 웅략기에 보이는 것처럼 ①곤지는 왕의 동생, ②곤지의 아들은 백제왕(동성왕, 末多王)이라는 왕통 계보는 양자에 공통으로 인정된다. 【史料7】은『백제신찬』을 원 사료라고 생각하며[20], 그렇다면 그것은 옛부터 전해지는 것이다. 무엇보다『백제신찬』은 곤지가 개로왕의 동생이었다고 하는 반면, 제기는 곤지를 문주왕의 동생으로, 엄밀히 말하면 이 둘은 서로 다르다. 제기 및 웅략기에 전해진 왕통 계보에는 공통점도 있지만 차이점도 존재한다. 그렇다면 웅략기와 제기의 이러한 공통점과 차이점은 어떻게 이해 될 수 있을까. 그래서 먼저 곤지가 개로왕의 동생이라는 왕통 계보부터 생각해 보자.

상술한 바와 같이 곤지가 개로왕의 동생이며, 그 아들이 백제왕이 된다는 왕통 계보는 꽤 오래전부터 존재했다고 보인다. 즉 【史料3】의 분주에는 「汶洲王蓋鹵王母弟也.『日本旧記』云, 以久麻那利, 賜末多王. 蓋是誤也」라고 기술되고 있어, 이에 따르면『日本旧記』에는 개로왕의 그 다음 말다왕이 백제왕이 되었다고 적혀 있다. 이 경우 말다왕은 개로왕의 아들이었다고도 상정 할 수 있지만, 웅략기에 종종 인정되는 것과 같이 말다왕이 곤지의 아들로 전해질 가능성도 있다. 즉『日本旧記』는 개로왕에 이어 백제왕을 곤지의 아들인 말다왕으로 할 가능성이 높다. 곤지의 아들인 말다왕이 개로왕에 이어 백제왕이 되었다라고 하는 왕통 계보를 상정한 경우, 그것은 개로왕과 곤지를 형제로, 곤지의 아들인 말다왕이 백제왕이 되었다고 이해하는 것이 가장 합리적 일 것이다. 즉『日本旧記』가 언제 편찬된 것인지 알 수 없지만, 【史料3】의『日本旧記』는 곤지가 왕의 동생이며, 그 아들이 왕위에 즉위했다는 왕통 계보가 옛부터

---

20) 古川政司, 1977, 앞의 논문.

존재 하고 있었다는 것을 보여주는 동시에 곤지의 형이 개로왕이었다는 것을 일찍부터 인정하고 있었다는 것을 전하고 있다[21].

그런데【史料3】의 분주에「蓋是誤也」라고 기록되어 있듯이, 백제에서 가져온 정보 등을 통해 그 후그러한 이해가 오류임을 알 수 있었다. 그것을 받아 웅략기의 편자들은『日本旧記』의 전해진 개로왕에서 말다왕으로 이어지는 왕통계보를【史料3】의 분주처럼 개로왕-汶洲王으로 이어지는 계보를 수정한 것이다[22].【史料3】의「汶洲王,蓋鹵王母弟也」를 기술한 바와 같이『백제신찬』이라고 하면 그것은『백제신찬』에 의거 수정했다. 따라서 개로왕에 이어 백제왕이되었던 汶洲王을 설명하기 위해 분주에서 汶洲王이「蓋鹵王母弟」으로 표기하게된 것이다. 이렇게 개로왕 이후 汶洲王이 즉위하는 것이 웅략기에 채용 된 것이다.

하지만 분명히 언급한 汶洲王의 왕통 계보에는 이 후, 문주왕에 이어 문근왕이 즉위하는 것도 동시에 전하고 있던 것 같다. 왜냐하면【史料7】은 말다왕의 즉위에 앞서 문주왕 이후에 백제왕이 문근왕의 훙거를 전하고 있기 때문이다. 말다왕 즉위에 앞서 문주왕을 삽입한 웅략기의 편집자들이 문주왕에 이어 즉시 말다왕의 즉위를 전하지 않았던 것은 참조한 史料에 문주왕-문근왕으로 이어지는 왕통 계보가 존재했고, 그것을 무시할 수 없었기 때문일 것이다.

---

21)『日本旧記』에는 개로왕-말다왕이라는 계보만 전해져서 곤지에 대한 기술이 없을 가능성도 있다(古川政司, 1977, 앞의 논문). 그렇다면 갑자기 등장하는 말다왕에 대한 설명이 있으면 좋겠으나 보이지 않는다. 분주에 거기까지 쓸 필요도 없었다고 할 수도 있지만, 그러한 것이 전해지지 않았던 것은 말다왕이 곤지의 아들이며, 곤지가 이미 개로왕의 동생이라는 웅략기 5년조를 듣고 있는 것이라 추정한다. 사료가 단편적으로 추측에 의하지 않을 수 없지만, 현 단계에서는 이렇게 이해하고 싶다.

22) 古川政司, 1977, 앞의 논문은 웅략기 편찬 단계의 마지막 단계에서『백제신찬』를 참조하여 21년조에 갱신했다고 추정한다.

즉 〔1〕개로왕의 왕제인 곤지-말다왕이라는 왕통 계보와 〔2〕개로왕의 「母弟」인 문주왕 - 문근왕이라는 두 왕통 계보가 존재하고 있었던 것이었다. 기술한 바와 같이 『日本旧記』는 〔1〕의 계보가 개로왕에 연결 되었지만, 『백제신찬』에 의해 〔2〕가 전해져 그 결과, 먼저 〔2〕가 개로왕에 이어 왕통 계보로 된 다음 〔1〕의 왕통 계보로 계승되는 백제 왕계가 성립된 것이다. 이 경우 〔2〕의 왕통 계보의 마지막 문근왕의 동생으로 곤지를 연결하는 것도 조작이 가능했다. 하지만 이 행해지지 않은 것은 『日本旧記』보다 전달된 〔1〕의 왕통 계보, 즉 곤지는 개로왕의 동생이라는 계보가 무시할 수 없을 정도로 신빙성 있는 것으로 간주되기 때문이다.

이렇게 『일본서기』는 개로왕에서 문주왕·문근왕으로, 그리고 개로왕의 동생 곤지-말다왕으로 이어지는 왕통 계보가 성립된 것으로 이해된다.

한편 제기에서는 이미 기술한 것처럼 문주왕을 개로왕의 장자로, 곤지를 문주왕의 동생으로 한다. 제기가 참고한 국내계 사료에 기술한 바와 같은 공통점, 즉 ①곤지는 왕제이다, ②곤지의 아들은 백제왕이라는 왕통 계보가 존재하고 있었던 것이다. 그리고 이와 관련하여 중요한 것이 문주왕-삼근왕으로 이어지는 왕통 계보이다. 제기는 개로왕에 이어 문주왕이 즉위하고, 다음에 장자인 삼근왕이 불과 13세에 즉위했다고 전한다. 그리고 이 후, 곤지의 아들 동성왕이 즉위했다는 것이다. 문주왕의 동생으로 된 곤지의 아들이 문주왕 이후 즉시 백제왕 이 되지 않았던 것은 삼근왕의 존재를 무시할 수 없었기 때문일 것이다. 제기에 전하는 문주왕-삼근왕이라는 왕통 계보는 『백제신찬』에 전해진 문주왕-문근왕에 해당하는 그것이다. 이 문주왕-삼근왕이라는 왕통 계보는 일본 국내뿐만 아니라 한국 국내계 사료에도 존재하고 있다. 해당 시기 백제의 왕통 계보를 이해하는데 있어서는 상술한 ①곤지는 왕제이다, ②곤지의 아들은 백제왕이라는 왕통 계보와 함께 그들의 사료가 공통적으로 전하는 汶洲

王(文周王)-문근왕(三斤王)이라는 왕통 계보 또한 매우 중요한 것이다.

아마 이 왕통 계보는 원래『남제서』백제전으로 전해진 牟都와 牟大를 할아버지와 손자로 한 해당 시기의 백제 왕통 계보가 상실, 망각되어 버린 후에도 단편적으로 존재하고, 이미 보고 해온『백제신찬』뿐만 아니라 제기 및 그것에 의거한『삼한고기』의 왕통 계보에도 큰 영향을 주고 있었던 것이다. 즉『삼한고기』및 제기 등 한국 국내계 사료에는『백제신찬』에도 확인되는 것처럼 개로왕 이후 [1]문주왕-삼근왕, [2]곤지-동성왕이라는 두 계통의 왕통 계보가 존재하고 있었던 것이다. 그리고 아마도 [1]의 왕통 계보가 개로왕으로 이어지는 것으로 생각했던 것이다.

왜냐하면 [2]곤지-동성왕이라는 계보가 [1]문주왕-삼근왕에 앞서 존재해 버리면 [2] 곤지-동성왕에서 무령왕계로 이어지는데, [1]문주왕-삼근왕이라는 왕통 계보를 삽입 할 수 있는 여지가 없어져 버리기 때문이다. 가령 [2]의 후에 [1]의 왕통 계보가 계속되면, 불과 13세에 즉위하고 재위 3년에서 훙거한 삼근왕에 이어 무령왕계의 백제왕을 연결하지 않으면 안되지만, 현실적으로 13세에 즉위하고 재위 3년 만에 사망한 삼근왕에 무령왕계를 연결하는 것은 곤란하다. 그러므로 [2]곤지-동성왕 앞서서 [1]문주왕-삼근왕의 왕통 계보가 개로왕에 잇는 것으로 생각한 것이다.

그리고『양서』백제전「경(개로왕)이 죽어서 아들 牟都(문주왕)을 세운다」등을 참조하면 문주왕을 개로왕의 아들로 보고, 개로왕과 [1]문주왕-삼근왕의 왕통 계보를 연결한 것이다. 따라서 개로왕-문주왕-삼근왕이라는 왕통 계보가 성립된 것이다.

그런데 기술한 바와 같이 한국 국내 사료에는 [2]곤지-동성왕이라는 왕통 계보도 존재하고 있다. 곤지는 여러 번 언급한 것처럼 왕의 동생이었다. 그런데 삼근왕은 불과 13세에 즉위하고, 게다가 3년에 훙거하고 있기 때문에 16세에 사망한 것으로 되고, 그 동생 곤지의 아들 동성왕이 이어서 백제왕이 되었다고 하는 것은 부자연스럽다. 그래서 곤지는 삼근왕의 아버지이기도 한 문주왕의 동생이 되는 것이다. 따라서 곤지를 개로왕의 동생으로 하는『백제신찬』은 다른 현재 제기 같은 왕통 계보가 성립 된 것이다. 이 왕통 계보는 한국 국내에서 해당 시기 백제의 그것을 나타내는 것으로서 강하게 인식된 것 같고, 그 결과 제기·동성왕의 말미의 분주로 확인되는 것과 같이 그것과 일치하지 않는 중국 사료의 백제 왕통 계보의 비판이 전개된 것이다.

따라서『백제신찬』, 제기·『삼한고기』의 원사료가 되는 한국 국내 사료에는 각각 [1]汶洲王(文周王)-문근왕(삼근왕), [2]곤지-말다왕(동성왕)이라는 두 왕통 계보가 전해지면서 각각 상이한 왕통 계보를 성립시킨 것이다. 추론을 거듭했지만, 지금은 이렇게 이해하고 싶다.

Ⅳ. 문주왕 · 문근왕과 왜왕권

그런데 이렇게 문주왕 왕통 계보와 곤지 왕통 계보를 이해 한 후, 재차 문제가 되는 것이 삼근왕의 왕위 계승이다. 웅략기 23(479)년 시세조에는

【史料5】雄略紀23(479)年是歲條
　　　　廿三(479)年夏四月, 百濟文斤王薨.

479년 문근왕 (삼근왕)의 훙거를 전한다. 또한 제기도【史料22】【史料23】과 같이

【史料22】紀·三斤王卽位年

　　　三斤王【或云壬乞】, 文周王之長子也, 王薨, 継位, 年十三歳, 軍國政事一

　　　切, 委於佐平解仇.

【史料23】濟紀·三斤王3(479)年11月條

　　　冬十一月, 王薨.

라고 적고, 477년에 삼근왕이 즉위하고, 479년에 훙거했다고 하는데23), 모두
삼근왕의 백제왕 취임을 전하고 있다. 대조적으로『册府元龜』外臣部·朝貢1·
建元2(480)年 3월조에는

【史料17】『册府元龜』外臣部·朝貢1·建元2(480)年3月條

　　　〔建元〕二(480)年三月, 百濟王牟都遣使貢獻.

　480년의 단계에서 牟都(문주왕)이 백제왕으로 생전하였음을 전하고, 웅략
기·제기와는 다르다. 【史料17】와 같은 문주왕(牟都王)의 견사 기사는『南史』
에도 확인되고,

────────────

23)『三國史記』연표에서 문주왕의 훙거년을「丁巳(477)년으로,『三國遺事』연표에는 문주왕
　　이「乙卯(475)」년에 즉위하고, 삼근왕은「丁巳(477)년」에 백제왕이 되었다고 한다. 따라
　　서『三國史記』연표와『三國遺事』연표는 문주왕이 477년에 훙거하고, 삼근왕이 즉위했
　　다고 하고 있기 때문에 제기·문주왕 4년조는 잘못된 것이다.

【史料13】『南史』濟本紀・建元2(480)年條

〔建元〕二(480)年……三月, 百濟國遣使朝貢, 以其王牟都爲鎭東大將軍.

여기에서도 480년에 牟都(문주왕)이 남제에 조공하고, 鎭東大將軍를 제수받은 것을 알 수 있다. 이 【史料13】, 【史料17】은 모두『南齊書』백제전에 의거하여 만들어진 것으로 생각되고 있지만[24], 이를 인정하면 480년의 단계에서는 문주왕이 백제왕이며, 웅략기・제기에 전해진 삼근왕의 백제왕 즉위와 모순된다[25]. 따라서 이것을 어떻게 이해해야 할지에 대해 다시 문제가 된다.

이 문제에 대해서 연구한 후루카와 세이지씨는 【史料13】, 【史料17】을 중시해, 480년의 시점에서 牟都(문주왕)의 재위가 확인되기 때문에 삼근왕은 立太子가 되었지만 즉위하지 않았다고 이해된다[26]. 반면 타나카 토시아키씨는 문주왕이 「자신의 뒤를 자신의 아들에게 물려주고 싶었다」고 하며, 삼근왕의 왕위 취임에는 문주왕이 참여하고 있으며, 삼근왕을 즉위시켰지만 유년하기 때문에, 문주왕이 후견인이 되어, 解仇에 군국 정사를 위임했다고 추정했다[27].

중국 史料를 중시하거나 제기・웅략기를 중시하는가에 의해서 이 문제를 이해하는 데 중요하지만, 제기・웅략기에서 삼근왕의 즉위를 전하고 있는 이상, 그것을 부정하기는 어려울 것이다. 특히, 후루카와 세이지씨가 지적한대로, 【史料5】가 『백제신찬』에 의거해서 이해되는 이상[28], 안이 한 부정은 자제

---

24) 坂元義種, 1978, 앞의 논문.

25) 李基東, 1996, 앞의 논문, 156쪽은 중국측이 480년의 단계에서 문주왕이 생존하고 있었다고 오인하여, 삼근왕은 묵살된 것으로 이해하고 있다.

26) 古川政司, 1981, 앞의 논문.

27) 田中俊明, 2006, 앞의 논문.

28) 古川政司, 1981, 앞의 논문.

해야 한다. 오히려 유년했기 때문에【史料13】,【史料17】와 같이 대 중국외교는 후견인이었던 문주왕의 이름으로 행해진 것이 아닐까. 이러한 조치가 취해진 것은 아마도 삼근왕이 너무 어렸기 때문에 남제의 백제에 대한 평가가 저하하는 것을 피하기 위한 것이다. 당시의 백제 왕권은 일시적인 멸망에 직면했으며, 남제와의 통교는 남제의 권위를 배경으로 약화된 왕권의 권력을 강화하기 위한 목적이 있었다고 추정되며, 그러기 위해서는 남제에서 높이 평가 받을 필요가 있었을 것이다. 그러므로 어린 삼근왕을 대신하여 그 후견인인 문주왕의 이름으로 대 남제외교가 전개 된 것이다.

이러한 상황이었던 까닭으로 어리면서도 삼근왕이 즉위 할 수 있었던 것은 다나카씨가 지적한대로 당연히 문주왕의 의향이 반영된 것이다. 관계 사료가 영세하기 때문에 추측에 의하지 않을 수 없는 부분도 있어 향후에도 검토해야 할 과제이지만, 현재 해당 시기 백제 국내에서는 문주왕을 후견인으로 삼근왕이 왕위에 즉위하고 있었지만, 대 남제외교는 어린 삼근왕이 아니라 여전히 이전처럼 문주왕이 주도적으로 실시하고 있었다고 생각하고 싶다.

이렇게 이해한 후 다시 문제가 되는 것은 문주왕과 왜 왕권의 관계이다. 기술한 바의【史料3】웅략기 21(477)년 시세조에는「天皇」이 久麻那利를 문주왕에게 주어 백제를 부흥시켰다 며 마치 백제의 부흥을 왜 왕권이 참여한 것처럼 전하고 있다. 하지만 왜 왕권이 久麻那利 (공주)를 지배하고 있던 것은 없었기 때문에 왜왕이 同地를 백제왕에게 주었다는 상황은 없었던 것이 명백할 것이다. 그럼 문주왕과 왜의 관계는 어떠했을 것일까.

결론부터 먼저 말하면, 해당 시기 문주왕과 왜 왕권의 관계는 저조했다고 생각해야 할 것이다. 왜냐하면 문주왕과 왜 왕권에 대한 기사는【史料3】밖에 인정되지 않기 때문이다. 게다가 기술한 바와 같이【史料3】은 후세에서 윤색된 것을 가능성이 높다. 또한 중시되는 것은【史料3】의 분주에 인용된『日本旧記』

이다. 이에 따르면, 久麻那利를 말다왕(동성왕)에게 줬다고 전해지고 있어 거기에는 문주왕은 인정되지 않는다. 기술한 바와 같이, 『日本旧記』에는 아마 문주왕·삼근왕에 관한 기사가 존재하지 않았던 것이다. 그것은 왜 왕권과 문주왕과의 적극적인 통교관계가 인정되지 않는다는 것을 방증한다. 왜냐하면 문주왕과 왜 왕권이 해당 시기에 적극적으로 통교를 원하였다면, 『日本旧記』에 문주왕·삼근왕에 관한 기사가 탈락된 것에 대해 생각하기 어렵기 때문이다. 즉, 왜 왕권과 문주왕과의 사이에 적극적인 통교가 없었기 때문에 『日本旧記』는 문주왕·삼근왕과의 관계 기사가 탈락된 것이다. 웅략기의 편자들은 이어 『백제신찬』에 의해 『日本旧記』의 일부를 정정하고, 문주왕·문근왕의 계보를 삽입한 것이다. 후루카와씨가 이미 지적한대로 삼근왕의 즉위 기사가 인정되지 않는 것은 이러한 상황을 반영하고 있는 것이다[29]. 하지만 왜 왕권이 백제 왕권과 통교가 전무했던 것은 아니다. 제기·문주왕 3(477)년 4월조에는

【史料24】濟紀·文周王3(477)年4月條

　　四月, 拝王弟昆支爲内臣佐平. …七月, 内臣佐平昆支卒.

왜국에 파견되어 있던 곤지가 백제로 귀국해 内臣佐平이 된다. 곤지의 귀국은 아마도 왜 왕권이 관여하고 있었던 것이다. 왜 또한 곤지의 귀국에 의해 백제의 친왜정책을 기대 한 것이다. 그런데 【史料24】에 따르면 곤지는 3개월 뒤인 7월에 갑자기 사망한다. 여기에 백제 내부의 친왜파와 이를 반대하는 세력과의 충돌을 예상 할 수 있지만, 사료는 그다지 그 속사정에 대해서 말해 주지

---

29) 古川政司, 1981, 앞의 논문.

않기에 자세한 것은 불명확하다[30]. 어느 쪽으로도 곤지의 사망으로 인해 왜와 통교관계는 더욱 부족한 것으로 되어갔던 것이다.『日本旧記』에 문주왕·문근왕과의 관계 기사가 보이지 않는 것은 이러한 상황을 반영 하고 있는 것이다.

이런 가운데 문주왕이 왜와의 관계보다 중요시했다고 생각되는 것이 대 남제외교이다. 기술 한 바【史料13】,【史料17】과 같이 문주왕은 남제에 사신을 파견하고 있지만, 제기·문주왕 2(476)년 3월조에는

【史料25】濟紀·文周王2(476)年條
　　　三月, 遣使朝宋, 高句麗塞路不達而還.

즉위 이듬해에 송으로 사신을 파견한다.【史料3】웅략기 21(477)년 3월조에 의하면, 문주왕의 즉위는 477년이기 때문에【史料25】백제의 사신 파견은 문주왕 즉위 전이었음이 되지만, 그렇게 하더라도 그 다음 해에 왕이 되는 문주왕은 이미 백제 왕권 내에서 주도적인 입장에 있었다고 상정되고, 대 宋 견사에도 적극적으로 관여한 것으로 생각된다. 이러한 이해에서 접근하면, 문주왕이 주도한 백제 왕권 내부에서는 백제 부흥시기에 재빠르게 대宋 외교를 전개하고, 백제의 왕권 강화를 꾀한 것으로 이해하면 좋을 것이다. 하지만【史料25】에 의하면, 이 사신은 고구려의 방해로 인해 송에 도달하지 못한 것처럼 보인다.

이 후 문주왕은 왕에 즉위한 후, 재차【史料13】,【史料17】과 같이 남제에 사신을 파견하여 그 결과【史料16】에

---

30) 古川政司, 1981, 앞의 논문에서는 곤지의 사후, 실권을 장악한 것으로 전해진 解仇를 친왜국파로 하고, 그의 정권 장악을 친왜국파의 쿠데타로 이해한다.

【史料16】『册府元龜』外臣部・封册一・建元2(480)年條

　　〔建元〕二(480)年三月, 百濟王牟都遣使貢獻. 詔曰, 宝命惟新, 澤波〔被〕

　　絶域, 牟都, 世藩東表, 守職遐外, 可授使持節・都督百濟諸軍事・鎭東

　　大將軍.

라고 있듯이 남제로부터 使持節・都督百濟諸軍事・鎭東大將軍를 수여받았다.
중국 왕조에서 수여된 관작을 배경으로 왕권의 강화를 도모하는 것 같은 수법
은 개로왕대보다 인정되며, 문주왕 또한 그러한 개로왕 이래로 중국 왕조로부
터의 관작 수여를 통해서 약화된 왕권을 회복・강화시키려고 한 것이다. 이처
럼 문주왕은 상대적으로 대 중국외교를 중시하고, 그것과는 대칭적으로 대 왜
외교는 저조했다고 이해할 수 있다. 이러한 외교 정책의 배후에는 친왜파의
곤지의 사망에 의한 외교 노선에 변화가 예상되지만[31], 백제 왕권의 강화라
는 측면에서는 개로왕 이래로 중국 황제로부터 관작호를 제수받아 백제왕으
로 인정되는 것이 약화된 왕권을 강화하는데 있어서 중요시되기 때문일 것이
다. 이처럼 문주왕은 대중국 외교를 전개하고, 이 후 삼근왕에 이어 동성왕이
즉위한다. 동성왕의 즉위는 왜 왕권의 관여가 【史料7】의 웅략기에서 확인된다.
그래서 다음 장에서는 동성왕의 즉위를 둘러싼 상황과 왜 왕권의 관계에 대해
살펴보고자 한다.

---

31) 古川政司, 1981, 앞의 논문에서 곤지의 사망에 의해 왜국과의 군사적 연합이라는 외교
　　정책이 좌절됐다고 이해된다. 또한 다음 정권을 장악한 解仇는 친왜국파로서 그 실권
　　장악기간은 477년 8월에서 다음 해 봄까지였다. 만일 이것이 합리적이었다고 하면, 문
　　주왕의 대남제 외교가 480년이 되어 재개한 것은 친왜국파인 解仇를 배제한 이후의 것
　　으로 이해할 수 있다.

Ⅴ. 동성왕의 대외정책과 왜 왕권

동성왕의 즉위에 대한 제기는 특별한 사정을 전하고 있지 않지만, 이미 기술 한【史料7】웅략기 23(479)년 4월조에는 동성왕의 즉위 경위를 다음과 같이 전하고 있다.

【史料7】雄略紀23(479)年4月條

夏四月, 百濟文斤王薨. 天王, 以昆支王五子中, 第二末多王, 幼年聰明, 勅喚內裏. 親撫頭面, 誠勅慇懃, 使王其國. 仍賜兵器, 幷遣筑紫國軍士五百人, 衛送於國, 是爲東城王.

【史料7】에 따르면 동성왕은 곤지의 둘째 아들로서 어리면서도 총명했기 때문에「천왕」이 백제 국왕에 책봉하고「筑紫國軍士五百人」과 함께 백제 본국에 호송 했다고 한다. 이에 따르면 동성왕 즉위에 왜 왕권이 적극적으로 관여한 셈이다. 해당 시기의 백제와 왜의 관계를 연구한 후루카와 세이지씨는 이를 사실로 간주하고 동성왕이 왜국에서 백제왕에 책봉되지만, 문주왕이 481년까지 살았기 때문에 이 시기 백제는 문주왕과 동성왕 2명의 왕이 병존하고 있었다고 해석하였다. 또한 동성왕은 筑紫國의 군사 500명에 호송되어 백제로 귀국했지만, 왜왕은 그들과 함께 왜국 관인집단도 동성왕의 측근으로 파견하여 백제왕을 왜의 종속 아래에 두려고 했다고 말한다[32].

---

32) 古川政司, 1981, 앞의 논문. 또한, 朴天秀, 2007,『加耶と倭 韓半島と日本列島の考古學』, 講談社, 107쪽에서 영산강유역의 전방후원분 석실구조가 북부규슈계이고, 복수의

이에 대해 최근 문주왕의 왕통 계보를 연구한 타나카 토시아키씨는 삼근왕의 사후, 백제는 형 무령왕과 동생 동성왕이 존재하고 있었지만, 동생 동성왕이 형 무령왕에 앞서서 즉위 한 것은 문주왕의 의지가 반영된 것이기 때문이라고 해석했다. 그런데 아버지 곤지의 귀국 즈음, 말다왕이 왜 귀국하지 않았는가 하는 의문도 있다. 【史料7】에 보이는 왜 왕권의 영향을 상정하지 못하고, 어디까지나 동성왕의 즉위에는 문주왕이 크게 관여하고 있었다고 보고 있다[33].

이와 같이 동성왕의 즉위에 왜 왕권이 개입했는지에 대한 여부에 각각 상이한 견해가 제기된다. 그렇기에 다시 동성왕 즉위 대한 검토가 필요하다.

우선 후루카와설을 검증하면, 후루카와설에는 몇 가지 문제가 있는 것 같다. 문제의 첫째는 삼근왕의 요절을 듣고 왜가 동성왕을 책봉했다고 가정하는 것이다. 후루카와씨는 문주왕이 481년까지 백제왕이기 때문에 삼근왕은 어디까지나 立太子만으로 백제 왕이 되지 않았던 것으로 알고 있었다. 그렇다면 삼근왕의 사망을 근거로 왜 왕권이 차기 태자의 옹립을 위해 획책했다고 생각하는 것이 자연스러울 것이다. 그러나 후루카와씨는 立太子 문제를 뛰어 넘어 차기 백제왕을 왜 왕권이 책봉했다고 이해하는 것이다. 왜 태자의 사망을 듣고 태자가 아닌 백제왕의 책봉에 왜 왕권이 움직이지 않으면 안 되었던 것일까. 태자 서거로부터 백제왕의 책봉이라는 생각은 비약이 심한 것은 아닐까. 원래 후루카와씨는 당시 문주왕이 생전으로 이해하고 있는 것이다. 그럼에도 불구하고 문주왕과는 별도로 백제 태자의 훙거에서 백제왕 책봉을 상정하는 것이다. 마치 삼근왕이 백제왕인 것처럼 이해한 것이다. 그러나 후루카와 자

대도나 갑옷이 부장되어 있어서 피장자가 전사집단일 가능성이 높기 때문에 【史料7】에 주목된다.

33) 田中俊明, 2006, 앞의 논문.

신, 어디까지나 문주왕이 481년까지 백제왕이었기 때문에 삼근왕은 태자로 남아있었다고 믿고 있으며, 만약 삼근왕의 사망을 백제왕의 훙거처럼 이해하고 백제왕 책봉을 상정한다면 그것은 자기모순에 빠져 버리게 된다. 논리적인 일관성이 결여되면 그 설득력은 감소 할 수밖에 없다. 후루카와씨의 가정을 수긍하기 위해서는 왜 백제 태자에 있던 삼근왕의 서거에서 백제왕 책봉으로 왜 왕권이 움직이지 않으면 안됐는지에 대한 충분한 설명이 필요로 한다. 하지만 불행히도 후루카와씨는 이 점에 대해서는 전혀 설명하지 않고 있다. 그러므로 후루카와설에서는 논리의 비약이 있다고 볼 수밖에 없어, 갑자기 인정하기는 어렵다.

　문제의 두 번째는 첫 번째 문제와도 관련이 있는데, 과연 왜 왕권이 백제 왕권의 승인없이 독자적으로 백제왕을 책봉 할 수 있을 수 있느냐는 것이다. 왜에 체재한 백제 왕자가 본국 백제왕의 훙거를 바탕으로 왜의 병사들에게 호송되어 백제왕에 취임했다는 사례를 사료에서 확인할 수 없는 것은 아니다. 腆支王의 경우가 이에 해당한다. 응신기는 이것을 다음과 같이 전하고 있다.

【史料26】応神紀16(285→405)年是歳條
　　　是歳, 百濟阿花王薨. 天皇召直支王謂之曰, 汝返於國以嗣位, 仍且賜東韓
　　　之地而遣之【東韓者, 甘羅城·高難城·爾林城是也】.

【史料26】에 의하면, 阿花王의 훙거 후「천황」이 왜에 체재하고 있던 백제 왕자 直支王을 백제왕에 옹립시킨 것처럼 전달하고 있지만 제기에

【史料27】濟紀·腆支王卽位條
　　　腆支王【或云直支】『梁書』名映, 阿莘之元子. 阿莘在位第三(394)年, 立爲

太子. 六(397)年出質於倭國, 十四(405)年王薨, 王仲弟訓解攝政以待太子
還國, 季弟碟禮殺訓解自立爲王. 腆支在倭聞訃哭泣請歸. 倭王以兵士百
人衛送旣至國界, 漢城人解忠來告曰, 大王弃世, 王弟碟禮殺兄自王, 願
太子無輕入. 腆支留倭人自衛依海島以待之. 國人殺碟禮迎腆支卽位.

라고 있듯이, 실제로 백제 내부에서 腆支의 귀국·왕위 취임을 희구하는 일파
가 있으며, 이에 호응하여 腆支는 왜 왕권의 호송을 받아 귀국해 백제왕이 된
것이지 반드시 왜 왕권이 일방적으로 백제왕으로 임명한 것은 아니다. 왜 왕
권의 腆支 옹립 원조는 어디까지나 백제측의 의향에 의해서 이루어 졌다. 이
를 근거로 한다면, 왜 왕권이 백제 왕권 내부의 동향을 무시하고 독자적으로
백제왕을 옹립했다고 생각하기 어렵다. 하물며 후루카와씨도 강조하고 있듯
이 백제왕으로 문주왕이 존재했던 것이다. 이러한 근거에서 왜 왕권이 그것과
는 대립하는 것처럼 독자적으로 백제왕을 옹립했는지는 매우 의문스럽다. 또
한 첫 번째 문제와도 관련이 있지만, 후루카와씨가 지적한대로 삼근왕이 태자
의 상태로 요절하고, 백제에 문주왕이 존재한다면 왜 왕권이 문주왕을 부정한
것처럼 두 번째 백제왕을 왜국 내에서 옹립하는 것일까. 이런 의문점 등으로
후루카와설에는 문제점이 많다고 할 수 있다.

이런 후루카와씨의 추정은 삼근왕이 태자였지만 백제왕이 되지 않았다는
후루카와씨 자신의 견해를 기초로 입론하는 것이다. 그러나 전술 한 바와 같
이 문주왕의 후견 아래에서 삼근왕이 즉위했다고 이해하면, 2명의 왕이 병존
하는 이상한 상황은 해소 될 것이다. 이렇게 이해하려면 반드시 후루카와씨처
럼 해석해야 한다. 그러므로 후루카와설을 곧바로 수긍 할 수 없다.

따라서 적어도 왜 왕권에서 백제 왕자를 옹호·옹립하는 사태는 왜 왕권의
의향에 의해서만 이루어진 것이 아니라 백제 왕권 내부의 동향을 근거로 한

것이었다고 이해하는 편이 자연스럽다. 그런 의미에서 동성왕의 즉위에 문주왕의 의향이 반영되어 있다고 해석하는 타나카 토시아키씨의 지적[34]은 수긍된다.

그러나 다나카씨는【史料7】처럼 왜 왕권의 원조로 동성왕이 백제왕이 된 것에 대해서는 회의적이며,「원래 아버지 곤지가 귀국한 시점에서, 왜 귀국하지 않는 것인지도 의문이다」며【史料7】를 부정적으로 이해하고 있다. 명확하게 말하고 있지 않지만, 아마도 곤지와 함께 말다왕(동성왕)도 함께 귀국한 것으로 이해한 것처럼 보인다[35]. 이 경우 말다왕을 호송한 筑紫의 군사 500명을 어떻게 이해할 것인가 하는 것 등도 문제가 되지만, 이것에 대해서도 언급되어 있지 않다. 어느 쪽으로도 말다왕(동성왕)의 귀국에 관한【史料7】을 부정적으로 해석하는 것이다. 그래서 다시 한번 말다왕(동성왕) 귀국에 관한 사정을 좀 더 살펴보고자 한다.

말다왕(동성왕)의 귀국 시 중요한 것은【史料7】이지만, 이 문제를 연구하는 데 경시 할 수 없는 것이【史料3】웅략기 21(477)년 3월조 소인의『日本旧記』이다. 웅략기 본문에서 왜 왕권이 문주왕을 원조했다고는 하지만, 그에 대한 분주의『日本旧記』는 말다왕에 久麻那利를 주었다고 전하고, 웅략기 편자들은 그것을 잘못이라고 지적한다.『日本旧記』가 공주에서 백제 부흥에 대한 왕을 말다왕(동성왕)으로 하는 것은 분주에서 설하는 것처럼 오류이지만,『日本旧記』가 말다왕(동성왕)에게 대해 원조를 실시했다고 기술하는 것은 문주왕과는 별도로 일단 왜 왕권이 말다왕(동성왕)에 어떤 지원을 하고 있었다는 것을 근거로 한 것은 아닐까. 그것이『日本旧記』에 반영되어 전해진 것이 아닐까. 적

---

34) 田中俊明, 2006, 앞의 논문.
35) 田中俊明, 2006, 앞의 논문.

어도『日本旧記』편찬 단계에서 왜 왕권이 말다왕(동성왕)에 대한 어떤 지원을 하였다는 인식이 있었던 것이다. 그런데『日本旧記』편자는 왜 왕권의 말다왕 (동성왕)에 대한 지원 자체는 이해하고 있었지만, 구체적 내용 등은 충분히 파악하고 있지 않았던 것이다. 따라서『日本旧記』편찬 단계에서 그것이 잘못하여 475년 백제의 임시 멸망·백제의 부흥과 관련된 것으로서 삽입 된 것이다.

이『日本旧記』에 기록된 왜 왕권의 말다왕(동성왕)에 대한 지원의 구체적인 내용을 전하는 것은【史料7】이 아닐까. 그러나『日本旧記』편찬 단계에서는 筑紫의 군사 500명에 의한 호송 등 왜 왕권이 원조한 것이 전해지고 있었지만,【史料7】에 보이는 대궐로 말다왕을 불러 백제왕으로 옹립하는 등 구체적인 사실은 전하지 않았을 가능성이 높다. 왜냐하면【史料7】은 문주왕의 훙거 후에 동성왕의 즉위에 대한 왜 왕권의 참여를 나타내고 있지만, 삼근왕의 사망 후 동성왕이 백제왕으로 취임했다고 한다면 그것을 문주왕대의 것으로서 삽입하는 것은 생각하기 어렵기 때문이다.『日本旧記』에서 말다왕에게 왜 왕권이 원조한 기록에는 문근왕의 훙거는 기록되지 않았기 때문이다. 이 후 얻어진 데이터를 기초로 말다왕의 기사로 문근왕 훙거와 연결하였던 것이다. 당시 웅략이 말다왕을 대궐에 불러 백제국의 왕으로 했다고 옹립하였다고 한 것은 왜왕이 백제왕을 책봉한 것 같은 윤색이 더해진 것이 아닐까 추측된다.

하지만 기술 한 바와 같이 왜왕이 백제 왕권의 의도와는 관계없이 독자적으로 백제왕을 책봉했다고는 생각하기 어렵고, 그런 점에서【史料7】의 내용을 사실 그대로 인정할 수는 없다. 하지만 왜 왕권이 말다왕(동성왕) 귀국 즈음 원조를 간 것은『日本旧記』이후 왜국 내에서도 전해지고 있는 것으로【史料7】은 후세의 윤색이 있었지만, 이러한 사실을 전하고 있다고 이해되는 것이다.

더욱이 말다왕(동성왕)의 귀국에는 다나카씨가 지적한대로 아버지 곤지와 함께였을 가능성도 상정 할 수 있다. 이 경우【史料7】은 그 당시를 전하고 있었던 것이라고 생각할 수도 있을 것이다. 만일 그러한다면 왜왕은 무슨 이유로 말다왕(동성왕)이 아닌 그 아버지 개로왕의 동생인 백제 왕권 내에서도 상위에 있던 곤지의 백제왕 옹립에는 움직임이 없었던 것일까. 곤지는 개로왕대에 정권의 중추에 있으며, 미숙한 말다왕보다 백제왕에 더 어울렸다. 그러므로 왜왕권은 만일 곤지 · 말다왕이 함께 귀국했다면, 곤지를 백제왕이 되도록 지원했을 것이다.

하지만 실제로 『日本旧記』이후의 사료에서 확인된 것은 왜 왕권의 말다왕(동성왕) 원조였다. 따라서 곤지의 귀국 즈음해서는 왜 왕권의 원조도 있었다고 생각되지만, 【史料7】과 같은 500여 명의 筑紫國 군사가 호송하는 일 등이 없기에 곤지를 백제왕에 옹립하지 않았다고 생각한다.

또한 해당 시기의 백제 왕권을 둘러싼 상황도 이 문제를 고려하면서 연구하는 것이 좋다. 곤지의 귀국이 언제인지 판단되지 않지만, 곤지는 적어도 477년경에 백제에서 활동하고 있었기 때문에 그 무렵에 귀국 한 것이다. 그런데 이시기 백제는 일시적인 멸망의 위기에 처했고, 백제 왕권 내부의 권력 다툼 등 불안정한 상황에서 다양한 어려움이 곤지를 기다리고 있었다고 생각된다[36]. 따라서 곤지의 아들들은 왜국에 남겨 두었을 가능성도 있는 것이다. 또한 왜왕권이 말다왕(동성왕) 등 곤지의 아들들을 「인질」적 존재로서 왜국에 잔류시켰을 수도 있다. 이러한 추정에 의하면 반드시 곤지와 함께 말다왕이 귀국한 것으로 이해할 필요가 없는 것은 아닐까? 그러므로 왜 왕권은 잔류하고 있던 말다왕(동성왕)의 귀국 즈음에 원조를 실시해서 축자의 병사 500명을 말다왕(동성왕)의 호위로 파견했다고 이해된다.

---

36) 제기에 보이는 곤지의 살해, 해구의 반란 등은 왕권 내부의 권력 투쟁이 격화되고 있음을 보여주는 것으로 이해된다.

이 경우 여러 번 기술한 것처럼 말다왕(동성왕)의 백제 귀국은 문주왕의 의향으로 백제 측에서 요청된 것으로 생각된다. 문주왕은 본국에 존재한 동성왕의 형인 무령왕보다 왜에 체재하고 있던 동성왕의 귀국을 희망했던 것이다. 그런 뒤에, 다나카씨가 지적한대로 동성왕이 문주왕의 손자로 문주왕의 왕통 계보에 속하고 무령왕보다 문주왕에 가까운 인물이었기 때문일 것이다[37]. 그리고 동성왕도 그것을 충분히 인식한 뒤에 문주왕을 「亡祖父」로 남제에 전하고, 그 관작의 답습을 남제에 요구한 것이다.

한편, 왜에 의한 말다왕(동성왕) 호송에도 나름의 정치적인 의도가 존재하였다. 기술 한 바와 같이 백제의 부흥에 노력한 문주왕은 대왜 외교보다 대남제 외교를 상대적으로 중시하고, 백제 왕권 강화를 희구하고, 대왜 외교는 상대적으로 낮았다. 이러한 상황은 백제와의 연합을 통해 고구려에 대항하는 왜 왕권에게는 바람직하지 않은 사태였을 것이다. 왜 왕권은 말다왕(동성왕)의 호송을 통해 백제와의 동맹을 강화하고, 대고구려 전을 전개하려고 했던 것이다. 거기에 왜 왕권의 웅진기 백제 왕권 특히, 말다왕(동성왕)에 대한 기대가 있었던 것으로 이해된다.

하지만 왜 왕권의 기대와는 정반대로 동성왕과 왜 왕권과의 관계에 대해서 제기는 커녕 『日本書紀』에도 인정되지 않는다. 이러한 사태는 다음【史料28】 무열기 6(504)년 10월조에서도 엿볼 수 있다.

【史料28】武烈紀6(504)年10月條
　　冬十月, 百濟國遣麻那君進調. 天皇以爲, 百濟歷年不脩貢職, 留而不放.

---

37) 田中俊明, 2006, 앞의 논문.

이에 따르면 백제는 동성왕 이후 백제왕이 된 무령왕대에 왜에게 조부를 공헌하고 있지만, 그 이전에는 「歷年, 貢職を脩」는 없었다고 한다. 이것은 동성왕대 백제는 대왜 외교의 저조함을 단적으로 보여주고 있다고 할 수 있다. 제기 · 동성왕조를 보면 동성왕은 대왜 외교보다는 오히려, 亡祖父 · 문주왕이 취한 대남제의 적극적 외교 정책을 계속 계승했다고 보인다. 동성왕과 남제와의 관계를 나타내는 사료는 그다지 많지는 않지만 제기에는

【史料29】濟紀 · 東城王6(484)年2月條

　　春二月, 王聞南齊祖道成册高句麗巨璉爲驃騎大將軍, 遣使上表請內屬許之.

【史料30】濟紀 · 東城王6(484)年7月條

　　秋七月,遣內法佐平沙若思如南齊朝貢,若思至西海中遇高句麗兵,不進.

고구려왕 련이 驃騎大將軍이 된 것을 받고, 백제에서 남제로의 내속을 요구하고, 같은 해 7월에는 고구려에 의해 저지됐기 때문에 남제에 도달하지는 않았지만, 남제에 조공사를 파견했다고 전하고 있다. 또한【史料31】에는

【史料31】8(486)年3月條

　　三月, 遣使南齊朝貢.

남제에 다시 사신을 파견했다고 한다. 이에 대응하는 중국 사료는 인정되지 않기 때문에 이 기사의 신빙성에 의문이 있지만, 혹은【史料30】과 같이 고

구려에 의해 저지되었거나 어떤 사고에 휩쓸릴 가능성이 있는 것이다. 제기에는 전해지지 않지만,「남제서」백제 전에 따르면 동성왕은 490년, 495년과 남제에 사신을 파견하여 長史高達의 除正를 요구하는 등 백제왕 및 그 신하로 남제의 관작 제수를 청원하고 있다. 이것은 남제에서 관작 수여를 통해 왕권의 위상을 높임과 동시에 중국 관작호에 의거하여 신하들을 서열화하고 왕을 정점으로 한 지배 체제의 강화를 의도한 것이며, 약화된 왕권을 강화하는데 필수적이었다. 동성왕이 대왜 외교보다 대남제 외교를 중시한 것은 해당 시기에 약화된 백제 왕권의 정세를 감안하면 오히려 당연한 일이었다. 그리고 그러한 대남제 외교에 동성왕은 선친 牟都(문주왕)과의 계보를 강조하고 자신의 정통성을 남제에게서 인정받게 된 것이다. 이것은 남제뿐만 아니라 백제 왕권 내부에서도 스스로의 정통성을 나타내는 것으로 중요한 것이었다. 이러한 대남제 외교를 기축으로 한 외교 정책을 전개하면서 백제는 새로운 길을 걷기 시작한 것이다.

VI. 소결─무령왕계의 새로운 외교의 시작

문주왕의 손자로 백제 왕위에 즉위한 동성왕이 있었는데, 제기는 동성왕이 재위 후반에 신하의 간언을 듣지 않고(제기 · 동성왕 22(500)년조), 사치에 빠지고 정무를 게을리하여 마지막은 신하 백가의 자객에 의해 살해되었다라고 한다(제기 · 동성왕 23(501)년조). 이러한 동성왕의 행동을 기술 한 바【史料10】무열기 4(502)년 시세조에도 인정된다.

【史料10】武烈紀4(502)年是歲條

是歲, 百濟·末多王無道, 暴虐百姓. 國人遂除, 而立嶋王, 是爲武寧王【
『百濟新撰』云, 末多王無道, 暴虐百姓, 國人共除, 武寧王立, 諱斯麻王, 是
琨支王子之子, 則末多王異母兄也. 琨支向倭, 時至筑紫島, 生斯麻王, 自
島還送, 不至於京, 産於嶋, 故因名焉. 今各羅海中有主島, 王所産島, 故
百濟人号爲主島. 今案, 嶋王是蓋鹵王之子也. 末多王, 是琨支王之子也,
此曰異母兄, 未詳也】.

이에 따르면 동성왕은「無道」해서「백성을 폭력」했기 때문에 국인들은 동성왕을 폐하고 嶋王(무령왕)를 옹립했다고 한다. 제기뿐만 아니라【史料10】에도 동성왕의 포악한 모습을 전하고 있다. 타나카 토시아키씨는 이러한 기술은 무령왕 옹립파에 의해 무령왕 즉위의 정당성을 보여주기 위해 의도적으로 전해진 것으로,「일말의 의문」이 남는다고 지적하고 있다[38]. 이러한 가능성은 충분히 상정되어도 좋을 것이다. 동성왕 이후 국인들에 의해 옹립된 무령왕은【史料10】과 같이 곤지의 아들이 되지만 일설에는 개로왕의 아들이라고 이해되며 (웅략기 5(461)년 4월조·무열기 4(502)년 시세조), 문주왕통 계보에 이어진 동성왕과 출신을 달리하고 있었다.

그것은 대 중국외교에서 문주왕·동성왕이 종전의 백제왕과 달리 牟都(문주왕)·牟大(동성왕)로 두 글자로 표기하고, 종래의 백제 외교와 달랐다고 하는 것에 대해서[39], 무령왕은 이전 백제왕이「毗」,「慶」처럼 한자로 표기한 방법에 따라「(余)隆」으로 한 것과도 무관하지 않다. 대 중국외교의 표기 차이는 무

---

38) 田中俊明, 2006, 앞의 논문.
39) 坂元義種, 1978, 앞의 책, 172쪽.

령왕계가 이전 문주왕·삼근왕·동성왕과는 달랐다는 것을 반영한 것이다. 【史料12】「양서」백제전은 余隆(무령왕)이 시작한 양과의 통교한 것을 전하는 그 때, 이전의 왕인 牟大와의 계보관계는 보이지 않는다. 덧붙여 余隆 이후에 백제왕「明」은 余隆의 아들로서 전해지고 있기 때문에, 무령왕은 대양 외교에서 前왕인 동성왕과의 계보관계를 구체적으로 전달하지 않았을 가능성이 있다. 그것은 무령왕과 문주왕·삼근왕·동성왕과의 왕통 계보의 차이를 반영한 것이었다. 이런 것도 동성왕의 폐위에 관한 위의 【史料10】 등 동성왕의 악역 모습을 전하는 기사의 성립과도 관련되어 있을 가능성도 있을 것이다.

이렇게 동성왕에 이어 백제왕이 된 무령왕은 지금까지의 문주왕·삼근왕·동성왕대와는 다른 외교를 전개했다. 문주왕·동성왕과 왕통 계보가 다른 무령왕은 지금까지와는 달리 새로운 외교 정책을 기대하고 있었던 것이다. 그 첫째는 동성왕대에 행해지고 있었던 남제에 대한 신하들의 관작호의 제수 요청이 무령왕대에서는 확인되지 않고 있다. 더욱이 무령왕 자신의 묘지에는 양에서 제수받은 영동대장군으로 기재되어 있기 때문에 백제 국내에서 중국 관작의 권위가 어느 정도 중요성을 가지고 있었을 것으로 보인다. 하지만 그 이전에 수행한 신하들에게 장군호의 제정 요구가 무령왕대보다 확인되지 않는 것은 주목해도 좋을 것이다. 이것은 신하들의 서열을 중국 왕조에서 의존할 필요가 없어지면서 백제 왕권의 부흥 권위의 확대와 관련 될지도 모르지만, 지금까지 동성왕이 의거한 중국 왕조의 장군호 등과는 별도로 백제 왕권 내부에서 백제 왕권의 논리에 의해 신하들을 서열화하려고 한 무령왕의 새로운 시책으로 주목하고 싶다.

그 두 번째는 대왜 외교이다. 위의【史料28】무열기 6(504)년 10월조에는 무령왕대가 오랜만에 백제가 대왜 외교를 전개했다고 전하고 있다. 덧붙여서 【史料32】에서는

【史料32】武烈紀7(505)年夏4月條

七年夏四月, 百済王遣斯我君進調. 別表曰, 前進調使麻那者, 非百済國主
之骨族也. 故謹遣斯我, 奉事於朝. 遂有子, 曰法師君. 是倭君之先也.

그 다음 해에 전년에 파견했던 「麻那君」이 왕족이 아니었기 때문에 재차 왕
족이라고 생각된 「斯我君」이 倭에 파견됐다고 한다. 비왕족으로 바꾸고, 왕족
을 재차 파견하는 등의 처리가 일부러 채택된 것은 무령왕이 대왜 외교를 중
시하고 있었기 때문일 것이다. 여기에 문주왕 · 동성왕의 소극적 대왜 외교와
는 달리 무령왕의 대왜 외교 중시의 자세가 인정된다. 이것은 왕족인 곤지를
파견한 개로왕부터이며, 무령왕은 문주왕 이전의 왕통인 개로왕의 대왜 정책
을 의식하고 계승한 것이다. 여기에 문주왕 · 동성왕과의 차이, 더욱더 개로왕
을 의식한 무령왕의 대왜 외교가 인정되는 것이다.

따라서 무령왕은 이전 문주왕 · 동성왕대와는 다른 외교 정책을 전개한 것
이고, 이것을 무령왕대의 새로운 외교라고 평가하면 좋을 것이다. 이렇게 백제
는 무령왕대에 지금까지와 다른 새로운 길을 걷기 시작한 것이다.

『전남지역 마한 제국의 사회 성격과 백제』 지정토론문

박대재 고려대학교

이영철 대한문화재연구원

김낙중 전북대학교

김주성 전주교육대학교

박중환 국립나주박물관

조영현 대동문화재연구원

손희하 전남대학교

성정용 충북대학교

백승옥 부산시립박물관

「고분으로 본 전남지역 마한 제국의 사회 성격」에 대한 토론

박대재(고려대학교)

이 발표문은 이정호 선생님의 선행 논문 「5~6세기 영산강유역 고분의 성격」 (『古文化』59, 2002)의 후속 연구로서, 5세기 영산강유역의 나주 반남고분군을 정점으로 한 정치체가 발전하기 이전 단계인, 3세기 후반~5세기 전반 영암 시종지역을 정점으로 한 전남지역 마한사회를 다루고 있는 것으로 판단됩니다.

특히 5세기 전반 신안, 해남, 고흥 등 서남해지역과 나주, 영암 등 영산강 중류지역에서 새로운 묘제인 수혈계 석곽묘, 석실묘와 함께 왜계 부장품이 갑자기 등장한다고 보면서, 그 역사적 배경을 4세기 후반 백제 근초고왕의 침미다례 도륙과 관련된 것으로 이해하고 있습니다.

이 선생님의 논문은 선행 연구에서와 마찬가지로 전남지역 고분문화의 변화 양상을 백제사의 맥락에서 이해하고자 했다는 점에서 평가할 만한 의의가 있다고 생각됩니다. 475년 백제가 고구려에게 패배하고 漢城지역을 상실하면서 급격히 쇠퇴함에 따라 그 배후기반이 약화된 반남지역 역시 영산강유역에서의 중심세력으로서의 위상을 상실하게 되었다고 이해한 것과 같은 맥락에서, 369년 백제 근초고왕의 전남지역에 대한 정벌의 결과로 나타난 문화적 변화로 이해하는 것입니다. 나아가 근초고왕의 정벌시 왜군이 동원되었고, 그들이 일정기간 상주하면서 재지세력과 접촉하게 되면서 왜계 요소가 나타나게 되었다고 파악하고 있습니다.

고고학에 문외한인 토론자는 이 선생님의 발표문에 대해 적절하게 질의하기 어려운 형편입니다. 그럼에도 불구하고 백제학회의 부탁을 거절하지 못해 이 자리까지 나오게 되었습니다. 이 선생님의 논지를 제대로 파악하지 못한 어긋난 질의일지라도 너그럽게 양해해 주시기 바라며, 작은 몇 가지 의문사항만 말씀드리는 것으로 토론에 대신하고자 합니다.

첫째, 5세기 전반 서남해안지역과 영산강중류지역 묘제에서 일어난 변화를 수혈계 석곽묘, 석실묘, 왜계 부장품 등 크게 세 가지 방면에서 지적해 주셨는데, 저와 같이 고고학에 문외한인 독자들을 위해 구체적으로 각 방면 각각의 요소가 가지는 특징을 좀 더 부연 설명해 주시면 좋겠습니다. 개설적인 수준에서는 각 요소의 계통성이 대략 짐작됩니다만, 각 유구·유물의 계통성을 가야, 백제, 왜로 갈래지어 설명하면 논지파악에 보다 도움이 될 것 같습니다. 덧붙여 유공횡병, 유공광구소호 등을 「영산강양식」 토기로 설명하고 있는데, 영산강양식의 계통적 특징에 대해서도 좀 더 설명이 이어지면 좋겠습니다.

둘째, 5세기 전반 서남해안지역과 영산강중류지역 고분 문화의 변화를 369년에 있었던 백제 근초고왕의 남정과 연결해 보는 시각의 연대 관련 문제입니다. 일단 『일본서기』에 보이는 근초고왕의 남정 시기에 대한 다양한 연대론은 차치하고, 전쟁이라는 정치·사회적 변화가 문화적인 양상에 반영되기까지 어느 정도의 시간이 소요된다고 이해한다고 해도, 369년에 있었던 근초고왕의 남정과 5세기 전반의 전남지역 고분 문화의 변화는 시기적으로 거리가 있지 않나 생각됩니다. 특히 영암 장동고분, 고흥 안동고분의 연대에 대해서는 5세기 후반 이후로 보는 견해도 있고, 발표문의 설명과 같이 늦어도 5세기 중엽으로 비정될 수 있다고 한다면, 근초고왕의 남정과는 시기적으로 다소 거리가 있다고 생각됩니다.

셋째, 왜계 요소에 대해 백제 근초고왕의 남정시 동원되었던 왜의 군대와 관련이 있는 것으로 상정하는 문제에 대한 것입니다. 최근 남해안 지역에서 보이는 왜계 요소의 배경은 직접적인 군사 활동 외에 인적, 물적 교류 등 다양한 루트에서 이해할 수 있다고 생각됩니다. 이와 관련하여 「廣開土王陵碑」辛卯年(391)조에도 유명한 "倭以辛卯年來渡(海)破百殘△△新羅以爲臣民"기록이 있는데, 전남지역 왜계 세력의 존재와 관련해 생각해 본 적이 있는지 복안을 여쭙고 싶습니다.

넷째, 발표문의 제목에서는 전남지역 마한제국의 「사회성격」에 대한 설명이 있을 것으로 기대됩니다만, 실제의 내용에서는 「사회성격」에 대한 설명이 잘 보이지 않습니다. 영암 시종지역을 정점으로 계층화되어 있던 마한사회를 어떠한 사회로 볼 수 있을지 좀 더 부연 설명을 부탁드리겠습니다. 그동안 학계에서는 국가형성론의 맥락에서 취프덤, 국가의 단계 구분에 주목해 온 감이 없지 않습니다. 향후에는 단계론과 함께 형태론 내지 유형론의 입장에서 고대 한국 복합사회의 특징에 대해 접근할 필요가 있지 않나 생각합니다. 이선생님께서 생각하시는 전남지역 마한사회는 어떠한 단계 내지 형태의 사회였다고 보시는지 추가 설명을 부탁드립니다.

「취락으로 본 전남지역 마한 사회의 구조와 성격」에 대한 토론

이영철(대한문화재연구원)

김승옥 선생님은 전남지역 마한계 취락의 분포와 현황을 정리하여, 취락의 분포와 밀도, 유형 분류를 시도하고, 취락 내의 구조와 변화 그리고 취락간의 사회적 관계와 경관에 대한 견해를 밝히셨습니다. 또한 마한 소국의 수와 위치를 논하고 이에 따른 몇 가지 쟁점과 문제점을 짚어봄으로서 취락 연구자들에게 매우 의미 있는 연구 과제와 방향을 제시해 주셨습니다. 특히 Ⅲ장에서 언급하신 취락의 구조와 위계 관련한 이론적 검토 내용들은 취락을 공부하는 모든 연구자들이 매우 의미 있게 받아들여야 한다고 생각합니다.

토론자도 고대 취락을 공부하는 입장에서 선생님의 여러 가지 교시에 감사 드리며, 몇 가지 보충적인 설명을 듣고자 질문을 드리겠습니다.

첫째, Ⅲ장 내용 가운데 주거 한쪽 면에 돌출부가 설치된 주거형태(한성기 백제 凸자형 주거지와 연관이 있는 것)와 원형 수혈은 한성기 백제계 취락의 특징으로서 전남지역에서 소수 발견되는 이유는 한성기 말까지 백제의 직접 지배권으로 편입되지 않았던 것을 입증해주는 것으로 보고 계십니다. 전남지역에서 한쪽 면에 돌출부가 설치된 주거형태가 출현하는 시점은 어느 정도로 보고 계시는지 궁금합니다. 더불어 원형수혈의 경우 영산강 상류 일원에 한정되고 있는데, 그 원인이 무어라고 생각하시는지, 그리고 전북지역에서 원형수혈의 출현 시점과 양상은 어떠한지 알고 싶습니다.

둘째, Ⅴ장의 내용 가운데 155개소에 이르는 취락유적을 분석하여, 취락은 소형(25기 미만) 중형(25-69기), 대형(70기 이상)으로 구분하였습니다. 특히 대형취락은 당시 사회에서 정치경제적으로 중심 기능을 수행한 취락 위계의 정점으로서, 철기와 옥의 출토를 적극적인 근거로 삼고 있습니다. 대형취락은 위신재로도 기능한 철기의 생산을 주도하면서 주변의 소규모 취락으로 철을 보급하였으며, 대형급의 취락일수록 옥을 애용하는 거주민이 많았고, 옥을 애용하는 이는 상대적으로 사회적 지위가 높았을 가능성이 있다고 파악하였습니다. 발표문 내용을 토대로 보면, 4세기에 대형취락의 실체가 본격화되는 것으로 이해되는데 취락 내 구성원간의 차별화(최상위 앨리트-철기 전문 생산자) 또한 이 시점부터 확인되는 것인지 부연 설명을 듣고 싶습니다.

셋째, 발표자께서는 황룡강·극락강권은 3~4세기대 마한계 중심 취락이 발전하지 못한 곳으로서 5세기대 이후 백제계 취락이 주를 이룬 지역으로 보고 있는 점과 관련한 질문입니다. 이 권역은 마한계 세력의 공백지대로 마한 소국의 후보지에서도 제외하고 있는데, 그런 연유로 인해 백제가 마한 소국의 중심지가 아닌 이곳을 5세기 후반 이전에 선택적으로 지배 지역에 재편시킨 것으로 말씀하신 것 같습니다. 결국 한성기에 지금의 광주 일원은 백제의 지배 지역에 포함되었다는 것으로 이해되는데, 직접적 지배가 아닌 간접적 지배를 의미하는 것인지 발표자의 부연 설명을 듣고 싶습니다.

넷째, 옹관고분의 중핵지역인 영암천권과 삼포강권 관련 내용입니다. 고분자료는 풍부하나 취락자료가 거의 전무한 원인에 대해 조사의 지역적 편차로 인해 취락이 조사되지 않았을 가능성과 중대형 취락이 실재 존재하지 않았을 가능성을 제시하면서 후자에 무게를 두고 있는 부분입니다. '삼포강권은 인간의 거주 공간으로 불리하고 정치적 상징물로서 고분이 집중적으로 축조된 지역으로 3세기 이후 마한 소국이 존재해다고 보기는 어렵다'라는 가정은 매우 충격적인 관점이 아닌가 싶습니다. 저는 발표자가 제시한 전자적 가능성이 높다고 지금까지 생각해 왔었습니다. 최근 금강유역에서 조사 보고되고 있는 행복도시 건설 지역의 발굴성과들을 살펴보면, 우리가 관심을 갖지 못했던 충적대지에서 원삼국시대의 대규모 취락들이 확인되고 있기에 조사의 기회가 없었던 하천 연안의 자연제방대와 같은 지점에 대형 취락들이 존재할 가능성이 높지 않나 싶습니다. 나주 복암리 일원의 경우도 동신대박물관이 조사한 다시들유적(취락유적)이 복암리 고분군 아래 쪽(영산강 자연제방대 아래)에서 조사된 바가 있습니다.

다섯째, 영산강 상류지역에서 주로 확인되는 5세기대 취락 경관의 변화는 백제의 남정으로 인한 마한계 취락의 쇠퇴와 백제 취락의 확산으로 설명될 수 있다고 정리하셨습니다. 이는 앞서 첫 번째 질문한 원형수혈과 관련해 전남지역 대부분이 한성기 말까지 백제의 직접적 지배권으로 편입되지 않았다는 내용과는 약간 다른 것이 아닌가 싶습니다. 이 부분에 대한 선생님의 보충 설명을 듣고 싶습니다.

「출토유물로 본 전남지역 마한 제국의 사회 성격」에 대한 토론

김낙중(전북대학교)

발표자인 서현주 교수는 오랫동안 영산강유역 고분 출토 유물, 그중에서도 특히 토기를 중점적으로 연구하여 많은 성과를 내셨습니다. 오늘 발표도 이러한 성과를 바탕으로 토기를 통해 5~6세기 영산강유역 사회의 성격을 논의하였습니다.

발표자는 영산강유역 토기의 특징으로 독자성, 외래성, 지역성을 들고, 토기의 단계적 변화나 통일성이 약한 편이고 확산도 그다지 활발하지 않았으며 통일성, 정연성 그리고 확산이 두드러지는 것은 백제식 토기가 본격적으로 등장하는 6세기 전후부터라고 보았습니다. 따라서 5~6세기 영산강유역권의 사회 성격은 사회의 통합 정도가 그다지 강하지 못하고 여러 지역세력이 짧은 시간 동안 병존하는 모습을 보여준다고 판단한 것으로 여겨집니다. 이와 관련하여 두 가지 질문만 드리고자 합니다.

1. 토기 양식의 성립은 고대국가 성립의 중요한 지표로 여겨지고 있습니다. 영산강유역에서도 개배, 고배, 유공광구소호 등 특징적인 기종으로 이루어진

양식이 존재한다고 할 수 있겠습니다. 다만 신라 양식이나 백제 양식 등과 비교하여 정형화 및 규격화가 떨어지고, 분포 범위가 좁은 특징이 있습니다. 이러한 점을 고려하여 발표자는 영산강양식의 토기를 백제 내의 지역 세력이 생산한 불완전한 지역양식으로 판단한 것 같습니다. 신라에서도 지역양식의 토기와 고총이 여러 지역에서 확인되는 점을 고려하면 일견 타당한 것처럼 보입니다. 그렇지만 영산강유역의 양상은 이와는 조금 다른 측면이 있다고 생각됩니다. 즉, 백제의 다른 지역에서는 영산강양식만큼 독자성이 강한 토기 양식이 없고, 고총이나 부장유물에서 보이는 것처럼 백제 왕권만이 아니라 왜, 가야 등 다양한 정치체와 다원적인 교섭 및 교류를 하면서 성장하였으며, 토기양식 및 묘제 등으로 묶을 수 있는 권역이 고창, 영산강유역, 해남 등을 포괄하는 광범위에 이른다는 차이점이 있습니다. 따라서 5~6세기 영산강유역 세력을 백제의 지역세력으로만 평가하기는 어렵다고 생각합니다. 저는 5~6세기 영산강유역권 사회는 백제와 같은 고대국가가 형성된 단계에 그와 같은 고대국가에는 이르지 못하였고 많은 영향을 받지만 공식적인 정치기구를 갖추고 광범위의 지역을 영향력 아래에 두고 대외교류와 교역을 주도하는 등 이전의 '국'의 형태에서 좀 더 고도화된 단계의 정치체로 추정하고 있습니다. 즉, 고총이나 토기양식 등으로 보아 국가 직전의 사회수준에 도달하였다고 판단하고 있습니다. 그렇다면 백제의 지역세력으로 단순화하기 어렵다고 생각합니다. 이와 관련하여 의견을 말씀해 주십시오.

2. 발표자는 5세기 중엽 이후 영산강유역에 등장한 다양한 외래 유물은 지역정치체의 의도보다는 백제 중심의 교섭에 이 지역 세력이 참여하면서 나타난 것으로 판단하는 것 같습니다. 중심적인 역할을 백제왕권이 한 것으로 여기는 듯합니다. 물론 백제토기가 확산되고 전방후원형고분에도 중국제 시유

도기 등이 부장되고 있는 점은 백제의 영향력이 이전보다 훨씬 확대되었다는 것을 보여줍니다. 그렇지만 왜, 가야, 신라 및 백제 요소가 복합적으로 등장하는 점과 그러한 복합적인 양상이 특정 거점만이 아니라 영산강유역 전반에 나타나는 점을 고려하면 현지세력의 주체적이고 적극적인 역할이 더 중요하였다고 할 수도 있다고 생각됩니다. 이와 관련하여 의견을 말씀해 주십시오.

「백제의 영역확장과 마한병탄」에 대한 토론

김주성(전주교육대학교)

이 논고는 백제가 전남의 남해안까지 어느 때에 영토를 확장했는가를 살핀 논고이다. 이것을 삼국사기와 중국측 기록인 삼국지 위서동이전 마한에 전하고 있는 54개국의 소국의 명칭과 진서 무제기에 실린 마한 00국의 내부기사를 중심으로 살피고 있다. 이어서 말썽 많은 일본서기 신공기 49년조에 대한 검토를 하고 있다. 발표자는 근초고왕을 주제로 박사학위를 받았으며, 오래 동안 이 시기를 공부해온 전문연구자이다. 그만큼 깊이 있는 연구이면서 무게가 나가는 연구라는 의미이다. 연구사를 검토하면서 발표자의 의견을 중심으로 기존의 견해에 대한 타당한 반론을 제시하고 있기 때문이다.

발표자는 근초고왕대 백제의 남방영역은 대략 웅천 정도를 상정하고 있는 듯하다. 그런데 백제가 언제 전남지역까지 세력을 확장시켰을까에 대한 언급이 명확하지 않다. 이를 밝혀주었으면 한다.

백제의 발전과정을 생각해볼 때 근초고왕을 중심으로 확연하게 구분되는 느낌이 든다. 근초고왕은 고구려의 평양(?)까지 북진하여 고국원왕을 전사시키기도 하였다. 그런데 그로부터 대략 30여년이 지난 아신왕대 백제는 고구려 광개토왕의 침공을 받아 막대한 타격을 받는다. 58성 700촌을 잃었다는 것이 문제가 아니라 한강을 넘어온 고구려에 의해 국왕이 잡히고 수도가 함락되었다는 것이다. 백제로서는 커다란 위기를 맞은 셈이다. 백제의 남방경역 개척에도 당연 이러한 백제의 부침이 영향을 미쳤다고 본다. 근초고왕대 전남까지 영역을 확장한 백제가 아신왕 이후 혼란에 빠져있을 때 영산강유역의 세력이 다시금 독자세력으로 부활하는 것이 아니었을까 싶다.

그리고 그로부터 대략 80년 후 백제는 장수왕의 침공을 받아 역시 수도가 함락되어 공주로 천도하였으며, 개로왕이 잡혀 피살되었을 정도로 피해를 입었다. 이러한 혼란은 백제 주변의 다른 나라와 이미 복속되었던 지역의 소국이나 연맹체에게도 영향을 미쳤던 것은 아니었을까 싶다. 양직공도의 叛波·卓·多羅·前羅·斯羅와 전라도 지역으로 비정된다고 추정되는 止迷·麻連·上己文·下枕羅 등은 이런 영향과는 관련이 없을까 하는 느낌이 들어 질문을 드립니다.

그리고 발표자는 신공기 49년조를 3장의 제목을 '가라7국평정기사를 통한 접근'이라고 하여 가라7국평정기사로 이해하고 있는 듯하다. 그런데 실제 서술에서는 가라7국평정도 신뢰성이 없는 것처럼 이해하고 있는 것처럼 느껴진다. 신공기 49년조 기사를 완전 허구인 것으로 이해하고 있는지 아니면 신공 49년조에 서술된 여러 사실들 중 가라7국평정만을 믿는다는 것인지 밝혀주었으면 싶다.

아울러 마한연맹체를 소국 54국으로 구성된 연맹체로 이해하는지 아니면 소국 54국이 몇 개의 연맹체로 재편성된 것을 마한연맹체로 이해하고 있는지 궁금하다. 토론자는 진서에 나오는 동이 00국의 00이라는 숫자의 마한은 00개의 소국이 각자 진나라에 사신을 파견했다고 이해하기 보다는 00개수의 소국이 연맹체를 형성하게 되었는데 그 연맹체의 대표국을 중심으로 사신을 파견했다고 이해하는 것이 온당하다고 본다. 이에 대한 발표자의 의견을 듣고 싶다. 이 문제는 新彌諸國을 이해하는데도 유효하다고 보기 때문이다

「백제의 전남지역 마한 제국 편입 과정」에 대한 토론

박중환(국립나주박물관)

　　문안식 선생님의 발표를 잘 들었습니다. 발표자께서는 기존의 연구성과를 충실히 검토하여 전남지역 마한 사회의 변화과정을 소상하게 정리하였습니다. 본 발표를 통하여 토론자인 저로서도 이 문제에 대한 지견을 넓히게 된 부분이 적지 않습니다. 다만 토론자로서는 발표자의 견해 가운데 몇몇 부분에 대한 해석 상의 차이도 있어서 몇가지 질문을 드리고자 합니다.

　　먼저 188쪽에 서술된 진왕에 대한 인식 부분입니다. 발표자께서는 진왕과 낙랑군과의 관계를 脣亡齒寒의 관계로 인식하고 낙랑군이 2세기 중엽에 이르러 쇠퇴하자 진왕의 권위가 날로 약화되었고 이에 따라 삼한 각지의 토착세력이 그 영향력에서 벗어나 독자적인 발전을 꾀하였다고 보고 있습니다. 곧 진왕과 한 군현의 세력과의 관계는 협력관계로 보고 그에 비하여 진왕과 삼한 각지의 토착세력과의 관계는 억압 - 종속 관계로 보고있는 듯 합니다. 하지만 이러한 이해는 진왕이 삼한사회를 대표하는 존재로 인식되고 있는 일반적인 이해와는 좀 거리가 있습니다. 진국을 다스리는 진왕과 삼한사회와의 관계를 좀더 분명하게 설정하고 정리해 주시는 것이 필요하다고 생각합니다.

　　두 번째 189쪽에 있는 근초고왕의 남정 루트관련 이해입니다. 주지하듯이 근초고왕의 南征 사실은 우리 측의 기록에는 없고『일본서기』의 신공기 49년 조의 기록에 대한 주체를 백제로 해석하는 역사이해에 의해서 도출된 해석입니다. 그런데 이렇게 하여 도출되고 정리된 근초고왕의 남정 과정을 보면 그 루트가 여전히 현재의 대구와 낙동강 하류역 등의 영남을 시작으로 바다를 지나가는 이동경로를 나타냈다고 하는 것입니다. 이러한 이해는『일본서기』기록의 주체를 백제의 근초고왕으로 바꾸었을 뿐이지 실제 지리적으로 본다면 백제 쪽에서 움직이는 이동경로로 이해하기 어려운 양상으로 생각됩니다. 현재의 한강 하류지역에서 육로로 남하하거나 아니면 인천을 통해 서해 해로로 남하하는 것이 자연스러울 한성기 백제의 남방경략 루트로서는 좀 이상한 설명이 되기 때문입니다. 이에 대한 설명이 필요할 듯 합니다.

세 번째는『일본서기』와 양직공도 등에 거론된 지명과 관련하여 발표자께서 지명 비정에 대한 거론을 했지만 정작 전남지역에서 마한 단계의 중요유적을 대표하는 반나고분군 세력에 대한 지명 비정을 빠져 있는 상태입니다. 고해진과 침미다례, 비리 등등의 지명비정입니다. 그러다 보니 전남지역에 있었을 마한 세력에 대한 백제의 경영이라고 하는 큰 구도가 효과적으로 전달되지 못하고 있는 느낌을 줍니다.

네 번째로 나주 신촌리 9호분의 금동관과 함평 신덕고분의 금동관편을 백제 중앙의 하사품으로 보았습니다. 이와 관련하여 신촌리 9호분 출토 금동관의 형식이 범백제권에서 출토된 여타의 금동관과 크게 다른 형태로 구성되어 있는 사실에 대한 해석이 필요합니다. 무령왕릉 출토의 오라관에 붙은 관식을 비롯하여 공주 수촌리나, 서산 부장리, 익산 입점리, 고흥 길두리 출토품들이 고깔 모양의 관형태 인데 비하여 신촌리 9호분은 내관과 외관을 모두 갖춘 형태인데다 문양과 장식에 있어서 다른 관들과 차이가 많기 때문입니다.

이상입니다. 발표자 선생님의 고견을 듣고자 합니다.

「중국 한대 토돈묘」에 대한 토론

조영현(대동문화재연구원)

漢代~南朝까지 浙江을 중심으로 土墩墓에 관해 발표해 주신 浙江省考古研究所 胡繼根 선생님의 발표문을 잘 읽었습니다. 당시의 토돈묘에 대해 공부가 되었습니다. 中國 墳墓에 천착해 본 적은 없으나, 우리나라 嶺南地方 古墳을 중심으로 三國時代 大形墳의 封墳을 위주로 관심을 두어 왔던 指定討論者의 立場에서 몇 가지 궁금한 부분에 대해 質問하고자 합니다.

첫째는 墳墓 名稱에 관한 질문입니다. 中國의 '土墩墓'는 대개 토돈을 조성하거나 조성된 토돈 안에 매장주체부를 설치했다는 점은 우리나라의 '低墳丘墓'나 湖南地方 중심의 '墳丘墓' 그리고 일본의 '墳丘墓'에 이은 '高塚'과 유사하다고 생각합니다. 그런데 土墩墓 중에는 매장주체부를 조성한 다음에 盛土封墳을 갖춘 사례(山東 土墩墓)도 포함하고 있습니다. 이는 '墳丘墓'와 유사하지만 그렇지 않은 무덤도 포괄한다는 것이므로, 결국 土墩墓는 盛土封墳을 지닌 封土墳과 같은 의미로 보입니다. 이에 관하여 발표 선생님의 견해를 듣고 싶습니다.

둘째는 先史·先秦의 土墩墓 그리고 兩漢 이후에 土墩墓가 아닌 무덤에 관한 질문입니다. 1987년 湖州 楊家埠의 土墩墓 15기 발굴을 통하여 제시된 漢代

土墩墓의 개념 중에서 時期 또는 時期問題와 直結된 ③④를 제외하면 나머지 ①②⑤가 구조적 특징이라고 볼 수 있겠습니다. 이러한 구조적 특징에 비해서 旣存의 先史·先秦 土墩墓는 무엇이 다른지, 그리고 兩漢~南朝時期에 土墩墓가 아닌 무덤과의 分布 比重에 대하여 간략하게나마 言及이 필요하다고 생각합니다.

셋째로 沿用形은 直接的이든 間接的이든 기존의 先史·先秦 土墩을 이용한 것이지만, 新築類의 全堆形인 湖州 楊家埠D69號墓에도 '上部增築' 혹은 '垂直擴張'이 관찰됩니다. 提示圖面3에는 土墩의 第2層에서 개별 무덤들이 조성되었으나, M18號墓만 第1層에서 조성된 것으로 나타나 있습니다. 이런 점은 漢代의 짧은 기간 동안에도 最先行 무덤의 土墩面 위를 增築盛土하고 추가 무덤들을 차례로 조성한 것이라고 할 수 있겠습니다. 配置狀態(布局)도 M18號墓가 나머지 모든 무덤(22個墓)의 中央에 位置할 뿐 아니라 바로 곁의 규모가 작은 8個墓(3群中 中間群)가 M18號墓를 衛護하듯이 配列된 形局입니다. 이런 점은 비교적 짧은 기간 안에 무덤 중에서도 토돈을 증축한 뒤 추가 무덤들을 조성한 사례들이 적지 않을 것으로 추정됩니다. 이에 관한 발표 선생님의 말씀을 듣고자 합니다.

넷째는 '湖南省의 토돈묘는 성토하기 전에 미리 底部에 설치한 排水溝로 각 토돈의 경계를 삼는다. 성토할 때 선택된 靑膏泥로 표시벽을 쌓았다.'라는 내용에 관한 질문입니다. 경계와 아울러 주변부 公有空間이기도 한 排水溝(周溝?)를 掘鑿한 흙으로 土墩의 盛土材로 活用한 與否, 그리고 靑膏泥로 表示壁을 쌓았다는 것에 대해 敷衍說明해 주시면 감사하겠습니다.

「"卑離"·"夫里" 그리고 "buri"」에 대한 토론

손희하(전남대학교)

「"卑離"·"夫里" 그리고 "buri": 馬韓 早期社會의 百越文化 요소 검토」는 대략 기원 5세기말 이전, 북방 백제문화가 영산강유역에 강력하게 진입하기 전의 馬韓 早期社會에 중국 대륙 동남지역의 越人이 창조한 百越文化 요소가 있다는 것을 주장한 것이다. 그리고 "越人의 이동에 따라 마한 지역의 지명도 피할 수 없이 백월 특색을 가지게 되었는데 현재 추정할 수 있는 것이 바로 "卑離", "夫里"에 해당한다."고 기술하고 있다.

발표자는 다음과 같은 마한과 백월 문화요소의 유사성과 백월문화가 나타나는 지역의 지명 "buri"와 "卑離", "夫里"의 유사성을 주장의 주요 근거로 들고 있다.

현재까지 진행된 연구로 보면 아주 독특한 "백월문화요소"는 대략 아래와 같은 내용을 포함한다. 즉, 생업활동은 주로 벼농사이고, 거주 방식은 주로 干欄式建築이고, 생산 도구는 주로 有段石錛·有肩石器·목제농구 등이고, 사회 생활에는 斷髮文身·발치풍습 등이 있고, 장례는 崖葬이나 토돈목곽·토돈석실 등의 형식이 있고, 신앙에 있어서 뱀 숭배·새 숭배·닭 점치기 등이 있고, 언

어는 중원 華夏語와 구분되는 壯傣語族에 속하는 것 등 있다. 이상의 문화요소
는 많든지 적든지 간에 영산강유역 기원 전후의 취락유적에서 보이는 것이 있
으며 특히 광주 신창동저습지 유적에서 매우 잘 보이고 있다. 신창동유적에서
출토된 벼규산체 · 쌀 · 삽 · 杷 · 낫자루 등 목제생산도구 · 절굿공이 · 절구통 ·
식기 등의 목제 생활용구, 환호취락 형태와 干欄式 주거 유적, 조형 목제품 등
이 모두 비교적 전형적인 百越文化의 특징을 보여준다.

이 논문은 초기 마한사회와 백월문화요소의 비교 연구의 전개 가능성을 제
시하였다는 데에 일단 의의가 있다. 다만 발표자의 마지막 기술 "물론 상술한
"卑離", "夫里", "buri"에 대한 검토는 단지 백월문화 요소 배경하의 한 어음상
추측한 것으로 충분한 근거가 될 수는 없을 것이다. 그러나 이런 추측은 마한
초기사회 연구의 전개를 위한 다른 길을 보여줄지도 모른다."에서 단적으로 보
이는 것처럼 확실하고 분명하게 충분히 근거를 대지 못하고 추측에 머물고 있
는 부분이 군데군데 보인다는 것이 이 논문의 아쉬운 점으로 보인다. 물론 이
러한 한계는 자료가 충분하지 않은 고대사 연구에서 흔히 겪는 것일 수도 있으
며, 고대사 연구가 얼마나 지난한 것인지를 잘 보여준다고도 할 수 있다.

이처럼 이 연구는 초기 마한에 백월문화 요소가 있다는 것을 제시하여 초기
마한 사회 연구의 전개를 위한 다른 길을 보인 점에 의의를 둘 수 있다. 앞으로
발표자의 주장을 뒷받침하는 자료를 충분히 제시하는 기회가 오길 바라며, 다
음 몇 가지를 참고로 덧붙이고자 한다. 편의상 발표자의 글을 인용하고 의견
을 제시하기로 한다.

1) 275쪽
『동이전』에서 기록된 마한 55국은 어떤 순서로 배열한 것인지 우리가 알 수 없

는데 국가명도 모두 음역이라서 그의 뜻도 알 수 없다. 그러나 이 가운데 명확한 공통성을 보인 국명이 있다. 즉 "卑離國、占卑離國、監奚卑離國、內卑離國、辟卑離國、牟盧卑離國、如來卑離國、楚山涂卑離國" 등 8개가 있다. 만약 음이나 형이 비슷한 古離國、咨離牟盧國、卑彌國、古蒲國、致離鞠國、一離國、不彌國、楚離鞠國을 포함하면 총 16국이 있다. 이 수량이 거의 마한 55국의 삼분의 일을 차지하였다. 이런 국명들이 모두 "卑離" 발음으로 끝나거나 "卑離" 발음과 유사한 것 포함해서 이것이 아마 지명 가운데 소위 "通名"이라고 한 것이다.

→ 경우에 따라 "通名"일 수도 있으나 일단 "通名"이 아닌 것으로 보는 것이 올바른 태도일 것이다. 일단 자형면에서 로마자의 "b, d, p, q"가 유사하나 서로 다른 글자인 것처럼 통용자가 아닌 이상 자형이 다르면 달리 보는 것을 기본 태도로 삼아야 할 것이다. "卑離, 古離, 咨離, 卑彌, 古蒲, 致離鞠, 一離, 不彌, 楚離"의 어떤 점이 같다고 보아야 할 것인가가 궁금하다.

2) 278쪽

"마한의 "卑離"는 어디서 기원한 것인가? "평야"는 "卑離"의 원래 뜻인지 파생한 뜻인지? 이 2문제에 대해 결론부터 말하면 "卑離"는 壯傣語族의 百越語에 속하고 그 뜻이 "성읍"인 것 같다."

→ 백제 지명 중 "夫里"는 발표자도 들고 있는 中嶋弘美[1](2011)의 견해처럼

---

1) 中嶋弘美, 2011,「三國史記 地理志의 百濟 地名語 研究—韓·日 地名語 比較의 觀點에서—」『語文研究』第39卷 第3號.

원래 "평야"를 말한 것인데, 나중에 "성", "읍"을 표시한 지명으로 보는 것이 기왕의 일반적인 의견이다. 만약 "卑離"가 壯傣語族의 百越語에 속하고 그 뜻이 "城邑"인 것 같다."면 언어학적 근거를 충분히 대야 할 것이다.

비교적 잘 알려진 바이지만, "卑離", "夫里", "벌"과 동원으로 보이는 어휘 용례를 들어 보이면 다음과 같다[2].

고대 백제, 신라 지명어에 등장한 '火, 伐, 夫里, 不, 弗, 發, 角'은 {pVr / pVl}을 새김 표기하거나 음 표기한 것으로 보는 것은 주지의 사실이다.

· 臨關郡 本毛火 一作 蚊伐『三國史記』34

· 尙藥縣 本西火縣『三國史記』34

· 玄驍縣 本堆良火縣『三國史記』34

· 靑正縣 本百濟古良夫里縣『三國史記』36

· 潘南郡 本百濟半奈夫里縣『三國史記』36

알타이어계 언어에 보이는 다음 낱말은 형태와 의미가 이들과 비슷하여 주목하게 한다.

· pile《a plain》(골디어)<Schmidt 1923, Ramstedt 1949:196 재인용>

· pili《a plain》(골디어)<Schmidt 1923, Ramstedt 1949:196 재인용>

· Falan 뜰[庭子]《뜰》(만주 문어)<동문유해 상: 36ㄱ, 김동소 1982: 26>

· Falga 무 올[里]《마을》(만주 문어)<동문유해 상: 41ㄱ, 김동소 1982: 26>

---

2) 손희하, 1991,『새김 어휘 연구』, 전남대 박사학위논문, 26~35쪽.

· fala《광장, 평지, 구역》《만주어)<Cincius 1975 : 32, 김방한 1983 : 112 재인용>

· atar < *hatar(?) < *hataŕ《휴경지, 벌》(몽고어)<Ramstedt 1949: 193>

· pala《광장, 평지, 구역》(오로키어, 네기달어, 울차어)<Cincius 1975 : 32, 김방한 1983 : 112 재인용>

· pile《a plate》(올차어)<Schmidt 1923, Ramstedt 1949: 196 재인용>

· pili《a plate》(올차어)<Schmidt 1923, Ramstedt 1949: 196 재인용>

· **hile-kĕn**《open field, even ground》(퉁구스어)<W. 1940: 156 Ramstedt 1949: 196 재인용>

· hileken《even and woodless plain》(퉁구스어)<Poppe 1927, Ramstedt 1949: 196 재인용>

· Fatakë 《밭》(일본어)<이남덕 1986: 218>

· Fira《平 넓적한》(일본어)<이남덕 1985: 149>

· Firöa《廣》(일본어)<이남덕 1985: 149>

· hadake《밭에》(일본어)<Ramstedt 1949: 192>

· hara (原) < Fara《넓고 평평한 곳》(일본어)<이남덕 1985: 150>

· hira《평원》(일본어)<Ramstedt 1949: 196>

· pira《평원》(아이누어)<Ramstedt 1949: 196>

· fataki, pataki《밭에》< *pata + ake《field + opened》《경작지》(유구어)<Miyara N:o 180, Ramtedt 1949: 192 재인용>

다음 단어 또한 동원어로 보인다.

· 處 바라쳐<百聯抄解 5ㄴ, 千字文(광주본) 31ㄴ>

· 處 바ᄅᆡ래쳐<千字文(대동급본) 31ㄴ>

· 本朝 △ 晦隱曰 近見錢牧齋集 以爲山中開野處亦謂之海 此盖中國與我國俗稱同

也 我京都東郊三角山之下 名曰海村俗稱바라올者似亦從山川開野之義<古今釋林

27 제8편 東韓譯語>

3) 279쪽 각주8

"越"의 고대 발음 擬音음 wut나 wat, wet이며, 入聲字이고, 급하게 읽으면 바로

"왜"이고 천천히 읽으면 "왜토", "위노", "이토", "伊土" 등이다. 백제와 왜의 관

계는 앞으로 과제로 설정해서 여기서 깊게 연구하지 않겠다.

☞ "越"의 고음을 들면 다음과 같다.

上古音查询

共 2 条		前一条	后一条	第 1 条	
中古声母	匣	中古声调	入	中古开合	合
中古韵母	末	中古摄	山	中古等	一等
高本汉	g'wɑt	V/2部	李方桂	gwat	祭
王力	ɣuat	月	白一平	wat	月部
郑张尚芳	gʷaad	月1部	潘悟云	gʷaad	月1部
反切	户括				
注释	字见《说文》				
输入所查询的汉字	越			查询	

| 共 2 条 | 前一条 | 后一条 | | 第 1 | 条 |

中古声母	匣	中古声调	入	中古开合	合
中古韵母	末	中古摄	山	中古等	一等
高本汉	ÂuAt	王力	ÂuAt	董同和	ÂuAt
周法高	ÂuAt	李 荣	ÂuAt	邵荣芬	ÂuAt
蒲力本	úwAt	郑张尚芳	ÂuAt	潘悟云	úWAt
反 切	户括				
注 释					

输入所查询的汉字 [越] 查询

4) 280쪽

태국 지명 중 "buri"에 대한 해석은 현재 학계에서 일반적으로 그것이 인도의 범어나 Pāli-Bhāsā어로 인식되는데 엄격한 논증 과정이 많지 않으며 "buri" 가 소승 불교를 따라 전입된 것으로 추정한 것뿐이다. 戴紅亮은 『西雙版納傣 語地名研究』에서 태국과 중국 운남성 西雙版納 등의 지역에 모두 범어나 Pāli-Bhāsā어에서 이식된 지명과 외래어가 존재한다고 살펴보았다. 이식된 지명 은 거의 인도의 어떤 지명에서 나온 것이고 …… "buri"도 한 외래어이다. …… "buri"(武里) …… 가 진짜 Pāli-Bhāsā에서 나온 것을 확인하기가 어렵고 "범어 나 Pāli-Bhāsā"로 추측만할 수 있다.

西雙版納 傣語는 漢藏語系 壯侗語族 壯傣語支에 속하고 …… 역사적 族源은 바 로 "百越"이며 이것은 학계에서 이미 공인을 받은 것이다.

→ 태국 지명 중 나타나는 "buri"가 백월 문화요소가 나타나지 않는 지역에

서는 전혀 나타나지 않는지가 궁금하다.

『越絶書』권2「越絶外傳記‧吳地傳第三」에서 "至武里死亡, 葬武里南城"의 "武里", "娶北武城, 闔廬所以候外越也"의 "武城" 아마 모두 "buri"와 관련이 있다. 또한 진한시대에 閩越王 無諸의 도성인 "冶"는 현재 북건성 浦城으로 고증하였는데 여기서 포성이 아마도 "buri"가 한화 이후의 지명인 것 같고 포성이 바로 "buri"이고 "浦"가 발음이고 "성"이 뜻이다. 그리고 현재 중국 동남 연해, 대만 등 지역에서 자주 보인 "埔", "步", "埗", "甫", "浦", "埠" 등의 지명이 모두 "buri"에서 기원한 古越語 지명으로 언급할 수 있다.

→ "buri"에서 이들 "埔", "步", "埗", "甫", "浦", "埠" 등의 지명으로 변하는 과정을 밝히는 언어학적 기술이 필요하다.

5) 284‧285쪽

마지막으로 나주에서 출토된 "半乃夫□" 명문 기와 편으로 돌아온다. "卑離", "夫里"가 "성읍"의 뜻인 것에 대해서는 큰 의문이 없을 것 같다. 그러면 "半乃"나 "半奈"는 어떤 뜻인가? 壯傣語族(백월언어)의 입장에서 충분히 상상해 보면 Baan는 壯傣語族의 언어 뜻으로 "村莊", "村寨" 즉 취락, 읍락의 뜻이다. 傣語가 漢어로 번역될 때 "曼"으로 쓰고 壯語에서 漢어로 번역할 때 "板", "晩"으로 쓴다. Naa는 壯傣語族 언어에서 뜻이 "田", "水田", "稻田"이다. BaanNaa(半奈, 半乃)의 뜻이 "村田", "邑田"이다. "半乃夫里"는 "마을과 논이 있는 곳"이다. 이것은 바로 나주 일대가 예로부터 한반도 남부의 곡창지대인 자연 특징과 부합한다.

출전 참고문헌

김동소 편, 1982,『동문유해 만주문어 어휘』(개정판), 효성여대 출판부.

김방한, 1983,『한국어의 계통』, 서울 : 민음사.

이남덕, 1985,『한국어 어원 연구(III) : 형용사 어휘의 어원』(한국문화 연구원 한국문화
총서 3), 서울 : 이화여자대학교 출판부.

이남덕, 1986,『한국어 어원 연구(IV) : 언어연대학적 고찰과 음운 대응 법칙의 정립』(한
국문화 연구원 한국문화 총서 4), 서울 : 이화여자대학교 출판부.

Ramstedt, G. J.(1949). Studies in Korean Etymology. Helsinki : Suomalais - Ugrilainen
Seura.

上古音查询网站 http://www.eastling.org/OC/oldage.aspx

中古音查询 http://www.eastling.org/tdfweb/midage.aspx

「일본 기내지역의 마한·백제 관련 고고학 자료의 성격」에 대한 토론

성정용(충북대학교)

宮崎선생은 이번 발표를 통해 畿內 지역에서 출토된 마한·백제계 관련 자료 특히 토기 자료들을 거의 대부분 망라하여 충실하게 정리하여 줌으로써, 앞으로 이 분야 논의에 상당한 기여를 할 수 있을 것으로 기대된다. 자료 정리의 노고에 감사의 뜻을 표하며, 畿內지역 고고자료의 성격을 이해하기 위해 몇 가지 질문을 드리고자 한다.

먼저 한식계토기의 개념에 대해 '삼국시대에 한반도에서 가지고 온 토기, 혹은 그 영향으로 일본열도에서 도래인과 재지 사람이 제작한 토기'로 정의하는 것에 찬동한다. 다만 적갈색 연질토기계는 한식계(연질)토기, 도질토기 영향을 받은 것은 한식계(도질)토기로 부를 것을 제안했는데, 사실 백제지역에서는 회색연질토기의 의도적인 생산비율이 높은 편이며 토론자는 회색연질토기와 회청색경질토기가 하나의 가마에서도 필요에 따라 소성이 가능하였을 것으로 생각하고 있다. 과연 近畿지역에서 회색 연질소성된 것이 전혀 없는 것일까? 그렇지 않다면, 한식계 연질토기를 적갈색연질과 회색연질로 구분하고, 도질은 용어상 연질과 대비되는 한식계 '경질'토기로 부를 것을 제안하고 싶다.

토기, 나아가 물질문화의 성격에 대한 근본적인 의문점이 제기된다. 宮崎선생이 제시한 자료를 보면 도면을 통한 관찰만으로 특정하기는 어려우나 아궁이틀장식(발표자의 U자형 판상토제품)을 비롯해 영산강유역 관련 문물의 비율이 금강유역 것보다 훨씬 높아 보이며, 한강유역과 관련된 것은 거의 보이지 않는다. 과연 한강유역과 관련된 것으로 볼만한 것은 그리 없는 것인가? 그렇다면 토기를 중심으로 한 고고학자료가 당시 집단(혹은 국가)사이의 관계망을 충실히 대변하고 있는지 의문이 들 수 밖에 없다. 근초고왕 때 이미 百濟와 倭의 공식적인 관계가 시작된 것이『日本書紀』神功紀에 기록되어 있으며,『日本書紀』에는 아신왕이 태자 腆支를 인질로 보냈고(397년), 후일 전지가 왕이 되기 위해 돌아올 때(405년)에는 倭의 병사 100명이 호위하였으며, 雄略天皇 5년(461년)에는 개로왕이 동생 昆支를 왜에 파견하고 있다[3]. 이로 보아 백제 중앙과 왜의 관계는 분명한데, 이상하리만치 관련 자료가 잘 보이지 않는다. 과연 그 이유는 무엇일까? 또 곤지의 무덤이라 추정되고 있는 高井田山石室墓 주변에서 이 무덤과 관련된 것으로 볼만한 취락이 있는지, 백제 중앙과 관련된 자료는 확인하기 어려운지 여쭈어보고 싶다.

이번 발표를 통해 近畿 지역의 마한·백제와 관련된 자료가 大阪·奈良·京都·兵庫·和歌山縣 등 폭넓은 지역에 분포하고 있음이 다시금 확인된다. 그런데 백제계 壁柱建物들이 확인되고 있는 滋賀지역은 집성 대상에서 제외되어 있다. 滋賀지역에서는 한식계 자료가 출토되지 않는 것인지 아니면 집성에서 제외한 다른 이유가 있는지 궁금하다.

한편 제시된 자료로 볼 때 大阪 동쪽 지역 일대가 마한·백제계 문물의 최대

---

3)『日本書紀』雄略天皇 5년.

밀집지라 해도 과언이 아닐 듯한데, 大阪·奈良지역은 지리권과 유적 밀집도 등을 감안해 몇 개의 小 권역으로 구분될 수 있는가?

이와 관련해 발표자가 직접 조사한 四條畷市 蔀屋北遺蹟이 주목되는데, 발표자는 다량의 제염토기와 말 희생으로 보이는 매장 수혈들의 존재를 통해 이 유적을 마사집단과 관련시켜 보고 있다[4]. 사실 蔀屋北遺蹟이 위치한 河內지역은 마사집단으로 유명한데, 계체천황이 507년 즉위할 때 여러 사람들이 계체를 옹립하고 있음을 알려 천황에 즉위할 수 있도록 결정적 도움을 준 사람이 바로 河內馬飼首 荒籠이란 인물로서 즉위 후 厚待하는 기록이 있는데[5], 河內 마사집단 물질문화의 기반을 본다면 그 우두머리 또한 도래계일 가능성이 제기된다. 『日本書紀』履中5年 秋9月條에도 馬飼部에 대한 기록이 있고, 『延喜式』左馬式에 의하면 율령제 하에서도 河內가 大和와 함께 馬飼의 주요 거주지로 나온다. 이처럼 문헌에 나오는 마사집단을 蔀屋北遺蹟과 직접 연결시킬 수 있을지 여부와 함께, 과연 5세기대 백제계 집단이 거주한 最高의 핵심지역은 蔀屋北 일대일까 아니면 다른 곳을 상정할 수 있을지 여쭈어보고 싶다.

長原유적의 조족문토기가 금강 이북지역에서 건너온 도래인과 관계된 것으로 본 田中淸美선생의 견해를 소개하고 있으며, 圖33의 것을 가리키는 듯한데 토론자도 가능성이 있다고 보며 圖43의 大阪 鬼虎川유적과 奈良 外山유적 출

---

4) 宮崎泰史, 2012, 「키나이(畿內)에 정착한 백제계 馬飼집단」, 『마한·백제인들의 일본열도 이주와 교류』, 서경문화사, 220∼236쪽.

5) 春正月丙寅 遣臣連等、持節以備法駕。奉迎三國。夾衛兵仗。肅整容儀。警蹕前驅。晏然而至。於是男大迹天皇晏然自若。踞坐胡床。齊列陪臣。旣如帝坐。持節使等。由是敬憚。傾心委命。冀盡忠誠。然天皇意裏尙疑。久而不就。適知河內馬飼首荒籠。密奉遣使。具述大臣大連等所以奉迎本意。留二三日三夜。遂發。乃喟然而歎曰。懿哉馬飼首。汝若無遣使來告。殆取蚩於天下。世云。勿論貴賤。但重其心。蓋荒籠之謂乎。及至踐祚。厚加荒籠寵待。(『日本書紀』卷十七 継体天皇 元年條)。

토 甁도 그러할 듯하다. 宮崎선생도 그러한 견해에 동의하고 있는지? 한편 圖 16의 蔀屋北2期의 558-9 타날 심발형토기가 기형과 문양에서 백제 중앙의 토기문화 전통을 잇는 토기일 가능성이 있다.

「『일본서기』로 본 5세기 후반~6세기 초 백제」에 대한 토론

백승옥(부산시립박물관)

본 논문은 개로왕-문주왕-삼근왕-동성왕에 이르는 백제 왕통계보에 대해, 『일본서기』를 중심으로 하면서 『삼국사기』 백제본기와 중국 사료들을 아울러 비교 검토하면서 논증하고 있다. 또한 이를 통해 5세기 말~6세기 초의 백제왜 왕권과의 관계를 바탕으로 백제의 역사적 전개과정을 살펴보고자 했다.

복잡하면서도 상반되는 요소가 많은 사료들을 정치하게 분석 검토하여 왕통계보를 잘 설명하고 있어 많은 공부가 되었다. 의문 나는 점 및 좀 더 알고 싶은 점들을 중심으로 몇 가지 질문을 드리고자 한다. 오해로 인한 愚問이 있다면 惠諒을 바란다.

1. 논증의 과정에서 사료의 비중이 높은 것은 『日本書紀』이다. 그런데 주지하다시피 『일본서기』는 왜곡과 윤색이 심한 史書이다. 따라서 텍스트 전반에 대한 관점의 견지가 중요하다. 이에 대한 이노우에 교수님의 견해를 여쭙고 싶다.

2. 왕통계보에 대해서는 개로왕-문주왕-삼근왕의 계보와 곤지-동성왕(말다

왕)으로 이어지는 계보로 설명하고 있다. 동성왕이 삼근왕의 아들이 아니라는 점에서는 一系의 왕통이 아니라고 할 수도 있지만, 문주왕의 동생이면서 동성왕의 아버지인 곤지가 개로왕의 子라는 점에서 一系로 볼 수 있는 여지도 있다고 생각한다. 왕통계보를 달리한다고 보았을 때는 그 차이점 또는 異質性에 대한 보충 설명이 필요하다고 생각한다. 특히 계보를 달리함에 따라 나타나는 이 시기 對外關係의 변화가 보이는지 질문 드리고 싶다.

3. 牟都와 牟大에 대하여

백제 왕통 계보에 대해 체계적으로 기록한【사료 12】『양서』백제전·【사료 15】『남사』백제전은 모두 牟都-牟大(牟太)를 부자 관계로 나타내고 있다. 그런데【사료 11】南齊書』百済伝과【사료 18】『册府元亀』卷963 · 外臣部 · 封册1 · 永明8(490)年条에서는 祖孫관계로 기록하고 있으며 발표자도 이에 따르고 있다. 또한 백제본기에서도 祖孫관계로 설정하고 있다. 이러한 사료상의 차이는 단순 誤記인지? 아니면 어떠한 연유에서 비롯된 것인지 궁금하다. 보충 설명을 부탁드린다.

4. 곤지를 문주왕의 사위로 설정하는 기존설을 인정하고 따르면서 논지를 펼치고 있는데, 그렇게 설정하는 구체적 근거는 무엇인지 여쭙고 싶다.

5.【史料 3】雄略紀21(477)年3月条 "春三月、天皇聞百済為高麗所破、以久麻那利賜汶洲王、救興其国。時人皆云、百済国、雖属既亡、聚憂倉下、実頼於天皇、更造其国(汶洲王蓋鹵王母弟也。『日本旧記』云、以久麻那利、賜末多王。蓋是誤也。久麻那利者、任那国下哆呼唎県之別邑也)。"에 대하여 윤색일 가능성이 높다고 보고 있다. 토론자도 동감이지만 그 윤색의 경위에 대

해서 설명을 듣고 싶다.

특히, "久麻那利者、任那国下哆呼唎県之別邑也" 부분을 어떻게 이해해야 할지? 구마나리는 웅진이 분명해 보이는데, 이를 任那國 縣의 別邑이라고 기술한 연유가 궁금하다.

6. 삼근왕의 즉위와 관련하여 田中氏의 견해를 따라, 삼근왕은 문주왕의 후견에 의해 즉위하고, 대 南齊外交 등은 어린 삼근왕을 대신하여 여전히 이전처럼 문주왕이 주도하여 실시하고 있었다고 하고 있다. 그렇다면 【史料22】済紀 · 三斤王即位年의 "三斤王【或云壬乞】、文周王之長子也、王薨、継位"은 어떻게 해결해야 하나?

또한 동성왕의 즉위에도 문주왕의 의향이 반영되어 있다고 하는 田中氏의 설을 수긍하고 있다. 그렇다면 문주왕이 여전히 실권을 가지고 살아 있음에도 불구하고 왜 삼근왕과 동성왕이 즉위하게 되는지에 대한 설명이 필요하다. 부탁드린다.

『전남지역 마한 제국의 사회 성격과 백제』 토론녹취록

좌장　권오영 한신대학교

주제발표　이정호 동신대학교, 김승옥 전북대학교, 서현주 한국전통문화대학교,
胡繼根 中國浙江省考古研究所, 宮崎泰史 日本大阪府敎育委員會,
김기섭 한성백제박물관, 문안식 전남문화재연구소,
張學鋒 中國南京大學, 井上直樹 日本京都府立大學.

지정토론　박대재 고려대학교, 이영철 대한문화재연구원, 김낙중 전북대학교,
조영현 대동문화재연구원, 성정용 충북대학교,
김주성 전주교육대학교, 박중환 국립나주박물관,
손희하 전남대학교, 백승옥 부산시립박물관.

종합토론　강봉룡 목포대학교, 곽장근 군산대학교, 김인희 목포대학교,
문동석 서울여자대학교, 박찬규 단국대학교, 서정석 공주대학교,
윤덕향 호남문화재연구원, 이동희 순천대학교, 이주현 한남대학교,
林留根 中國江蘇省考古研究所, 조근우 마한문화연구원, 최성락 목포대학교.

권오영 안녕하십니까? 종합토론을 시작하겠습니다. 저는 종합토론 사회를 맡은 한신대학교의 권오영입니다. (토론 참여자 소개) 토론 순서는 먼저 문헌적 검토에 대한 지정 토론을 먼저하고, 그 다음에 고고학 부분에 대한 토론을 한 다음에 자유롭게 토론을 하도록 하겠습니다. 먼저 김기섭 선생님의 '백제의 남방영역 확장과 전남지역'이라는 주제에 대한 김주성 선생님의 지정토론이 있겠습니다.

김주성 전주교육대학교의 김주성이라고 합니다. 이 논고는 백제가 전남의 남해안까지 어느 때에 영토를 확장했는가를 살핀 논고입니다. 이것을 삼국사기와 중국측 기록인 삼국지 위서 동이전 마한에 전하고 있는 54개국의 소국명칭, 그리고 진서 무제기에 실린 마한 00국의 내부기사를 중심으로 살피고 있습니다. 이어서 일본서기 신공기 49년조에 대한 검토를 하고 있습니다. 선생님께서는 근초고왕을 주제로 박사학위를 받으셨고, 오랫동안 이 시기를 공부해온 전문연구자이십니다. 그만큼 깊이 있는 연구이면서 무게가 나가는 연구입니다. 연구사를 검토하시면서 발표자의 의견을 중심으로 기존의 견해에 대한 반론을 제시하고 있습니다. 토론자는 발표자의 원고에 따라서 몇 가지 이런 의견이 있을 수도 있지 않을까? 그런 정도로 말씀을 드리도록 하겠습니다.

발표자는 근초고왕대 백제의 남방영역은 대략 웅천 정도를 상정하고 있는 듯합니다. 그런데 '백제가 언제 전남지역까지 세력을 확장하였을까'에 대한 언급이 명확하지 않은 것 같습니다. 이를 밝혀주었으면 합니다. 백제의 발전과정을 생각해볼 때 근초고왕을 중심으로 확연하게 구분되는 느낌이 듭니다. 근초고왕은 고구려의 평양까지 북진하여 고국원왕을 전사시키기도 하였습니다. 그런데 그로부터 30여 년이 지난 아신왕대 백제는 고구려 광개토왕의 침공을 받아 막대한 타격을 받습니다. 58성 700촌을 잃었다는 것이 문제가 아니라 한

강을 넘어온 고구려에 의해 국왕이 잡히고 수도가 함락되었다는 것입니다. 백제로서는 커다란 위기를 맞은 셈입니다. 백제의 남방경역 개척에도 당연히 이러한 백제의 부침이 영향을 미쳤다고 봅니다. 근초고왕대 전남까지 영역을 확장한 백제가 아신왕 이후 혼란에 빠져있을 때 영산강유역의 세력이 다시금 독자세력으로 부활하는 것이 아니었을까 싶습니다. 그리고 그로부터 대략 80년 후 백제는 장수왕의 침공을 받아 역시 수도가 함락되어 공주로 천도하였으며, 개로왕이 잡혀 피살되었을 정도로 막대한 피해를 입게 됩니다. 이러한 혼란은 백제 주변의 다른 나라와 이미 복속되었던 지역의 소국이나 연맹체에도 영향을 미쳤던 것은 아니었을까 싶습니다. 양직공도에 나와 있는 그런 여러 나라들 같은 경우도 이런 영향과 관련이 있는 것은 아닐까 하는 생각이 들어 질문을 드립니다.

그리고 발표자는 신공기 49년조를 3장의 제목을 '가라7국 평정기사를 통한 접근'이라고 하여 가라7국 평정기사로 이해하고 있는 듯 했었습니다. 그런데 실제 서술에서는 가라7국 평정도 신뢰성이 없는 것처럼 이해하고 있는 것처럼 느껴집니다. 신공기 49년조 기사를 완전 허구인 것으로 이해하고 있는 것인지 아니면 신공기 49년조에 서술된 여러 사실 중 가라7국 평정만을 믿는다는 것인지 말씀해주셨으면 고맙겠습니다.

아울러 마한연맹체를 소국 54개국으로 구성된 연맹체로 이해하는지 아니면 소국 54국이 몇 개의 연맹체로 재편성된 것을 마한연맹체로 이해하고 있는지 궁금합니다. 토론자는 진서에 나오는 동이 00국의 00이라는 숫자의 마한은 00개의 소국이 각자 진나라에 사신을 파견하였다고 이해하기보다는 00개의 소국이 연맹체를 형성하게 되었는데 그 연맹체의 대표국을 중심으로 사신을 파견했다고 하는 것이 온당하다고 봅니다. 이에 대한 발표자의 의견을 듣고 싶습니다. 다만 이 문제는 신미제국을 이해하는데도 유효하지 않을까 싶습니다. 이상입니다.

권오영　지금 굉장히 부드럽게 말씀해주셨지만 대략 세 가지 정도의 예리한 질문입니다. 첫 번째는 백제의 남방경역, 남방개척이 일단 근초고왕대 한번 이루어지고, 다시 또 조금씩 흔들리는 그런 양상을 보여주는 것이 아니냐 하는 질문이고요. 두 번째는 신공기 49년조에 대한 이해, 그리고 가라7국 평정기사에 대한 부분이 두 번째 질문인 것 같습니다. 그리고 세 번째로는 진서에 나오는 마한의 실체, 그런 것들이 어떻게 엮여 있느냐 대략 이 세 가지 질문인 것 같기 때문에 이 세 가지 부분에 대해서 답변을 부탁드리겠습니다.

김기섭　간략히 답변하겠습니다. 백제가 과연 웅천을 언제 경계로 삼았고, 전남지역으로는 언제 영토를 확장했을까 하는 부분에 대해서는 정확하게 말씀드리기 어렵습니다만, 제 나름대로 생각을 해 보면 평양성을 점령하는 시점쯤에는 아마 북쪽은 패하, 남쪽은 웅천이라고 하는 어떤 경계에 대한 관념이 있었고, 그것이 고기라고 하는 기록 형태로 어느 정도 정리되지 않았을까 생각합니다. 평양 공격이 371년경이니까 아마도 바로 앞선 시점이 되지 않을까 추정하고 있습니다. 그리고 전남지역 확장 시기에 대해서는 일본서기에 나오는 내용들을 감안해 보면 영산강유역까지 도착하는 시기는 5세기 이전은 어렵지 않으냐 하는 나름대로의 판단을 가지고 서술했는데, 그걸 명확히 쓰지 못했습니다. 앞으로 보완해서 수정하도록 하겠습니다.

　그 다음에 '가라7국 평정기사'라는 이름을 붙였는데, 그게 마치 있었던 사실처럼 받아들여질 수 있으므로 제가 표현을 달리해야 될 것 같습니다. 제가 생각하기에는 거의 허구에 가깝다고 보고 있고요. 다만 거기에 일정한 기억이 작용하고 있는데, 근초고왕대의 벽지산이라든지 고사산까지 내려왔다고 하는, 그리고 또 가야라든가 남부의 세력들과 교통로를 개설했다든지 하는 옛날의 기억 정도만 인정되고 실제로 그 내용들을 신뢰하기는 굉장히 어렵다고 봅니다. 시점만 조정한다고 해서 되는 것이 아니고, 주체만 바꾼다고 해서 되는 것이 아니라는 생각을 가지고 있습니다. 앞에서도 말씀드렸지만 흠명기 기사에 비할 때 신공기 기사는 그 자체로 소설에 가까운 내용으로 구성되어 있어서 간단치가 않다고 생각합니다.

그리고 마한 연맹체가 진나라에 간 방식에 대해서 말씀하셨는데, 저는 직접 갔다 왔다고는 생각하지 않습니다. 한 몇 국이라고 표현했을 때 이때의 나라들은 낙랑군이나 동이교위을 찾아가서 인사하는 정도겠지요. 거기에 대표를 따로 뽑아서 중국과 연결하는 방식보다는 그쪽에서 파견된 동이교위 같은 기구를 통하는 방식이었을 겁니다. 삼국지에는 군현을 통해 중국의 의책(衣幘)·인수(印綬)를 받아서 입고 다니며 자랑하는 사람들이 천여 명이나 된다는 기록이 있는데, 낙랑군을 비롯한 중국에서 파견된 외군을 통해서 교류하거나 인사하고 대화했던 것들이 진나라 진서 등에 남아서 기록으로 전해졌던 것으로 보고 있습니다. 실제로 전부 중국에 다녀오지 않았다고 얘기할 수는 없겠습니다만 대부분은 실제 중국에 갔다 왔다기보다 낙랑군과 같은 외군과의 교류 사실을 그렇게 기록으로 남겼다 이렇게 생각하고 있습니다.

권오영 세 가지 답변에 대해서 김주성 선생님. 셋 중에 이건 도저히 내가 다시 말해야겠다는 것 있으면 한 가지에 대해서만 말씀해 주십시오.

김주성 꼭 그렇다기보다는 여러 선생님들과 같이 이야기해 볼 수 있는 주제로서 마지막에 있는 마한 00국에 대해서 어떻게 파악할 것이라는 문제, 어떻게 그 중국과 교류를 했느냐는 것보다는 그때 당시 마한의 실체가 무엇이냐라고 하는 그 이야기입니다. 그 이야기를 하면 자연스럽게 나올 것 같습니다.

권오영 진서에 나오지만, 동이 마한 신미제국, 그 부분이 중국과의 교류보다도 그 시기, 3세기 후반의 마한의 어떤 연맹이라든지 실체를 보여줄 수 있는 좋은 자료가 되는데 아시다시피 견해가 나뉘고 있는 상황입니다. 다음으로 중국 남경대학에서 오신 장학봉 선생님의 발표에 대한 손희하 선생님의 토론을 들어보도록 하겠습니다.

손희하 네, 반갑습니다. 먼저, 귀한 자리에 와서 토론하도록 불러 주셔서 감사합니다. 어떻게 보면 주제와 관련이 없는 듯한 분야 사람이 와서 참여하고 있다고도 볼 수 있는데, 한편 보면은 이젠 학회가 이처럼 서로 통섭하고 융합을 해야 한다는 것을 실천하고 있다는 것을 백제학회가 잘 보여주고 있다고 말씀드리고 싶습니다. 그런 면에서, 예, 그럼 장학봉 선생님의 발표에 대하여 준비한 토론문을 읽으면서 참고 말씀과 질문을 드리겠습니다. 그래서 꼭 대답을 안 해주셔도 되는 부분도 있습니다. 발표 제목을 <"卑離"·"夫里" 그리고 "buri": 馬韓 早期社會의 百越文化 요소 검토("卑離", "夫里"與"buri": 馬韓早期社會中百越文化因素的探讨之)>, 이렇게 하셨는데요, '이 발표는 대략 기원 5세기 말 이전, 북방 백제 문화가 영산강 유역에 강력하게 진입하기 전의 초기 馬韓 사회에 중국 대륙 동남 지역의 越人이 창조한 百越文化 요소가 있다는 것을 주장한 겁니다. 그리고 이러한 "越人의 이동에 따라서 마한 지역의 지명도 피할 수 없이 그러한 백월 특색을 가지게 되었는데 이것이 바로 '卑離'요, '夫里'라는 것이다." 이게 바로 이 논문의 요지입니다.

우선 발표자는 여기 보이는 것처럼 마한과 백월 문화 요소의 유사성, 또 백월 문화가 나타나는 지역의 지명, 'buri'와 '卑離', '夫里'의 유사성을 주장의 주요 근거로 들고 있습니다.

현재까지 진행된 연구로 보면 아주 독특한 "백월문화요소"는 대략 아래와 같은 내용을 포함한다. 즉, 생업활동은 주로 벼농사이고, 거주 방식은 주로 干欄式建築이고, 생산 도구는 주로 有段石錛·有肩石器·목제농구 등이고, 사회생활에는 斷髮文身·발치풍습 등이 있고, 장례는 崖葬이나 토돈목곽·토돈석실 등의 형식이 있고, 신앙에서 뱀 숭배·새 숭배·닭 점치기 등이 있고, 언어는 중원 華夏語와 구분되는 壯傣語族에 속하는 것 등이 있다. 이상의 문화요소는 많든지 적든지 간에 영산강유역 기원 전후의 취락유적에서 보이는 것이 있으며 특히 광주 신창동저습지 유적에서 매우 잘 보이고 있다. 신창동유적에서 출토된 벼규산체·쌀·삽·杷·낫자루 등 목제생산도구·절굿공이·절구통·식기 등의 목제 생활용구, 환호취락 형태와 干欄式 주거 유적, 조형 목제품 등이 모두 비교적 전형적인 百越文化의 특징을 보여준다.

그런데 무엇보다도 그런 문화적인 유사성을 위와 같이 들고 있습니다. 이 논문은 초기 마한 사회와 백월 문화 요소의 비교 연구의 전개 가능성을 제시하였다는 데에 일단 의의가 있습니다. 다만 발표자의 마지막 기술 부분을 보면 "물론 상술한 '卑離', '夫里', 'buri'에 대한 검토는 단지 백월 문화 요소 배경 하의 한 어음상 추측한 것으로 충분한 근거가 될 수는 없을 것이다. 그러나 이런 추측은 마한 초기사회 연구의 전개를 위한 다른 길을 보여줄지도 모른다." 이렇게 말씀하셨는데, 이 부분에서 보는 것처럼 바로 확실하고 분명하게 충분히 근거를 대지 못하고 추측에 머물고 있는 부분이 군데군데 보인다는 것이 이 논문의 아쉬운 점으로 보입니다. 물론 이러한 한계는 자료가 불충분한 고대사 연구에서 흔히 겪는 것일 수도 있습니다. 또 이것은 고대사 연구가 얼마나 지난한 것인지를 잘 보여준다고도 할 수 있습니다. 이처럼 이 연구는 초기 마한에 백월 문화 요소가 있다는 것을 제시하여 초기 마한 사회 연구의 전개를 위한 다른 길을 보인 점에 의의를 둘 수 있습니다. 앞으로 발표자의 주장을 뒷받침하는 자료를 충분히 제시하는 기회가 오길 바라면서, 다음 몇 가지를 참고로 덧붙이고자 합니다. 편의상 발표자의 글을 인용하고 의견을 제시하기로 합니다.

『동이전』에서 기록된 마한 55국은 어떤 순서로 배열한 것인지 우리가 알 수 없는데 국가명도 모두 음역이라서 그의 뜻을 알 수 없다. 그러나 이 가운데 명확한 공통성을 보인 국명이 있다. 즉 "卑離國, 占卑離國, 監奚卑離國, 內卑離國, 辟卑離國, 牟盧卑離國, 如來卑離國, 楚山涂卑離國" 등 8개가 있다. 만약 음이나 형이 비슷한 古離國, 咨離牟盧國, 卑彌國, 古蒲國, 致離鞠國, 一離國, 不彌國, 楚離國을 포함하면 총 16국이 있다. 이 수량이 거의 마한 55국의 삼분의 일을 차지하였다. 이런 국명들이 모두 "卑離" 발음으로 끝나거나 "卑離" 발음과 유사한 것 포함해서 이것이 아마 지명 가운데 소위 "通名"이라고 한 것이다.

발표문을 보면 '通名'에 대한 말들이 나옵니다. "동이전에 나오는 마한 55국이 음역이고 여기에 공통적으로 보이는 음역이 있다. 그래서 여기서 주요 근거로 들고 있는 것이 '卑離'가 보이는 8개가 있고 그 다음에 다른 8개도 음이나 형이 비슷하다." 이런 이야기입니다. "그래서 전체적으로 16개인데 이 수량이 마한 소국 55국의 3분의 1을 차지한다. 그리고 이런 국명들이 '卑離' 발음으로 끝나거나 '卑離' 발음과 유사한 것을 포함해서 이것이 지명 가운데 소위 '通名'이다라고 한 것이다" 이렇게 말씀하셨습니다. 그래서 경우에 따라 '通名'일 수도 있는데, 일단 이런 기록들은 일차적으로는 '通名'이 아닌 것으로 보는 것이 올바른 태도가 아니겠는가, 이렇게 말씀을 드리고 싶습니다. 간단하게 보여주기 위해서 제가 로마자를 들어놓았는데요. 일단 자형면에서 로마자의 'b', 'd', 'p', 'q'가 돌려놓고 엎어놓으면 다 똑같습니다. 유사하지만 서로 다른 글자입니다. 그렇기 때문에 통용자가 아닌 이상 자형이 다르면 달리 보는 것을 기본 태도로 삼아야 할 것입니다. 말하자면 여기는 그렇지 않지만, 말하자면 국어학자가 고대사에 나오는 자료를 가지고 오전에 발표하신 모태라든지, 모대라든지, 모두라든지 이런 것을 보고 아 이것은 비슷비슷하다. 철자도 같고 두 번째 글자의 첫 자음도 같고 그러니까 똑같은 글자를 달리 표기한 것이 아니냐? 이렇게 볼 수도 있는데, 이런 것들을 갖다가 전문가들이 보면 자료는 그렇게 보는 것이 아니다, 이런 말씀을 드릴 수가 있겠습니다. 그리고 앞서 말한 후자 8개가 음이나 형이 비슷하고 했는데, 과연 그러면 이것의 어떤 점이 비슷하다고 보아야 할 것인가에 대해 말씀해주실 수 있으면 해주시길 바랍니다.

두 번째는 그 "마한의 '卑離'는 어디서 기원한 것인가?" 이것은 앞의 일본 학자의 의견을 들고, 거기에 대해 "卑離는 평야다. 평야에서 다시 성읍이 됐다."라는 일본학자의 의견을 들고 나서 이야기를 한 것입니다. "'평야'는 '卑離'의 원래 뜻인지 파생한 뜻인지? 이 2문제에 대해 결론부터 말하면 '卑離'는 壯傣語族의 百越語에 속하고 그 뜻이 '성읍'인 것 같다." 이렇게 말씀하셨습니다. 백제 지명 중 '夫里'가 나오죠. 이 '夫里'는 발표자도 들고 있는 中嶋弘美(2011)의 견해처럼 원래 '평야'를 말하고 있습니다. 그런데 나중에 '성', '읍'을 표시한 지명으로 보는 것이 기왕의 일반적인 의견입니다. 만약에 '卑離'가 壯傣語族의 百越語에 속하고 그 뜻이 '城邑'인 것 같다면 언어학적 근거를 충분히 대야 할 것입니다. 말하자면 여기에서 이제 '평야'라는 것을 건너 뛰어버린 근거를 대야 되겠다 그런 말씀입니다. 그리고 비교적 잘 알려진 바이지만, '卑離', '夫里', '벌'과 동원으로 보이는 어휘 용례를 들면은 제 토론문 533쪽에 있는 것과 같습니다.(손희하, 1991, 『새김 어휘 연구』, 전남대 박사학위논문, 26~35쪽을 참조하길 바랍니다.)

이것은 기왕에 잘 알려진 바인데요, 고대 백제, 신라 지명어에 등장한 '火, 伐, 夫里, 不, 弗, 發, 角'은 대개, 모음은 약간 다릅니다마는 '불', '벌' 등 (pVr / pVl)을 새김(훈)으로 표기한 것이거나 음으로 표기한 것으로 보는 것은 일반적으로 잘 알려진 것입니다[1]. 보기를 보이면 다음과 같습니다.

臨關郡 本毛火 一作 蚊伐『三國史記』34

尙藥縣 本西火縣『三國史記』34

玄驍縣 本堆良火縣『三國史記』34

靑正縣 本百濟古良夫里縣『三國史記』36

潘南郡 本百濟半奈夫里縣『三國史記』36

그 다음에 밑에도 보이지만 알타이어계 언어에 보이는 다음 단어들이 형태와 의미가 이들과 상당히 비슷합니다.

pile《a plain》(골디어)<Schmidt 1923, Ramstedt 1949: 196 재인용>

pili《a plain》(골디어)<Schmidt 1923, Ramstedt 1949: 196 재인용>

Falan 뜰[庭子]《뜰》(만주 문어)<동문유해 상: 36ㄱ, 김동소 1982: 26>

Falga 무 올[里]《마을》(만주 문어)<동문유해 상: 41ㄱ, 김동소 1982: 26>

fala《광장, 평지, 구역》(만주어)<Cincius 1975 32, 김방한 1983: 112 재인용>

atar < *hatar(?) < *hataŕ《휴경지, 벌》(몽고어)<Ramstedt 1949: 193>

---

1) 김방한(1983, 『한국어의 계통』, 민음사, 111쪽)을 따르면 마한의 소국명에 보이는 '卑離'도 이들과 동원으로 볼 수 있겠다.

pala《광장, 평지, 구역》(오로키어, 네기달어, 올차어)<Cincius 1975: 32, 김방한 1983: 112 재인용>

pile《a plate》(올차어)<Schmidt 1923, Ramstedt 1949: 196 재인용>

pili《a plate》(올차어)<Schmidt 1923, Ramstedt 1949: 196 재인용>

hile-kĕn《open field, even ground》(퉁구스어)<W. 1940: 156 Ramstedt 1949: 196 재인용>

hileken《even and woodless plain》(퉁구스어)<Poppe 1927, Ramstedt 1949: 196 재인용>

Fatakë《밭》(일본어)<이남덕 1986: 218>

Fira《平 넓적한》(일본어)<이남덕 1985: 149>

Firöa《廣》(일본어)<이남덕 1985: 149>

hadake《밭에》(일본어)<Ramstedt 1949: 192>

hara (原) < Fara《넓고 평평한 곳》(일본어)<이남덕 1985: 150>

hira《평원》(일본어)<Ramstedt 1949: 196>

pira《평원》(아이누어)<Ramstedt 1949: 196>

fataki, pataki《밭에》< *pata + ake《field + opened》《경작지》(유구어)<Miyara N:o 180, Ramtedt 1949: 192 재인용>

지금 보이는 것들은 모두 {pVr / pVl} 계통의 것들입니다. 여기에서 어두가 f, h로 되어 있는 것들은 p가 약화하면 f, h로 되는 겁니다. 여기에 든 것 어휘는 '伐, 夫里, 卑離' 등과 동원으로 보이는 것들입니다. 그리고 다음 어휘 또한 동원어로 보입니다.

處 바라쳐<百聯抄解 5ㄴ, 千字文(光州本) 31뒤>

處 바라래쳐<千字文(大東急本) 31뒤>

本朝 △ 晦隱曰 近見錢牧齋集 以爲山中開野處亦謂之海 此盖中國與我國俗稱同

也 我京都東郊三角山之下 名曰海村俗稱바라올者似亦從山川開野之義<古今釋林

27 제8편 東韓譯語>

여기에 든 '바라'는 비교적 잘 알려지지 않은 것인데, 1575년 <光州版 千字
文>을 보거나, 그 다음에 동경대에 있는 <百聯抄解>에 보면 '處' 자가 '바라'로
나오는데, 이는 '벌', '바라'와 유관하게 보입니다. 그 다음에 <大東急本 千字文
>에도 역시 '바라'로 나오고 있고요. 그 다음 <古今釋林>에 보면 '바라올'이라
고 나오는데, 바로 이때 '바라'도 이것으로 보입니다. 참고로 들어놓았습니다.
다른 '바라' 용례는 없습니다.

그 다음에 세 번째로는 발표문(본문 ??쪽) 각주 8을 보면 "'越'의 고대 발음 擬
音은 wut나 wat, wet이며, 入聲字이고, 급하게 읽으면 바로 '왜'이고 천천히 읽
으면 '왜토', '위노', '이토', '伊土' 등이다."라고 말씀하셨습니다. 그런데 참고로
제가 "越"의 고음을 들어놓았습니다만, 과연 이것을 빨리 급하게 읽으면 '왜'가
되는지, 또 천천히 읽으면 '왜토', '위노', '이토', '伊土'가 되는 건지, 객관적인 기
술이 필요할 것 같고요. 참고로 상고음, 중고음을 들어놓았습니다.

이것은 중국 상고음, 중고음에 대한 여러 학자들의 설인데, 중국 상고음, 중
고음의 일반적이고 대표적인 견해입니다. 과연 이걸 보면, 과연 이것이 빨리
읽으면 그렇게 될 것인가 의문스럽습니다.

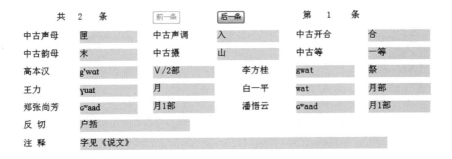

〈표 1〉 '越'자의 상고음 http://www.eastling.org/OC/oldage.aspx

〈표 2〉 '越'자의 중고음 http://www.eastling.org/tdfweb/midage.aspx

그 다음 네 번째는 발표문을 보면 "태국 지명 중 'buri'에 대한 해석은 현재 학계에서 일반적으로 인도의 범어나 Pāli-Bhāsā어로 인식되는데 엄격한 논증 과정이 많지 않고 'buri'가 소승 불교를 따라 전입된 것으로 추정한 것뿐이다." 그리고 이 박사 논문이 최근에 나왔습니다. 戴紅亮은 이 박사논문『西雙版納傣語地名研究』에서 태국과 중국 운남성 西雙版納 등의 지역에 모두 범어나 Pāli-Bhāsā어에서 이식된 지명과 외래어가 존재한다."고 박사논문에 나왔고요. 그리고 "이식된 지명은 거의 인도의 어떤 지명에서 나온 것이고……
'buri'도 한 외래어이다." 이렇게 해놓았습니다. 그리고 "'buri(武里)'……가 진
짜 Pāli-Bhāsā에서 나온 것을 확인하기가 어렵고 '범어'나 'Pāli-Bhāsā'로 추측
만 할 수 있다." 이렇게 되어 있고요, 그런데 마지막 단락을 보면 "이런 西雙版
納 傣語는 漢藏語系 壯侗語族 壯傣語支에 속하고……역사적 族源은 바로 '百
越'이며 이것은 학계에서 이미 공인을 받은 것이다." 이렇게 발표하셨습니다.
그래서 저는 여기서 쭉 들고 있는 것들이 태국 지명이고 실제로 찾아보면 태
국 지명에 부리가 붙은 것이 정말 수십 개가 나옵니다. 그런데 태국 지명 중에
나타난 부리가 백월문화 요소가 나타나지 않는 지역에서는 전혀 나타나지 않
는지 이것이 궁금합니다. 그러니까 말하자면 그 두 가지가 절대성을 가지고,
말하자면 '꼭 그것이 그것이다.'라고 이야기할 수 있어야 되는데 과연 그러한
지 여쭤보고 싶고요. "西雙版納 傣語는 漢藏語系 壯侗語族 壯傣語支에 속하
고……역사적 族源은 바로 '百越'이며 이것은 학계에서 이미 공인을 받은 것이
다."라고 하셨는데, 대표적 논저를 소개해 주셨으면 합니다.

　그 다음에 이제, 중국 쪽의 'buri' 관련 지명을 들고 계십니다. 발표문에 『越
絕書』 권2 「越絕外傳記 · 吳地傳第三」에서 "至武里死亡，葬武里南城"의 "武
里", "妻北武城，闔廬所以候外越也"의 "武城" 아마 모두 "buri"와 관련이 있다.
또한 진한시대에 閩越王 無諸의 도성인 "冶"는 현재 복건성 浦城으로 고증하
였는데 여기서 포성이 아마도 "buri"가 한화 이후의 지명인 것 같고 포성이 바
로 "buri"이고 "浦"가 발음이고 "성"이 뜻이다. 그리고 현재 중국 동남 연해, 대
만 등 지역에서 자주 보인 '埔', '步', '埗', '甫', '浦', '埠' 등의 지명이 모두 "buri"
에서 기원한 古越語 지명으로 언급할 수 있다."라고 하셨는데, 주장은 있는데
거기에 대한 근거와 기술이 없습니다. 그래서 'buri'가 이들 '埔', '步', '埗', '甫',
'浦', '埠' 등의 지명으로 변하는 과정을 보여주는 그런 언어학적 기술이 필요하

지 않는가 생각이 들고요.

마지막으로, 이 발표문에서 상당히 중요한 부분인데요, 발표문을 보면 "마지막으로 나주에서 출토된 "半乃夫口" 명문 기와 편으로 돌아온다. "卑離", "夫里"가 "성읍"의 뜻인 것에 대해서는 큰 의문이 없을 것 같다. 그러면 "半乃"나 "半奈"는 어떤 뜻인가? 壯傣語族(백월언어)의 입장에서 충분히 상상해 보면 Baan는 壯傣語族의 언어 뜻으로 "村莊", "村寨" 즉 취락, 읍락의 뜻이다. 傣語가 漢어로 번역될 때 "曼"으로 쓰고 壯語에서 漢어로 번역할 때 "板", "晚"으로 쓴다. Naa는 壯傣語族 언어에서 뜻이 "田", "水田", "稻田"이다. BaanNaa(半奈, 半乃)의 뜻이 "村田", "邑田"이다. "半乃夫里"는 "마을과 논이 있는 곳"이다. 이것은 바로 나주 일대가 예로부터 한반도 남부의 곡창지대인 자연 특징과 부합한다."라고 말씀하셨습니다. '半乃'의 '半'과 '乃'의 뜻이 이렇다고 했는데, 여기도 일단은 주장인데 좀 더 주장에 대한 충분한 기술이 이렇다라고 객관적이고 남들이 쉽게 이해할 수 있는 그런 기술이 있었으면 합니다.

요컨대 이 발표는 기왕의 학설과 달리 새로운 주장을 했다는 부분에서는 상당히 큰 의의를 가질 수가 있으나, 주장에 대한 근거가 충분하지 않은 점이 아쉽습니다. 아무튼 앞으로 이 논의가 확대되고 충분한 자료가 나와서 새로운 전개가 활발히 이뤄졌으면 합니다.

권오영 장학봉 선생님의 견해에 대해 5가지에 대해 많은 질문을 하셨는데 바로 답변을 부탁드리겠습니다.

장학봉 저의 작은 글에 대해 손희하 선생님께서 자세히 꼼꼼하게 읽어주셔서 감사드립니다. 선생님 질문에 대해 답변드리겠습니다. 제 발표는 지명에 대한 것이지만 저의 전공은 언어학이 아닙니다. 그래서 저도 조금 자신이 없습니다. 맨 처음에는 제 전공과 관련된 다른 주제에 대해 발표를 하려다가, 나주에서 출토된 기와에 있는 '牛乃夫□'라는 명문에 관심이 쓰여서 결국은 제가 이렇게 어려운 주제를 선택하게 되었습니다. 고음운학에 대해 이전에는 연구가 활발하게 진행됐습니다만 최근에는 연구가 별로 활발하지 않아서 선생님이 제시하신 그 내용들을 거의 그대로 믿겠습니다. 저는 전공자가 아니어서 평소에 공부 조금 하는 편입니다. 저의 공부 과정에서 음운학이라는 것은 너무 어려운 것입니다. 중국에는 옛날부터 병어라는 것은 너무 복잡해서 기원전후 때 이미 병어라는 책이 나왔습니다. 그래서 저도 발표할 때 여러 번 걱정하였는데 저의 발표는 하나의 추측입니다. 이 주제가 흥미가 있으신 분이 앞으로 연구하시면 좋겠습니다. 특히 영산강유역에 계신 여러분은 더 많이 같이 노력하시면 좋겠습니다.

세부 질문에서 부리라는 것이 백월 요소가 나타나지 않는 지역에서 전혀 나타나지 않는지에 대해서 궁금해 하신다고 하셨는데요. 저도 최근 지명만 검색해보았습니다. 부리가 없는 것에 없는 지명이 아주 많습니다. 부리가 있는 지명은 거의 대부분 태국의 중부와 동부, 그리고 동북부, 거의 중국과 베트남이나 인근 지역에 위치하고 있습니다. 그래서 개인적으로 이 지명도 백월문화와 관련이 있다고 생각합니다. 왜냐하면 베트남어나 태국 북부의 지방어 계통 중에서도 거의 월의 언어계통에 속하는 것이기 때문입니다. 저도 걱정이 되는 것이, 혹시 나중에 태국 지명에서 부리라는 것이 인도 범어나, 파리어에서 나왔다는 것으로 밝혀지게 되면 저의 견해는 성립하게 되지 않게 되는 것입니다. 저도 더 공부를 해 보도록 하겠습니다. 감사합니다.

권오영 영산강유역하고 중국 남부나 인도차이나반도 지역의 문화적인 유사성은 많이 이야기되고 있고, 쌀농사라든지, 묘제나 장제, 특히 무덤 자체가 지상에 매장주체부가 만들어지는 유사성 부분에서 관련 가능성이 이야기되고 있는데요, 오늘 장선생의 발표는 거기에 대해서 지명, 언어상의 음운의 유사함, 이런 것들도 더 추가될 수 있다는 문제를 제기한 정도로 이해하시면 좋을 것 같고요. 거기에 대해서 손교수님의 입장은 엄격한 언어학적인 입장에서 이것을 검토하지 않을 경우에 상당히 논리적으로 취약하다 이런 정도의 말씀이겠는데, 사실 그렇죠. 우리는 그동안 삼국지에 나오는 그 많은 지명들을 우리식대로 읽었는데 실제로 보면 언어학하시는 분들이 이미 오래전부터 발음이 그게 아니라는 논문도 쓰고 그러셨는데 우리는 그동안 소홀히 한 것 같습니다. 그러다 보니까 담로에 관련해서 우리만 멋대로 발음을 담로라고 하는데 정말로 담로인지, 아니면 첨로인지, 다른 말이라든지, 우리가 그래서 앞으로 논문을 쓸 때는 반드시 손교수님에게 한번 '이런 부분이 있습니다'라고 상의를 드리고 의견을 듣는 것이 어떨까 생각합니다. 그 다음에는 이노우에 선생님의 발표에 대해서 백승옥 선생님께서 토론해 주시겠습니다.

백승옥 이노우에 선생님 발표 잘 들었습니다. 이 논문은 개로왕-문주왕-삼근왕-동성왕에 이르는 백제 왕통계보에 대해서 『일본서기』를 중심으로 『삼국사기』 백제본기와 중국 사료들을 아울러 비교 검토하면서 논증을 하고 있습니다. 또한 이를 통해서 5세기 말~6세기 초의 백제왜 왕권과의 관계를 바탕으로 백제의 역사적 전개과정을 살펴보고 있습니다. 사료가 상당히 복잡하고 상반되는 요소가 많은데 아주 정치하게 분석을 잘하셔서 많은 공부가 되었습니다. 제가 몇 가지 의문 나는 점 및 좀 더 보충 설명을 듣고 싶은 점들을 중심으로 몇 가지 말씀을 드리고자 합니다.

첫 번째는 선생님이 일본서기를 보는 시각을 말씀해 달라는 것입니다. 바로 답변할 수 있는 부분이 아닐 수도 있습니다마는 선생님이 일본서기에 대한 사료적 가치를 어떻게 생각하고 있는지 듣고 싶습니다.

두 번째는 왕통계보에 대해서는 개로왕-문주왕-삼근왕의 계보와 곤지-동성왕으로 이어지는 계보로 설명하고 있는데, 동성왕이 삼근왕의 아들이 아니라는 점에서는 一係의 왕통이 아니라고 할 수도 있지만, 문주왕의 동생이면서 동성왕의 아버지인 곤지가 개로왕의 아들이라는 점에서 어떻게 보면 일계라고 볼 수 있지 않으냐 이런 생각도 해볼 수 있다고 생각합니다. 그래서 왕통계보를 달리한다고 보았을 때는 그 차이점 또는 이질성에 대한 보충 설명이 필요하다는 생각이 듭니다. 아까 발표하실 때 이 부분에 대한 설명이 약간되기는 했습니다만 조금 더 보충설명이 있으면 좋겠습니다. 특히 대외관계와 왜와의 관계 중에서 왕통을 달리하면서 대외관계가 어떻게 달리되고 있는지 이런 점들에 대해서 보충설명이 있었으면 좋겠습니다.

세 번째는 모도와 모대에 대한 문제인데, 백제 왕통 계보에 대해 체계적으로 기록한 양서라든가 남사 백제전은 모두 모도-모대를 부자 관계로 나타내고 있습니다. 그런데 남제서 백제전과 책부원구에서는 祖孫 관계로 기록하고 있습니다. 발표자는 조손 관계가 옳다고 보고 설명을 하고 있습니다. 또 백제본기에서도 조손 관계로 설정하고 있는데요, 이러한 사료상의 차이가 왜 발생했는지 이에 대한 보충설명을 듣고 싶습니다.

그 다음, 네 번째로는 곤지를 문주왕의 사위로 설정하는 기존설을 田中俊明 선생님의 기존설을 인정하고 따르고 있는데 그렇게 볼 수 있는 근거가 무엇인지에 대해서 말씀해 주시기 바랍니다.

다섯 번째는 웅략기 21년조에 대해서 윤색일 가능성이 높다고 보고 있습니다. 저도 선생님 생각에 동감합니다만, 왜 이렇게 윤색되었는지, 어떤 계기로 윤색이 되었는지 대해서 보충설명 부탁드립니다. 그리고 특히 그 사료에 "久麻那利者는 任那國下哆呼利縣之別邑也" 이렇게 쓰고 있습니다. 여기서 사료상 백제를 이야기하고 있기 때문에 구마나리는 웅진으로 봐야 되는데, 이를 임나국 현의 별읍이라고 표현하고 있습니다. 이 부분을 어떻게 이해를 해야 될지 궁금합니다.

여섯 번째는 삼근왕의 즉위와 관련하여 田中氏의 견해를 따라, 삼근왕은 문주왕의 후견에 의해 즉위하고, 對南齊 외교 등은 어린 삼근왕을 대신하여 여전히 이전처럼 문주왕이 주도하여 실시하고 있었다고 하고 있습니다. 그렇다면 삼국사기 백제본기에는 왕이 죽으니까 죽고 다음 위를 드렸다 했는데 이를 어떻게 해결해야 될지, 또한 동성왕의 즉위에도 문주왕의 의향이 반영되어 있다고 하는 田中氏의 설을 수긍하고 계시는데, 그렇다면 문주왕은 삼근왕 그리고 동성왕대까지도 여전히 실권을 가지고 있고, 그렇지만 왕의 외곽에서 물러나 있는 이런 상황인데 왜 이런 현상이 일어나고 있는지 이 부분에 대한 설명 부탁드립니다.

권오영 웅진기 왕의 계보가 상당히 복잡한 문제이고, 그 문제에 대해서 우리 학계에서는 이미 논문이 좀 있었죠. 이기동 선생님의 글도 있었는데, 오늘 이노우에 선생님의 글은 주로 일본학계에서 이 부분을 어떻게 보느냐 이러한 것인데, 상당히 차이가 많은 것 같아요. 백승옥 선생님이 질문을 무려 여섯 가지나 해주셨는데, 한 가지씩 답변 부탁드리겠습니다.

이노우에 백승옥 선생님의 질문에 대한 답변에 앞서 먼저 제 글을 정중하게 읽어 주시고, 의미심장한 지적을 해주신 백승옥 선생님께 감사드립니다. 질문에 대한 제 의견은 다음과 같이 말하고 싶습니다.

첫 번째, 일본서기의 사료상의 문제입니다. 지적하신 것처럼 『일본서기』는 천황을 중심으로 기술되어있는데 특히 조선 관련 기사에는 많은 윤색, 개념

등 잘못이 있어 많은 문제가 있습니다. 그러나 백제삼서 등 독자적인 정보를 전하는 기사도 있고, 그것들을 무시할 수 없기 때문에 그 전제로서 엄격한 사료 비판은 필요하다고 생각합니다. 지적하신 것처럼 동성왕이 "문주왕의 동생으로 동성왕의 아버지인 곤지가 개로왕의 아들"이라는 설정이 좀 더 충분히 이해되진 않지만 중국 사료에서 동성왕과 문주왕이 형제라는 것은 상정할 수 없기 때문에 이러한 추정은 불가능하다고 생각합니다.

다음으로 왕통에 의한 외교가 다른 것이냐는 질문입니다. 그 시절의 외교를 살펴보면, 문주왕, 동성왕은 대왜 외교보다는 대중 외교를 중시하고 있었던 것 같습니다. 왜와 관계가 중시되어가는 것은 무령왕대 이후입니다. 이것은 백제를 둘러싼 정세도 깊이 관련되어 있기 때문에 반드시 왕통의 변화에 대응한다고는 단언할 수 없는 부분도 있지만, 결과적으로 무령왕대와 이전과는 외교자세는 다른데요, 그것은 왕통 계보에 의한 대외 정책의 변화라는 측면도 작용하고 있는 것이 아닐까라고 생각합니다.

세 번째, 모도와 모대의 관계에 대해 양서 등은 남제서·책부원구와 달리 부자 관계로 한 것에 대한 질문인데요, 양서가 모도와 모대를 부자 관계로 한 직접적인 이유는 불행히도 알지 못합니다. 덧붙이자면, 다나카 도시아키씨는 "중국 왕조는 외국 왕의 계승에 대해 특히 정보가 없으면 아버지로부터 아들로 계승한 것으로 보는 경향이 있습니다. 그래서 부자계승이 보통이라고 보고 있는 것이다"라고 지적하고 있는데, 본 발표자도 그렇게 이해하고자 합니다.

네 번째입니다. 곤지가 문주왕보다 상위에 있다고 하는 점에 대한 질문인데요, 제 발표문의 [사료 21] 송서 백제전에 보이는 '여곤'이 곤지에 해당한다면, 곤지는 개로왕에 이어 No. 2의 지위에 있던 것이고, 그리고 거기에 등장하지 못한 문주왕보다 상위에 있다고 생각해야 한다고 판단됩니다.

다섯 번째입니다. [사료 3] 웅략기 21년조에 관한 질문인데요, 지적처럼 해당

사료는 윤색되어있을 가능성이 높다고 발표자도 생각합니다. 왜 "구마나리를 임나국현의 별읍"이라고 하는지에 대한 구체적인 사료가 없기 때문에 현 단계에서는 자세한 것은 불명확합니다. 구마나리는 '천황'으로부터 주어진 것으로 되어 있기 때문에, 미리 '천황'이 지배해야 할 땅인 '임나'의 일부가 되어야 한다고 생각되며, 그 결과, 구마나리를 "임나국현의 별읍"이라고 했을지도 모릅니다.

여섯 번째입니다. 문주왕과 삼근왕, 동성왕의 즉위 경위에 대한 질문입니다. [사료 22]에 보이는 삼근왕이 문주왕의 사후 즉위했다는 기사는 해당 기간에 문주왕이 대중국 외교를 실시하고 있기 때문에 부정하지 않습니다. 문제는 왜 삼근왕과 동성왕의 후견으로 볼 수밖에 없었는가에 대해서 사료의 부족으로 불명확한 점이 많습니다. 자신이 노년이었기 때문에 자신의 계통으로 왕위를 계승시키기 위해서 사망 전에 삼근왕과 동성왕을 백제왕으로 하고, 문주왕 왕통 계보를 유지하려고 했기 때문이 아닐까라고 생각되지만, 사료가 없기 때문에 어디까지나 추측의 영역을 벗어나지 못하고 있습니다. 그것에 대해 향후에도 검토하고 싶습니다.

권오영 백승옥 선생님, 여섯 가지 답변에 대해서 만족하시겠습니까? 웅진 초기 백제 중앙의 왕계, 외교정책, 이런 부분들이 영산강유역 내지 전남지역 세력들과의 관계 속에서 풀어야 할 과제이기 때문에 이 주제가 부여된 것 같고요. 여기에 대해서 왕계를 다시 해석하고 여기에 따라서 외교정책의 방향을 이야기하고 계시는데, 바라는 것은 앞으로 논의가 더 발전돼서 영산강유역 세력과의 관계까지도 글을 써주십사 부탁을 드려야 될 것 같습니다. 다음으로 이정호 선생님의 발표에 대해서 박대재 선생님이 토론해 주시겠습니다.

박대재 이 발표문은 이정호 선생님의 선행 논문 「5~6세기 영산강유역 고분의 성격」의 후속 연구로서, 5세기 영산강유역의 나주 반남고분군을 정점으로 한 정치체가 발전하기 이전 단계인, 3세기 후반~5세기 전반까지 영암 시종지역을 정점으로 한 전남지역 마한사회를 다루고 있는 것으로 판단됩니다. 특히 5세기 전반 신안, 해남, 고흥 등 서남해지역과 나주, 영암 등 영산강 중류지역에서 새로운 묘제인 수혈계 석곽묘, 석실묘와 함께 왜계 부장품이 갑자기 등장한다고 이해하시면서, 그 역사적 배경을 4세기 후반 백제 근초고왕의 침미다례 도륙과 관련된 것으로 이해하고 계십니다. 이 선생님의 논문은 선행 연구에서와 마찬가지로 전남지역 고분문화의 변화 양상을 백제사의 맥락에서 이해하고 계신다는 점에서 평가할 만한 의의가 있다고 생각됩니다. 475년 백제가 고구려에 패배하고 한성지역을 상실하면서 급격히 쇠퇴함에 따라 그 배후 기반이 약화된 반남지역 역시 영산강유역에서 그 위상을 상실하게 되었다고 이해한 전 논문과 같은 맥락에서, 369년 백제 근초고왕의 전남지역에 대한 정벌의 결과로 나타난 문화적 변화를 위와 같이 이해하셨습니다. 나아가 근초고왕의 정벌시 왜군이 동원되었고, 그들이 일정 기간 상주하면서 재지세력과 접촉한 결과 왜계 요소가 나타나게 되었다고 이해하고 계십니다. 고고학에 문외한인 토론자는 이 선생님의 발표문에 대해 적절하게 질의하기 어려운 형편입니다. 그렇지만 문헌사의 관점에서 보완적으로 토론해 달라는 취지의 부탁을 거절하지 못해 이 자리까지 나오게 되었습니다. 선생님의 논지를 제대로 파악하지 못한 어긋난 질의일지라도 양해해 주시기 바라며, 몇 가지 의문 사항을 말씀드리는 것으로 대신하고자 합니다.

첫 번째로 5세기 전반 서남해안지역과 영산강 중류지역 묘제에서 일어난 변화를 수혈계 석곽묘, 석실묘, 왜계 부장품 등 크게 세 가지 방면에서 지적해 주셨는데, 구체적으로 각 요소가 가지는 특징을 좀 더 부연 설명해 주시면 좋겠습니다. 개설적인 수준에서는 각 요소의 계통성이 대략 짐작됩니다만, 각 유구, 유물의 계통성을 가야, 백제, 왜로 갈래지어 설명하면 논지파악에 보다 도움이 될 것 같습니다. 덧붙여 유공횡병, 유공광구소호 등을 '영산강양식' 토기로 설명하고 있는데, 영산강양식의 특징에 대해서도 좀 더 설명이 이어지면 좋겠습니다.

두 번째 문제입니다, 5세기 전반 서남해안지역과 영산강중류지역 고분 문화의 변화를 369년에 있었던 근초고왕의 남정과 연결해 보는 시각의 연대와 관련한 문제입니다. 일단 일본서기에 보이는, 앞서 여러 선생님들께서 말씀해 주셨습니다만, 근초고왕의 남정 시기에 대한 다양한 연대론이 있습니다. 그러한 것은 제쳐놓고라도, 전쟁이라는 정치·사회적 변화가 문화적인 고분문화 양상에 반영되기까지 시간이 걸린다는 점을 이해한다하더라도, 369년에 있었다고 보신 근초고왕의 남정과 5세기 전반 또는 중반 이후의 고분 문화의 변화는 시기적으로 거리가 있지 않나 싶습니다. 특히 영암 장동고분이나 고흥 안동고분의 연대에 대해서는 5세기 후반 이후로 보는 견해도 있고, 5세기 중엽으로 비정되기도 한다면, 근초고왕의 남정과는 시기적으로 너무 거리가 있다고 생각됩니다.

세 번째 문제입니다. 왜계 요소에 대해 백제 근초고왕의 남정시 동원되었던 왜의 군대와 관련이 있는 것으로 상정하는 것에 대한 질문입니다. 최근 남해안 지역에 보이는 왜계 요소의 배경은 직접적인 군사 활동 외에 인적, 물적 교류 등 다양한 방향에서 이해할 수 있다고 생각됩니다. 그래서 꼭 이것을 군사적, 왜의 군사 활동과 관련시키는 그런 관점보다는 조금 더 넓은 시각에서 볼 수 있다고 생각되는 데, 만약 선생님과 같이 이해한다면 광개토왕릉비의 신묘년 기사도 역시 어찌 보면 전남지역 왜계 세력의 존재와 더욱 관계가 있다고 이해할 수 있겠는데, 여기에 대해서는 어떻게 생각하시는지 복안을 여쭙고 싶습니다.

　네 번째 문제는요, 발표문 제목에 따르면 마한제국의 '사회성격'에 대한 설명이 기대되었습니다만, 실제의 그에 대한 설명이 잘 보이지 않아서, 3세기 후반에서 5세기 전반까지 영암 시종지역을 정점으로 계층화되었다고 이해하신 마한사회의 성격을 좀 더 설명 부탁드리겠습니다. 그동안 학계에서는 국가형성론의 맥락에서 치프덤이나 국가의 단계 구분에 주목해 온 감이 없지 않습니다. 하지만 이런 단계론과 함께 형태론의 입장에서 한국 복합사회의 특징에 대해 접근할 필요가 있지 않나 싶습니다. 이 선생님께서 생각하시는 전남지역 마한사회는 어떠한 단계 또는 더 나아가 어떠한 형태의 사회였는지, 다시 말해 내적 형태와 외적 형태가 있을 텐데 내적으로는 이 지역에서 어떻게 영암 시종지역 세력이 사회형태를 구성하고 있었고 외적으로는 백제와의 어떤 형태의 사회형태를 이루고 있었는지 거기에 대한 부연 설명이 있었으면 좋겠습니다. 감사합니다.

　권오영　상당히 중요한 질문들을 많이 하셨고요, 또 이런 질문들을 받아보는 것이 좀 더 영양가도 있지 않을까 싶은데, 4가지 질문인데 답변을 부탁드리겠습니다.

　이정호　제가 이번 발표문을 작성하면서 굉장히 거친 문구들을 사용하였습니다. 그래서 허점이 있었습니다마는 일단 최대한 제가 이 발표문을 작성할 때, 처음 생각이 5세기 전반대에 등장하는 석곽 또는 횡구식의 석실들에 대해서 어떻게 등장 과정을 설명해야 될지 하는 부분에서 대략적인 분위기만 한번 파악해보자는 그런 의미에서 이 글을 작성하다 보니까 여러 가지 모순도 있었던 것으로 예상됩니다.

첫 번째 질문에 대해서 제가 여러 가지 생각하고 있는 부분과 관련돼서 설명을 하겠습니다. 일단 각각의 계통성, 가야, 백제, 왜로 관련돼서 설명이 필요하다고 말씀을 하셨는데 이 부분에 대해서 앞으로 정리가 필요한 부분인데요. 대략적으로 말씀을 드리면, 각 묘제들의 구성요소들, 부장유물의 상황에 대해 말씀드리도록 하겠습니다. 먼저 장동고분 같은 경우 석축으로 이루어진 수혈계 횡구식 석실로 파악이 되고요, 그리고 배널리 같은 경우 석축에 수혈식 석곽, 외도 같은 경우 판석계의 수혈식 석곽, 다만 외도의 판석계 수혈식 석곽은 계통이 이어지는 것으로 생각됩니다. 그 다음에 등장하는 것이 신월리로, 인근에 위치하고 있습니다만, 해남 신월리의 판석형 수혈식석곽은 아마 외도의 판식형 수혈식석곽의 앞 단계에 계통적으로 연결되는 것이 아니겠느냐, 고흥 야막고분 역시 수혈식 석곽인데, 계통적으로 안동고분의 수혈식석실로 연결된다고 생각됩니다. 이상의 그런 묘제 양식으로 보아서는 일단은 크게 이 지역에서 석축이나 석곽 자체가 이 시기에는 등장하지 않기 때문에 먼저 점 찍어 볼 수 있는 것이 가야, 왜 이 두 군데로 점찍어 볼 수 있는데, 일단은 그렇고요. 그 다음으로 부장유물을 보았을 때 당연히 주목되고 있는 상황입니다마는 대금식 갑주가 출토되었습니다. 장동, 배널리, 외도, 야막에서 출토 되었는데, 대금식 갑주의 제작지에 대한 논의가 크게 두 가지로 나누어지고 있습니다. 왜에서 제작된 것으로 보는 것이 일반적인, 대체로 저도 그 부분이 강하지 않나 하는 느낌은 가지고 있습니다. 그리고 가야지역에서도 제작된 것으로 보는 견해도 있습니다. 그런데 일단 저는 왜계 속성으로 생각하고 있고요. 내부에서 같이 출토되는 철촉이라든지 무기류, 특히 철촉 같은 경우도 역시 왜계 속성, 즉 일본지역에서 생산되는 유물이기 때문에 그런 것을 가지고 있다. 다만 일반적이지만은 않더라는 부분입니다. 그래서 보면 대가야 지역에서 보이는 철촉의 요소도 보이는 것 같은데, 앞으로 검토를 해봐야 될 것 같은데, 또 백제

지역에서 보이는 철촉의 요소도 섞여 있기는 합니다만, 대체로 다양한 속성이라 보면 되겠습니다.

이렇게 봤을 경우, 고분들이 왜계 고분이냐 하는 문제에 부딪힐 수밖에 없는데요. 유물 양상으로는 일단 그렇게 보는 상황이고요. 다만 출현 배경 질문에 대한 제 나름대로 생각해 본 것은 이 시기 바로 직전에 등장하는 주거지라든가 4세기 후반대의 주거지에서 4세기 말까지 주거지의 양상을 보면 대부분 출토유물이 이상하리만큼 함안쪽과 관련된 함안계, 함안, 진주, 창원 이 지역과 연결된 토기들이 상당수가 출토되고 있습니다. 특징이 무엇이냐면 횡치 소성이라고 옆으로 눕혀서 굽는 그런 계통의 토기들, 그런 것이 가장 큰 특징입니다만, 그래서 그런 시기를 전후해서, 그 직전 그 시기까지 병존한 시기입니다만, 그 시기까지 남부가야지역의 요소들이 들어왔다는 것은 또한 가야지역에서 이 시기의 석곽이 축조되기 시작하게 된 단계라는 점, 분위기상 그렇게 파악한다면 가야 요소를 배제하고는 이 고분들을 설명하는 것은 무리가 있지 않은가 생각이 듭니다. 그래서 일단 가야가 일정 정도 개입된 요소, 요소라는 것이 뚜렷이 보이지는 않습니다만, 가야라는 것이 깔려 있는 그런 고분들이 아닌가 생각이 되고요. 큰 틀에서 백제적인 배경 하에 이뤄진 것이라고 그렇게 생각을 해봅니다. 토기로 보는 것은 제가 사실 설명해드리는 것보다도 나중에 시간이 된다면 서현주선생이 설명을 해주셨으면 좋겠습니다만, 제가 첫번째 질문에 대해서는 궁색하지만 이 정도로 마무리하겠습니다.

두 번째 부분입니다마는, 일단 연대 문제는 저도 작성하면서 굉장히 성가셨던 부분입니다. 일단 고분 연대는 5세기 전반, 그리고 5세기 중엽, 이렇게 흘러가는 시기를 자리매김한 고분들인데 확실하게 근초고왕의 남정, 369년인가요? 확실히 말하면 시기 차이는 상당하다는 것은 저도 이들 고분에 대해서 고민했던 문제인데요. 이 부분은 저도 일단 숙제로 남겨두고 싶습니다. 다만 이

제 제가 관심을 가지고 있는 부분이 369년에 당시 직접적으로 이 지역의 묘제를 바꿔버리는 그런 상황까지는 가지 않았을 것이다. 다시 말씀드리면 이 지역 자체, 그런 정도의 고분을 만드는 그런 정도의 뭐랄까 습속이, 저는 그것을 세력으로 보지는 않습니다. 세력이 아니라 그런 정도의 고분을 축조하는 습속이 아직은 파급되지 않은 지역이었다는 정도로 저는 그렇게 생각되고요. 그러고 어느 정도 일정 시간 지나면서 고분 축조가 일반화되는, 그러니까 석곽과 석실 또는 옹관 축조가 일반화된 시기에 발 맞춰서 이런 것들이 도입이 되는 것이 아닌가 생각이 듭니다. 시기적으로는 그렇습니다. 5세기 전반대 이전의 영산강유역에서 고분이라고 또는 그 당시 무덤이라고 본다면 토광 또는 초기 옹관인데, 이 초기 옹관의 확산지역을 보면 크게 넓지는 않습니다. 그러다 보니깐 도서지역에 나타나는 것들은 아마 무덤양식이, 옹관과 같은 눈에 띄는 무덤양식이 출현하기 전단계이기 때문에 이 시기의 석곽이 들어오는 것이 최초는 아닌가 생각해봅니다. 이것도 역시 아주 성긴 추정일 뿐입니다. 제가 여기서 주목을 했던 것이 발표문을 작성하면서 그 모순을 제자리에 맞춰야 하기 때문에 어디에 집어넣자고 생각을 하고 여러 가지 자료를 한번 찾아봤습니다. 연대가 딱 들어맞으면 굉장히 기쁜 일이기 때문에 그래서 찾아봤는데, 그래서 말씀하시는 다음 질문에 나오는 광개토대왕비문, 신묘년 기사들, 시기적으로 어울리겠다는 생각을 하고요, 이제 잠시 전에 김기섭 선생님하고 김주성 선생님의 논의 과정에서 나온 아신왕대의 4세기 말의 상황, 백제의 상황도 역시 고분 변화의 배경이 될 수 있다는 것도 느꼈고요. 또 405년입니까? 전지왕이 일본에서 귀국할 때 왜인 100명의 호위를 받으면서 귀국을 하다가 백제 왕실 내부에서 반란 때문에 섬 지역에서 잠시 대기를 했었다. 그래서 왜병들이 잠시 대기를 했었다는 기사가 있는데 역시 이것도 상당히 묘한 매력을 느꼈던 것입니다마는 제가 문헌기록 쪽에서 과문하다보니까 직접적으로 끌고 오기에는 두려운 점이 없지 않아 있었습니다. 그렇다 보니까 전체적인 분위기만 근초고왕대 이후의 대외 관련, 대가야 관련의 그런 요소들이 폭증하고 있다는 것을 고분을 통해서 보다 강조를 했었습니다. 세 번째 질문에 대해서는 그런 매력을 느꼈었다는 정도로 끝내겠습니다.

마지막으로 정치체 부분인데요, 정치체 부분에서는 크게 지금까지 이론적인 틀에 대입을 시키기에는 사실 두려운 감이 없지 않아 있었습니다. 지금 와서 생각하면 발표에서 잠깐 말씀드렸습니다만 이 시기에는 일단 백제의 영향이라는 것을 의심할 수 없다고 생각하고 역시 등장하는 요소들도 백제와 관련시켜서, 백제에서 들어온 것은 아니지만 백제와 관련된 상황에서 등장한 것으로 보기 때문에, 그래서 그렇다면 당시 정치체 자체가 백제의 어떤 영향을 상당히 받게 되는 그런 상황이 아니었었나 생각을 해봅니다. 시종고분이 옹관고분의 중심지역으로 물론 등장하기는 하지만 시종고분을 중심으로 하는 정치체가 과연 그 영역이, 영향이 미치는 영역이 어디까지였는지에 대해서 영암지역에서 일부 무안, 그 주변지역 이상 뻗치지 못했다고 생각을 합니다. 그리고 지금 제가 다뤘던 서남해안지역의 왜계요소들이 보이는 고분들이라든가 이것들은 역시 백제에 의해서 상당 부분 관리된 지역이 아닌가 생각을 했고요. 다만 여기서 영암 시종의 장동고분하고, 최근에 여기 계신 이영철 선생이 발굴하신 신흥고분이 있습니다만, 장동고분하고 신흥고분은 연대에 있어서는 다소 이론이 있을 수 있습니다만 일단 발표에서 말씀드린 것처럼 안정된 층위상으로는 5세기 전반이기 때문에 그 당시의 장동고분을 중심으로 정치체를 이야기를 할 수 있지 않느냐, 고총고분이기 때문에 그런 이야기도 가능할 것입니다. 저는 장동고분하고 그 서남해 지역의 고분하고 별개라고 생각합니다. 장동고분은 서남해지역에서 일어났던 그런 상황들이 내륙지역으로도 미치게 되고 그래서 그런 요소들이 역시 내륙지역으로 파급이 돼서, 다만 내륙지역은 발전 속도가 빠르기 때문에 고총 고분화되는게 이른 시기에 된 결과가 장동고분이라고 그런 정도로 보고 있습니다. 시기적으로도 서남해고분보다 장동고분 것이 역시 한 단계 다소 늦는 것으로 보기 때문에 저는 5세기 중엽 서남해지역은 5세기 전반, 중엽보다 이른 시기 라고 생각을 하고 있습니다. 굉장히 미진한 발표에 미진한 답변입니다만 이상으로 답변을 마치겠습니다.

권오영 첫째, 둘째 질문에 대해서는 부연설명이셨고요, 셋째 질문에 대해서는 오히려 더 많은 힌트가 될 것 같다고 하셨고, 넷째 질문은 사회 성격, 사회 발전수준에 대한 질문인데 지금 이정호 선생님이 살짝 도망을 가시면서 지역 간의 차이가 있다, 고분의 고총화에도 지역 간에 차이가 있다고 도망을 가시는데, 제가 볼 때는 박 선생님이 한번 더 질문하셔야 답이 나올 것 같습니다.

박대재 사회 형태에 대해서만 살짝 말씀해 주셨는데 사회 발전 단계를 어떻게 보시는지 간단하게 부탁드리겠습니다.

이정호 정확히 개념을 잡지를 못하겠습니다만, 일단은 그레이트 치프덤이 아니지 않나 싶습니다. 치프덤에 대한 정확한 사회 성격에 대해서는 딱히 정의하기는 어렵습니다마는 그 단계에서 어느 정도 진전된 상태가 아닌가 싶습니다.

권오영 그런 문제 의식을 간직한 채로 고분에서 취락으로 넘어가도록 하겠습니다. 그래서 김승옥 선생님의 발표에 대해서 이영철 선생님의 질문이 있겠습니다.

이영철 김승옥 선생님은 전남지역 마한계 취락의 분포와 현황을 정리하여, 취락의 분포와 밀도, 유형 분류를 시도하고, 취락 내의 구조와 변화, 그리고 취락 간의 사회적 관계와 경관에 대한 견해를 말씀하셨습니다. 또한 마한 소국의 수와 위치를 논하고 이에 대한 몇 가지 쟁점과 문제점을 짚어봄으로써 취락 연구자들에게 매우 의미 있는 연구 과제와 방향을 제시해 주셨다고 생각합니다. 특히 제 개인적으로는 Ⅱ장에서 언급하신 취락의 구조와 위계와 관련한 이론적 검토 내용들은 앞으로 취락을 공부하는 모든 연구자들에게 매우 좋은 참고자료가 되지 않을까 생각이 들었습니다. 토론자도 고대 취락을 공부하는 입장에서 선생님의 여러 가지 교시에 감사드리며, 몇 가지 보충적인 설명을 듣고자 질문을 드리겠습니다.

첫 번째입니다. Ⅲ장 내용 가운데 백제계 주거지에 대해 특징적인 말씀을 해주셨는데 그중에 주거지 한쪽 면에 돌출부가 설치된 주거형태 즉, 한성기 백제 凸자형 주거지와 연관이 있는 것과 원형수혈은 한성기 백제계 취락의 특징으로서 전남지역에서 소수 발견되는 이유는 한성기 말까지 백제의 직접 지배권으로 편입되지 않았던 것을 취락자료를 통해서 입증해준게 아닌가라고 말씀하시는 것 같습니다. 전남지역에서 한쪽 면에 돌출부가 설치된 주거형태가 출현하는 시점은 선생님이 생각하실 때 어느 정도로 보고 계시는지 알고 싶습니다. 더불어서 원형수혈의 경우 영산강 상류 일원만 한정되는 경향이 있는데요. 그 원인이 무엇이라고 생각하시는지 좀 알고 싶습니다. 그리고 참고로 전라북도의 이런 원형수혈이 전남보다 많이 나오기 때문에 전라북도에서 확인되는 원형수혈의 성격에 대해서 약간 설명해 주시면 많은 도움이 될 것 같습니다.

두 번째입니다. Ⅴ장의 내용 가운데 155개소에 이르는 취락유적을 분석하여, 취락은 소형, 중형, 대형으로 구분하였습니다. 특히 대형취락은 당시 사회에서 정치, 경제적으로 중심 기능을 수행한 취락 위계의 정점으로서, 철기와 옥의 출토를 적극적인 근거로 삼고 있습니다. 대형취락은 위신재로도 기능한 철기의 생산을 주도하면서 주변의 소규모 취락으로 철을 보급하였으며, 대형급의 취락일수록 옥을 애용하는 거주민이 많았고, 옥을 애용하는 이는 상대적으로 사회적 지위가 높았을 가능성이 있다고 파악하였습니다. 발표문 내용을 토대로 보면, 4세기에 대형취락의 실체가 본격화되는 것으로 저는 이해가 됩니다. 그렇다면 취락 내 구성원 간의 차별화 즉, 최상위 엘리트와 수공업을 전문하는 집단과 차별화가 4세기대부터 확인되는 것인지 그에 대한 말씀을 좀 듣고 싶습니다.

세 번째 질문입니다. 발표자께서는 황룡강·극락강권은 3~4세기대 마한계 중심 취락이 발전하지 못한 곳으로서 5세기대 이후 백제계 취락이 주를 이룬 지역으로 보고 있는 점과 관련한 질문입니다. 이 권역은 마한계 세력의 공백지대로 마한 소국의 후보지에서도 제외될 가능성이 있다고 하고 있는데, 그런 연유로 인해 백제가 마한 소국의 중심지가 아닌 이곳을 5세기 후반 이전에 선택적으로 지배 지역에 재편시킨 것으로 말씀하신 것같이 이해가 됩니다. 결국 한성기에 지금의 광주 일원은 백제의 지배 지역에 포함되었다는 것으로 이해되는데, 직접적 지배가 아닌 간접적 지배를 의미하는 것인지 부연을 해주셨으면 감사하겠습니다.

네 번째입니다. 옹관고분의 중핵지역인 영암천권과 삼포강권 관련 내용입니다. 고분 자료는 풍부하나 취락자료가 거의 전무한 원인에 대해 조사의 지역적 편차로 인해 취락이 조사되지 않았을 가능성도 있고, 중대형 취락이 실질적으로 존재하지 않았을 가능성을 제시하면서 후자에 무게를 두고 있는 부분입니다. '삼포강권은 인간의 거주 공간으로 불리고 정치적 상징물로서 고분이 집중적으로 축조된 지역으로 3세기 이후 마한 소국이 존재했다고 보기는 어렵다'는 가정은 저 개인적으로 매우 충격적인 관점이 아닌가 싶습니다. 저는 발표자가 제시한 전자적 가능성이 높다고 지금까지는 생각을 해왔습니다. 최근 금강유역에서 조사 보고되고 있는 행복도시 건설 지역 내의 여러 가지 발굴성과들을 살펴보면, 우리가 관심을 갖지 못했던 충적대지에서 원삼국시대의 대규모 취락들이 확인되고 있기에 조사의 기회가 아직은 불충분했던 하천 연안의 자연제방 같은 지점에 대형 취락들이 존재할 가능성이 높지 않나 그렇게 생각합니다. 본문에서도 한 예로 말씀하신 것 같은데요. 나주 복암리 일원의 경우도 복암리 3호분 아래쪽으로 동신대박물관이 조사하였습니다만, 다시들 유적이라고 하는 취락유적이 조사된바 있습니다. 그렇다면 그 입지적인 것에 원인이 있기보다는 아직 조사가 미진하기 때문에 그럴 가능성은 없는지 다시 한번 묻고 싶고요.

마지막 다섯째 질문을 드린다면, 영산강 상류지역에서 주로 확인되는 5세기대 취락 경관의 변화는 백제의 남정으로 인한 마한계 취락의 쇠퇴와 백제 취락의 확산으로 설명될 수 있다고 정리하셨습니다. 이는 앞서 첫 번째 질문한 원형수혈과 일부가 관련되었는데 전남지역 대부분이 한성기 말까지 백제의 직접적 지배권으로 편입되지 않았다는 내용과는 약간 다른 것이 아닌가 싶습니다. 그래서 여기에서 총체적으로 여쭙고 싶은 것은 전남지역 취락을 분석하시면서 결국 5세기대라는 것에서 백제계 취락의 등장은 말씀하시고 계시는데 그런 것을 조금 더 세분해 보자면 한성기 정도로 볼 수 있을지 아니면 웅진기로 가야지 그게 가능한 것인지 그에 대한 의견을 묻고 싶습니다.

권오영 이제 보니까 크게 두 가지의 질문에 초점이 있는 것 같습니다. 전남지역 취락에 대한 부분이 있고요. 또 하나는 전남지역 취락의 분포와 변화에서 보이는 백제 중앙의 그림자를 좀 명확히 좀 밝혀달라고 하셨으니까 그런

두 가지를 중심으로 말씀 부탁드립니다.

김승옥 질문 순서대로 제가 생각하는 바를 간단하게 말씀 드리겠습니다. 첫 번째 질문은 사실은 여러 종류의 질문이 혼재되어 있습니다. 간단히 말씀 드리면 돌출부가 설치된 소위, 凸자형 주거지라고 불리우는 것들이 출현하는 시점이 어느 정도냐, 이런 질문이셨는데 선생님도 잘 아시다시피 4세기대에 출현하는 것으로 알려지고 있습니다. 그렇지만 이게 그렇다고 해서 백제의 주거지냐, 이런 의미는 아니죠. 4세기대에 접어들게 되면 토기에서도 백제계 토기들이 일부 유입되는데, 이와 마찬가지로 주거지 형태에서 백제계 요소가 보인다는 의미지, 이게 '백제 취락이다', '백제주거지다' 이런 단정적인 의미는 아닙니다.

다음으로 원형수혈의 경우 영산강 상류지역에 한정되고 있는데, 이러한 증거도 이 지역이 백제의 영향을 상대적으로 빨리 받았다는 증거가 될 수 있겠습니다. 예를 들어 이러한 원형수혈이 전북지역에서 본격적으로 등장하는 시기는 4세기대 마한계 취락이 거의 소멸하는 시점과 연결됩니다. 5세기대에 접어들게 되면 광주 일원도, 이것이 직접지배인지 간접지배인지 사실은 제 능력 밖이지만, 백제의 영향권 안에 들어왔다 이렇게 정리를 할 수가 있을 것 같습니다.

그 다음 두 번째 질문인데, 4세기대에는 주거지 간에도 상당히 차이가 있고 주거군 간에도 사회적 차이가 있었던 것 같습니다. 그렇다면 최상위 엘리트들은 과연 어떤 집에 살았을까? 이것에 대한 직접적인 증거는 없지만 여러 가지 정황적인 맥락으로 봤을 때 역시 대형주거지에 거주했던 주인공이 철기생산이라든지 토기를 생산했던 사람들보다는 상대적으로 지위가 높았을 것이다, 이렇게 추정을 해보았습니다.

다음으로 세 번째 질문이 되겠습니다. 앞에서도 간단히 말씀을 드린 건데요. 글쎄요, 어쨌든 영산강 상류지역에서는 백제계의 원형수혈이라든지 취락에 있어서도 백제적인 요소가 가장 많이 등장하고 초대형 취락들이 등장합니다. 영산강 상류 일대에 대해 고분도 함께 검토해야 되는데, 고분에서 우리가 직접지배냐 간접지배냐의 말씀을 드리기 어려운 것처럼 취락도 그런 것 같습니다. 왜냐하면 이 지역 취락에는 백제계 취락의 요소가 도입되지만 기본적으로는 마한계 요소의 바탕에서 발전한 취락들이기 때문입니다. 따라서 백제 사람들이 이주해 와서 동림동과 같은 취락을 건설했느냐의 문제를 생각할 수 있겠습니다. 이에 대해 자신있게 말씀을 드리기 어렵지만 다른 지역에 비해 백제계의 전반적인 영향과 문물의 영향은 가장 먼저 받지 않았을까, 이렇게 생각을 하고 있습니다.

네 번째는 마지막에 말씀드리고, 여섯 번째 같은 경우는 이영철 선생님이 약간 오해를 하신 것 같습니다. 백제취락의 확산이라고 말씀드렸지만, 발표에서 말씀드린 것처럼 극히 일부가 되겠습니다. 5세기대에 동림동과 같은 극히 일부의 백제취락의 확산이고 전반적으로는 5세기대까지는 마한계 취락이 잔존하고 점차적으로 소멸되기 시작한다, 그런 의미가 되겠습니다. 이러한 백제취락의 확산은 장흥 지천리에서도 확인되고 있습니다. 결론적으로 일부 지역에서 백제계 대형 취락들이 서서히 등장하게 된다는 정도로 말씀드릴 수 있을 것 같습니다.

네 번째 질문에 대해서는 제 발표문의 <그림 15>를 보시죠. 상당히 어려운 질문입니다만 옆에 계신 이정호 선생님도 이쪽 지역을 많이 조사하신 분이여서 과연 이 지역이 조사가 상대적으로 안돼서 취락이 없는 것이냐고 질문을 드려봤습니다. 근데 이정호 선생님도 이 지역에 대한 상당한 조사가 이루어졌음에도 불구하고 취락이 거의 발견되지 않는 것은 특이한 현상이다, 이렇게 답변을 주셨습니다. 물론 이것은 역시 시간이 지나야 검증될 문제입니다. 저도 후자 쪽으로 무게의 중심을 두었던 것이고, 따라서 이것이 '하나의 실체다', 혹은 '당시의 역사적 사실이다' 이런 의미는 아닙니다. 그래서 소국 수를 추정하는데 있어서 13개에서 15개로 열어놓은 이유가 이 지역을 현재로서는 배제하기는 어렵다는 생각이 들었기 때문입니다. 어쨌든 이 문제에 대해 부연 설명을 드리면 <그림 15>의 영산강유역에서도 취락이 발견되는 지역은 해발고도가 낮은 지점에서도 산록지대라든지, 구릉을 끼고 있다는 공통점을 보이고 있습니다. 영암천권과 삼포강권을 보시게 되면 가장 왼쪽에 있는 유적이 양장리유적인데 양장리유적 옆에도 조그마한 구릉지대가 있고, 선황리도 바로 옆에약한 구릉지가 있습니다. 그래서 이 일대에서 유적이 발견되는 장소는 구릉지대를 끼고 있고, 해발고도가 낮은 나머지 지역에서는 인간이 거주하기에 상당히 불리했을 것으로 추정됩니다. 이영철 선생님께서 행복도시의 예를 말씀하셨는데, 행복도시는 경우가 조금 다른 것 같습니다. 행복도시 역시 평야지대로 구성되어 있지만 금강과 같은 커다란 하천을 끼고 있고, 유적이 형성된 인근에는 상당한 구릉지대가 형성되어 있습니다. 그리고 이영철 선생이 조사하셨던 고창 황산유적인가요? 이 유적 역시 대규모 취락인데 이 유적은 선운산을 끼고 있다는 점을 생각하셔야 할 듯합니다. 전라북도에서 농경을 하는데 유리한 지역이라고 상정할 수 있는 김제, 부안 일대에서는 최소한 원삼국시기까지 대규모 취락이 거의 발견되지 않고 있습니다. 당시의 만경강은 영산강과 마찬가지로 완주의 소양 일대까지 배가 들어왔을 정도로 해수면이 낮았던 것으로 알려지고 있습니다. 물론 서부 평야지대의 일부 지역, 예를 들어 전주 일대에서는 대규모 취락이 발견되지만 이러한 지역의 유적은 인근에 상대적으로 넓은 구릉지대나 산악지대를 안고 있습니다. 이러한 상황을 종합해 보면 해수면이 낮은 만경강 일대는 인간이 거주하기에 상대적으로 불리했고, 발견된 취락들도 거의 대부분 10기 미만의 소형 마을입니다. 잘 알려진 바와 같이 김제, 부안 일대는 상대적으로 고고학적 조사가 활발하게 이루어진 지역입니다만, 영암천권이나 삼포강권과 마찬가지로 해발고도가 상당히 낮은 지역이고 인근에 넓은 구릉지대가 거의 없습니다. 이러한 지역에서는 현재까지 대형취락이 거의 발견되지 않는다는 공통점을 보이고 있습니다. 네 이상입니다.

이영철 선생님께서 말씀 것 중에 두 가지만 말씀을 더 드려보고 싶네요. 하나는 원형수혈이라는 그 부분에 대해서 저희들이 원형수혈을 어떻게 해석 할 것인가에 대해서 관심이 필요하지 않을까 싶습니다. 원형수혈이라고 하는 것이 저장용 구덩이로 많이들 이해한다고 저는 생각합니다. 그래서 소비용 식료 같은 것이 그런 저장구덩이의 토기 안에 담겨졌을 가능성이 있는데, 그보다 더 저희가 초점을 두었으면 싶은 게 차라리 저는 고상식 건물지라고 하는 창고 시설에 관심을 둘 필요가 있지 않으냐 그런 생각을 해보았습니다. 그리고 그 입지와 관련해서 말씀하셨는데 중앙에서 그런 취락이 안 나온다는데 실은 고분 전공하시는 선생님들도 계시지만 시종이라든가 반남일대에서 4세기 전반대까지 예를 들면 고분자료 얼마나 되는가 여쭤보고 싶습니다. 대부분 나오는 게 역시 5세기 중심의 고분이 태반입니다. 그렇다면 5세기대 취락은 대부분 중상류 여타지역을 보더라도 구릉지보다는 아래쪽으로 내려가는 충적지를 선정하는 경우도 많기 때문에 그런 부분도 앞으로 좀 참조를 하면 더 좋지 않겠냐는 생각을 해봤습니다.

김승옥 영암천권, 삼포강권의 문제는 조금 더 기다려보면 어느 정도 해결이 되지 않을까 싶습니다. 거듭 말씀드리지만 우리가 이런 것도 생각을 해보아야 하지 않나, 그런 차원에서 제가 문제를 제기했다는데 의미를 두고 싶습니다. 다음으로 원형수혈과 고상건물의 문제는 저도 선생님이 말씀하신대로 생각할 수도 있겠는데 고상건물들의 편년이 문제가 되겠습니다. 이러한 유구에서는 건물 흔적도 없고, 기둥구멍만 나오기 때문에 편년이 어려운데, 여러 가지 정황으로 볼 때 한성기 말일 가능성이 높은 것으로 추정됩니다. 더불어 대규모 군집으로 발견되는 고상건물들은 웅진기 이후에 축조되었을 가능성이 높다고 생각됩니다. 이와 같이 고상건물의 편년이 먼저 이루어져야 되고, 만약에 고상건물들이 웅진기 이후에 집중적으로 만들어졌다면 저장시설에서의 변화도 상정할 수도 있을 겁니다. 한성기 같은 경우는 대규모의 원형수혈을 다른 기능, 예를 들어 함정이라고 보는 견해도 있지만 현재까지는 저장시설일 가능성이 가장 높아 보입니다. 금년도 고고학대회에서도 영남지역 대규모의 저장시설이 발표되었지 않습니까? 이러한 대규모의 원형수혈은 잉여생산물을 저장하는 창고로 보는 것이 현재까지는 합리적이고, 이러한 창고시설의 운영 주체는 취락 단위가 아니었을 가능성이 있습니다. 다시 말해 이러한 창고시설은 상당히 정치적으로 광역적인 범위의 정치세력, 또는 권력에 의해서 운영되었을 것입니다. 또한 잉여생산물의 저장 시설의 형태는 한성기 이전에는 원형수혈이, 한성기 말 이후부터는 고상건물이었을 가능성을 배제할 수 없습니다. 그러나 이러한 주장은 먼저 편년이 뒷받침되어야 하기에 어려운 부분입니다. 이상입니다.

권오영 지금 상당히 중요한 말씀들인데요. 원형수혈을 저장시설로 보고 그 다음에 고상시설도 창고로 본다면 영산강유역에서 창고시설들이 증가하는 시점, 그리고 그 창고운영의 주체가 누구냐? 지역에 있는 세력이냐 아니면 백제 중앙이냐? 그런 문제들이 깔려 있게 되죠. 그럼 다시 한 번 제가 질문을 드리자면, 김승옥 선생님 말씀은 한성기에는 재지세력이고 웅진기부터가 백제중앙이라고 보시는 겁니까? 이런 대규모 창고의 운영주체가?

김승옥 창고시설의 편년이 어렵다고 먼저 말씀드렸었습니다.

권오영 한성기도 있고 웅진기도 있을 것이다. 이런 것입니까?

김승옥 현재로서는 어디까지나 추정입니다. 두 시설을 저장시설로 본다면 한성기까지는 대규모 원형수혈들이 그런 기능을 하고, 웅진기 이후에 백제가 금강지역으로 내려오면서 저장시설에 대한 건축물 자체가 혹시 바뀌지 않았을까, 이렇게 추정만 해 봅니다.

권오영 이영철 선생님 말씀해 주십시오. 아마 복안이 있으신 것 같은데..

이영철 복안이라고 하기보다는 저는 평소에 생각했던 게 원형수혈이라고 하는 땅을 파고 들어가는 저장시설과 나무기둥을 세워서 지상으로 설치하는 바닥면을 올리는 구조에는 근본적으로 보관하는 물건의 차이가 있는 것이 아닌가 생각해봤습니다. 물론 이제 그 시기를 어떻게 볼 것인가? 이게 선생님이 지적하신 것처럼 참 어렵습니다. 영산강상류지역에서 대규모 저장시설의 창고군들이 대형취락에서 다 이렇게 확인되지 않습니까? 그런데 그런 대형 취락들이 전부 다 철기 생산이라든가 옥 생산이라든가 토기 생산이라든가 이런 것들을 다 관여하고 있는, 주도하는 수공업 전문 계층들을 거느리고 있다고 말씀하셨고 저는 비슷하게 생각하는데, 그렇다면 기물의 차이다. 저는 이제 그렇게 보고 한성기에도 충분히 두 종류의 창고시설은 전남지역에도 있었을 가능성이 크다 저는 개인적으로는 그렇게 보고 있습니다.

권오영 제가 싸움을 붙이는 것이 아니라 아무래도 이 대 주제 자체가 마한 제국의 사회 성격과 백제에 대해서 고분과 취락을 가지고 마한지역 사회를 이야기하시고, 그리고 그다음에 백제와의 관계까지 이야기하셔야 하기 때문에 제가 이 주제를 끌어봤던 것이고요. 옆에 일본에서 오신 분들도 계시지만 일본에서도 고분시대에 대규모 창고시설, 그러니까 정말 기둥구멍만 남은, 그 오사카의 호엔사카(法圓坂)유적들은 그 자체가 야마토 국가 권력의 상징을 보여주는 정말 중요한 유적으로 채택되기 때문에 우리도 수혈주거지도 중요하지만 그것보다는 대규모 창고시설도 주목할 필요가 있다는 생각이 듭니다. 그다음에 이제 유구가 아니라 출토유물을 통해서 전남지역에서의 마한 여러 소국들의 성장과 백제와의 관계를 이야기하고 계신 서현주 선생님의 발표에 대해서 김낙중 선생님의 토론이 있겠습니다.

김낙중 김낙중입니다. 발표자이신 서현주 교수는 오랫동안 영산강유역 고분 출토 유물, 그중에서도 특히 토기를 중점적으로 연구하여 많은 성과를 내셨습니다. 오늘 발표도 이러한 성과를 바탕으로 토기를 통해서 5~6세기 영산강유역 사회의 성격을 논의하셨습니다. 발표자께서는 영산강유역 토기의 특징으로 독자성, 외래성, 그리고 지역 내부에서의 차이, 이런 것들을 들고 있고, 토기의 단계적인 변화나 통일성이 약한 편이고 또한 확산도 그다지 활발하지 않았으며 통일성, 정연성, 그리고 확산이 두드러지는 것은 백제식 토기가 본격적으로 등장하는 6세기 전후부터라고 보신 것 같습니다. 따라서 5~6세기 영산강유역권의 사회 성격은 사회의 통합 정도가 그다지 강하지 못하였고 여러 지역 세력이 짧은 시간 동안 병존하는 모습을 보여준다고 판단한 것으로 여겨집니다. 이러한 생각에 대해서 제 의견을 두 가지 제시하고자 하는데 그에 대해서 견해를 말씀해주시기 바랍니다.

첫 번째로 일정한 토기 양식의 성립은 고대국가 성립의 중요한 지표로 여겨지고 있습니다. 영산강유역에서도 발표하신대로 개배, 고배, 유공광구소호 등 특정한 기종으로 이루어진 양식이 존재한다고 할 수 있겠습니다. 다만 신라 양식이라든지 백제 한성기 양식 이런 것과 비교해보면 정형화 및 규격화가 떨어지고, 분포 범위가 좁은 특징이 있습니다. 이러한 점을 고려하여 발표자께서는 영산강양식의 토기를 백제 내의 지역 세력이 생산한 불완전한 지역양식으로 판단한 것 같습니다. 신라에서도 지역양식의 토기와 고총이 여러 지역에서 확인되고 있는 점을 고려하면 일견 타당한 것으로 보입니다. 그렇지만 영산강유역의 양상은 이런 신라의 지역 양식이라든지 백제의 지역양식이라는 관점으로 보기에는 차이점이 있다는 생각이 듭니다. 즉, 백제의 다른 지역에서는 영산강양식만큼 독자성이 강한 토기 양식이 없고, 고총이나 부장유물에서 보이는 것처럼 영산강유역에서는 백제 왕권만이 아니라 왜, 가야 등 다양한 정치체와 다원적인 교섭 및 교류를 하면서 성장하였습니다. 그리고 토기양식 및 묘제 등으로 묶을 수 있는 권역이 고창, 영산강유역, 해남 등을 포괄하는 광범위에 이른다는 차이점이 있는 것 같습니다. 따라서 5~6세기 영산강유역 세력을 백제의 지역 세력으로만 평가하기는 어렵다고 생각합니다. 저는 5~6세기 영산강유역권 사회는 백제와 같은 고대국가가 형성된 단계에 그와 같은 고대국가 수준에는 이르지 못하였고 또한 백제로부터 많은 영향을 받지만 나름대로 공식적인 정치기구를 갖추고 광범위의 지역을 영향력 아래에 두고 대외교류와 교역을 주도하는 등 이전의 소국의 형태에서 좀 더 고도화된 단계의 정치체로 추정하고 있습니다. 즉, 고총이나 토기양식 등으로 보아서 국가 직전의 사회수준에는 도달하였다고 판단하고 있습니다. 그렇다면 백제 지역 세력으로 단순화하게 평가하기는 어렵다고 생각합니다. 이와 관련하여 의견을 말씀해 주시기 바랍니다.

　두 번째는 비슷한 질문입니다만 발표자는 5세기 중엽 이후 영산강유역에 등장한 다양한 외래 유물은 지역정치체의 의도보다는 백제 중심의 교섭에 이지역 세력이 참여하면서 나타난 것으로 판단하였습니다. 중심적인 역할을 백제왕권이 한 것으로 여기는 듯합니다. 물론 백제토기가 확산되고 전방후원형 고분에도 중국제 시유도기 등이 부장되고 있는 점은 백제의 영향력이 이전보다 훨씬 확대되었다는 것을 보여줍니다. 그렇지만 가야, 왜, 신라 및 백제 요소가 복합적으로 등장하는 점과 그러한 복합적인 양상이 특정 거점만이 아니라 영산강유역 전반에 나타나는 점을 고려하면 현지세력의 주체적이고 적극적인 역할이 더 중요하지 않았을까? 라고 생각할 수도 있겠습니다. 이와 관련해서 답변을 말씀해 주시면 고맙겠습니다.

　서현주　두 질문 다 사실은 연결된 것이고 이 부분에 대해서는 고총이든 고분이든 유물자료, 특히 토기에 대해서 인식하고 있는 게 지금 차이를 보이고 있다 보니까 이러한 질문을 해주셨습니다. 물론 영산강유역이 지금 선생님께서도 예를 들어주셨던 것처럼 신라라든지 이런 곳의 상황과 동일하다고 볼 수는 없고, 백제 내 다른 지역과도 상황이 같지는 않습니다. 그런 점들 때문에 영산강유역의 상황에 대해서 백제와의 관련으로 설명하기보다는 보통 이 지역의 강력함이나 강한 정치체로 설명하는 의견들이 제시될 수도 있다고 생각합니다. 물론 이 지역에서 만들어지는 여러 가지 독자적인 특징들이 외래적인 어떤 유물의 영향 때문에 고분도 마찬가지고 토기도 마찬가지고, 이 지역의 지역양식 이렇게 이야기할 수 있는 부분이 만들어진다는 생각은 다들 비슷하게 생각하실 것 같은데 그것을 어떻게 바라볼거냐라고 하는 데에 대해서는 시각 차이들이 존재하는 것 같습니다. 저는 다른 가야토기 등 가야나 왜와 관련되는 자료들이 있었어도, 물론 어느 정도 정치적인 영향이 있었다고 할 수도 있지만 그 영향은 비교적 짧다고 얘기해야 될까요, 다른 지역의 토기나 고분에서의 영향과 백제 토기에서의 영향은 조금 차이가 있다고 생각합니다. 그래서 백제 토기가 비교적 긴 시간을 가지고 여러 가지 기종에서 차이를 보이면서 점진적으로 영향이 많아져 가는 현상에 주목하다 보니까 그런 부분에 좀더 중점을 두어 설명하였고, 가장 강력하게 고총을 쓰고 있었던 단계에 영산강유역에 토기에 있어서, 백제와의 차이가 나는 형식 내지 기종이 만들어지는 것은 사실이지만, 그것들에서의 어떤 통일성이나 이런 부분들이 정치체 형성으로 볼 수 있을 정도는 아니지 않나 하는 생각을 갖고 있습니다. 때문에 백제토기의 어떤 점진적인 유입이 시간을 가지면서 지속적으로 이루어지고 있는 점이라든지 또 영산강유역의 어떤 특징적인 토기도 가장 뚜렷하게 구분할 수 있을 그럴 때의 양상이 그렇게까지 통일적이지 못하다는 점에서, 실은 그런 더 고도화된 단계의 정치체로 추정하신 부분에 대해서 저는 그렇게까지 보기는 어렵지 않느냐는 말씀을 드렸습니다. 마찬가지로 5세기 중엽 이후에 나타나는 외래유물에 대해서 백제와 관련된 양상도 보이고 왜, 신라, 가야적인 요소들이 영산강에 보인다는 것은 다 인정되는 부분인데 그런 점에서 누가 더 주도적일 것이냐, 주체가 될 것이냐 하는 문제가 있습니다. 그러니까 영산강유역 세력이 주체가 됐을 것이냐 아니면 백제왕권 내지는 중앙이 주체였을 것이냐 하는 문제에서 저는 특히 6세기를 전후해서 나오는, 당가형 내지는 소위 백제식 개배가 영산강유역 전체에 보이고 있고 영산강뿐만 아니라 백제 중앙과 그 주변 유적에서 보이는데 영산강 중류지역세력이 그 정도로 확산을 시켰을까에 대해서는 저는 의문을 가지고 있습니다. 왜냐하면 그 토기를 제외하면 사실 그렇게까지 확산된 요소가 없거든요. 그래서 그 토기가 그렇게까지 영산강유역 내부에서 백제 중앙까지 분포할 수 있었던 어떤 배경 내지는 의도, 그 주체 세력에 대해서는 저는 백제 중앙을 염두에 두고 있기 때문에 사실 영산강중류지역 세력이 그 즈음에 부상했다는 것도, 영산강유역 내에서 그 이후까지 사비기까지 중심세력이 됐다고 하는 것도 인정할 수 있지만 다른 지역과 차별돼서 영산강유역 전체에 대해서 그런 것들을 과시할 수 있었고 주도해갈 수 있었을까에 대해서는 좀 의문을 갖다 보니까 이런 의견을 다시 말씀드릴 수밖에 없을 것 같습니다.

권오영   서현주 선생님이 드디어 커밍 아웃을 하신 것 같습니다. 그러니까 백제 중앙의 보이지 않는 힘이 아니라 보이는 힘이 존재한다는 말씀이죠? 거기에 대해서 김낙중 선생은 반대로 너무 백제만 강조하지 말고 재지적인 부분도 인정하자 이런 부분인데, 어떻게 반론을 좀 더 드리겠습니까?

김낙중   크게 반론할 것은 없지만, 몇 가지만 말씀드리면, 백제토기의 점진적인 유입을 말씀하셨지만 대개 5세기 한성기 동안 영산강유역에 들어온 백제토기라는 것이 한성 양식 전체로 들어오는 것이 아니고 또 전형적인 한성양식이 들어오는 것도 아니고 대부분 금강유역의 충청남도 지역 양식, 예를 들면 청주 신봉동, 이런 것들과 관련이 있는 것으로 백제 중앙하고 직접적인 관계를 상정하기는 어렵지 않나 그런 생각을 하고 있습니다. 그리고 아까 백제식 개배라고 말씀하시는 것도 저는 그것이 분명하게 영산강유역에서 유행하고 실제로 그것을 구웠던 가마도 나오고 그런 측면에서 영산강유역 세력의 관점에서 보는 것이 타당하다는 생각을 했습니다. 그리고 그런 토기 자체도 자세히 구연의 처리를 보면 전형적인 백제토기라기보다는 스에키 개배하고 백제적인 요소가 함께 나타나는 양상이기 때문에 영산강유역에서 등장할 수 있는 양식이라고 봐서 복암리라든지 영산강중류지역의 주도 세력의 생산, 유통,

그런 것을 생각 했습니다.

서현주　지금 말씀하신 것처럼 그 이후에 삼족배라든지 조금 더 뚜렷하게 백제중앙과의 관계를 설정할 수 있는 자료가 나오는 시점은 6세기 전엽 정도이기 때문에 지금 말씀하시는 것처럼 그 이전 단계도 백제계토기, 그리고 방금 얘기가 됐던 개배, 저는 백제식이라고 이야기하는 소위 그 개배라고 하는 것에 대해서도 그 이후에 나오는 좀더 뚜렷하게 누구나가 인정할 수 있는 백제 중앙과의 관계까지도 상정할 수 있는, 그런 토기와는 분명히 양상이 다르다는 것은 사실입니다. 말씀드린 것처럼 금강유역과 관련된 자료로 직구단경호도 마찬가지지만, 흑색마연된 직구단경호, 직구소호, 개배가 들어오는 것도 마찬가지고, 완 등 5세기대에 비교적 일찍 나오는 토기들, 그리고 방금 말씀하셨던 개배류도 마찬가지 모습이기는 합니다. 그러다보니 이러한 논의가 일어나기도 하는데, 그러한 자료들에 대해서, 물론 그 이후에 나오는 상황하고는 다를 수 있다고 보지만, 그 자료에 대해서는 제가 그러한 설명을 한 적이 있었습니다. 백제 중앙과의 어떤 관계가 있기는 하지만 금강유역 세력이 개입되었을 것이라든지 이런 설명을 하기도 했었는데요. 물론 약간 차이가 나기는 하고, 양도 적지만, 백제와의 관계는 그때부터 봐도 되지 않을까 하는 생각을 가지고 있습니다.

권오영　영산강유역 토기문화에서 백제 영향이 보이는 이런 양상도 지금 말씀 들어보니까 세분해 볼 필요가 있다. 즉 기형에 영향을 미치는 것이 있을 수 있을 것이고, 기종 자체가 출현하는 단계도 있을 것이고, 또 그와 함께 백제라고 당연하게 표현할 것이 아니라 정말 당시 중앙 한성이면 한성, 웅진 이면 웅진, 중앙이냐 아니면 그 시기에 영산강과 백제 사이에 존재했었던 또 다른 세력권의 지방이냐? 이렇게 세분할 필요가 있다는 정도로 정리하고요. 다음으로 미야자키 선생님의 발표에 대해서 성정용 선생님의 토론을 듣도록 하겠습니다.

성정용　네 성정용입니다. 미야자키 선생님의 발표 잘 들었습니다. 기내지역에서 이런 한식계토기 자료들 양이 굉장히 많은데 잘 정리를 해주시고 발표해 주셔서 감사드립니다. 그런데 발표 들으면서 참 이상하다라는 생각이 든 게 있습니다. 자료가 문제가 아니고요. 기본적으로 4세기 후반 이후에 백제 중앙하고 왜의 관계가 문헌에는 보이는데 발표하신 자료를 보면 백제 중앙의 고고학적 자료가 거의 잘 보이지 않았습니다. 금강유역이 일부 있고, 영산강유역이 훨씬 더 많고, 일반적으로 알고 있는 역사 상황하고 고고학 자료하고 굉장히 불균형합니다. 그래서 그러한 상황에 처한 원인은 무엇인가 이야기하기가 쉽지는 않겠지만 그래도 다카이다야마라는 고분이 하나 있지 않습니까? 석실묘인 다카이다야마 고분 주변에 혹시 백제 중앙하고 관련된 다른 취락 자료가 있는지 여쭤보고 싶습니다. 또 하나는 나라, 오사카, 교토까지는 한식계토기는 많이 있고, 시가현 쪽에도 백제 관련 유적, 백제 사람과 관련된 벽주 건물지들이 상당히 많이 있습니다. 그런데 토기 자료는 없는지 여쭤보고 싶습니다.

　세 번째로는 여러 유적을 보여줬는데 유적들 사이를 묶어서 권역, 중심지, 집단단위 이런 것을 상정할 수 있을지, 이런 것을 묻고 싶은 게 그 전에 선생님이 발표하신 그 내용인데요. 말씀하신 시토미야기타유적이 상당히 주목되는데, 발표자는 다량의 제염토기와 말 희생으로 보이는 매장 수혈들의 존재를 통해서 이 유적을 마사집단과 관련시켜 보고 있습니다. 시토미야기타유적이 위치한 가와치지역은 마사집단으로 유명한데, 계체천황이 507년 즉위할 때 여러 사람들이 계체를 옹립하고 있음을 알려서 천황에 즉위할 수 있도록 결정적 도움을 준 사람이 바로 하내마사수 황룡이란 인물입니다. 그런데 하내 마사집단 물질문화의 기반을 본다면 그 우두머리 또한 도래계일 가능성이 제기되고 있습니다. 일본서기 이중5년 가을 9월조에도 마사부에 대한 기록이 있고, 좌마식에 의하면 율령제 하에서도 가와치지역이 야마토정권과 함께 마사의 주요 거주지로 나옵니다. 이처럼 문헌에 나오는 마사집단을 시토미야기타유적과 직접 연결시킬 수 있을지 여부 하나를 여쭤보고 싶고요. 그렇다면 5세기대 백제계 집단이 거주한 최고의 핵심지역은 시토미야기타 일대일까 아니면 혹시 다른 지역을 상정할 수 있을까 하는 문제입니다.

그리고 여기에 적지는 않았습니다마는 처음 말씀드린 데로 기내지역의 고고자료가 주로 영산강과 상당히 관련되어있습니다. 어느 정도 관련이 깊은지 생각한 부분이 있다면 조금만 더 정리해 말씀해주시기 부탁드리겠습니다.

미야자키 첫 번째 질문에 대한 답입니다. 다카이다야마고분같은 경우를 들 수 있는데 다카이다야마 고분 위치를 보면 오사카에서 나라로 넘어가는 중요한 곳입니다. 야마토강 주변에 위치하고 있습니다. 특히 이 다카이다야마고분 주변에는 현재까지는 크게 발견된 것이 없는데 오사카 오카타유적이라고 있습니다. 이 유적은 5세기 후반에서 6세기 중엽에 해당되는 유적으로 주로 단야집단이 있으면서 수공업에 종사하지 않았을까? 이것 이외에는 다른 백제 중앙하고 관련된 취락유적은 확인되지 않고 있습니다.

두 번째 질문에 대한 답입니다. 이번 발표를 준비하면서 집성 대상에서 시가지역이 제외된 것이 아니라 실제로 출토 양이 적습니다. 다섯 가지 정도로 U자형판상토제품에서 시작해서 배부병까지 여러 자료들을 집성을 했지만 확실히 적게 나오고 있습니다. 그 이유에 대해서는 먼저 보면 시가지역에 들어와서 산 도래인들이 일본 중앙세력과의 관계가 적기 때문에 아무래도 적게 나타나지 않을까하는 생각이 듭니다. 또 한가지는 그 시가지역에 사는 도래인이

빨리 왜인과 동화되어서 그런 자료들이 적었을 것이라고 보고 있습니다.

세 번째 질문은 오사카, 나라지역의 지리권이나 유적의 밀집도에 대한 것입니다. 먼저 발표자료 <도면 4>를 보시면 각 지역의 중요 생산물이나 이런 것들이 나타나 있습니다. 이걸 통해서 보면 특히 나가하라유적같은 경우는 주로 저지대의 개발을 전담하는 취락이었고, 오가타유적처럼 수공업을 전담하는 취락이 있었고, 시토미야기타유적같은 경우에는 주로 말을 생산하는 유적이 있었습니다. 이런 것들은 주로 5세기 대의 야마도 왕권에 의해서 일정 지역이 나누어서 이런 것을 생산할 수 있게끔 관리 하지 않았나 보고 있습니다.

앞의 질문에 이어서 특히 말을 중심으로 생각한다면 그 핵심지역은 시토미야키타유적이라고 생각하고 있습니다. 나가하라유적과 시토미야기타유적을 대표적인 도래계와 관련된 유적으로 볼 수 있는데 특히 5세기 중반 이전까지는 나가하라유적이나 이런대서 금강유역권과 비슷한 것들이 많습니다. 근데 5세기 후반 특히 이후에는 영산강유역과 관련된 유물들이 많이 확인되고 있습니다. 특히 말이 5세기 후엽 이후에 많이 출토되기 때문에 그런 것을 통해서도 보면 역시 5세기 후엽 이후는 그 영산강유역과 관계가 매우 깊다고 생각됩니다.

권오영 상당히 중요한 말씀을 하셨는데 5세기 후엽을 기점으로 해서 그 이전 단계는 금강유역권 이북에 관련된 유물들이 많이 나오고 그 이후 웅진기에 들어오면 영산강유역하고 관련된 유물들이 급증한다. 긴키지역에서 이른바 한식계토기라는 부분에서, 그와 함께 그 계기로서 말의 사육 이런 부분을 지적하셨습니다. 다음으로 후지건 선생님의 발표에 대해서 조영현 선생님께서 토론하시겠습니다.

조영현 한대의 절강성을 중심으로 분포하는 토돈묘에 관해 발표해 주신 후지건 선생님의 발표문을 잘 읽었습니다. 당시의 토돈묘에 대해서 공부가 많이 되었습니다. 중국 분묘에 천착해 본 적은 없으나, 우리나라 영남지방 고분을 중심으로 삼국시대 대형분의 봉분을 위주로 관심을 두어 왔던 토론자의 입장에서 몇 가지 궁금한 부분에 대해 질문을 드리고자 합니다. 먼저 질문을 드리기 전에 오늘 ppt 화면자료에서는 이미 받았던 내용보다 더 자세하게 나와 있어서 제 토론문의 일정 부분을 포함하고 있는 부분도 있었습니다. 그래서 어떤 부분은 그냥 넘어가도록 하겠습니다.

첫 번째는 명칭에 관한 문제인데 우리가 토돈묘하면 통상 토돈을 형성하고 난 뒤에 그 위에 개별 무덤을 조성하는 걸로 인식되어 있습니다. 그런데 사실 토돈묘 중에는 먼저 묘광을 파고 그 위에 다시 토돈을 올리는 그런 상태도 있기 때문에 우리가 말하는 넓은 의미에서 본 봉토분이라고 해도 전혀 무관하지 않다는 생각도 듭니다. 오늘 피피티 자료에는 역시 그런 내용도 포함되고 있어서 이 질문은 취소하도록 하겠습니다.

두 번째는 선사 · 선진의 토돈묘, 그리고 양한 이후에 토돈묘가 아닌 무덤에 관한 질문입니다. 1987년 호주 양가부의 토돈묘 15기 발굴을 통하여 제시된 한대 토돈묘의 개념 중에서 시기 또는 시기문제와 직결된 ③번과 ④번을 제외하면 나머지는 구조적 특징이라고 볼 수 있겠습니다. 이러한 구조적 특징에 비해서 기존의 선사 · 선진 토돈묘는 이것들과 어떻게 다른지, 그리고 양한에서 남조시기에 토돈묘가 아닌 무덤과의 분포 비중이 어느 정도인지 여기에서는 간략하게나마 언급할 필요가 있다고 생각합니다.

셋째로 연용형은 기존의 무덤을 활용하는 것이라고 말씀하셨습니다. 연용형은 직접적이든 간접적이든 기존의 선사 · 선진 토돈을 이용한 것이지만, 신축류의 전퇴형, 즉 처음부터 높게 토돈을 갖추는 것을 전퇴형이라고 말씀하셨습니다. 전퇴형인 호주 양가부 D69호묘는 우리나라의 복암리 3호분에서 상부 증축 또는 수직 확장의 개념으로 표현된 전형적인 예와 같다고 생각합니다. 제시된 <도면 3>을 보면 개별무덤의 좌, 중, 우로 본다면 '중' 부분에 모여 있는 여덟 개의 무덤 중에서 가운데 것이 비교적 큽니다. 이게 지금까지 이야기하신 M18호묘인데 층위를 자세히 보니까 이것만 한 층이 낮습니다. 그래서 가장 먼저 되었다는 것이지요. 복암리 '96석실의 조성과 관련된 단계는 여기서 말하는 '돈'이 형성되는 것이며, 그 다음에 상부 증축이나 수직으로 확장하는 방식은 양자가 너무나 똑같아서 우선적으로 눈에 들었습니다. 이런 무덤들이 다른 무덤들보다 먼저 조성되고, 또 그 주위의 작은 8개묘(3군중 중간군)가 M18호묘를 위호하듯이 배열된 형국입니다. 그리고 이러한 무덤이 무덤군 중에서 '비교적 크다'는 예들이 중국의 토돈묘에서 많이 나타나는 것이 아닌가 질문을 드립니다. 그러면 선진이나 다른 시기 토돈묘를 연용형으로 이용한 것 외에 축조 당초부터 계획하여 '돈'을 증축할 것이라든지 여러 기로 사용한다든지 그런 사례들은 상당히 재미난 요소라고 생각되기에 부연해서 설명해주시기 바랍니다.

네 번째는 '호남성의 토돈묘는 성토하기 전에 미리 저부에 설치한 배수구로 각 토돈의 경계를 삼는다'는 것은 피피티 화면을 통해 보았습니다. '성토할 때 선택된 청고니로 표시벽을 쌓았다'라는 내용에 관한 질문입니다. 경계와 아울러 주변부 공유 공간이기도 한 배수구, 우리는 주구라고 표현하는 것인데 피피티 화면자료에는 너무나 각진 직선형의 도랑 모양으로 되어있어서 사실 그것이 트렌치인지 배수구인지 궁금합니다. 통상 우리가 배수로를 파더라도 상부는 무너져서 U자형이 되는 것이 일반적인데 그것은 각이 진 상태이므로 그 여부를 확인해주시기 바랍니다. 거기에서 판 흙을 성토재로 활용했는지까지 설명해주시고, 그 다음에 '청고니로 표시벽을 쌓았다'는 것에 대해서도 부연 설명을 해주시면 고맙겠습니다. 이상입니다.

후지건 질문해주셔서 대단히 감사합니다. 선생님께서 제시한 질문들이 저의 공부에 대해 많은 도움이 되었습니다. 첫 번째 질문에 대답하겠습니다. 양한 토돈묘와 한대 토돈묘의 구조적인 특징에 대해 설명을 드리도록 하겠습니다. 양안, 한대 토돈묘에 대한 연구가 최근에 시작한 과제여서 각 지역마다 이름이라든지 모두 다릅니다. 그리고 선전 토돈묘라도 이전에 인식되던 우리 토돈묘의 범위에서 벗어나서 최근에 너무 많은 양의 토돈묘가 조사되었고, 그 안에 있는 구조나 내부 내용물이나 이전에 인식되던 토돈묘의 범위에서 벗어나고 있습니다. 모두 새롭게 인식하는 것이 필요할 것 같습니다.

선진 토돈묘와 한대 토돈묘를 대비해 보면 두 가지 비슷한 점이 있습니다. 하나는 외곽입니다. 또 하나는 무덤 설치 방식입니다. 한대 토돈묘에 있어서 토돈 자체가 무덤이 있는 공간입니다. 그 한대 토돈묘 안에 있는 무덤들이 모두 각자 토광묘에다 전실묘나 그렇게 각자 매장했습니다. 그러나 선진 토돈묘에서 저도 피피티에서도 보여드렸지만 묘광이 없이 그대로 무덤이 존재하는데 이것은 진짜 이전에 정의했던 토돈묘입니다. 또 하나는 선진 토돈묘가 보여주는 문화요소가 주로 오월 문화입니다. 그러나 한대 토돈묘에 부합되는 것은 월문화도 있지만 서쪽에서 오는 초문화나 중원에서 내려오는 한문화에도 부합됩니다.

한대 토돈묘의 확장 현상에 대해서 말씀드리겠습니다. 여기서 보충설명해야 될 것이 한 가지 있습니다. 절강지역에 있는 한대 토돈묘가 토돈 안에서 층이 많은 것과 적은 것이 있지만 모두 한꺼번에 한 번씩 성토하여 만드는 것입니다. 일반적으로 중국에서 말하는 추가장이라는 것은 먼저 만들어진 토돈 안에서 무덤의 위치를 다 차지한 다음에 또 다른 공간이 필요해서 다시 무덤 만들어서 토돈을 추가하는 것입니다. 확장하는 방식이 위로 확장하는 것도 많습니다. 수평으로 확장하는 것은 많지 않습니다. 중심무덤을 가운데 두고 나머지 무덤을 피하고 돌아서 만든 것이 자주 보입니다. 외호하는 현상은 자주 보입니다. 그러나 중심무덤의 규모는 특수성을 보이지만 안에 있는 부장유물이나 문자자료 같은 것이 보이지 않아서 중심무덤 피장자가 어떤 신분을 가지고 있는지 알 수 없습니다.

다음에는 호남성 토돈묘의 성토 부분입니다. 토돈묘를 성토할 때 우선 배수구를 파서 그다음에 성토한 것이고 보고서에 그렇게 토돈을 성토하는 흙들이 모두 외부에서 온 흙들이라고 했습니다. 그러나 개인적으로 이 배수구를 팔 때 사용했던 흙을 성토할 때 사용할 가능성을 제거할 수는 없다고 봅니다. 마지막 그 방금 말씀하신 배수구의 단면 형태를 말씀하셨는데요. 간단하게 보고서만 있어서 사진이나 도면자료를 참고해서 네모로 되어 있고 거의 호상 정도로 되지 않았습니다. 제가 현장에 가지 못해서 확실하게 말씀드릴 수 없어서 죄송합니다. 이상입니다.

권오영　후지건 선생님은 주로 절강성지역, 월지역이죠, 그 지역 토돈묘가 우리가 예전에 알고 있는 것처럼 선사, 기원전까지가 아니라 양한 이후 남조까지 이어지는 것으로 소개해주셨고요. 마침 오늘 좋은 기회인 게 월지역이 아니라 절강 옆 강소, 오 지역이죠. 그 지역에서 계속적인 고고학 조사를 해오신 강소성 고고연구소의 임유근 선생님이 와계십니다. 임유근 선생님한테 강소성지역의 토돈묘 상황에 대해서 말씀 좀 들어보겠습니다.

임유근　토돈묘의 연구에서는 1970년대에 강소에서 토돈이 확인돼서 연구되어 오고 있습니다. 40여 년 동안 토돈묘를 발굴조사하고 연구해서 여러 학자들이 공동으로 노력해서 현재까지 1970년대의 토돈묘 개념에서 많이 발전되었습니다. 개념에 있어서 가장 큰 변화가 70년대 80년대에 인식했던 토돈묘는 그냥 평지에서 바로 성토에서 토돈묘를 만든다고 생각했었는데, 최근 10년 동안 강소, 절강, 안휘, 상해에서 모두 확인되어서 새롭게 인식되었습니다.

이전의 인식과 다르게 최근에 인식된 것은 평지에서 사람을 안치하고 바로 성토되는 것보다, 그것도 있지만 정지해서 묘광을 파서 그 다음에 성토하는 것도 적지 않습니다. 그래서 안의 구조가 더 명확하게 보입니다. 원래 인식되던 토돈묘의 범위는 강남지역에 있었다가 최근 2005년부터 복건성 지역에서도 확인되었습니다. 장학봉 선생님도 토돈묘에 대해 이야기가 나와서 거기서도 토돈묘가 확인되는 것은 토돈묘의 연구에 대한 큰 성과입니다. 그 지역 토돈묘의 연대가 상나라까지 올라갈 수 있고, 심지어 상나라 초기까지 올라갈 수 있습니다. 작년의 발굴 결과에 따라 항주 근처의 서산이라는 곳에서 발견된 토돈묘도 상나라 초기에 들어갈 수 있는 것이 확인되었습니다. 그래서 최근 몇 년의 조사를 통해서 토돈묘의 기원을 찾아왔다고 생각할 수도 있습니다. 기원은 찾았지만 하한이 어딨는지가 과제가 되었습니다. 그래서 후지건 선생님이 제시하시는 한 대 토돈묘의 개념이 원래 있었던 선진 토돈묘에서 이어져서 어디까지 이어지는가에 대한 질문에 대한 답이 되었습니다. 그래서 전에는 저희 강소지역에서 상주시대 토돈묘가 많이 집중되었지만 최근 몇 년 동안 한대 토돈묘에 대한 개념이 제시되어서 조사하는 과정에서 한나라, 심지어 육조시대까지 내려갈 수 있는 토돈묘를 찾아내고 있습니다.

강소성 북부에 서주 지역이 있습니다. 거기서 강도왕이라는 왕릉이랑 성곽이 발견되었는데 그 주변에 배장묘들이 많습니다. 그 배장묘 중에서 방형주구의 토돈묘가 많이 확인되었는데요, 그 안에 분구 확장묘가 많습니다. 비주라는 곳에서는 토돈묘 1기가 조사되었습는데 토돈묘 자체가 높은 봉분을 가지고 있고 아주 북쪽에 위치하지만 무덤 형식이 강남 토돈묘와 똑같습니다. 그 무덤의 봉토에서 전에 조영현 선생님이 제시하신 구획성토법의 흔적이 명확하게 확인되었습니다. 가장 명확하게 이런 성토법을 확인할 수 있는 예입니다. 감사합니다.

권오영 자유토론자가 10여 분이 계시기 때문에 격렬한 토론을 하시겠다는 분은 말리지 않겠지만 가급적이면 2~3분 정도씩 간단하게 코멘트를 해 주시면 어떨까 싶은데요. 우선 강봉룡 선생님께 부탁드립니다.

강봉룡 발표, 토론을 들으면서 많은 것을 배웠는데 문제는 전남지역 마한 제국, 영산강유역 고대사회를 어떻게 볼 것인가 하는 문제가 논의가 돼야 할 것 같은데, 아마 각자 생각이 있을 것입니다. 그런데 관점이 중요합니다. 백제가 결국 영산강유역을 지배하고 5방에 지배체제로 편입시켰기 때문에, 그 이전의 영산강유역 고대사회를 생각할 때 항상 백제와의 관계를 우선 염두에 두는 것 같습니다.

그런데 발표를 들으면서 영산강유역의 고분이나 토기 등을 보면 왜계라든가 가야계라든가 심지어는 신라계라든가 이런 것들이 많이 나오고 오히려 백제계의 경우는 5세기대에 별로 나오지 않는 이런 현상이 나타나는데 이를 어떻게 볼 것인가? 그렇다고 한다면 영산강유역 고대사회는 그런 백제나 가야, 왜에 의해서 휘둘린 존재였나? 이런 관점에서 보다 보니 영산강유역 고대사회에 무언가 중심체가 있었다는 것을 생각하지 못합니다. 그래서 영산강유역 고대시화의 사회성격의 문제를 핵심으로 다가가지 못하고, 언뜻 아무것도 없는 것 같아요. 누군가가 와서 휘두르고, 휘둘리는 그런 모습이 5세기 단계까지 영산강유역 고대사회의 모습으로 보이는 것이지요. 그렇다면 영산강유역 고대사회라고 하는 것은 없는 것인가? 이런 관점에서 영산강 고대사회라는 관점을 한번 세워보고 그 다음에 여러 세력과의 관계를 객관적이고 정당하게 따져보는 게 좋지 않을까? 그런 생각이 들었어요.

그리고 근초고왕의 침미다례 도륙사건 이후에 영산강유역의 해로상에서 백제 계통의 유적과 유물이 많이 나올 것으로 기대가 되는데 오히려 정반대로 나오지 않고 있어요. 그래서 5세기 전반에 오히려 왜계나 가야계나 왜계, 신라계, 이런 것이 많이 나타나는 이런 현상을 어떻게 볼 것이냐 하는 의문이 생기지요. 그래서 백제가 왜군을 동원해가지고 왜계 고분이 나타난다는 이정호 선생님의 해석까지 나왔고요.

그 다음에 문안식 선생님의 발표는 백제와 고구려가 다투는 틈을 타서 가야와 왜가 영산강유역에서 문물교류를 한 것으로 해석을 한 것 같습니다. 결국 영산강유역의 사회 성격에 대하여 각자 생각하는 의견을 피력하고 논의해보는 것이 중요하지 않겠는가 하는 생각을 했습니다. 또한 문안식 선생님께서 5세기 후반에 왕후제도를 이야기하던데 그것이 왜5왕의 시대와 거의 겹치거든요. 그래서 남조를 향해서 백제와 왜가 거의 동시적으로 어떤 외교활동을 벌이는데 상당히 경쟁적인 양상까지도 나타납니다. 바로 이러한 양상이 그 시점에 영산강유역에서 전방후원분이 나타나는 것과 관계가 있지 않겠는가 합니다. 그래서 백제 왕후의 문제와 왜5왕의 문제를, 동아시아 전체적 흐름 속에서 남조에 대한 외교적 노력과 경쟁이라는 관점에서 생각해보면 어떨까 이런 생각이 들었습니다. 네 이상입니다.

권오영 네 짧은 시간에 중요한 말씀 두 가지 들었습니다. 영산강유역을 주체로 보고 사고하자. 그리고 동아시아적 시각으로 넓게 생각하자. 그 다음으로 박찬규 선생님 말씀해 주시지요.

박찬규 두 가지 정도만 말씀을 드리겠는데요. 먼저 느낀 점을 말씀드리겠습니다. 이정호 선생님의 발표에 대한 토론을 듣다 보니까 선생님께서 논거를 전개하시면서 쓰신 용어가 눈에 띄더라고요. 그래서 그것이 과연 어떤 분석의 틀이 되는 것인가하는 그런 생각이 들어서 한번 간단하게 여쭤보겠습니다. 근초고왕의 정복 과정에 관련해서 몇 가지 용어를 써주셨는데 그것이 몇 가지 다르게 나옵니다. 활동이라든지 또는 간혹 도발이라고 하는 표현, 또 침미다례 도륙, 그 다음에 정벌, 정복 이런 여러 가지 용어가 나오는데 과연 그런 것을 쓰신 이유가 하나의 성격, 역사적인 평가를 위한 그런 용어 선택인지? 제가 보기에는 이런 용어 하나하나가 굉장히 중요한 의미를 가지고 있다고 생각합니다. 특히 도발이다라고 하는 그때는 그 주체를 백제 중앙 쪽에 두느냐 아니면 이쪽 영산강유역 쪽에 두느냐 그런 점에서도 용어가 굉장히 중요한 의미를 담지 않았겠는가하는 생각을 해보게 됩니다. 그래서 그 문제 하나 하고요. 또 하나는 이건 질문이기는 한데요. 이정호 선생님은 근초고왕의 정벌 뒤에 거점 지역에 일정 기간 군대를 상주시켰을 것이라고 추정을 하셨습니다. 거기에 대해서 과연 이에 대한 문헌적 또는 고고학적인 근거를 찾을 수 있겠는가? 만약에 찾을 수 있다면, 알려주시면 저희한테 굉장히 도움이 될 것 같습니다.

권오영 그 두 가지에 대해서 이정호 선생님의 답변을 부탁드립니다.

이정호 용어 문제는 제가 미쳐 정리하지 않은 단계에서 나와서 죄송합니다. 이 부분은 기본적으로 일단은 생각하는 부분은 활동이라는 부분은 도발이라든지 도륙이라든지 이런 부분을 포괄해서 이 지역에서 근초고왕대에 사건이 미치는 영향이라고 하는 배경적인 의미를 가지고 얘기해서 활동이라고 일단은 정의했습니다. 그리고 이제 도발, 도륙 이것은 용어를 채용하면서 솔직히 말씀드리면 급히 정리를 하다 보니까 용어에 대한 개념을 정확히 정의하지 않고 일단 채용을 한 측면이 있기 때문에 이 부분은 앞으로 조금 더 정돈을 해나가겠습니다. 두 번째, 상주를 했었는가 하는 문제는 사실 고고학적으로 자료가 적극적으로 될 수 있는 자료는 그다지 없다고 말씀드리겠습니다. 굳이 말씀을 드린다면 서남해안지역의 갑주와 철촉 등의 무기를 부장하는 석곽들, 또는 석실들이 어느 정도 배경을 깔고 있지 않는가 생각되는데요. 이 석실들의 피장자 문제까지 가버리기 때문에 그 부분은 피하고 싶습니다마는 일단 이 석실들이 등장하게 된 것은 이 지역에 어느 정도 왜와 관련되어 있는 사람, 왜계 사람들이 어느 정도 이 지역 사람들에게 영향을 미칠 수 있는 정도의 기간이 필요했지 않을까 싶은 생각이 들었고요, 이게 이제 지배, 피지배관계라든가 그런 식으로 연결시키고 싶지는 않습니다만, 그래서 이 지역 사람들이 왜계 요소를 직접적으로 받아들이는 것도 있지만 그 사람들을 통해서 한 번 걸러서 받아들이는 경우도 있을 것이라고 그런 측면에서 상주했을 것이라는 개념을 설명했습니다마는 이게 고고학적으로 증명하기는 어렵습니다.

권오영　네, 그 정도로 정리하겠습니다. 도발적인 용어는 앞으로 안쓰겠다는 말씀이시고 상주에 대한 적극적인 증거는 없지만 정황적인 증거가 있다는 정도로 하겠습니다. 다음으로 문동석 선생님.

문동석　한성기~웅진기 백제왕들 가운데 가장 중심이 되는 인물은 개로왕대입니다. 그러나 개로왕대 연구는 상대적으로 미진한 형편입니다. 개로왕 4년(458) 송에 작호제수 요청을 위해 보낸 상표문에 여도와 여곤이 나옵니다. 이들은 각각 개로왕의 동생인 문주와 곤지로 비정하는 것이 우리 학계의 일반적인 견해입니다. 그러나 이노우에 선생님의 발표에서는 이러한 점들이 빠져 있습니다. 우리 학계의 개로왕대 연구 성과를 최대한 반영해주셨으면 합니다.

4세기 단계에 백제의 국가 정책의 초점이 어디 있었는가에 대해 먼저 고려해 보아야 할 필요가 있다고 생각합니다. 4세기 초 백제는 낙랑, 대방이 망하고 난 다음에 이들이 가지고 있던 동아시아 중개 무역권을 놓고 고구려와 치열한 싸움을 전개하고 있었습니다. 이는 4세기 백제를 이해하는 데 있어서 굉장히 중요한 단서라고 생각합니다. 즉 백제 근초고왕은 366년, 368년에 신라에 사신을 보내고 369년 치양성에서 고구려와 전투를 치렀고, 370년에 평양성 전투가 있었습니다. 이와 같이 백제는 고구려와 힘든 전투를 치루고 있었던 형편이었습니다. 또한 고구려 고국원왕의 전사 이후 한산으로 이도까지 하였습니다. 따라서 4세기 단계 백제의 국가 정책의 목표는 고구려의 견제를 통해 동아시아 중계 무역을 확보하는 게 더 중요하지 않았을까 합니다. 이러한 상황은 백제가 당시 영산강유역 등에서 또 다른 군사작전을 전개할 상황이 아니었다고 보입니다.

권오영 그 반성적 연구 방향에 대한 반성으로서……. 그 다음에 이주현 선생님.

이주현 장학봉 선생님 발표문을 잘 읽었습니다. 그런데 제가 평소에 삼국지 위서 동이전을 읽으면서 마한전에서 왜 이렇게 비리자가 들어가는 많은가에 하는 것에 대해서 염두에 두고 있었습니다. 그런데 다음권인 진서 사이전을 보면 처음에 부여전, 마한, 진한, 숙신, 왜, 이렇게 나오지만 고구려전은 없습니다. 그런데 제일 마지막에 보면 비리 등 10국, 이렇게 해가지고 비리국 외 10개 나라의 위치에 대해서 열거를 하고 있고, 또 진에 사신을 보내왔다는 기사가 있습니다. 거기 보면 위서 동이전에 마한의 8개의 비리라는 것과 글자가 거의 같지요. 그러니까 '낮을 비(卑)'자가 아니라 앞에 옷 의자가 들어간 '비

(神)'자라고 해서 숙신의 서북쪽으로 말을 타고 2백 일을 가는 거리에 있다고 나오고, 그리고 또 보면 나중에 거란의 한 부족에도 비리족이 있습니다. 그것도 글자가 같아요. 같은 만주지역입니다. 그리고 또 한편으로 보면 광개토왕비에도 하나가 나옵니다. 그 비문에서는 비리가 '아름다울 여(麗)'자로 되어 있는데, 아름답다고 할 때는 우리가 '여'라고 발음하지만 걸려있다고 할 때는 '리'라고 발음하지요. 그래서 비석할 때 '비(碑)'자에다가 아름다울 '여'자를 써도 역시 발음은 비리입니다. 그것은 이제 광개토대왕대, 영락5년에 정벌을 한 대상으로서 등장하는데 시간 차이도 있고 같은 만주지역이라고 하더라도 지역적으로는 차이가 있기는 하지만 비리라고 하는 나라 이름을 갖다가 남방적인 요소로 한정하고, 백월하고 관련짓는 것은 좀 무리이지 않을까? 그래서 이런 관련성을 남북으로 연결시켜보면 어떨까 싶습니다.

권오영 그 이야기는 손로 선생님께서 따로 통역을 해주시기 바라고, 그 다음에 김인희 선생님.

김인희 저는 원래 중국 남방의 소수민족을 연구하는 사람입니다. 아마도 오늘 百越民族에 대한 문제 때문에 저를 토론자로 부르신 것 같습니다. 제가 중국의 소수민족을 연구하다 보니까, 그 과정에서 소수민족의 기원을 연구하게 되었는데 이들은 문자기록이 남아 있지 않아 고고학 자료의 도움을 받게 되었습니다. 이러한 과정 속에서 저는 중국 소수민족과 고고학에 대하여 지식을 갖게 되었고 오늘은 이러한 바탕 지식 속에서 말씀을 드리겠습니다.

오늘 중국 선생님 두 분은 모두 백월과 마한이 관계가 있다는 말씀을 하셨습니다. 한반도는 위도상으로 보면 밀농사권인데도 불구하고 한반도에 살아온 고대 선민들은 쌀을 경작했습니다. 그 순간부터 우리는 백월문화와 한반도의 문화를 비교연구 해야 할 필요성이 시작되었던 것으로 생각됩니다. 그런 측면에서 볼 때 오늘 두 분이 백월민족의 문화나 중국 남방문화가 마한과 관련성이 있다는 말씀은 상당히 긍정적인 면이 있다고 생각 됩니다. 아마 한국 선생님들께서는 '백월'하면 중국 남방의 소수민족 이름으로 생각하시는 분이 많으실 것 같은데요, 사실 百越의 '百'은 '많다'는 뜻이고 '越'은 장강 이남의 소수민족을 지칭하는 말로 결국 백월은 '수 많은 월'이라는 의미입니다. 이들은 신석기시기에는 장강하류의 河姆渡文化와 良渚文化를 창조한 사람들로 이후에 북쪽에서 한족이 남하하여 이주하게 됨으로써 지금은 소수 민족이 되어 있는 사람들입니다. 그러니까 저는 기본적으로 장학봉 선생님께서 말씀하시는 백월계통의 언어와 마한의 언어를 비교해보는 것은 실제 가능성이 있다고 생각을 합니다. 특히 '반나'라는 말의 경우, 저도 2000년대 초반에 중국 雲南省의 시쌍반나(西雙版納)에 가서 답사를 한 적이 있는데 그곳 언어에서 시쌍은 '13'이라는 뜻이고 반나는 '논'이라는 뜻이었습니다. 결국 시쌍반나는 "13개의 논"이라는 뜻이 됩니다. 시쌍반나는 논농사를 짓는 지역으로 傣族이 거주하고 있습니다. 현지답사 시에 지금도 이 '반나'가 '논'이라는 의미로 남아 있는 것을 확인한 바가 있습니다. 그런 측면에서 저는 장학봉 선생님께서 '반나'를 백월계 언어로 보시면서 '논농사'를 했을 것이라는 견해에 대해서 저는 상당히 긍정하는 편입니다.

그리고 그 외에도 우리나라 기원전 문화를 보면 백월계통 문화들이 꽤 있는 부분이 있는 것 같습니다. 신석기시대 한반도의 남부 해안지역에서 발견되는 耳栓 같은 경우에는 河姆渡文化나 장강 중류지역에서 발견이 되는 거구요. 그 외 솟대나 새무늬청동기, 조형토기, 토돈묘, 그 다음에 신창동유적 중 절구공이의 경우에도 장강유역의 도작민들의 도구거든요. 하북지역의 밀농사권에서 발견되지 않는 것이기 때문에 상당히 관계가 있다고 봅니다. 그리고 黑齒 경우도 백월민들의 문화이기 때문에 이런 것들을 보면 백월계통의 문화가 우리 사회에 존재했었다는 생각이 듭니다.

그렇지만 문신의 경우 기록에 따라 약간의 차이가 나는데 어떤 경우에는 "일본과 가깝기 때문에 문신을 한다"고 한 것으로 보아 백월계통의 문화가 보편적인 것 같지는 않다는 생각도 듭니다. 그리고 백월계통은 貫頭衣라는 옷을 입는데 이 옷은 큰 천에 구멍을 뚫어 목에 끼우는 형태입니다. 그런데 이러한 옷은 한국에서는 전혀 발견되지 않고 있습니다. 그리고 백월민족은 단발을 하는데 우리는 고대로부터 단발을 하였다는 기록은 남아 있지 않습니다. 발치의 경우에도 한반도의 남부에서 발견되기는 하지만 중국의 발치는 상악 측문치를 발치하는 것으로 우리나라와는 발치의 위치와 발치습속이 성행한 시간에 있어 차이가 납니다. 따라서 중국 백월민족의 문화와는 공통점도 발견되지만 상당한 차이점도 존재하였음을 알 수 있습니다.

권오영　지금 지정토론자이신 박중환 선생님이 오셨습니다. 간략하게 부탁드리겠습니다.

박중환　두 가지만 간단하게 답변 부탁드리겠습니다. 문안식 선생님께서 발표하신 내용 중에서 지엽적인 부분이기는 합니다만 우선 진왕과 낙랑군과의 관계에 대해서 순망치한의 관계로 인식하고 계시고, 그리고 낙랑군이 2세기 중엽에 이르러 쇠퇴하면서 진왕의 권위가 날로 약화되었던 것으로, 이에 따라 삼한 각지의 토착 세력이 그 영향력에서 벗어나 독자적인 발전을 꾀하였다고 보고 있는데, 진왕과 한 군현 세력과의 관계는 협력관계로 보고 진왕과 삼한 각지의 토착세력과의 관계는 억압-종속 관계로 보고 있는 시각에 대한 설명을 듣고 싶고요. 또 한 가지는 근초고왕 남정 루트와 관련된 이해입니다. 주지하듯이 근초고왕의 남정 사실은 우리 측의 기록에는 없고 일본서기 기록을 토대로 한 것이고, 그러면서 그 주체는 백제로 해석하는 역사 이해인데, 정리된 근초고왕 남정의 관점은 여전히 현재 대구라든가 낙동강 하류역과 같은 영남을 시작으로 내려와서 다시 바다에서 서쪽으로 돌아가는 이동 경로로 나타내고 있습니다. 이러한 이해는 일본서기 기록의 주체를 백제의 근초고왕으로 바꾸어서 이해한다는 것이지만 백제의 입장에서 보면 매우 부자연스러운 루트의 군사이동이 됩니다. 사실은 조금 적합하지 않은 이해가 아닌가 생각을 합니다. 이 두 가지 질문에 대해서 답변 부탁드립니다.

문안식　저의 요지는 이렇습니다. 낙랑의 선진 물자가 진국을 거쳐서 삼한으로 흘러나갔다고 생각합니다. 낙랑과 진국은 상보 관계를 맺고 그야말로 순망치한의 관계에 있었던 것이지요. 그러나 2세기 중엽 이후에 낙랑이 약화되면서 진한의 중개 무역 등이 약화되고, 삼한 각지 세력이 독자화에 박차를 가했다고 봅니다. 그러한 관점에서 글을 잘 정리해나가겠습니다. 그 다음에 근초고왕 남정에 관해 박관장님이 오시기 전에 발표하면서 설명해 드렸기 때문에 좀 지나갔으면 좋겠습니다. 저는 기본적으로 백제군이 전주 방면에서 임실을 거쳐 남원 운봉 일대로 진출하여 가야에 대한 영향력 확대를 꾀했고, 그리고 전남 동부지역으로 군대를 남하한 후 다시 서남해지역 해상세력 제압에 나섰다고 생각합니다. 그래서 고해진 같은 경우는 강진만 권역, 침미다례는 백포만 일대, 그리고 그 이후에 굴복한 세력들은 혹여 나주가 들어갈지도 모르겠지만 영광이나 함평 등 전남 서남해지역에 위치한 것으로 판단하고 있습니다. 이상입니다.

권오영　그 다음에 고고학적인 것으로 넘어가도록 하겠습니다. 지금 총 다섯 분의 토론자가 준비하고 계신데 곽장근 선생님부터 고분에 초점을 맞추어서 부탁드립니다.

곽장근 네, 일단 고분보다도 근초고왕의 남정과 관련해서 말씀을 드리고 싶습니다. 근초고왕의 남정 결과는 가라 7국의 평정이 가장 핵심적인 내용이라고 할 수 있습니다. 그렇다고 한다면 근초고왕이 어떤 루트로 가라 7국까지 도달했는지에 대한 검토가 필요합니다. 그 루트는 일단 육로와 해로를 생각할 수 있지만, 만약 육로를 이용했다고 가정한다면 어느 루트를 이용했는가에 대한 검토가 필요할 것 같습니다. 종래에 근초고왕의 남정 루트와 관련하여 많은 연구가 활발하게 진행되어 왔지만, 그 루트와 관련해서는 그다지 관심이 높지 않았던 것도 사실입니다. 저는 근초고왕이 남정 루트와 관련하여 백두대간 치재를 넘는 운봉고원을 주목할 필요가 있다고 말씀을 드리려고 생각했는데, 문안식 선생님께서 발표 때 일목요연하게 잘 말씀을 해주셔서 제가 특별히 토론할 내용은 없는 것 같습니다. 다만 운봉고원을 주목해야 하는 여러 가지 이유 중 백제가 가야, 백제가 신라를 대상으로 진출할 때 대부분 운봉고원을 경유했던 것 같습니다. 백제가 운봉고원을 경유하는 것과 관련해서는 줄곧 일관된 양상을 보여주고 있고, 백제 무왕의 경우에는 신라에 진출할 때 운봉고원 북서쪽 아막성에서 20년 넘게 전쟁을 벌일 정도로 운봉고원이 차지하는 고고학적, 역사적인 의미가 매우 깊습니다. 그런 점에서 저는 근초고왕의 남정과 관련해서 그 루트는 백두대간 치재를 넘어 운봉고원을 통과하는 내륙교통로인 백제와 가야의 간선교통로로 생각하고 있습니다. 그만큼 한성기 백제와 가야의 간선교통로 복원에 있어서 운봉고원은 참으로 중요한 역사적인 의미가 있는 것 같습니다. 앞으로 근초고왕의 가라 7국 남정 루트와 관련하여 운봉고원을 주목할 필요가 있지 않은가? 그 정도로 말씀을 드리겠습니다.

권오영 그 다음으로 이동희 선생님.

이동희 두 가지 질문하겠습니다. 이정호 선생님 발표문을 보면 철정 관련해서 영암 시종이 중심세력으로서 사회적인 통제나 공적 지위를 갖지 못했다는 근거로 철정이 영암 시종에는 없고 주변 지역, 예컨대 해남 신월리·분토리, 고흥 장동 등에 있다는 것인데, 이 가운데 해남 신월리나, 고흥 장동, 장흥 상방촌 이런 유적에서는 가야토기(소가야나 아라가야토기)가 출토되고 있습니다. 이러한 유물 공반상을 보면, 철정은 교역을 통해서 해안가로 유입된 것으로 보는 것이 합리적이라고 생각합니다. 시종고분의 사회적 통제나 지휘하고 관련짓는 것은 문제가 있지 않느냐? 그런 생각을 해 봅니다. 또 하나는 김승옥 선생님께 질문드리겠습니다. <그림 15>를 보시면 취락자료로 본 전남지역 마한지역의 수와 위치 비정에 대한 내용입니다. 작년에도 마한 소국 위치 비정에 대한 발표가 있었지만, 고지명 분석이나 고분자료에 근거한 경우가 일반적입니다. 이에 비해 김승옥 선생님은 취락가지고 소국을 비정하셨습니다. 제가 주로 활동하고 있는 전남 동부지역의 경우, 발굴조사된 취락유적을 중심으로 해서 소국의 위치비정을 하면 약간의 문제가 발생합니다. 이병도 선생님이나 천관우 선생님, 박찬규 선생님 모두 마한 소국으로 비정한 바 있는 순천 낙안일대는 취락유적으로만 보면 마한 소국에서 빠지게 됩니다. 왜냐하면, 낙안 인근에서는 개발이 되지 않아 대규모 발굴조사가 없었으므로 취락유적이 거의 확인되지 않았기 때문입니다. 낙안에 대한 지표조사 결과로는 지석묘나 고분, 유물산포지가 상당합니다. 유물산포지에 대한 발굴조사가 이루어지면 취락이 많이 발견되겠지만 현재로서는 취락이 없는 셈입니다. 요컨대, 마한 소국 위치 비정 시, 고지명이나 고분 등이 우선되어야 하고 취락은 부차적으로 접근해야 할 것으로 판단됩니다.

이정호 제가 워낙 발표를 부실하게 해서 저에게 질문이 집중되는 것 같습니다. 철정에 대해서는 물론 선생님 말씀대로 신월리라든가 가야 또는 외부의 어떤 묘제를 보이는 그런 곳에도 출토되고 있습니다만, 예를 들면 서해안에 있는 함평 중랑같은 경우는 왜래적인 요소는 5세기 후반에 보이는데 그전 시기의 유구에서 철정이 38점이 보고가 됐고요. 그리고 아시다시피 광주 하남동 유적에서만 30점 정도가 출토되었고, 산정동, 장흥 상방촌 등등해서 출토가 되었는데, 문제는 이 철정이 우선 묘제에서 나오지 않기 때문에 그 수량이 희소하기 때문에 가야의 수입된 게 아닌가 하는 시각이 있는 것으로 알고 있는데 제 생각에 그렇다면 영산강유역 또는 백제지역에서는 철기 생산을 안했느냐 라는 문제하고 관련 된다고 생각합니다. 철생산을 하지 못했다, 백제는 하더라도 영산강유역에서 철기 생산을 하지 못했다라고 하고 한다면, 했다고 하는 증거는 아직 확인되지 않고 있습니다마는 못했다고 보기 보다는 하긴 했다라고 보는 것이 좀 합리적이지 않을까 생각을 해보고요. 또한 단지 이런 주거유적에서 출토되는 것으로 봐서는 묘제에서 출토되지 않은 것은 단지 풍습 차이로 인해서 이 영남지역에 비해서 철기 수가 굉장히 적다라는 것이 제 시각이라고 생각됩니다.

김승옥 네, 사실 삼한 소국의 수와 위치 비정은 상호보완적으로 이루어져야 되겠죠. 고분하고 취락을 동시에 살펴볼 필요가 있다는 것입니다. 그런데 역설적으로 이러한 문제를 접근하는데 있어서 고분은 더 문제가 있을 수 있습니다. 왜냐하면 고분 같은 경우 취프덤 단계로 오게 되면 상위엘리트들의 무덤이 주로 축조되기 때문에 중심과 주변의 위계화를 보는데 어려움이 따르게 됩니다. 옹관고분의 분포를 보더라도 소국을 추정하는 작업은 매우 어렵습니다. 옹관 고분은 영산강을 위시한 서해안 지역에 집중분포하고, 영산강을 벗어나 동부지역으로 가게 되면 가야 문화권의 영향도 받겠지만 옹관고분의 분포를 가지고 소국을 추정하기는 더 어려울 수 있습니다. 이에 비해 취락같은 경우는, 물론 상호보완적으로 이루어져야 되겠지만 중심과 주변 취락을 통해 소국의 권역을 추정하는데 고분보다 더 나은 측면이 있습니다. 이상입니다.

권오영 두 분 다 짧게 해주셨는데요 감사합니다. 서정석 선생님 말씀해주시기 바랍니다.

서정석 전남지역 마한사회와 백제에 대해서 좋은 말씀 많이 들었습니다. 고고학 쪽에서는 고분, 주거지, 토기를 가지고 체크를 하셨는데요. 앞으로는 성곽도 하시면 어떨까 싶어서 말씀을 드립니다. 고분이 있고 주거지가 있고, 그러면 그것과 관련돼서 성곽이 있지 않을까? 다른 쪽도 마찬가지지만 그동안 그런 성곽을 찾는 것에 있어서 관심을 안 가지셨던 것 같아서 부탁드립니다. 그리고 백제에서도 이 지역을 지배하면서 성곽을 쌓았을 텐데 그런 점에서 이 지역과 백제의 관계를 구체적으로 살펴보는데 큰 도움이 되지 않을까 싶어서 그런 말씀을 드립니다. 이상입니다.

권오영 전남동부지역은 6세기 이후에 성곽이 발견되지만 영산강유역에서 확실한 백제 성곽이 없다는 것이 정말 큰 문제인 것 같습니다. 최성락 선생님 한 말씀 부탁드립니다.

최성락 간단하게 말씀드리겠습니다. 질문이라기보다는 고고학측 발표 세편에 대한 소감을 말씀드리겠습니다. 저는 어제 발표를 못 들었습니다만 오늘 토론내용을 보니까 발표한 세 분의 마한에 대한 인식에 차이가 있습니다. 이정호 선생님의 발표에 보면 5세기 전반의 석곽을 백제와 연관시켜보는 것 같습니다. 김승옥 선생님은 5세기부터 백제로 보는지 아니면 6세기부터 보는지 다소 애매하지만 5세기 취락부터 백제와 약간 관련된다고 이야기하고 있습니다. 서현주 선생님은 5세기대에 가야의 배후에 백제가 있다고 했습니다. 그래서 세 연구자들만 보더라도 전남지역 마한에 대한 인식의 차이가 있습니다. 문헌측 연구자의 견해들을 언급하지 않더라도 이 문제는 사실 오랫동안 논의되었던 주제입니다. 마한과 백제의 경계선을 어디서 그어야 하는가? 예를 들면 그것을 5세기 전반으로 봐야하는가 혹은 후반으로 봐야하는가, 아니면 6세기인가에 따라 당시의 사회성격은 완전히 바뀌어집니다. 가장 기본적인 문제는 마한과 백제를 언제 어떻게 구분할 것인가 하는 문제일 것입니다. 각 발표자들이 자신의 견해만을 발표하니까 의견이 모여지지 않습니다. 그래서 이 문제가 한번쯤 정리됐으면 좋겠습니다.

권오영 네 윤덕향 선생님.

윤덕향 먼저 말씀을 드리면, 상당히 많이 배웠습니다. 이정호 선생님이나 사회자께서도 이야기했습니다마는 대체로 백제가 주가 되느냐 아니면 이 지역에서 마한세력이 주가 되느냐 주체가 누구냐 하는 문제인데 거기에 약간 차이가 있다고 생각됩니다. 가령 이정호선생께서 얘기하기를 근초고왕의 남쪽의 해상거점에 교역로를 확보하기 위해서 그 지역으로 갔다. 그리고 왜군을 끌어들였고, 나중에 왜군을 주둔시켰다가 고구려와 전투를 위해서 외교를 끝냈다? 그러면 그걸 주재한 사람은 마한집단, 재지인이라는건데, 그 사람들이 백제와 어떤 관계에 있었는가 하는 부분은 생각을 않고, 왜군 쪽에서 파악을 하고 있는데 저간의 사정이 어떠했는지가 분명하지 않습니다.

　김승옥 선생님의 얘기 중에 상당히 재미있는 얘기가 있었습니다. 아까 이영철 선생님 토론, 이것도 있었는데 삼포천지역에 취락이 없고 그 대신 무덤은 나왔다. 그래서 그 무덤이 거기에 있는 이유가 무엇인가? 그게 주변 지역에서 그 지역이 여러 가지 이유가 있기 때문에 지리적인 이유라든지 정치적인 이유라든지 그 지역을 상당히 중요하게 여겼기 때문에 거기에 대형고분들이 축조될 수 있지 않았나, 그리고 그런 지역에 살고 있었던 토착세력들은 그 지역에 어떤 의의를 두었을 것으로 생각을 했고 어떤 상징성이라든가 그런 것들이 있지 않나 생각이 됩니다. 그럼 나중에 백제에서 이 지역에 진출하여 토착집단인 마한세력들을 아울렀을 때 어떤 식으로 그 사람들을 포섭했을까 아니면 동화를 시켰을 것인가? 간접지배냐 직접지배냐? 하는 것들과 관련된 정책이 있었을 것인데 그런 것 중 하나가 예컨대 군사력에 의한 것도 있을 수 있지만 문화라든가 이런 쪽으로 접근할 수 있지 않을까?

　최근 월남사지 발굴조사에서 백제계유물이 나왔다고 하는데 그런 것들이 어쩌면은 그런 부분을 연구하는데 단초가 될 수 있지 않을까? 또 하나가 아직 조사가 충분하지 않기 때문에 우리가 얘기를 충분히 할 수 없겠지만 신앙이나 정신적으로 중요한 것 중에 하나가 제사유적인데 전남지역의 경우에 아주 중요한 유적으로 월출산이라든가 지리산을 중심으로 제사유적 등이 있을 수 있는데 고고학적으로, 그 이전 마한단계에는 어떠했는가? 아직 고고학에서 그 실체를 찾지 못하고 있지만 토착신앙이나 제사 의례와 관련된 유적에 대한 관심, 즉 마한에서 고분을 축조하던 사람들이 어떤 의례라든가 지역행사라든가를 어디에서 했는가 하는 것에 대한 관심을 가지는 게 필요하지 않겠는가, 그렇게 생각합니다. 감사합니다.

권오영 제가 오늘의 중요 주제를 대략 세 가지 정도로 뽑아 봤습니다. 하나는 백제중앙과 마한세력과의 접촉의 시점, 그리고 변화양상 이런 부분인데, 그 부분을 조금 전에 최성락 선생님께서 명확하게 이 고고학적 발표 세분의 차이점을 그대로 노출을 시켜줬는데 그 부분에 대해 좀 더 하겠습니다. 그러니까 구체적으로 어느 단계부터 어떤 식으로 이 지역 세력과 백제가 어떻게 접촉을 해가는지, 그래서 이 세 분의 입장 차이가 보였기 때문에 정리를 안한다하더라도 남은 부분은 일본서기 신공기에 대한 이해에서 조금 전에는 주로 역사학, 그러니까 문헌학하시는 분들께서는 대개는 조금 인정을 하고 4세기 중후반에 근초고왕대에 마한정복 자체를 인정을 하고 논리를 전개했었죠. 반면에 고고학적인 입장은 그렇지 않다라고 했는데 논의가 진행되다 보니까 이게 막 섞여버렸습니다. 오늘 보니까 오히려 김기섭 선생님께서는 조금 인정하기 어렵다라는 쪽으로 가시는 것 같고 그리고 문동석 선생님도 백제의 대외정책을 보았을 때 과연 얼마나 신경을 썼겠느냐 이런 입장인 것 같은데 오히려 이정호 선생님께서는 뭔가 그 시점에서 획기를 그을려고 하기 때문에 어떻게 보면 이것이 대치전선이 흐려지면서 오히려 이제 한단계 발전되어 나가는 것이 아니냐 라는 생각을 해보는데 이 부분을 갖고 논리를 전개를 하고 논쟁을 하게 되면 사실 시간이 끝도 없죠. 그래서 제가 정리를 해본 입장은 예전처럼 그렇게 역사학과 고고학이 딱 갈라지는 것이 아니라 이제는 이 부분이 왔다 갔다 하면서도 강봉룡 선생님 입장도 있고 그러기 때문에 오히려 지금 질적인 발전을 할 수 있는 단계가 된 것이 아닌가 생각을 합니다.

그다음에는 오늘 학술대회의 최종적인 목적이기도 한데 백제와의 관계도 그렇고 전남지역 마한사회들의 국가적인, 어떤 사회적인 발전수준이 어떠냐 했는데 아까 제가 집요하게 물어봤던 이유가 김낙중 선생님하고 이정호 선생님은 국가직전단계라고 보시고 있는 것 같아요. 반면에 강봉룡 선생님께서는 일단 고대국가로서 인정을 하고보자 이런 입장이시죠?

강봉룡 그렇게 보는 것은 아니고...

권오영 중요하니까 이제 한번, 아까 말씀하셨어요. 정치한 논리가 아니라도 아무튼 이런 부분이 풀어야 되는 부분인데 그것도 하나의 큰 주제가 되기 때문에 이렇게 문제점으로 적출을 하고 더 이상 이야기 했다가는 많이 할 것 같습니다. 그래서 이 부분 정리를 하고 이 토론을 기획했고 문제 의식을 갖고 계신 임영진회장님께서 한번 오늘 요점들에 대해서 정리를 한번 해주시고 토론을 끝을 맺겠습니다.

임영진 감사합니다. 이틀 동안 발표와 토론, 잘 들었는데요. 제가 기획을 했지만 정리할 수 있는 것은 아닌 것 같습니다. 그래서 정리보다도 보고 듣고 느낀 소감만 간단히 말씀드리는 걸로 하겠습니다. 학술대회를 나름대로 기획하면서 그동안 고대사와 고고학에서 관심을 가졌던 논의를 확장해서 지명학, 민속학 분야까지 포괄해서 다양한 의견들을 나누어 보고자 하였는데 여전히 각 분야 사이에, 또 한 분야 내에서도 적지 않은 견해 차이가 보이고 있습니다. 그나마 다행인 것은 권오영 선생님께서도 지적하셨지만 학문 분야 사이의 차이와 함께 학문 분야 내부에서의 차이가 복잡하게 얽히면서 과거보다는 진일보한 변모된 것을 볼 수 있었다는 점이라 하겠습니다.

연구자별 견해에 있어, 같은 자료에 대한 해석에 있어서는 개인별 시각과 논리가 있기 때문에 당연히 달라야 된다고 봅니다만 각자 얼마나 설득력 있게 정리하느냐? 논리적으로 조금 부족하다면 어떻게 해서 조금 더 설득력 있는 논지를 감안해서 견해 차이를 좁혀나가느냐? 이게 문제가 되겠는데 보다 중요한 문제는 정확한 사실을 인식하지 못하고 나타난 해석의 차이라고 봅니다. 이런 상황에서는 아무리 논의해 봤자 공통 분모를 이끌어내기가 어려운 것이죠. 예를 들면, 미안하지만 오늘 발표된 내용이니까 그냥 예로 들겠습니다만, 아까 이노우에 선생님께서 왕인하고 관련된 문제를 발표하시면서 천자문은 6세기 양나라 주흥사가 만든 것이기 때문에 그 이전에 해당한다고 하는 왕인이라는 사람이 존재할 수가 없다, 아직 나오지 않는 천자문을 일본에 가지고 갔다고 하는 것은 성립 자체가 불가능하니까 왕인의 실존 문제는 부정될 수밖에 없다는 요지의 얘기를 하신 것 같습니다. 제가 여기서 왕인의 존재와 역할 문제에 대해 말씀을 드리자는 것은 아니고, 그에 대한 해석의 전제로 삼았던 천자문에 대한 사실 확인입니다. 우리가 흔히 알고 있는 천자문은 6세기 주흥사가 완성했지만 '天地玄黃'으로 시작하는 주흥사의 천자문 보다 훨씬 이른 시기에 이미 다른 천자문이 있었다는 사실을 간과해서는 안될 것입니다. 대표적인 것이 위나라 종요가 만든 천자문이죠, '二儀日月' 이렇게 시작하는 것이지요? 논란이 되는 왕인 시기에는 아직 천자문이 나오지 않았기 때문에 왕인의 존재 자체를 인정하기 어렵다는 그런 해석은 사실 인식 자체가 잘못된 것이지요. 논지 전개에 있어 보다 정확한 사실에 근거한 해석들이 이루어질 필요가 있겠다 하는 그런 걸 좀 말씀드리고 싶고요.

두 번째는 여전히 용어의 개념에 있어서 연구자 마다 차이가 있기 때문에 같은 용어를 쓰면서도 다른 의견, 그야말로 동상이몽 속에서 논지가 전개되기 때문에 논의의 효율성에서 굉장히 떨어지는 것 같습니다. 대표적인 게 간접지배 용어죠. 그동안 영산강유역권의 고고학 자료가 기존 통설과 차이가 나는 점에 대해 백제의 간접지배에서 나타나는 제한적 발전, 이런 식으로 해석을 해왔는데 간접지배는 직접지배하고는 다르지만 동일한 정치 세력의 영역 내부에서 이루어진 지배방식의 차이입니다. 그래서 간접지배라는 용어를 쓰는 그 순간 그 해당 지역은 영역적으로 포함이 되는 것이거든요. 그래서 아직은 논란이 계속되고 있기 때문에 보다 정확한 논의를 위해서는 간접지배라는 용어에 대해 나름대로의 정의가 필요하지 않겠는가? 용어 문제는 노중국 선생님께서 잘 정리해두셨는데 저는 영향권, 세력권과 같은 용어가 지금 상황에서는 더 적합한 용어가 아니겠느냐? 그런 생각을 해봅니다.

그리고 역사시대를 고고학적인 시각에서 접근해나가는 소위 역사고고학의 입장에 대해 한가지 말씀을 드리고 싶은데요. 가장 중요한 문제는 연대 문제라고 할 수 있겠는데 역사고고학은 연구 대상 자체는 고고학 자료이고 분석하는 방법도 고고학적 방법을 거쳐야 하겠지만 문헌기록이 감안되지 않으면 선사고고학이나 다를 바가 없습니다. 고고학 자료 자체는 아무런 얘기를 할 수 없는 침묵의 자료라고 할 수가 있겠는데, 그러나 그렇다고 하더라도 문헌사 입장을 염두에 두고 고고학 자료를 해석할 수는 없는 것이고, 고고학 나름대로의 고고학적 방법을 통해서 해석을 끌어내되 역사적인 맥락에서 해석할 때는 문헌사 분야에서 확실히 검증된 자료나 합의된 연구 성과는 수용하지 않으면 안된다는 것입니다. 이번에도 침미다례하고 관련된 일본서기 신공기 49년조의 정복 주체라든가 시기라든가 등등 여러 논란이 있었지만 그 논란만큼 그 자료는 취약점이 많지요. 그러나 상대적으로 많은 사람들이 인정하는 자료들도 있습니다. 저는 문헌사쪽은 잘은 모르지만 양직공도에 나오는 521년경의 백제 방소국의 존재, 이것을 부정할 수 없다면 6세기 초 백제 주변의 방소국이 과연 어디일 것이냐? 분명히 다른 지역에 비정될 수 없는, 영산강유역을 중심으로 한 전남지역이라고밖에 볼 수 없는 소국들이 있다면 4세기 중엽의 침미다례 병합으로 이 지역이 완전히 백제에 복속됐다고 하는 통설을 수용할 수 있을 것인가? 상대적으로 명확하게 많은 사람들이 인정하는 문헌자료나 연구 성과는 고고학쪽에서 그대로 수용을 해야만 보다 정확한 고고학적인 해석이 나올 수 있을거라고 봅니다. 고고학의 편년 문제만 하더라도 동일한 자료에 대해서도 5세기 초냐, 중엽이냐, 후엽이냐 등등 연구자에 따라 달리 보고 있거든요. 따라서 문헌사의 확실한 연구 성과를 그대로 수용하는 것이 오히려 역사고고학 자료를 보다 역사적으로 의미 있는 해석을 해내는 하나의 길이 아니겠는가 하는 생각이 드는 것입니다.

아무튼 작년에 이어 올해도, 그동안 적지 않은 논란이 되었던 전남지역 마한 제국의 사회성격이나 백제와의 관계, 이와같은 문제에 대해 구체적으로 논의해보고자 가능한한 많은 분들을 모시고자 했는데 앞으로는 조금 더 세부적인 주제를 잡아서 집중적으로 하나하나 합의해 나가는 게 필요하지 않을까 하는 생각이 듭니다. 앞으로도 이 지역에서 이런 기회가 생긴다면 그런 방향으로 해보는 게 좋지 않을까 생각이 들고, 먼 길마다 하지 않으시고 참석해주셔서 열띤 토론을 해주신 데에 대해서 다시 한 번 감사드리고, 아울러 앞으로도 이런 기회가 생긴다면은 더욱 많은 관심과 도움을 주실 것을 부탁드리면서 마치도록 하겠습니다. 대단히 감사합니다.

권오영　기획하실 당시의 어떤 고충, 의도 이런 부분을 다 말씀해주셨습니다. 여기서 토론회를 마치도록 하겠습니다. 고생들 하셨습니다.